CW00970631

RAINBOW SIX

2.

Paru dans Le Livre de Poche :

LE CARDINAL DU KREMLIN
CODE SSN
DANGER IMMÉDIAT
DETTE D'HONNEUR (2 vol.)
JEUX DE GUERRE

NET FORCE :
1. Net Force
2. Programmes fantômes
3. Attaques de nuit
4. Point de rupture
5. Point d'impact

OCTOBRE ROUGE
L'OURS ET LE DRAGON (2 vol.)

POWER GAMES :
1. Politika
2. Ruthless.com
3. Ronde furtive
4. Frappe biologique

RAINBOW SIX (2 vol.)
RED RABBIT (2 vol.)
SANS AUCUN REMORDS
LA SOMME DE TOUTES LES PEURS
SUR ORDRE (2 vol.)
TEMPÊTE ROUGE

TOM CLANCY

Rainbow Six

2.

ROMAN TRADUIT DE L'AMÉRICAIN PAR JEAN BONNEFOY

ALBIN MICHEL

Titre original :

RAINBOW SIX
Publié par G.P. Putnam's Sons, New York.

© Rubicon, Inc. 1998.
© Éditions Albin Michel S.A., 1999, pour la traduction française.

ISBN : 2-253-17186-7 - 1ère publication - LGF
ISBN : 978-2-253-17186-7 - 1ère publication - LGF

20

Contacts

Elle savait qu'elle était malade, elle ne savait pas au juste à quel point, mais Mary Bannister était sûre d'une chose : elle ne se sentait vraiment pas bien. Et à travers le brouillard des drogues, une partie de son esprit redoutait que son cas fût sérieux. Elle n'avait encore jamais été à l'hôpital, en dehors d'un passage aux urgences pour une cheville foulée — à l'époque, son père avait craint une fracture —, mais voilà qu'elle se retrouvait bel et bien sur un lit d'hôpital, avec une perche à perfusion à côté d'elle, dont le tube de plastique transparent était relié au pli de son bras droit, et cette seule vue suffisait à l'emplir de terreur, malgré les calmants saturant son organisme. Elle se demanda ce qu'on lui administrait. Le Dr Killgore avait bien parlé d'une solution destinée à la réhydrater et d'autres trucs... Elle secoua la tête, cherchant à s'éclaircir les idées. Enfin, pourquoi ne pas en avoir le cœur net ? Elle fit basculer ses jambes sur le côté droit du lit, se leva tant bien que mal et se pencha pour consulter les étiquettes des poches accrochées à la perche de perfusion. Elle avait du mal à accommoder et se rapprocha donc, mais pour découvrir que les marquages, codés, étaient indéchiffrables.

Le sujet F4 se redressa, voulut esquisser un froncement de sourcils frustré, mais sans grand succès. Elle embrassa du regard la salle de soins. Il y avait un autre lit de l'autre côté de ce qui ressemblait à une cloison en brique d'environ un mètre cinquante de hauteur, mais il était vide. Un téléviseur, éteint pour l'instant, était accroché à une console murale. Le sol carrelé était froid sous ses pieds nus. La porte était en bois, et munie d'un loquet au lieu d'un bouton. Une porte d'hôpital classique, mais cela, elle l'ignorait. Aucun téléphone nulle part. Les hôpitaux n'avaient-ils pas le téléphone dans les chambres ? Et d'abord, était-elle bien dans un hôpital ? Cela en avait tout l'air, mais elle était consciente que son cerveau fonctionnait plus lentement que d'habitude, tout en ignorant comment elle le savait. C'était comme si elle avait trop bu. Outre le fait d'être malade, elle se sentait vulnérable, et pas entièrement maîtresse d'elle-même. Il était temps de faire quelque chose, même si elle ne savait pas exactement quoi. Elle réfléchit un instant, puis saisissant la perche dans sa main droite, elle se dirigea vers la porte. Par chance, le boîtier de contrôle électronique de la perfusion était alimenté par piles et n'avait donc pas besoin d'une prise murale. La perche la suivit docilement sur ses roues caoutchoutées.

Il s'avéra que la porte n'était pas verrouillée. Elle l'ouvrit, passa la tête dans le couloir. Désert. Elle sortit, traînant toujours la perche derrière elle. Elle ne vit pas de poste de surveillante à l'un ou l'autre bout, mais ne s'en étonna pas. Elle choisit de prendre à droite, poussant maintenant la perche devant elle, cherchant elle ne savait trop quoi. Elle réussit à froncer les sourcils, essaya d'ouvrir d'autres portes, mais si toutes s'ouvraient, ce n'était que pour révéler d'autres chambres obscures qui la plupart sentaient le désinfectant, jusqu'à ce qu'elle parvienne à la toute dernière. Celle-ci était marquée T-9, et derrière, elle trouva quelque chose de bien différent. Pas de lit, mais un bureau sur lequel trônait un ordinateur dont l'écran était allumé. Elle entra, se pencha sur la machine. C'était un compatible PC, et elle savait s'en servir. Elle nota qu'il était même doté d'un modem. Bon, elle pouvait donc faire... quoi ?

Il lui fallut encore deux bonnes minutes pour aviser. Par exemple, transmettre un message à son père, pourquoi pas ?

Quinze mètres plus loin, à un étage d'écart, Ben Farmer alla se remplir une tasse de café et retourna s'asseoir dans son fauteuil pivotant après un bref passage aux urinoirs. Il reprit l'exemplaire de *La Veille Bio* qu'il était en train de lire. Il était trois heures du matin, et tout était calme dans cette aile du bâtiment.

PAPA, JE SAIS PAS AU JUSTE OU JE SUI ILS DISENT QUE J'AI SIGNÉ UNE DÉCHARGE POUR PARTICIPER À DES EXPÉRIMENTATION M3DICALE, DE NOUVEAUX MÉDICAMENTS OU QUOI MAIS JE ME SENS COMPLÈTEMENT PATRAQUZ ET JE SAIS PAS POURQUOI. ILS M'ONT MISE SOUS PZRFUSION ET JE ME SENS DE PLUS EN PLUS VASEUSE ET J...

Farmer termina son article sur le réchauffement de la planète, puis il jeta un coup d'œil au moniteur. L'ordinateur effectuait un balayage automatique des caméras de surveillance, montrant tous les patients dans leurs lits...

... tous sauf un. M'enfin ? se dit-il, en attendant le retour de l'image, faute d'avoir relevé le numéro de la caméra qui montrait le lit vide. Cela prit presque une minute. Et merde, la T-4 était vide. C'était la chambre de la fille, non ? Le sujet F4, Mary je ne sais quoi. Zut, où avait-elle pu aller ? Il passa en contrôle direct et scruta le corridor. Désert, là aussi. Personne n'avait tenté de forcer les portes d'accès au reste du complexe. Elles étaient toutes les deux verrouillées et protégées par une alarme. Bon Dieu, où étaient passés les toubibs ? L'interne de garde était une femme, Lani machintruc, le reste de ses collègues la détestait, parce que c'était une salope arrogante et odieuse. À l'évidence, Killgore ne devait pas l'aimer non plus, puisqu'elle se tapait toujours les gardes de nuit. Palachek, voilà, le nom lui revint. Farmer se demandait vaguement de quel pays elle était originaire tout en saisissant le micro de l'interphone.

« Le Dr Palachek est priée d'appeler la sécurité, je répète : le Dr Palachek est priée d'appeler la sécurité. » Il s'écoula bien trois minutes avant que son téléphone ne sonne.

« Palachek à l'appareil, qu'est-ce qui se passe ?

— Le sujet F4 est sorti faire un tour. Je n'arrive pas à la localiser avec les caméras de surveillance.

— J'arrive. Prévenez le Dr Killgore.

— Bien, docteur. » Farmer composa de mémoire le numéro.

« Ouais ? fit une voix familière.

— Monsieur, c'est Ben Farmer. La F4 vient de disparaître de sa chambre. On est en train de la chercher.

— Très bien. Rappelez-moi dès que vous la retrouvez. » Et la communication fut coupée. Killgore n'avait pas l'air de trop paniquer. On pouvait toujours faire un petit tour, mais il était impossible de quitter le bâtiment en catimini.

C'était encore l'heure de pointe à Londres. Ivan Petrovitch Kirilenko avait un appartement non loin de l'ambassade, ce qui lui permettait de s'y rendre à pied. Les trottoirs étaient encombrés de gens pressés de se rendre eux aussi à leur travail — les Britanniques sont dans l'ensemble polis mais les Londoniens ont tendance à courir tout le temps — et il parvint à l'angle de rue convenu à huit heures vingt précises. Tenant dans la main gauche son exemplaire du *Daily Telegraph*, le quotidien du matin conservateur, il s'arrêta au carrefour en attendant que le feu passe au rouge.

Le troc eut lieu avec maestria. Pas un mot ne fut prononcé. Juste deux légers coups sur le coude pour lui signaler de desserrer son étreinte et permettre d'échanger le quotidien contre un autre. Tout cela s'était fait sous la ceinture, hors de vue des passants, assez bas pour que la cohue les dissimule aux caméras susceptibles de les observer depuis les toits entourant ce grand carrefour. Le résident avait de la peine à retenir un sourire. Retourner sur le terrain était toujours pour lui un exercice agréable. Malgré son rang hiérarchique élevé, il appréciait ce train-train quotidien de l'espionnage, ne fût-ce que pour se prouver à lui-

11

même qu'il était encore capable de l'effectuer aussi bien que les jeunots qui travaillaient sous ses ordres. Quelques secondes plus tard, le feu changea, et un homme en imper beige s'éloigna de lui, fendant la foule d'un pas vif, son quotidien sous le bras.

Kirilenko était encore à deux pâtés de maisons de l'ambassade. Il la rejoignit, franchit la grille de fer forgé, pénétra dans le bâtiment, passa devant la sécurité, gagna son bureau à l'étage. Puis, après avoir accroché son manteau à la patère au dos de la porte, il s'assit et déplia le journal.

Ainsi donc, Dimitri Arkadeïevitch avait tenu parole. Il découvrit deux feuilles de papier blanc non ligné, recouvertes des commentaires manuscrits d'une écriture serrée. L'agent de la CIA John Clark était en ce moment à Hereford, Angleterre, où il dirigeait désormais une nouvelle unité internationale de lutte antiterroriste, connue sous le nom de « Rainbow », Arc-en-ciel, composée de dix à vingt individus sélectionnés parmi des services américains, britanniques et peut-être d'autres nationalités. C'était une opération secrète, connue seulement d'une poignée de dirigeants haut placés. L'épouse de Clark était infirmière et travaillait à l'hôpital public voisin. Son équipe était bien vue des civils qui travaillaient sur la base des commandos britanniques aéroportés. Rainbow avait déjà effectué trois missions, en Suisse, en Autriche et à Worldpark en Espagne ; à chaque occasion, le commando s'était débarrassé des terroristes — Kirilenko nota que Popov avait évité l'emploi du terme « éléments progressistes » en usage auparavant — avec promptitude et efficacité, sous le couvert de services de police locaux. Les hommes de Rainbow pouvaient disposer de matériel américain, qui avait été utilisé en Espagne, comme il était <u>patent</u> d'après les reportages télévisés de l'événement. Il recommandait du reste à l'ambassade de s'en procurer des copies. Par le truchement de l'attaché aux affaires de défense, ce serait sans doute le mieux, suggérait Popov.

Dans l'ensemble, un rapport utile, concis et précis, estima le résident, bref, une bonne affaire au regard de ce contre quoi il l'avait troqué au coin de la rue.

« Eh bien, rien de neuf, ce matin ? demanda Cyril Holt au chef du groupe de surveillance.

— Non, répondit son collègue du "Cinq". Il avait à la main son journal habituel, mais le trottoir était bondé. Il a pu y avoir substitution, mais si c'est le cas, on ne l'a pas vue. Et on a affaire à un pro, monsieur », crut bon de rappeler le chef de la section surveillance au directeur adjoint du Service de sécurité.

① talking about Kirilenko.

Son feutre brun à large bord posé sur les genoux, Popov était assis dans le train qui le ramenait à Hereford. Il faisait mine de lire le journal mais en réalité parcourait les photocopies des pages tapées en simple interligne renvoyées par Moscou. Kirilenko avait tenu parole, nota, satisfait, Dimitri Arkadeïevitch. Comme tout bon résident. Et voilà pourquoi il se retrouvait assis tout seul dans cette voiture de première du train intercités parti de la gare de Paddington, et découvrait de nouveaux renseignements sur ce fameux John

Clark, des renseignements qui ne manquaient pas de l'impressionner. Ses anciens patrons à Moscou semblaient lui avoir porté un intérêt tout particulier : il y avait trois photos, dont l'une, assez bonne, paraissait avoir été prise dans le bureau même du président Golovko, dans la capitale russe. Ils avaient même fait l'effort de se renseigner sur sa famille. Deux filles, l'une encore en fac aux États-Unis, la seconde, docteur en médecine et mariée à un certain Domingo Chavez — lui aussi employé de la CIA ! nota Popov. De petit gabarit, la trentaine, ce Domingo Estebanovitch avait également rencontré Golovko, et travaillait manifestement en binôme avec son collègue... Tous deux étaient des agents paramilitaires... ce Chavez pouvait-il se trouver lui aussi en Angleterre ? Une femme médecin... ça devait être facile à vérifier. Clark et son partenaire étaient officiellement décrits comme deux éléments expérimentés et formidablement efficaces ; l'un et l'autre parlaient couramment un russe décrit comme littéraire et cultivé — certainement des élèves de l'école de langues de l'armée américaine à Monterey, en Californie. Chavez, poursuivait le rapport, avait obtenu une licence et une maîtrise en relations internationales de l'université George-Mason, dans la banlieue de Washington, sans aucun doute grâce à une bourse de la CIA. Donc, ni lui ni Clark n'étaient de vulgaires barbouzes. Tous deux avaient fait des études supérieures. Et le plus jeune avait épousé une femme médecin.

Quant à leurs états de service, ce n'était pas rien, nota Popov, admiratif. Deux opérations particulièrement impressionnantes réalisées avec le concours de la Russie, sans oublier l'exfiltration de la femme et de la fille de Gerasimov, dix ans auparavant, ainsi que plusieurs autres, suspectées mais non confirmées... « Formidable », tel était bien le qualificatif approprié. Lui qui avait fait ce travail durant plus de vingt ans, il ne se laissait pas aisément impressionner. Clark devait être une vedette à Langley, et Chavez était de toute évidence son protégé, marchant dans les pas de géant de son... beau-père... Voilà qui était pour le moins intéressant !

Ils la retrouvèrent à trois heures quarante, toujours en train de taper au clavier de l'ordinateur, laborieusement et maladroitement. Lorsqu'il ouvrit la porte, Ben Farmer aperçut d'abord la perche à perfusion, puis le dos d'une blouse d'hôpital.

« Tiens, salut, dit le vigile, sur un ton non dénué d'aménité. Alors comme ça, on fait un petit tour ?

— Je voulais dire à papa où j'étais, répondit Mary Bannister.

— Oh, vraiment ? Par e-mail ?

— C'est ça, oui, répondit-elle aimablement.

— Ma foi, qu'est-ce que vous diriez qu'on vous ramène à présent dans votre chambre, hein ?

— D'accord, oui », fit-elle d'une voix lasse. Farmer l'aida à se relever et la raccompagna dans le couloir, en douceur, une main passée autour de la taille. Il n'y avait pas loin à marcher et il lui ouvrit la porte de la chambre T-4, la coucha, remonta la couverture. Il baissa la lumière avant de retrouver le Dr Palachek qui faisait sa tournée.

« On a un problème, doc... »

Lani Palachek détestait se faire appeler « doc », mais elle ne releva pas. « Quel problème ?

— Je l'ai retrouvée devant l'ordinateur, en salle T-9. Elle dit avoir envoyé un courrier électronique à son père.

— Quoi ? » Farmer vit que cette nouvelle lui avait fait écarquiller les yeux.

« C'est ce qu'elle m'a avoué. »

Et merde ! se dit Palachek. « Que sait-elle ?

— Pas grand-chose, sans doute. Aucun des sujets ne sait où il se trouve. » Et regarder par les fenêtres ne les aiderait guère : le panorama ne révélait que des collines boisées, pas même un parking sur lequel les plaques d'immatriculation des véhicules auraient pu livrer un indice. Cette partie de l'opération avait été étudiée avec grand soin.

« On peut récupérer le message qu'elle a envoyé ?

— Si elle nous fournit son mot de passe et qu'on détermine le serveur sur lequel elle s'est connectée, peut-être », répondit Farmer. Il s'y connaissait parfaitement en informatique. Comme quasiment tous ses collègues. « Je peux essayer de la cuisiner à son réveil... disons dans quatre heures ?

— Pas moyen d'annuler l'envoi ? »

Farmer secoua la tête. « J'en doute. Peu de fournisseurs d'accès le permettent. On ne passe pas par un service en ligne, alors on ne dispose pas de logiciels tels que ceux d'AOL sur nos machines. Pour le courrier, on se sert tout bêtement d'Eudora, et avec ce programme, quand on clique sur l'icône ENVOI IMMÉDIAT, le message part pour de bon, doc. Il file droit vers le réseau, et une fois sur le Net... eh bien...

— Killgore va devenir fou.

— Ouais, m'dame, reconnut l'ancien marine. Mais peut-être qu'à l'avenir, on aurait intérêt à limiter par mot de passe l'accès aux bécanes. » Il se garda d'ajouter qu'il avait quitté des yeux les moniteurs pendant un certain temps, et que tout était de sa faute. Enfin, on ne l'avait pas non plus informé de ce risque éventuel et puis, pourquoi ne pas fermer à clé les salles dont ils voulaient interdire l'accès ? Ou même, pourquoi ne pas boucler carrément les sujets dans leur chambre ? Les pochards du premier groupe de cobayes leur avaient donné des habitudes laxistes. Pas un de ces clodos n'aurait été foutu de se servir d'un ordinateur ; du reste, ils n'avaient pas goût à grand-chose ; mais personne ne s'était avisé qu'il pourrait en aller autrement avec le présent groupe d'animaux de laboratoire. Ouais, bah, il avait déjà vu commettre de pires bourdes. Le principal, c'était qu'ils n'avaient aucun moyen de savoir où ils se trouvaient, ou de connaître le nom de l'entreprise propriétaire des locaux. Sans ces éléments, que pouvait avoir révélé le sujet F4 ? Rien d'essentiel, Farmer en était sûr. Mais la toubib avait malgré tout raison sur un point : le Dr John Killgore allait être furax.

Le casse-croûte britannique était une institution nationale. Pain, fromage, laitue, tomates cerises, sauce indienne, un peu de viande — de la dinde en l'occurrence —, le tout arrosé de bière, bien entendu. Popov l'avait apprécié dès son premier séjour dans les îles Britanniques. Il avait pris le temps d'ôter sa cravate et de choisir une tenue plus décontractée, histoire de se donner un genre plus prolo.

« Salut ! » lança le plombier en s'installant. L'homme s'appelait Edward Miles. Un colosse aux bras tatoués — encore une manie britannique, surtout chez les hommes en uniforme, savait Popov. « Je vois que tu m'as pas attendu...

— Comment s'est passée ta matinée ?

— Comme d'hab. Un chauffe-eau à réparer, chez un Français, un des membres de la nouvelle équipe, d'ailleurs. Sa nana est une fille canon, confia Miles. Je l'ai juste vue en photo... Le gars est sergent dans l'armée française.

— Vraiment ? » Popov mordit dans sa tartine de pain de mie.

« Ouais. Faut que je retourne chez lui c't'aprèm' pour finir le boulot. Ensuite, je dois remettre en état une fontaine réfrigérante dans le bâtiment des bureaux. De vraies saloperies, ces trucs, elles doivent bien avoir un demi-siècle. Je vais peut-être bien devoir fabriquer l'élément pour réparer ce satané bidule. Impossible d'avoir des pièces de rechange : le fabricant a mis la clé sous la porte il y a une éternité. » Miles attaqua son casse-croûte, séparant en expert les divers ingrédients avant de les empiler sur le pain de mie frais.

« Tous pareils, dans les services publics ! confia Popov.

— C'est bien vrai, ça ! Et en plus, mon apprenti qui est malade... Malade, mon cul, oui, bougonna le plombier. Cossard comme pas un !

— Eh bien, ce sera peut-être l'occasion de tester mon outillage », proposa Popov. Ils achevèrent le repas en discutant de sport, puis ils se levèrent pour gagner le camion de Miles, une fourgonnette bleue munie de plaques d'un véhicule des Domaines. Le Russe mit à l'arrière sa sacoche à outils. Le plombier démarra et se dirigea vers l'entrée principale de la base d'Hereford. À la grille, le planton leur fit signe de passer sans même leur accorder un regard.

« Tu vois, suffit d'avoir les bonnes relations pour entrer », rit Miles, fier d'avoir conquis la sécurité de la base qui, précisait un panonceau, était en ce moment précis en état d'alerte NOIRE, le niveau le plus bas. « J'imagine que les gars de l'IRA ont dû se calmer un peu, et de toute façon, ils seraient malavisés de se pointer dans le secteur... avec des types pareils, ce serait se jeter dans la gueule du loup... non, pas vraiment le bon plan, conclut-il.

— Je veux bien le croire. Tout ce que je sais de cette intervention des commandos du SAS, c'est ce qu'ils nous en ont montré à la télé. C'est vrai qu'ils ont pas l'air commodes.

— Un peu, mon neveu, confirma Miles. Suffit de mater leur dégaine, tout ça... Ces mecs savent qu'ils sont des lions. Et c'te nouvelle bande... sont exactement pareils, voire encore plus costauds, paraîtrait. Ils auraient d'jà accompli trois missions, enfin c'est c'que j'ai cru comprendre... y sont tous passés à la télé. C'est quand même eux qui sont allés faire le ménage à Worldpark, hein ? »

Miles gara sa camionnette et fit signe à Popov de le suivre à l'atelier de la base. Le bâtiment qui l'abritait évoquait à la perfection ses homologues de l'ex-Union soviétique : peinture écaillée, dalle de béton défoncée et fissurée. Les doubles portes d'accès à l'arrière étaient munies de verrous qu'un gamin aurait pu forcer avec une épingle à cheveux, estima Popov, mais il faut dire que l'arme la plus dangereuse disponible à l'intérieur devait

19

être un tournevis. Dedans, pas de surprise : un bureau spartiate pour faire la paperasse, une chaise pivotante bien fatiguée, au garnissage visible par les fissures du vinyle craquelé, et un tableau à crochets garni d'outils, dont la majorité accusait le poids des ans, à en juger par l'aspect terni de l'acier forgé.

« Ils te laissent renouveler l'outillage ? s'enquit Popov, histoire de coller à son personnage.

— Je dois déposer une demande, dûment justifiée, auprès du responsable du service technique. En général, il est plutôt sympa, et de mon côté, je m'abstiens de réclamer des trucs inutiles. » Miles décolla du bureau un Post-it. « Bon, ils veulent que leur fontaine réfrigérante soit réparée aujourd'hui. Ils pourraient pas se contenter de boire du Coca ? » Puis, se tournant vers Popov : « Ça te dit de m'accompagner ?

— Pourquoi pas ? » Popov ressortit et remonta dans la camionnette. Cinq minutes plus tard, il le regrettait. Un soldat en armes était posté à l'entrée du QG... et puis le Russe se rendit compte qu'il s'agissait bel et bien du quartier général de Rainbow. Derrière ces murs devait se trouver Clark, Ivan Timoféïevitch en personne.

Miles gara son véhicule, descendit, passa à l'arrière, ouvrit la porte, sortit sa caisse à outils.

« J'aurais besoin d'une petite clé à molette, dit-il à Popov qui déplia aussitôt la sacoche de toile qu'il avait amenée avec lui, pour en sortir une clé Rigid de douze pouces flambant neuve.

— Ça ira ?

— Impec. » Miles l'invita à le suivre. « Salut, caporal », lança-t-il au soldat qui lui répondit d'un signe de tête poli, sans rien dire.

20

Popov n'était pas peu surpris. En Russie, les mesures de sécurité auraient été autrement plus strictes. Mais on était en Angleterre, et le plombier était sans aucun doute connu du planton. Ces réflexions faites, il se retrouva à l'intérieur. Il essaya de ne pas avoir l'air trop curieux, et dut prendre sur lui pour ne pas trahir sa nervosité. Pour sa part, Miles s'était déjà mis au travail, dévissant le panneau avant de la machine, déposant le couvercle et plongeant dans les entrailles de l'unité réfrigérante. Il tendit la main pour que Popov lui passe sa clé.

« Ouais, précis, le réglage... mais faut dire que c'est normal, elle est neuve... » Il serra la clé sur un raccord, exerça une pression pour le dévisser. « Allez, tu vas venir... là... » Il retira le bout de tuyau qu'il inspecta en l'élevant vers une lumière. « Bon, ça en tout cas, je peux le réparer. Un vrai miracle. » Il se mit à genoux et entreprit de fouiller dans sa caisse à outils. « C'est juste le filtre qu'est entartré... Il doit bien y avoir trente ans de dépôts calcaires accumulés là-dedans. » Il le tendit à Popov qui fit mine de l'examiner et n'y vit en effet qu'une masse de sédiments compacte. Puis le plombier récupéra l'objet du délit, y introduisit en guise d'écouvillon un petit tournevis, qu'il fit aller et venir pour nettoyer la pièce avant de la retourner et renouveler l'opération par l'autre extrémité.

« Alors, comme ça, on va avoir de nouveau de l'eau fraîche ?

— J'espère bien, m'sieur », répondit Miles.

Popov leva les yeux et réussit à ne pas suffoquer de surprise. C'était Clark, Ivan Timofeïevitch, tel qu'identifié par le KGB. Grand, la cinquantaine, il toisait en souriant les deux ouvriers. En costume-cravate, il semblait un rien engoncé dans cette mise. Popov baissa rapidement les yeux vers ses outils tout en pensant le plus fort possible : *Tire-toi !*

« Là... ça devrait être bon, à présent », conclut Miles en remettant l'élément en place, avant de reprendre la clé pour serrer le raccord. Puis il se releva et pressa sur la palette en plastique du robinet. L'eau qui en sortit était brune. « Y a qu'à la laisser couler quelques minutes, le temps d'évacuer toutes ces saloperies...

— Oui, bien sûr... eh bien, merci, dit l'Américain avant de s'éloigner.

— À votre service, m'sieur », lança Miles avant d'ajouter, en aparté : « C'était le boss, m'sieur Clark.

— Vraiment ? Très poli, le mec.

— Ouais, un type bien. » Miles se releva, rouvrit le robinet. L'eau qui s'écoula était encore trouble, mais bien vite, elle devint parfaitement limpide. « Ma foi, une bonne chose de faite. Ouais, sympa, cette clé, commenta-t-il en restituant l'outil. Tu me la fais à combien ?

— Celle-ci ? C'est cadeau !

— Ben, merci, vieux. » Miles avait un grand sourire quand il ressortit en passant devant le caporal de la police militaire britannique.

Ils remontèrent dans la camionnette. Popov demanda où logeait Clark, et Miles eut l'amabilité de prendre à gauche pour se diriger vers le quartier des officiers.

« Plutôt sympa, comme baraque, non ?

— Effectivement, elle a l'air assez cossue. » C'était une maison de brique brune, au toit d'ardoises, d'environ cent mètres carrés au sol, avec un jardin à l'arrière.

« C'est moi qu'ai refait toute la plomberie de celle-ci, indiqua Miles, quand ils ont décidé de les rénover... Ah, tiens, ça doit être sa régulière... »

Une femme en blouse d'infirmière venait de sortir. Elle se dirigea vers la voiture, monta dedans. Popov la regarda, enregistra l'image.

« Ils ont une fille qu'est toubib dans le même hosto que sa mère, confia Miles. Elle a un polichinelle dans le tiroir... Je crois qu'elle a épousé un des troufions. Le portrait craché de la maman : grande, blonde, jolie... craquante, non ?

— Où logent-ils ?

— La fille et son mari ? Oh, par là-bas, je crois, répondit Miles en indiquant vaguement la direction de l'ouest. Les logements des officiers... le même genre de baraque mais en plus petit. »

« Alors, que nous proposez-vous ? » s'enquit le commissaire de police.

Bill Henriksen aimait bien les Australiens : ils allaient droit au but. Ils se trouvaient à Canberra, capitale du pays, en compagnie des principaux chefs de la police et de militaires en uniforme.

« Eh bien, avant tout, vous connaissez mon curriculum. » Il avait pris soin de faire connaître son expérience et sa réputation au FBI. « Vous savez donc que je travaille avec le FBI et parfois même avec la Force Delta à Fort Bragg. Ce qui me permet d'avoir plusieurs contacts, d'excellents contacts... par certains côtés, peut-être même supérieurs aux vôtres, ajouta-t-il, risquant une touche de vantardise.

— Nos propres services de sécurité sont excellents, lui fit remarquer le chef de la police.

— J'en suis conscient, rétorqua Bill avec un sourire. Nous avons déjà eu l'occasion de collaborer, quand je faisais partie du HRT, le groupe de récupération d'otages... par deux fois à Perth, une fois à Quantico, et une fois à Fort Bragg, à l'époque où le général Philip Stocker était le patron de votre service... Que devient-il, au fait ?

— Il a pris sa retraite il y a trois ans.

— Eh bien, Phil me connaît. Un type bien, l'un des mieux qu'il m'ait été donné de connaître, décréta Henriksen. Mais venons-en au fait... Qu'est-ce qui vous intéresse ? Je travaille avec les meilleurs fournisseurs de matériel. Je peux vous mettre en rapport avec H&K pour qu'ils vous livrent leur nouveau MP-10... nos gars l'apprécient particulièrement : il a été élaboré sur spécifications du FBI, parce qu'on a estimé que le calibre 9 mm manquait de puissance. En revanche, la nouvelle cartouche de 10 mm Smith & Wesson, c'est... comment dire... un univers tout neuf pour le H&K. Cela dit, n'importe qui peut vous fournir des armes. Mais je suis également en affaires avec E-Systems, Collins, Fredericks-Anders, Micro-Systems, Halliday, Inc... et toutes les autres firmes d'électronique. Je suis au fait des derniers développements en matière d'équipement de surveillance et de communications. De ce côté, votre SAS trahit quelques faiblesses, si j'en crois mes contacts. Je peux vous aider à rectifier le tir, et le cas échéant, vous avoir des prix intéressants pour les matériels dont vous auriez besoin. En outre, mes collaborateurs pourront vous aider à vous former sur ces nouveaux équipements. J'ai avec moi une équipe d'anciens de Delta et du HRT. Pour la plupart, des sous-officiers, dont Dick Voss, ancien sergent-chef instructeur au Centre d'entraînement des opérations spéciales de Fort Bragg. Ce type est le meilleur du monde, et il bosse désormais pour moi.

— J'ai eu l'occasion de le rencontrer, nota le commandant du SAS australien. Effectivement, c'est un très bon élément.

— Alors, que puis-je pour vous ? reprit Henriksen. Ma foi, vous avez tous pu constater le regain d'activité terroriste en Europe, et c'est une menace qu'il vous faut prendre au sérieux à l'approche des jeux Olympiques. Vos gars des commandos aéroportés n'ont besoin des conseils de personne, et surtout pas des miens, pour ce qui est de la tactique ; en revanche, ma société peut vous fournir ce qui se fait de mieux aujourd'hui en électronique de surveillance et de communications. Je suis en rapport avec tous les spécialistes capables de vous fabriquer sur mesure un matériel identique à celui qu'utilisent nos hommes, des trucs indispensables pour vos gars. Faites-moi confiance : ils ne pourront plus s'en passer. En bref, je peux vous aider à obtenir exactement ce dont vous aurez besoin, et former ensuite vos hommes à s'en servir. Il n'y a pas une autre entreprise au monde qui ait notre expertise. »

Silence de ses interlocuteurs. Mais Henriksen pouvait déchiffrer leurs pensées : les actes terroristes dont ils avaient pu, comme tout un chacun, voir les images à la télé leur avaient mis la puce à l'oreille. Obligé. Les responsables dans leur genre avaient l'inquiétude chevillée au corps, ils passaient leur vie à traquer des menaces, réelles ou

imaginaires. Les jeux Olympiques étaient une opération d'immense prestige pour leur pays, mais ils
constituaient aussi une cible de choix pour des terroristes, comme les Allemands l'avaient appris à
leurs dépens lors des Jeux de Munich en 1972. Par
bien des côtés, cette attaque des Palestiniens avait
été le signal de départ du jeu terroriste international, avec pour résultat que, depuis, la délégation
israélienne était immanquablement un peu mieux
surveillée que toutes les autres, et qu'invariable-
ment les Israéliens dissimulaient des militaires des
commandos antiterroristes parmi les athlètes de
leur équipe de lutte, après avoir en général prévenu les responsables de la sécurité du pays d'accueil. C'est que personne n'avait envie de voir se
reproduire le drame de Munich.

Les récents incidents terroristes en Europe
avaient suscité un grand émoi sur toute la planète,
mais nulle part avec autant d'intensité qu'en Australie, un pays qui avait toujours été très sensible
au crime : récemment encore, un déséquilibré
avait abattu un grand nombre d'innocents, dont
plusieurs enfants, ce qui avait entraîné le vote
d'une loi interdisant la détention d'armes à feu
dans tout le pays.

« Que savez-vous au juste des incidents surve-
nus en Europe ? » demanda l'agent du SAS australien.

Henriksen prit des airs de conspirateur. « L'essentiel de ce que je sais est, comment dire, officieux... si vous voyez ce que je veux dire.

— Nous avons toutes les accréditations nécessaires, le rassura le flic.

— D'accord, mais, voyez-vous, le problème
reste que, moi, je ne les ai pas vraiment et... oh,

26

et puis merde. Le groupe responsable de ces opérations s'appelle Rainbow. C'est une unité clandestine, composée pour l'essentiel d'Américains et de Britanniques, mais d'autres pays de l'OTAN sont également partie prenante. Ils sont basés au Royaume-Uni, à Hereford. Leur commandant est un type de la CIA, un Américain du nom de John Clark. C'est le client sérieux, je peux vous le garantir, et ses gars, itou. Les trois opérations déjà réalisées à ma connaissance se sont déroulées comme sur des roulettes. Ils ont accès à du matériel américain — des trucs genre hélicos — et ils bénéficient de toute évidence d'accords diplomatiques bilatéraux pour opérer sur tout le territoire européen, lorsque les pays qui ont des problèmes les invitent à intervenir. Votre gouvernement a-t-il déjà eu l'occasion d'aborder la question ?

— Nous sommes au courant de l'existence de cette unité, répondit le responsable de la police. Vos indications sont exactes jusque dans le moindre détail. Et, en toute honnêteté, j'ignorais moi-même le nom de son chef. Vous pouvez nous en dire plus sur lui ?

— Je ne le connais pas personnellement. Juste de réputation. C'est un officier de très haut rang, proche de l'état-major, et je crois savoir qu'il est un ami intime du président. Donc, on doit s'attendre à être entouré d'une excellente équipe pour la collecte de renseignements ; quant à l'action sur le terrain, ses hommes ont fait leurs preuves, n'est-ce pas ?

— Fichtre oui, reconnut le commandant australien. Leur boulot à Worldpark était assurément l'une des opérations les mieux torchées que j'aie jamais vues, surpassant même l'intervention, il y a déjà un bail, contre l'ambassade d'Iran à Londres.

« — Vous auriez certainement pu faire aussi bien », observa, magnanime, Henriksen, et il était sincère. Le Special Air Service australien était calqué sur le modèle britannique, et si les commandos ne donnaient pas l'impression d'être débordés de travail, les quelques fois où il avait eu l'occasion de s'entraîner avec eux durant sa carrière au FBI ne lui avaient laissé aucun doute sur leurs capacités. « Quel escadron, commandant ?

— Premier Sabre, répondit le jeune officier.

— Je me souviens du commandant Bob Fremont et...

— C'est notre colon, à présent.

— Pas possible ? Je devrais mettre à jour mes fiches... Il était du genre pète-sec. Gus Werner et lui, ils faisaient une sacrée paire... » Henriksen observa une pause avant de reprendre : « Bref, voilà ce qui m'amène ici. Comme vous le voyez, mes gars et moi, on est sur la même longueur d'onde. On dispose de tous les contacts nécessaires, du côté opérationnel comme du côté industriel. On a accès au matériel dernier cri. Et on peut descendre filer un coup de main à vos gars en trois ou quatre jours, sur un simple appel de votre part. »

Il n'y eut pas d'autres questions. Le chef de la police semblait visiblement impressionné, et le commandant du SAS encore plus.

« Eh bien, merci d'être venu », dit le policier en se levant. Il était difficile de ne pas aimer les Australiens, et leur pays était encore en grande partie vierge. Un vaste désert inhospitalier, où l'on avait même réussi à élever des chameaux... Il avait lu quelque part que Jefferson Davis avait tenté de les acclimater dans le sud-ouest des États-Unis, mais sans succès, sans doute à cause d'une population trop peu nombreuse au départ. Fallait-il le regretter, il n'aurait su dire. Les chameaux n'étaient pas une espèce autochtone et, en général, interférer avec le plan de la nature n'était pas recommandé. D'un autre côté, ânes et chevaux n'étaient pas non plus originaires du Nouveau Monde, alors qu'il appréciait cette idée de troupeaux de chevaux sauvages, pour autant que leur effectif soit convenablement contrôlé par des prédateurs.

Non, se corrigea-t-il, l'Australie n'était pas vraiment un continent vierge. Les dingos, ces chiens sauvages de la brousse australienne, avaient également été introduits, et ils avaient éliminé leurs équivalents marsupiaux qui occupaient la même niche écologique. Il en conçut une vague tristesse. La population ici était relativement clairsemée, mais même ce petit nombre d'individus avait malgré tout réussi à saccager l'écosystème. C'était peut-être le signe que l'on ne pouvait nulle part se fier à l'homme, même pas à un petit groupe perdu sur une telle masse continentale. Bref, le Projet était aussi indispensable ici qu'ailleurs.

Quel dommage qu'il n'ait pas plus de temps. Il avait envie de voir la Grande Barrière de corail. Adepte de la plongée, il n'avait jamais eu l'occasion d'observer de près ce magnifique exemple de beauté naturelle. Enfin, peut-être qu'un jour, d'ici quelques années, ce serait plus simple, songea Bill en parcourant du regard ses hôtes assis en face de lui. Il était incapable de voir en eux ses semblables. C'étaient des concurrents, des rivaux pour la possession de la planète, mais contrairement à lui, c'étaient de piètres intendants. Peut-être pas tous. Peut-être certains aimaient-ils la nature autant que lui, mais hélas, il n'était plus temps de les identifier et ils se retrouveraient dans le même sac que les autres, et en tant qu'ennemis, ils devraient en payer le prix. Tant pis pour eux.

Skip Bannister s'inquiétait depuis déjà un certain temps. Pour commencer, il avait été réticent à l'idée de voir sa fille partir s'installer à New York. C'est que la grande métropole était bien loin de Gary, Indiana. Certes, les journaux disaient que la criminalité avait baissé dans la redoutable cité des bords de l'Hudson, mais la ville était encore foutrement trop vaste, trop anonyme pour des gens comme il faut — surtout une fille seule. Pour lui, Mary serait à jamais sa petiote, ce petit paquet de chair rose, humide et bruyante niché dans ses bras, fruit des entrailles d'une mère morte six années après l'accouchement — une petite fille qui, à mesure qu'elle grandissait, avait eu droit à des maisons de poupée, des bicyclettes, des vêtements, une bonne éducation, pour qu'au bout du compte, et au grand désarroi paternel, le petit oisillon se couvre de plumes, quitte le nid... et s'envole vers New York, hideuse Babel encombrée de gens détestables, odieux. Mais il en avait pris son parti, tout comme lorsque Mary avait commencé à fréquenter des garçons, même si ses choix ne l'emballaient pas vraiment, parce que Mary était aussi têtue que les autres filles de son âge, rêvant de faire fortune au bras du Prince Charmant...

Mais voilà qu'elle avait disparu, et Skip Bannister ne savait pas quoi faire. Tout avait commencé quand il n'avait plus reçu de coup de fil pendant cinq jours de suite. Il l'avait alors appelée à son numéro de New York, laissant sonner pendant plusieurs minutes. Peut-être était-elle sortie à un rendez-vous, peut-être travaillait-elle tard... Il l'aurait bien touchée à son bureau, mais elle n'avait jamais pu se résoudre à lui donner son numéro au travail. Comme bien des pères élevant seuls leur enfant, il l'avait toujours trop gâtée — peut-être une erreur, estimait-il à présent, peut-être pas...

En tout cas, elle n'était plus là. Il avait continué d'appeler ce même numéro à toute heure du jour ou de la nuit, mais le téléphone sonnait toujours dans le vide, et au bout d'une semaine, il avait fini par s'inquiéter. Encore quelques jours, et son inquiétude avait suffisamment grandi pour qu'il alerte la police et déclare sa disparition. Une expérience désagréable. L'agent qu'il avait eu au bout du fil lui avait posé toutes sortes de questions sur la conduite antérieure de sa fille, avant de lui expliquer patiemment au bout de vingt minutes qu'en fait, on voyait tous les jours des jeunes femmes se comporter de la sorte, n'est-ce pas, qu'on finissait presque toujours par les retrouver saines et sauves, et qu'après tout, n'est-ce pas, c'était bien naturel, que c'était leur façon d'affirmer leur indépendance. Et donc, il y avait quelque part un dossier ou un fichier informatique au nom d'une certaine Bannister, Mary Eileen, de sexe féminin, portée disparue, mais que la police de New York ne jugeait pas assez importante pour envoyer un agent jeter un œil du côté de son appartement de l'Upper West Side. Skip Bannister l'avait donc fait lui-même, voyageant en voiture pour tomber sur un concierge qui lui avait demandé quand il comptait récupérer les affaires de sa fille, parce qu'il ne l'avait pas revue depuis des semaines et qu'il allait bientôt falloir régler le terme...

En proie dès lors à une véritable angoisse, Skip — James Thomas — Bannister s'était rendu au commissariat de quartier faire en personne une déposition et exiger qu'on poursuive l'enquête, pour s'entendre dire qu'il ne s'était pas adressé au bon endroit mais qu'ici aussi, il était tout à fait possible de signaler une disparition. Et là, de la bouche d'un inspecteur quinquagénaire, il avait eu droit exactement au même discours qu'un peu plus tôt au téléphone. Voyons, cela ne faisait jamais que quelques semaines. Aucun cadavre féminin répondant au signalement de sa fille n'avait été découvert — elle était donc sans doute en vie et en bonne santé quelque part, du reste, dans quatre-vingt-dix-neuf pour cent des cas il s'agissait de jeunes filles qui avaient décidé de voler de leurs propres ailes, n'est-ce pas ?

Pas sa Mary, avait répondu James T. « Skip » Bannister au policier placide et buté. Mon cher monsieur, ils disent tous ça, et quatre-vingt-dix-neuf fois sur cent — non, en fait, c'est même plus — ça se passe comme je vous le dis, et je suis désolé, mais on n'a pas les effectifs pour enquêter sur tous ces cas. Désolé, mais c'est comme ça que ça se passe. Alors, si vous rentriez plutôt chez vous patienter près du téléphone ?

C'est ce qu'il avait fait, refaisant le trajet du retour en voiture, en proie à une rage née de la panique, pour arriver finalement à Gary et découvrir qu'il y avait six messages sur son répondeur... Il les avait repassés en hâte, plein d'espoir... mais aucun n'émanait de sa fille disparue.

Comme beaucoup d'Américains, James Thomas Bannister avait un ordinateur personnel. Alors qu'il l'avait acheté sur un coup de tête et ne s'en servait guère, ce jour-là, comme tous les autres jours, il l'alluma et se connecta à son fournisseur d'accès pour relever son courrier électronique. Et finalement, le matin, il découvrit dans sa corbeille d'arrivée une lettre de sa fille. Il déplaça le pointeur de la souris, cliqua pour ouvrir le message et le lire.

Et cette fois, il paniqua pour de bon.

Elle ne savait pas où elle était ? Des expérimentations médicales ? Mais le plus terrifiant, c'était ce message incohérent et mal écrit. Mary avait toujours eu d'excellentes notes scolaires. Elle avait toujours eu une plume alerte. Ses lettres ressemblaient à des articles dans le journal du matin, affectueuses, certes, mais toujours claires, concises, bien écrites. Alors que ce message aurait pu être rédigé par un enfant de six ans... Il était même truffé de fautes de frappe, quand sa fille tapait parfaitement bien — elle avait même eu un A en cours de dactylo.

Que faire à présent ? Sa petite avait disparu... et son instinct lui criait maintenant qu'elle était en danger. Il sentit une boule se former au creux de son estomac, son cœur s'emballer, des gouttes de sueur inonder son visage. Il ferma les yeux, réfléchit intensément. Puis il saisit l'annuaire. Sur la première page s'affichait une liste de numéros d'urgence ; il en choisit un et le composa.

« Ici le FBI, répondit une voix féminine. Que puis-je pour votre service ? »

Étapes

Le dernier des ivrognes avait dépassé toutes les prévisions, mais cela n'avait fait que retarder l'issue inévitable. Il s'appelait Henry, c'était un Noir de quarante-six ans qui en faisait bien vingt de plus. Ancien combattant, comme il l'avait confié à qui voulait l'entendre, et soiffard de première, ce qui, miraculeusement, ne lui avait pas trop abîmé le foie. Qui plus est, son système immunitaire s'était vaillamment battu contre le virus Shiva. Sans doute avait-il une hérédité favorable, estima le Dr Killgore, même s'il n'en avait guère tiré avantage. Il aurait été intéressant d'étudier sa généalogie, découvrir combien de temps avaient vécu ses parents, mais son état s'était déjà bien dégradé quand ils s'en étaient rendu compte. D'après ses analyses de sang, il était perdu. Son foie avait fini par céder aux attaques du virus, tous les paramètres de la chimie sanguine dépassaient la norme. En un sens, c'était regrettable. Le médecin qui vivait encore en Killgore aurait désiré voir ses patients survivre. Sans doute fallait-il y voir quelque chose de l'ordre de l'esprit sportif, estima-t-il en se dirigeant vers la chambre du mourant.

« Comment on se sent, Henry ? demanda-t-il.

— Vaseux, toubib, franchement vaseux. J'ai l'impression qu'on me lacère le bide.

— Vous le sentez encore ? » C'était surprenant. Il en était à près de douze milligrammes de morphine par jour — une dose létale pour tout homme bien portant, mais les grands malades étaient parfois capables de les supporter.

« Un peu, oui, répondit Henry avec une grimace.

— Eh bien, on va vous arranger ça, d'accord ? » Le médecin sortit de sa blouse une seringue de cinquante centimètres cubes, ainsi qu'une ampoule de Dilaudide. Deux à quatre milligrammes, c'était déjà une dose de cheval pour quelqu'un de normal. Il décida d'aller jusqu'à quarante, histoire d'être sûr. Henry avait suffisamment souffert. Il emplit la seringue, donna une tape du bout du doigt pour chasser les bulles d'air, puis introduisit l'aiguille dans le tube en plastique de la perfusion, appuya vivement sur le piston.

« Ah », eut le temps de s'exclamer Henry, atteint par le flash brutal de la drogue. Et presque aussi vite, ses traits s'apaisèrent, ses yeux s'écarquillèrent, pupilles dilatées, alors qu'il connaissait l'ultime plaisir de son existence. Dix secondes plus tard, Killgore tâta le pouls carotidien. Il était nul, et Henry avait presque aussitôt cessé de respirer. Par acquit de conscience, il sortit son stéthoscope et le plaqua sur le torse du malade. Aucun doute, le cœur avait cessé de battre.

« Belle résistance, partenaire », dit le médecin en regardant le cadavre. Puis il débrancha la perfusion, éteignit le moniteur électronique, rabattit le drap sur le visage. Et voilà, terminé avec les ivrognes. La plupart avaient rapidement tiré leur révérence, Henry excepté. Le bougre s'était battu jusqu'au bout, démentant toutes les prévisions. Killgore se demanda s'ils n'auraient pas dû tester sur lui l'un des vaccins... la variante B l'aurait sauvé presque à coup sûr, mais bon, ils se seraient retrouvés avec un ivrogne en pleine santé, et le Projet n'avait pas pour but de sauver ce genre de spécimen. À qui avait-il servi du reste ? À part peut-être à faire vivre un marchand de liqueurs ? Killgore sortit de la chambre et fit signe à un aide soignant. D'ici un quart d'heure, Henry serait réduit à des cendres flottant dans l'atmosphère, ses composés chimiques serviraient d'engrais à l'herbe et aux arbres quand ils retomberaient au sol, ce qui était sans doute la seule contribution au bien commun qu'on pouvait espérer d'un tel individu.

Mais il était temps maintenant d'aller rendre visite à Mary, le sujet F4.

« Comment va-t-on ? lui demanda-t-il en entrant dans sa chambre.

— Bien », répondit-elle d'une voix endormie. Quelle que soit sa gêne, elle était noyée sous l'effet de la morphine.

« Alors comme ça, on est allé faire un petit tour la nuit dernière ? » demanda Killgore en lui prenant le pouls. Il était à 92, fort et régulier. Mais elle n'avait pas encore franchement déclaré la maladie, même s'il était douteux qu'elle tienne aussi longtemps qu'Henry.

« J'voulais dire à papa qu'j'allais bien, expliqua-t-elle.

— On avait peur qu'il s'inquiète ?

— J'lui avais plus parlé d'puis mon arrivée ici et j'me suis dit... » Elle s'assoupit.

« C'est cela, oui..., dit-il à la forme inconsciente. Et on va faire en sorte que ça ne se reproduise plus. » Il modifia le programme sur le distributeur de drogue, pour accroître de cinquante pour cent le débit de morphine. Ça devrait la maintenir au lit.

Dix minutes plus tard, il était ressorti du bâtiment et se dirigeait vers le nord... vers l'endroit où... oui, il était bien là, nota-t-il en avisant le plateau de Ben Farmer garé à sa place habituelle. À l'intérieur, ça sentait le volatile, même si la bâtisse ressemblait plutôt à une écurie. Chaque porte était munie de barreaux trop serrés pour qu'on puisse y glisser le bras — ou pour qu'un oiseau puisse sortir. Il longea les cages jusqu'à ce qu'il trouve Farmer devant un de ses préférés.

« On fait des heures sup ?

— Un peu, admit le vigile. Allez, Festus ! » dit-il ensuite. Le hibou battit furieusement des ailes avant de faire un saut de puce de deux mètres pour venir se poser sur le bras ganté de Farmer. « Eh bien, te voilà parfaitement remis, mon petit vieux.

— On peut pas dire qu'il ait l'air amical, observa le médecin.

— Les hiboux sont parfois difficiles, et Festus a un côté pas commode, lui avoua l'ancien Marine, en allant le ramener à son perchoir, avant de ressortir. Ce ne sont pas les plus malins des rapaces. Pas vraiment évidents à dresser. Celui-ci, je vais même pas essayer.

— Tu vas juste le relâcher ?

— Ouais. D'ici la fin de la semaine, je suppose. » Farmer secoua la tête. « Ça fait déjà deux mois, mais son aile est complètement guérie, à présent. J'parie qu'il est prêt à filer et se trouver une grange pleine de souris à croquer.

— C'est celui qui s'était fait heurter par une voiture ?

— Non, ça, c'est Niccolo, le grand duc. Non, Festus, j'ai l'impression qu'il a dû se payer une ligne électrique. Y devait pas regarder devant lui, je suppose. Pourtant, il n'a pas de problèmes de vue. M'enfin, les oiseaux aussi font des conneries, comme les gens. En tout cas, je lui ai réparé son aile brisée — c'est pas pour dire, mais je trouve que j'ai fait du bon boulot. » Farmer s'autorisa un sourire satisfait. « Mais c'vieux Festus est même pas reconnaissant.

— Ben, tu aurais dû être toubib. T'as raté ta vocation. T'étais pas dans le service médical chez les Marines ?

— Tout juste aide soignant. Les Marines vont chercher leurs toubibs dans la Navy, doc. » Farmer ôta son épais gant de cuir et fléchit les doigts avant de le renfiler. « Z'êtes au courant, pour Mary ?

— Que s'est-il passé au juste ?

— Vous voulez tout savoir ? J'étais sorti pisser un coup, je reviens m'asseoir lire mon magazine, et quand je lève les yeux, envolée, la donzelle ! J'ai dans l'idée qu'elle devait être partie depuis, oh, une dizaine de minutes, quand j'ai donné l'alerte. Non, c'est vrai, j'ai fait une connerie, doc, admit-il en conclusion.

— Oh, ce n'est pas bien grave, je pense.

— Ouais, n'empêche... vous croyez pas qu'on devrait déménager l'ordinateur dans une pièce fermant à clé ? » Il se dirigea vers le fond, ouvrit une autre porte. « Eh, Baron ! » lança-t-il. Un instant après, un faucon pèlerin venait se poser sur le gantelet de cuir. « Ouais, voilà mon copain. T'es prêt à retourner au grand air, hein, pas vrai ? Te trouver quelques beaux lapins bien juteux, hein ? »

Il y avait réellement de la noblesse chez ces rapaces, estima Killgore. Ils avaient l'œil vif, le regard acéré, des mouvements pleins de force, débordant de détermination, et si cette détermination pouvait paraître cruelle pour leur proie, après tout, c'était l'œuvre de la nature, non ? Ces rapaces contribuaient au maintien de l'équilibre, en éliminant les lents, les estropiés, les idiots... mais plus que cela, il émanait des oiseaux de proie une noblesse intrinsèque, quand ils s'élançaient vers le ciel et contemplaient de très haut le monde défilant sous leurs ailes, pour décider qui allait vivre et qui allait mourir. C'était en gros ce qu'ils faisaient, lui et son équipe, même s'il n'y avait pas dans l'œil humain la dureté qu'il lisait ici. Il ne put que sourire en contemplant Baron qui allait bientôt retrouver la nature sauvage, et prendre son essor dans les ascendances thermiques au-dessus du Kansas...

« Je pourrai continuer à faire ça quand on sera dans la prochaine phase du Projet ? demanda Farmer en reposant Baron sur son perchoir.

— Comment cela, Ben ?

— Eh bien, toubib, certains disent que j'aurai plus le droit de m'occuper des oiseaux une fois qu'on sera dans la nature... sous prétexte que ça causerait des interférences... Merde, j'm'en occupe bien, moi, de mes oiseaux... vous savez, les rapaces en captivité vivent deux ou trois fois plus longtemps que leurs congénères sauvages, et... ouais, j'sais bien qu'ça dérange un peu l'ordre des choses, mais merde, tant pis...

— Ben, il n'y a pas de quoi se mettre martel en tête. Je te comprends, je comprends les rapaces, d'accord ? Je les aime bien, moi aussi.

— Ce sont de vrais missiles naturels. J'adore les voir à l'œuvre. Et si jamais ils se blessent, je sais les soigner.

— Tu sais très bien t'y prendre. Et tous tes oiseaux ont l'air en pleine forme.

— Ça s'rait malheureux ! J'les nourris bien. Je leur capture même des souris vivantes. Ils aiment bien déguster leurs proies toutes chaudes, vous voyez ? » Il retourna à son établi, ôta son gantelet, l'accrocha au mur. « Eh bien voilà, j'ai fini pour la matinée.

— Très bien, t'as qu'à rentrer, Ben. De mon côté, je vais m'assurer que toutes les salles sont bouclées. S'agirait pas qu'on ait encore des sujets en vadrouille.

— Ouaip. Au fait, comment va Henry ? demanda Farmer en plongeant la main dans sa poche pour en sortir ses clés de voiture.

— Henry vient de passer l'arme à gauche.

— J'me doutais bien qu'il en avait plus pour longtemps. Donc, on n'a plus de pochards, hein ? » Il vit Killgore acquiescer. « Enfin, pas de veine pour lui. Il avait quand même la peau dure, hein ?

— Ça, aucun doute là-dessus, mais c'est la vie.

— Comme vous dites, toubib. Dommage qu'on ne puisse pas laisser le cadavre dehors, aux vautours. Faut bien qu'elles bouffent aussi, ces bêtes-là, mais c'est plutôt dégueu à regarder... » Il ouvrit la portière. « Bon, eh bien à ce soir, doc. »

Killgore sortit derrière lui en éteignant les lumières. Non, ils ne pouvaient pas refuser à Ben le droit de continuer à s'occuper de ses oiseaux. La fauconnerie était le vrai sport des rois, et grâce à elle, on pouvait apprendre tout un tas de choses sur les oiseaux, leurs méthodes de chasse, leur mode de vie. Tout cela s'intégrait à la perfection dans le grand plan de la nature. Le problème était qu'il y avait au sein du Projet un certain nombre d'éléments... extrémistes, comme ceux qui désapprouvaient la présence de médecins, au prétexte qu'ils interféraient avec la nature... soigner les maladies était une ingérence, en permettant aux individus de se multiplier trop vite, d'où nouveau déséquilibre. Ouais, bien sûr. Peut-être que dans un siècle, disons plutôt deux, ils auraient réussi à repeupler entièrement le Kansas... mais tous n'allaient pas non plus rester ici. Non, ils essaimeraient pour étudier les montagnes, les marais, les forêts tropicales, la savane africaine, avant de revenir au Kansas rendre compte de ce qu'ils avaient appris, présenter leurs cassettes vidéo de la nature en action. Killgore avait hâte de voir ça. Comme nombre de participants au Projet, il dévorait les documentaires de Discovery Channel sur le câble. Il y avait tellement à apprendre, à comprendre, parce que, comme tant d'autres, il désirait avoir une vue d'ensemble, embrasser la nature dans sa totalité. C'était une tâche immense, bien sûr, sans doute irréaliste, mais s'il ne l'accomplissait pas, alors ses enfants s'en chargeraient ; ou bien leurs enfants qu'on aurait élevés et éduqués à apprécier la nature dans toute sa gloire. Ils voyageraient, feraient tous de la recherche sur le terrain. Il se demanda ce que penseraient ceux qui auraient l'occasion de visiter les cités mortes... Ce serait sans doute une bonne idée de les laisser y aller, qu'ils puissent se rendre compte du nombre d'erreurs commises par l'homme et apprennent à ne pas les rééditer. Peut-être se chargerait-il lui-même de diriger certaines de ces expéditions. New York serait le clou de ces visites pédagogiques, le plus impressionnant des contre-exemples. Il faudrait bien mille ans, sinon plus, pour que les gratte-ciel finissent par s'effondrer par manque d'entretien, leurs poutrelles rongées de rouille... Les fondations de pierre ne bougeraient pas, mais assez vite, dans dix ans peut-être, on verrait de nouveau des daims gambader à Central Park.

Pendant un certain temps, les vautours feraient bombance. Tant de corps à dévorer... ou peut-être pas tant que ça. Au début, on inhumerait les cadavres, comme il est de mise chez les peuples civilisés, mais en quelques semaines, ces structures sociales seraient débordées et dès lors, les gens mourraient, sans doute dans leur lit et ensuite... les rats, bien sûr. L'année qui venait allait être une année faste pour les rats. Seul problème : les rats dépendaient de l'homme pour prospérer. Ils vivaient des détritus et des rejets de la civilisation, en parasites relativement spécialisés, et après cette année de ripailles sur toute l'étendue de la planète, qu'adviendrait-il de la population murine ? Chiens et chats prendraient leur tribut, sans doute, jusqu'à parvenir à un nouvel équilibre, mais sans tous ces milliards de gens pour produire les détritus dont ils se repaissaient, les rats verraient leur nombre décroître au cours des cinq à dix prochaines années. Ce serait du reste une étude intéressante pour les équipes de terrain. À quelle vitesse la population de rats allait-elle diminuer, et jusqu'à quel niveau ?

Trop de participants au Projet étaient obnubilés par les grands prédateurs. Tout le monde aimait les loups et les couguars, ces nobles et superbes animaux impitoyablement massacrés par l'homme parce qu'ils s'en prenaient au cheptel domestique. Et ceux-là allaient prospérer dès lors qu'auraient disparu pièges et poisons. Mais quid des prédateurs plus modestes ? Des rats ? Nul ne semblait s'y intéresser, alors qu'eux aussi faisaient partie du système. On ne pouvait pas appliquer de critère esthétique à l'étude de la nature. Sinon, comment justifier de laisser mourir Mary Bannister, sujet F4 ? C'était une jeune femme séduisante, intelligente, aimable, après tout... rien à voir avec Chester, Pete ou Henry, et le spectacle lamentable qu'ils donnaient... Pourtant, comme eux, c'était quelqu'un qui ne comprenait pas la nature, qui n'en appréciait pas la beauté, qui se montrait incapable de tenir sa place dans le grand système de la vie, et par conséquent était indigne d'y participer. Tant pis pour elle. Tant pis pour tous les cobayes, mais la planète mourait, il fallait la sauver, et il n'y avait qu'un seul moyen d'y parvenir, car ils étaient trop nombreux à ne pas mieux comprendre le système que toutes ces créatures inférieures qui en faisaient partie intégrante à leur insu. Seul l'homme pouvait espérer appréhender ce grand équilibre. À lui seul était échue la responsabilité de le maintenir. Et s'il fallait pour cela réduire le nombre de ses semblables, eh bien, toute chose avait un prix. Le plus ironique dans tout cela, c'était qu'il allait falloir entreprendre un immense sacrifice, et que ce sacrifice serait obtenu grâce à la science même de l'homme. Sans les outils et la technologie qui menaçaient de tuer la planète, les moyens de la sauver n'auraient même pas existé. Quelle dérision, se dit l'épidémiologiste.

Le Projet allait sauver la nature, et le Projet comprenait un nombre relativement réduit d'individus, moins d'un millier, plus ceux qu'on avait sélectionnés pour survivre et poursuivre l'effort, les innocents qui n'auraient pas à payer de leur existence les crimes commis en leur nom. La plupart ne saisiraient jamais pourquoi ils avaient survécu — parce qu'ils étaient l'épouse, l'enfant, le proche d'un membre du Projet, ou parce qu'ils avaient des talents nécessaires à l'entreprise : pilotes d'avion, mécaniciens, fermiers, spécialistes des communications, et ainsi de suite. Un jour enfin, peut-être devineraient-ils la vérité... c'était inévitable, bien entendu. Il suffisait que des gens parlent et que d'autres écoutent. Quand ces derniers comprendraient, sans doute seraient-ils horrifiés, mais à ce moment, il serait beaucoup trop tard pour y changer quoi que ce soit. Il y avait dans tout cela quelque chose de magnifique et d'inéluctable. Oh, certes, il allait regretter certaines choses... Le théâtre, les bons restaurants de New York, par exemple, mais il y aurait sans doute de bons chefs dans le Projet, et puis ils auraient de superbes matières premières pour exercer leurs talents... L'installation du Projet au Kansas donnerait la possibilité d'avoir en quantité toutes les céréales indispensables, sans oublier le bétail, jusqu'au retour des bisons.

La chasse permettrait au Projet d'être presque autosuffisant pour ses besoins en viande. Inutile de dire que certains membres n'étaient pas d'accord : ils refusaient de tuer tout être vivant, mais des esprits plus posés et plus sages avaient eu le dernier mot. L'homme était à la fois prédateur et fabricant d'outils, donc, le recours aux armes à feu était également admis. C'était de loin le moyen le plus propre pour tuer le gibier, et puis, l'homme était bien obligé de manger. Alors, d'ici quelques années, on verrait des hommes enfourcher leur monture et partir à cheval tirer quelques bisons, les découper et ramener cette viande saine et maigre. Sans oublier le daim, l'antilope et l'élan.

Les fermiers cultiveraient céréales et légumes. Tous mangeraient sainement, ils vivraient en harmonie avec la nature — après tout, les armes à feu n'étaient pas un si gros bouleversement par rapport aux arcs et aux flèches — et ils seraient en mesure d'étudier le monde naturel dans une paix relative.

C'était un avenir merveilleux qui s'annonçait là, même si les six à huit premiers mois s'annonçaient sans doute terribles. La télé, la radio et les journaux — aussi longtemps qu'il y en aurait — montreraient des horreurs, mais encore une fois, toute chose avait un prix. L'humanité en tant que force dominante sur la planète devait disparaître, pour se voir remplacée par la nature elle-même, avec juste le nombre suffisant d'individus pour observer et goûter ce qu'elle était et ce qu'elle faisait.

« Le Dr Chavez, s'il vous plaît, demanda Popov à la standardiste de l'hôpital.

— Ne quittez pas, je vous prie. » Il dut patienter soixante-dix secondes.

« Dr Chavez, dit enfin une autre voix féminine.

— Oh, désolé, j'ai dû me tromper de numéro... », répondit Popov avant de raccrocher. Excellent : donc, l'épouse et la fille de Clark travaillaient bien à l'hôpital, comme on le lui avait indiqué. Cela confirmait également la présence à Hereford de ce Domingo Chavez. Donc, il connaissait à la fois le chef de ce groupe Rainbow et l'un de ses principaux cadres. Chavez s'occupait-il de la section renseignements ? Non, il était trop jeune pour ça. Le poste devait plutôt échoir à un Rosbif, un officier du MI6, un responsable connu de ses homologues sur le continent. Chavez était de toute évidence un agent paramilitaire, tout comme son mentor. Ce qui voulait dire qu'il était sans doute soldat, peut-être sous-officier, voire officier... C'était une supposition, mais elle était probable. Donc, un jeune officier, en excellente condition physique d'après les rapports. Trop jeune pour d'autres responsabilités. Oui, ça se tenait.

Popov avait piqué à Miles un plan de la base, sur lequel il avait marqué l'emplacement du domicile de Clark. De là, il pouvait aisément déduire l'itinéraire emprunté par son épouse pour se rendre à l'hôpital voisin, et connaître ses horaires ne devait pas soulever de difficultés insurmontables. Bref, sa semaine de collecte d'informations s'avérait fructueuse et il était temps pour lui de partir. Il fit ses bagages, régla sa note et rejoignit Heathrow avec sa voiture de location. À l'aérogare, un billet l'attendait sur le 747 pour Kennedy. Comme il avait du temps devant lui, il se reposa dans la salle d'attente des premières de British Airways, un salon toujours aussi cossu, avec vin — et même champagne — à volonté. Il se servit puis alla s'installer dans un des fauteuils confortables où il prit une des revues gracieusement mises à la disposition des passagers, mais au lieu de la lire, il se mit à récapituler mentalement les informations qu'il avait recueillies en s'interrogeant sur l'usage que désirait en faire son employeur. Impossible de le dire pour l'instant, mais son instinct l'amena à songer à certains numéros de téléphone en Irlande...

« Oui, Henriksen à l'appareil, dit-il au téléphone de l'hôtel.

— C'est Bob Aukland », répondit la voix. C'était le grand ponte des flics à la réunion, se souvint Bill. « J'ai une bonne nouvelle à vous annoncer.

— Oh, et laquelle, monsieur ?

— Appelez-moi Bob, mon vieux. Nous avons parlé avec le ministre, et il est d'accord pour que nous confiions à Global Security le contrat de consultant pour les jeux Olympiques.

— Merci, monsieur.

— Alors, pourriez-vous passer dans la matinée pour mettre au point les détails avec moi ?

— Bien, parfait. Quand pourrai-je visiter les installations ?

— Je m'y rends moi-même en avion demain après-midi.

— Excellent, Bob. Merci de m'avoir prêté une oreille attentive. Et que font vos gars du SAS ?

— Ils seront au stade également.

— Parfait. Je me réjouis par avance de bosser avec eux, lui confia Henriksen.

— Ils ont hâte de voir le nouveau matériel de communication dont vous leur avez parlé.

— E-Systems vient tout juste de lancer la fabrication pour nos gars de Delta. Chaque appareil pèse cent soixante-dix grammes, avec cryptage sur cent vingt-huit bits en temps réel, transmission sur la bande X, en BLU, par salves [1] : les signaux sont

---

1. Bande X : bande de fréquences millimétriques allouée aux transmissions radio militaires. BLU, bande latérale unique (ou SSB, Single Side Band) : système de transmission radio à longue distance permettant, en s'affranchissant de la fréquence porteuse (reconstituée par le récepteur à l'ar-

quasiment impossibles à intercepter, et le matos est d'une fiabilité à toute épreuve. »

« Et qu'est-ce qui nous vaut cet honneur, Ed ? s'enquit Clark.

— Il semblerait que tu aies une bonne fée à la Maison-Blanche. Les trente premiers kits sont pour vous. Vous devriez les recevoir après-demain, lui répondit le patron du renseignement.

— L'identité de cette bonne fée ?

— Carol Brightling, conseillère scientifique du président. Elle est très branchée cryptographie, et après l'opération à Worldpark, elle m'a appelé pour me suggérer de vous fournir ces nouveaux modèles d'émetteurs-récepteurs.

— Elle n'est pas censée connaître notre existence, Ed, se souvint Clark. Du moins, je n'ai pas souvenance d'avoir vu son nom sur la liste des accréditations.

— Eh bien, quelqu'un aura dû lui en toucher un mot, John. Quand elle m'a appelé, elle connaissait le nom de code, et elle a quasiment accès à tous les dossiers, souviens-toi. Les armes nucléaires et tout le bastringue...

— Le président ne l'aime pas trop, du moins, c'est ce que j'ai entendu dire...

---

rivée du signal), de doubler le spectre utilisable puisque, sur une même fréquence, on peut transmettre des signaux en bande latérale supérieure (USB/BLS) et inférieure (LSB/BLI), mais surtout d'accroître la portée pour une même puissance émise, tout en bénéficiant d'une meilleure résistance aux parasites.

Transmission par salves : les messages sont découpés, émis en rafales et reconstitués à l'arrivée. *(N.d.T.)*

— Ouais, c'est une écolo tendance radicale, je sais. Mais c'est également une fille brillante, et vous obtenir ce matos est un geste sympa de sa part. J'en ai discuté avec Sam Wilson, au QG des Serpents, tous ceux qui l'ont testé sont enthousiasmés. À l'épreuve du brouillage, crypté, un son d'une clarté numérique, et en prime, léger comme une plume. » Ils avaient intérêt, à sept mille dollars le kit, même si ça incluait les coûts de recherche et développement, se remémora Foley. Il se demanda si le bidule pourrait être utile à ses agents lors d'opérations clandestines.

« D'accord, après-demain, tu dis ?

— Ouaip. Par l'avion-cargo régulier qui se pose à Mildenhall. Ensuite, par camion depuis cette base de la RAF, j'imagine. Oh, encore un détail.

— Oui ?

— Dis à Noonan que son mémo sur ce gadget de recherche de personnes a eu des résultats : le fabricant lui expédie un nouveau prototype pour qu'il joue avec... Ils ont amélioré l'antenne et la balise GPS. À propos, c'est quoi, ce truc ?

— Je ne l'ai vu qu'une fois. Il semble qu'il localise les gens à partir de leurs battements cardiaques.

— Oh, et comment ça marche ?

— J'en sais foutre rien, Ed, mais j'ai vu ce truc repérer des gens à travers des murs. Noonan avait craqué dessus. Même s'il avouait qu'il avait encore besoin d'améliorations.

— Eh bien, DKL — c'est le fabricant — a dû l'écouter. Quatre appareils partent dans le même colis, accompagnés d'un formulaire d'évaluation de cette nouvelle version.

— D'accord, je vais prévenir Tim.

— Rien de nouveau sur les terroristes que vous avez coincés en Espagne ?

— On vous faxe tout ça dans la journée. Pour l'instant, ils en ont identifié six. Essentiellement des indépendantistes basques, comme le supposaient les Espagnols. Côté français, ils ont deux suspects probables... enfin, pour l'un des deux, c'est une quasi-certitude. En revanche, toujours rien sur l'éventuel commanditaire de l'opération.

— Un Russe, dit Foley. Un ancien du KGB, je parie.

— J'aurais tendance à être de ton avis, vu comment ce type se serait pointé à Londres... mais les gars du "Cinq" n'ont rien de plus précis.

— Au fait, qui travaille là-dessus au "Cinq" ?

— Holt, Cyril Holt.

— Ah, parfait, je le connais. Un type bien. Tu peux te fier à ce qu'il te raconte.

— C'est une chance, mais jusqu'ici, je le crois surtout quand il m'avoue qu'il a que dalle. J'ai caressé l'idée de passer moi-même un coup de fil à Sergueï Nikolaïevitch pour lui demander un petit coup de main.

— Je serais toi, je m'abstiendrais, John. De toute façon, il faut que ça transite par moi, souviens-toi. J'aime bien Sergueï, moi aussi, mais je ne le sens pas sur ce coup. Il est trop visible.

— Ça nous laisse le bec dans l'eau, Ed. Et j'aime pas trop l'idée qu'un Russkof traîne dans le coin en connaissant mon nom et mon activité. »

Foley ne pouvait qu'être d'accord. Aucun agent traitant n'appréciait la perspective de se savoir identifié, et Clark avait toutes les raisons du monde de s'inquiéter, alors que sa famille l'avait accompagné. Lui-même n'avait jamais emmené Sandy en mission avec lui pour lui servir de couverture, comme avaient pu le faire certains collègues au cours de leur carrière. Aucun agent n'avait jamais perdu son épouse dans ce genre de circonstances, mais plusieurs avaient été quelque peu rudoyées, et cette tactique était dorénavant contraire à la politique de la CIA. Plus important encore, John avait passé toute sa vie professionnelle dans l'anonymat le plus complet, fantôme entrevu par quelques rares personnes, identifié par aucune, et connu seulement dans son propre camp. Un principe sur lequel il aurait préféré ne pas revenir ; or son statut venait de changer et cela le préoccupait. D'un autre côté, les Russes le connaissaient, ils étaient au courant de ses activités, mais c'est parce qu'il l'avait bien voulu, lors d'opérations au Japon et en Iran ; il aurait dû se douter que ses actes auraient des conséquences.

« John, ils sont au courant de ton existence. Enfin, merde, Golovko te connaît personnellement, et on peut s'imaginer qu'ils s'intéressent à toi, non ?

— Je sais bien, Ed, mais... malgré tout, ça fait chier !

— John, je comprends, mais t'es bien en vue, désormais, et tu ne peux pas te voiler la face. Alors, reste peinard, continue de faire ton boulot, et laisse-nous le soin d'enquêter pour trouver de quoi il retourne, d'accord ?

— J'imagine que je n'ai pas le choix, Ed, fit Clark, résigné.

— Si je trouve quoi que ce soit, je te file un coup de tromblon.

— À vos ordres, chef », répondit Clark, retrouvant l'expression qu'il employait jadis, quand il était dans la marine. Aujourd'hui, il la réservait aux ordres qu'il exécutait à contrecœur.

L'adjoint du FBI chargé du secteur de Gary, Indiana, était un grand Noir répondant au nom de Chuck Ussery. Quarante-quatre ans, nommé depuis peu à ce poste, il était depuis dix-sept ans au Bureau, après avoir débuté comme agent de police à Chicago. Le coup de fil de Skip Bannister lui avait été promptement répercuté, et moins de cinq minutes après, il conseillait à l'individu de se rendre au plus vite à son bureau. Vingt-cinq minutes plus tard, celui-ci entrait. Un mètre soixante-quinze, râblé, la cinquantaine bien tassée, l'homme était manifestement dans tous ses états. Chuck s'empressa de l'inviter à s'asseoir et de lui proposer un café, qu'il refusa. Vint ensuite l'interrogatoire, de pure routine au début. Puis les questions se firent plus directes.

« Monsieur Bannister, avez-vous imprimé le texte du courrier électronique dont vous venez de me parler ? »

James Bannister sortit de sa poche la feuille de papier et la lui tendit.

Trois paragraphes, constata Ussery, décousus, truffés de fautes. Confus. Son impression première était...

« Monsieur Bannister, avez-vous lieu de penser que votre fille se soit déjà adonnée à l'usage de drogues quelconques ?

— Non ! Pas ma petite Mary ! s'exclama le père aussitôt. Impossible. Bon, d'accord, elle aime bien la bière et le vin, mais des drogues, ma petite fille, ça, non jamais ! »

52

Ussery leva les mains. « Je vous en prie, je comprends vos sentiments. J'ai déjà enquêté sur des enlèvements et...

— Vous croyez qu'on l'a enlevée ? » demanda Skip Bannister, voyant désormais confirmées ses plus grandes craintes. C'était bien pis que la suggestion que sa fille s'adonnait à la drogue.

« D'après cette lettre, oui, je pense que c'est une éventualité à envisager, et nous allons traiter le cas dans le cadre d'une enquête sur un enlèvement. » Ussery décrocha son téléphone. « Envoyez-moi Pat O'Connor, voulez-vous ? » dit-il à sa secrétaire.

L'inspecteur principal Patrick D. O'Connor faisait partie de l'encadrement du bureau de Gary. Trente-huit ans, rouquin, le teint clair, mince et musclé, O'Connor dirigeait le service responsable des rapts. « Ouais, Chuck ? fit-il en entrant.

— Je te présente M. James Bannister. Il vient signaler une disparition. Sa fille, vingt et un ans, a disparu à New York depuis un mois environ. Hier, il a reçu ce courrier électronique. » Ussery lui tendit le message.

O'Connor le parcourut, hocha la tête. « OK, Chuck.

— Pat, c'est ton affaire. Fonce.

— Sans problème, Chuck. Monsieur Bannister, voulez-vous bien me suivre, je vous prie ?

— Pat s'occupe de ces affaires pour nous, expliqua Ussery. Mais il me tiendra au courant quotidiennement. Monsieur Bannister, le FBI traite les enlèvements comme des crimes capitaux. Cette affaire va bénéficier d'une priorité absolue jusqu'à ce qu'elle soit élucidée. Tu nous mets dix hommes dessus, Pat ?

— Pour commencer, oui. Un peu plus sur New York. Monsieur... (il s'était tourné vers leur hôte), on a tous des gosses. On sait ce que vous ressentez. S'il y a un moyen de localiser votre fille, on le trouvera. À présent, j'ai un tas de questions à vous poser pour nous permettre de démarrer, d'accord ?

— Ouais. » L'homme se leva et sortit derrière O'Connor. Il allait passer trois heures dans son bureau, à raconter tout ce qu'il savait de sa fille et de sa vie à New York à l'agent et à ses collègues. Pour commencer, il leur confia une photo récente de la disparue. Un cliché de bonne qualité, en plus, nota O'Connor en l'examinant. Il allait l'archiver. Cela faisait des années qu'avec ses hommes il n'avait plus enquêté sur un enlèvement. C'était un crime que le FBI avait quasiment réussi à éradiquer — les enlèvements avec demande de rançon, tout du moins. Les pourcentages étaient proches de zéro. Le FBI élucidait toujours ces affaires et tombait sur les criminels comme la foudre de Jupiter. De nos jours, la majorité des enlèvements étaient des rapts d'enfants et, en dehors des parents, les auteurs étaient presque toujours des détraqués sexuels qui utilisaient leurs victimes pour assouvir leurs pulsions et bien souvent les tuaient ensuite. Ce qui n'avait fait que décupler la rage du FBI. L'affaire Bannister, comme on l'appelait désormais, allait bénéficier de la priorité maximale en matière de ressources matérielles et humaines dans tous les services concernés. On laisserait provisoirement de côté toutes les affaires en cours sur la Mafia. Telle était en effet l'éthique du FBI.

Quatre heures après l'entrée de Skip Bannister au bureau de Gary, deux agents de la section enquêtes de New York frappaient à la porte du concierge de l'immeuble crasseux où logeait Mary Bannister. L'homme leur donna la clé de l'appartement et leur indiqua le chemin. Les deux agents s'y rendirent et commencèrent leur fouille. Ils cherchaient avant tout des notes manuscrites, des photos, des lettres, tout ce qui pourrait leur fournir un indice. Ils étaient là depuis une heure quand un inspecteur de la police municipale fit son apparition, convoqué à la demande du FBI pour leur donner un coup de main. Il y avait trente mille policiers à New York et, dans le cadre d'un enlèvement, tous seraient mobilisés pour participer à l'enquête et au ratissage de la ville.

« Z'avez une photo ? demanda l'inspecteur.

— Tenez. » L'agent responsable tendit celle qu'on leur avait faxée de Gary.

« Vous savez, j'ai eu un coup de fil, il y a quelques semaines, d'un habitant de Des Moines, la fille s'appelait... Pretloe, je crois. Ouais, c'est ça, Anne Pretloe, vingt-cinq ans environ, secrétaire juridique. Elle logeait à quelques rues d'ici. Elle a disparu sans crier gare. Un jour, elle ne s'est pas présentée à son travail... volatilisée. Elle avait à peu près le même âge que votre disparue, nota l'inspecteur. Il pourrait y avoir un rapport ?

— Vous avez vérifié les disparus non identifiés ? » Il n'eut pas besoin d'en dire plus. L'allusion était évidente : un tueur en série opérait-il à New York ? Sélectif comme un prédateur naturel, ce genre de détraqué s'en prenait presque exclusivement aux femmes entre dix-huit et trente ans.

« Ouais, mais aucune victime ne correspond au

signalement de la jeune Pretloe. Ou à celle-ci, du reste. » Il rendit le cliché. « Ce cas est une véritable énigme. Vous avez trouvé quelque chose ?

— Pas encore, répondit l'agent responsable. Un agenda, mais sans rien d'intéressant. Aucune photo masculine. Juste des fringues, des produits de beauté, enfin, des trucs normaux pour une fille de son âge.

— Des empreintes ? »

Un signe d'assentiment. « C'est l'étape suivante. Notre gars est en route. » Mais tous savaient que la piste était mince, alors que l'appartement était vide depuis un mois. Les corps gras constitutifs des empreintes s'évaporaient avec le temps, même si l'on pouvait avoir un petit espoir, dans un local tel que celui-ci, fermé et climatisé.

« Mouais, ça risque de pas être évident, commenta l'inspecteur de police.

— Ça ne l'est jamais, remarqua l'agent du FBI.

— Et si jamais il y en avait d'autres ? nota son collègue.

— Quantité de gens disparaissent dans cette ville, observa l'inspecteur. Mais je vais quand même lancer une recherche informatisée. »

Le sujet F5 avait visiblement le feu au cul, nota Killgore. Et elle avait un faible pour Chip, en plus. Pas de bol pour ce pauvre Chip Smitton, qui n'avait pas été exposé à Shiva par injection, test de vaccin ou brumisation. Non, il n'y avait été exposé que par contact sexuel et, désormais, son sang présentait des anticorps. Donc, ce dernier mode de transmission était également efficace et, mieux encore, il fonctionnait dans les deux sens, de la femme à l'homme et pas uniquement de l'homme à la femme. Décidément, Shiva répondait à toutes leurs attentes.

C'était dégoûtant de regarder des gens faire l'amour. Ce n'était pas le moins du monde excitant pour lui de jouer ainsi les voyeurs. Alors qu'elle était à deux jours du déclenchement franc des symptômes, à en juger par son bilan sanguin, Anne Pretloe, sujet F5, mangeait, buvait et prenait joyeusement son pied sous ses yeux, sur le moniteur noir et blanc. Il faut dire que les tranquillisants avaient diminué le seuil d'inhibition chez tous les sujets, et on ne pouvait pas savoir quel était son comportement en temps normal, même s'il était manifeste qu'elle avait une bonne connaissance des techniques.

Curieusement, Killgore n'y avait jamais prêté attention chez les animaux de laboratoire. Les rats, comme les autres bêtes, avaient leurs chaleurs et quand venait la période propice, rates et ratons devaient s'en donner à cœur joie, mais apparemment il n'avait jamais rien remarqué. Il respectait les rats en tant que forme de vie, mais ne trouvait pas le moindre attrait à leurs ébats sexuels, alors qu'en revanche, il devait bien l'admettre, il se surprenait à reporter son attention vers l'écran toutes les deux ou trois secondes. Il est vrai que cette Pretloe, sujet F5, était un sacré petit lot, et s'il l'avait trouvée dans un bar pour célibataires, il aurait pu lui offrir un verre, la draguer... et voir venir. Mais elle était condamnée, elle aussi, au même titre que les rats blancs produits tout exprès pour leurs expériences. Ces mignonnes petites créatures aux yeux roses étaient utilisées dans tous les labos de la planète parce qu'elles étaient toutes génétiquement identiques : ainsi, les résultats d'expériences menées dans un pays pouvaient être corrélés avec ceux obtenus n'importe où ailleurs. Sans doute n'avaient-ils pas les moyens de survivre dans la nature, et c'était bien dommage. Mais il faut bien dire que leur pelage tout blanc les aurait desservis — chiens et chats auraient eu vite fait de les repérer, ce qui n'était pas vraiment un avantage. De toute façon, leur espèce était artificielle : elle ne faisait pas partie du plan de la nature, elle était l'œuvre de l'homme, et donc indigne de se perpétuer. Dommage pour ces petites bêtes si mignonnes, mais enfin, c'était là une observation toute subjective et Killgore avait depuis longtemps appris à faire la part de l'objectif et du subjectif. Après tout, Pretloe, sujet F5, était mignonne, elle aussi, et sa pitié pour elle n'était qu'une survivance atavique de sa part, indigne d'un membre du Projet.

Néanmoins, tout cela lui donna à réfléchir, tandis qu'il continuait d'observer Chip Smitton en train de baiser Anne Pretloe. C'était le genre d'attitude qu'Hitler aurait pu avoir avec les juifs : en sauver un petit nombre pour servir de cobayes dans les laboratoires, voire de mannequins humains pour les tests de sécurité automobile... Alors, cela faisait-il de lui un nazi ? Ils utilisaient bel et bien les sujets F5 et M7 comme de simples cobayes... mais non, car eux, ils ne faisaient aucune discrimination de race, de croyance ou de sexe... La politique n'avait strictement rien à voir en la matière... enfin, peut-être quand même un peu, selon l'acception que l'on donnait au terme — mais en tout cas, pas selon la sienne. Non, c'était de la science. L'ensemble du Projet relevait de la science et de l'amour de la nature. Les membres du Projet étaient de toutes origines ethniques et sociales, même si bien peu en revanche avouaient une foi religieuse, à moins de considérer l'amour de la nature comme une religion... ce qui après tout était le cas, dans un sens, se dit le docteur. Oui, sans aucun doute.

Ce qu'il voyait les sujets faire sur l'écran du moniteur était naturel (enfin presque, leur comportement ayant été fortement induit par les tranquillisants), en tout cas, du strict point de vue mécanique, ça l'était. Tout comme leurs instincts, pour le mâle de répandre sa semence et pour la femme de la recevoir... tandis que, poursuivit Killgore, son instinct à lui était d'être un prédateur, et par ses déprédations, de décider quels membres de l'espèce allaient ou non survivre.

Ces deux-là ne survivraient pas, si séduisants fussent-ils l'un et l'autre... au même titre que les rats de laboratoire avec leur joli pelage blanc, leurs mignons petits yeux roses et leurs longues moustaches craquantes. Ni l'un ni l'autre n'en avait plus pour très longtemps... D'un strict point de vue esthétique, c'était troublant, mais il n'en restait pas moins que c'était le choix logique en vue de l'avenir qu'ils envisageaient tous.

22

Contre-mesures

« Alors, toujours rien de notre ami russe ? demanda Bill Tawney.

— Rien, confirma Cyril Holt. Les bandes de Kirilenko révèlent qu'il se rend chaque jour à pied à son travail, toujours par le même itinéraire et toujours à la même heure, quand les rues sont bondées ; qu'au retour, il s'arrête à son pub habituel boire un demi quatre soirs sur cinq, et qu'il rentre dans toutes sortes de gens. Mais il ne faut pas être grand clerc pour déjouer notre surveillance, sauf à resserrer vraiment notre filature, et alors il y aurait de bonnes chances qu'Ivan Petrovitch le remarque et se contente simplement de renforcer ses méthodes de camouflage. C'est un risque que nous préférons ne pas courir. »

Bill Tawney était tout à fait d'accord, malgré son désappointement. « Rien des autres sources ? »

Ce terme d'« autres sources » désignait les éventuels indicateurs que le Service de sécurité avait pu infiltrer à l'ambassade de Russie. Ils devaient presque à coup sûr avoir quelqu'un sur place, mais Holt ne voulait pas aborder la question au téléphone, ligne cryptée ou pas, car s'il y avait une chose à protéger à tout prix dans ce métier, c'était l'identité de vos sources. Ne pas les protéger pouvait signifier leur mort.

« Non, Bill, rien du tout. Vania n'a plus abordé le sujet au téléphone avec Moscou. Il n'a pas non plus utilisé sa ligne de fax cryptée. Quels qu'aient été les débats suscités par l'incident, nous n'avons même pas la confirmation d'un visage... juste ce type dans le pub, et cela pourrait bien n'être qu'un coup d'épée dans l'eau. Il y a trois mois, un de mes gars surprend une conversation avec lui dans ce même bistrot — ils discutaient de foot. C'est un vrai supporter, il connaît très bien le jeu... Impossible de deviner sa nationalité. Son accent est quasiment parfait. Bref, le type sur la photo pourrait bien n'avoir aucun rapport avec notre affaire... juste une autre coïncidence. Kirilenko est un professionnel, Bill. Il ne commet pas beaucoup d'erreurs. S'il a transmis des informations, il a dû le faire par écrit et par courrier.

— En résumé, on a sans doute toujours un ex-agent du KGB en train de rôder dans Londres, probablement détenteur des informations que Moscou peut avoir sur notre M. Clark... ce qu'il peut en faire, on n'en sait rien.

— Correct, Bill, acquiesça Holt. Je ne peux pas dire que ça m'emballe moi non plus, mais en gros, c'est ça.

— Qu'est-ce que vous avez trouvé sur d'éventuels contacts entre le KGB et l'IRA provisoire ?

— On a deux-trois trucs. Une photo d'un individu, prise lors d'une réunion à Dublin, il y a huit ans, et des comptes rendus oraux d'autres contacts, avec leur signalement. Certains suspects pourraient correspondre au type de la photo, mais les descriptions écrites pourraient s'appliquer au tiers de la population masculine de la planète, et on n'a pas trop envie de divulguer déjà ces clichés. » Tawney n'avait pas besoin qu'on lui fasse un dessin. Il était fort possible que certains indicateurs d'Holt soient en fait des agents doubles ; leur présenter des photos de l'homme dans le pub risquait d'avoir pour unique effet de prévenir la cible de l'enquête que son identité était démasquée. Cela l'amènerait à redoubler de précaution, voire à changer d'apparence ; résultat des courses : on aurait aggravé la situation au lieu de l'améliorer. C'était une partie complexe qui se jouait là, se rappela Tawney. Et puis, si tout cela n'était que simple curiosité de la part des Russes, simple désir de suivre la trace d'un agent connu dans le camp adverse... Merde, tout le monde faisait ça. Cela faisait partie de la routine du renseignement.

En résumé, ils savaient juste ce qu'ils ignoraient et encore..., rectifia Tawney, ils ne savaient même pas ce qu'ils voulaient découvrir. Quel était le sens exact de ce fragment d'information surgi sur l'écran de leur radar ?

« C'est quoi, ce truc ? demanda Henriksen, jouant les candides.

— Un système de refroidissement par brumisation. Ça vient de chez vous, répondit Aukland.

— Hein ? Je pige pas, fit l'Américain.

— Un de nos ingénieurs l'a vu en service... en Arizona, je crois. Ces buses répandent un mince brouillard d'eau. Les minuscules gouttelettes absorbent la chaleur et la diffusent dans l'atmosphère... L'effet est identique à celui d'un système de climatisation, mais avec une dépense d'énergie négligeable.

— Ah, fit Bill Henriksen, jouant de son mieux la surprise. Et vous avez installé ça partout ?

— Juste dans les tunnels et les coursives. L'architecte voulait équiper l'ensemble du stade, mais

62

certains ont objecté que cela risquait de provoquer une gêne pour les retransmissions télévisées, répondit Aukland... tellement ça ressemble à du vrai brouillard.

— D'accord, je pense qu'il faudra y jeter un œil.

— Pourquoi ?

— Eh bien, monsieur, c'est un sacré bon moyen de diffuser un poison chimique, non ? » La remarque avait pris de court le responsable de la police.

« Ma foi... oui, je suppose que vous avez raison.

— Bien. Un de mes collaborateurs est un ancien officier de l'armée américaine, spécialiste de la guerre chimique. C'est un expert dans ce domaine, diplômé du MIT. Je vais lui demander de nous vérifier ça, toutes affaires cessantes.

— Oui, bonne idée, Bill. Merci », répondit Aukland. Il se serait battu de ne pas y avoir pensé lui-même. D'un autre côté, c'était pour ça qu'ils recouraient à l'expertise d'un consultant. Et il ne faisait pas de doute que cet Amerloque était un expert.

« Il fait donc si chaud, dans ce pays ?

— Oh oui, certainement. Nous nous attendons à des températures supérieures à trente-cinq degrés Celsius... L'architecte soutient que c'est un moyen économique de rafraîchir les spectateurs et, de surcroît, relativement facile à installer. Il est alimenté par le réseau d'extincteurs de plafond. La consommation d'eau est même quasiment négligeable. Cela fait plus d'un an qu'il fonctionne. On le teste à intervalles réguliers. C'est une fabrication américaine, le nom de la boîte m'échappe pour l'instant... »

Cool-Spray, de Phoenix, Arizona, songea Henriksen. Il avait les plans du système dans l'armoire de son bureau. C'est qu'il devait jouer un rôle crucial dans le déroulement du Projet et, dès le début, il y avait vu une véritable aubaine. Ils avaient désormais le lieu du drame. Ne restait plus qu'à définir l'heure.

« Pas de nouvelles, du côté des Britanniques ?

— On a entamé une enquête, mais pas de réponse pour l'instant, répondit Aukland. De toute évidence, il s'agit d'un projet ultrasecret. »

Henriksen acquiesça. « On peut compter sur les politiciens pour noyer le poisson. » Et avec de la chance, ça n'allait pas s'améliorer.

« Ah, ça oui », répondit Aukland, qui partageait son avis.

Le lieutenant inspecteur Mario d'Alessandro pianota sur son ordinateur pour accéder au fichier central de la police municipale de New York. Pas de doute, Mary Bannister était bien fichée, ainsi qu'Anne Pretloe. Puis il lança une recherche, sélectionnant sexe féminin, âge entre dix-huit et trente, avant de cliquer sur l'icône LANCEMENT. Le logiciel lui proposa une liste de quarante-six noms, qu'il sauvegarda dans un fichier créé tout exprès. La banque de données n'intégrait pas de photos. Pour en avoir, il allait devoir consulter les archives papier. Il élimina dix noms domiciliés dans les arrondissements de Richmond et du Queens, pour se concentrer provisoirement sur les jeunes femmes disparues à Manhattan. Restaient vingt-six. Puis il élimina les femmes noires, car s'ils avaient affaire à un tueur en série, ces individus sélectionnaient en général toujours le même type de victime. C'est ainsi que le plus célèbre d'entre eux, Theodore Bundy, avait presque exclusivement choisi des femmes qui se coiffaient avec la raie au milieu. Or, Bannister et Pretloe étaient de peau blanche, brunes, célibataires, plutôt jolies, elles avaient vingt et un et vingt-quatre ans. Donc, sa fourchette entre dix-huit et trente devait être un bon point de départ, et il continua d'éliminer les noms qui ne correspondaient pas au modèle ainsi défini.

Ensuite, il ouvrit le fichier interne au service consacré aux inconnues, recensant toutes les victimes de meurtres qui n'avaient pas encore été identifiées. Il connaissait déjà tous ces cas par son travail de routine. Deux répondaient aux critères, mais aucune n'était Bannister ou Pretloe. Donc, chou blanc pour le moment. C'était à la fois une bonne et une mauvaise nouvelle. Jusqu'à plus ample informé, les deux disparues n'étaient pas mortes, et c'était là la bonne nouvelle. La mauvaise, c'était qu'on avait pu se débarrasser adroitement de leurs corps — les marécages de Jersey n'étaient pas loin et, depuis le début du XXe siècle, la zone avait servi à inhumer les cadavres compromettants...

Il procéda ensuite à l'impression de sa liste de femmes disparues. Il tenait à examiner tous les dossiers papier, y compris les photos, avec les deux agents du FBI. Pretloe et Bannister étaient toutes les deux brunes, les cheveux à peu près de la même longueur, et cela pouvait constituer un point commun suffisant pour un tueur en série... mais non, puisque Bannister était toujours en vie — du moins, c'est ce que suggérait son courrier électronique... à moins que le tueur appartienne à cette catégorie de malades qui aimaient à laisser de faux espoirs aux familles de leurs victimes. D'Alessandro n'était encore jamais tombé sur ce genre de spécimen, mais les tueurs en série étaient de véritables psychopathes, et nul ne pouvait prévoir ce qu'ils pouvaient inventer pour se distraire. Si l'un de ces malades était lâché dans les rues de New York, alors, il n'y a pas que le FBI qui voudrait lui faire la peau...

« Oui, je l'ai vu, confirma Popov à son patron.

— Vraiment ? demanda John Brightling. De près ?

— À peu près comme je vous vois, monsieur, répondit le Russe. Je ne l'ai pas cherché, mais c'est un fait. C'est un homme imposant, intimidant. Sa femme est infirmière à l'hôpital public local, et sa fille est médecin. Elle a épousé l'un des membres de son équipe et travaille dans le même établissement que sa mère. Elle s'appelle Patricia Chavez. Son mari est Domingo Chavez, agent de la CIA comme son beau-père, désormais détaché auprès de ce groupe Rainbow, sans doute au titre de chef de commando. Clark a participé à la fuite d'Union soviétique de la femme et de la fille de l'ancien patron du KGB, il y a une douzaine d'années... Comme vous le savez, l'affaire a récemment été révélée par la presse. Eh bien, ce Clark était l'agent qui les a fait sortir. Il a été également impliqué dans le conflit avec le Japon ainsi que dans la disparition de Mahmoud Hadji Daryaei en Iran. Chavez et lui sont deux espions de haut vol, avec une formidable expérience de terrain. Il serait des plus dangereux de sous-estimer l'un ou l'autre, conclut Popov.

— Bien, et que peut-on en déduire ?

— On peut en déduire que ce Rainbow correspond bien à ce qu'on imaginait, un groupe multinational chargé de la lutte antiterroriste dont les activités s'étendent à l'ensemble de l'Europe. L'Espagne est membre de l'OTAN, mais pas l'Autriche et la Suisse, notez-le. Pourraient-ils élargir leur champ d'action à d'autres pays ? Sans aucun doute. Ils constituent une menace sérieuse pour tout groupe terroriste. Bref, poursuivit Popov, ce n'est pas une organisation que j'aimerais retrouver en face de moi. On a pu constater à la télévision leur niveau d'expertise en situation de combat. Et ils bénéficient en outre d'un soutien logistique et technique sans faille. L'un du reste ne peut exister sans l'autre.

— D'accord. Donc, on connaît leur existence. Se peut-il qu'ils connaissent la nôtre ? demanda le Dr Brightling.

— Possible, mais peu probable, réfléchit Popov. Si tel était le cas, les agents de votre FBI seraient déjà là pour nous arrêter tous les deux pour complot criminel. Or, je ne suis ni placé sous surveillance ni filé ; en tout cas, je n'en ai pas l'impression. Je sais reconnaître les indices, et je n'ai rien constaté de louche, même si je dois bien admettre qu'il est toujours possible qu'au prix d'un luxe d'efforts et de précautions, quelqu'un pourrait sans doute me suivre sans que je le remarque. C'est difficile — j'ai une formation à la contre-surveillance — mais cela reste théoriquement envisageable. »

Popov nota que cet aveu ébranla quelque peu

son employeur. Il venait de reconnaître qu'il n'était pas parfait. Son ancien patron au KGB l'aurait compris d'emblée, et l'aurait accepté comme un des risques normaux du travail d'espionnage... mais ces gens n'avaient jamais eu à s'inquiéter d'être arrêtés et de perdre les milliards de dollars de leur fortune personnelle.

« Quels sont les risques ?

— Vous voulez parler des méthodes qu'on pourrait utiliser contre vous ? » L'autre acquiesça. « Eh bien, vos téléphones pourraient être placés sur écoute et...

— Mes téléphones sont codés. Le système est réputé inviolable. Mes consultants en ce domaine m'affirment que... »

Popov l'interrompit de la main. « Monsieur, croyez-vous vraiment que votre gouvernement autoriserait la fabrication de systèmes de cryptage qu'il ne pourrait lui-même décoder ? fit-il du ton avec lequel on explique quelque chose à un enfant. La NSA, l'Agence pour la sécurité nationale dont le siège est à Fort Meade, emploie certains des plus brillants mathématiciens qui existent, elle utilise les ordinateurs les plus puissants du monde, et si vous vous êtes jamais interrogé sur leur assiduité au travail, vous n'avez qu'à jeter un œil sur leurs parkings.

— Comment cela ?

— Si les parkings sont encore pleins à sept heures du soir, cela veut dire qu'ils sont sur quelque chose de sérieux. Tout le monde possède une voiture dans votre pays, et les parkings sont en général trop vastes pour être fermés et protégés des regards indiscrets. Pour un espion, c'est un indicateur de l'activité de vos agences gouvernementales. » Et s'il était vraiment intéressé, il pouvait toujours retrouver noms et adresses à partir de la marque du véhicule et de sa plaque d'immatriculation. C'est ainsi que le KGB filait le chef de la section Z de la NSA — le service chargé à la fois de déchiffrer les codes et de mettre au point les nouveaux algorithmes de cryptage — depuis plus de dix ans, et nul doute que le RVS, son successeur, devait faire de même. Popov secoua la tête. « Non, je serais vous, je ne me fierais pas à un système de cryptage vendu dans le commerce. Je me méfie déjà de ceux qu'utilise le gouvernement russe. Vos gars s'y entendent pour craquer les algorithmes de cryptage. Il en est ainsi depuis plus de soixante ans, bien avant la Seconde Guerre mondiale, et, à l'époque, ils étaient alliés des Britanniques qui ont également une tradition d'excellence dans ce domaine. Personne ne vous l'a dit ? s'étonna Popov.

— Ma foi... non, on m'a assuré que ce système était parfaitement inviolable parce que basé sur des algorithmes à cent vingt-huit bits...

— Ah oui, la norme STU-3. Votre gouvernement l'a utilisée pendant pas loin de vingt ans. Vous êtes passés aujourd'hui au STU-4. Pensez-vous qu'ils ont changé pour le seul plaisir de claquer du fric, Dr Brightling ? Ou pouvait-il y avoir une autre raison ? Au temps où j'opérais pour le KGB, je n'utilisais que des calepins à usage unique. C'est un système de cryptage qui ne sert qu'une fois, en recourant à des transpositions aléatoires. Impossible à casser, mais pénible à utiliser. L'envoi d'un simple message peut prendre des heures. Malheureusement, il est très délicat à employer pour les communications verbales. Votre gouvernement utilise un système analogue, baptisé Tap-Dance, "Claquettes". Le concept est identique mais nous n'avons jamais réussi à le copier.

— Bref, vous voulez dire qu'on pourrait écouter toutes mes conversations téléphoniques ?

— Bien entendu, acquiesça Popov. Selon vous, pourquoi sinon tous nos entretiens importants ont-ils eu lieu en tête à tête ? » Cette fois, Dimitri Arkadeïevitch nota que son interlocuteur était ébranlé pour de bon. Le fameux génie n'était qu'un vrai béotien. « Alors peut-être que le moment est venu de m'expliquer pourquoi j'ai entrepris ces missions pour votre compte... »

« Bien sûr, monsieur le ministre... excellent... merci », répondit Bob Aukland. Il pressa la touche FIN de son mobile, remit l'appareil dans sa poche et se tourna vers Bill Henriksen. « Bonne nouvelle. Le groupe Rainbow va descendre ici à son tour pour nous donner son avis sur nos mesures de sécurité.

— Oh ? fit Bill. Ma foi, j'imagine que deux conseils valent mieux qu'un...

— Vous sentez un coup fourré ? demanda le flic.

— Non, pas vraiment, mentit Henriksen. Je dois sans doute en connaître quelques-uns, et ils me connaissent eux aussi.

— Et de toute manière, vous garderez votre liberté de manœuvre, Bill », promit l'Australien. Ils se dirigèrent vers sa voiture et firent un crochet par le café pour écluser quelques bières avant de reconduire l'Américain à l'aéroport.

Et merde, pensait ce dernier. Une fois encore, la loi des conséquences imprévisibles s'était dressée pour lui bouffer les fesses. Son esprit enclencha rapidement la surmultipliée, mais il eut tôt fait de se convaincre que l'incident n'était pas si grave, pour autant qu'il fasse convenablement son boulot. Il pourrait même l'aider, se dit-il, y croyant presque.

Brightling savait qu'il ne pouvait rien dire à Popov. Il lui faisait confiance sur bien des points — après tout, avec ce qu'il savait, Popov aurait pu se retrouver dans une prison fédérale, voire devant un peloton d'exécution — mais de là à lui révéler de quoi il retournait réellement... Non, pas question de prendre un tel risque. Il ignorait ses positions en matière d'écologie et de respect de la nature. De sorte qu'il ne pouvait prédire la réaction du Russe devant le Projet. Tel un faucon entraîné à la chasse, Popov restait un animal dangereux : il demeurait libre d'agir à sa guise, prêt peut-être à tuer sur ordre une caille ou un lapin, mais toujours susceptible de reprendre sa liberté pour retrouver son existence antérieure... et avec cette liberté, celle de livrer ses informations à d'autres. Une fois encore, Brightling songea à confier à Bill Henriksen ce problème potentiel. Lui saurait le régler. Nul doute que l'ex-agent du FBI savait enquêter sur un meurtre, et par conséquent il devait savoir aussi tromper des enquêteurs...

Quelle autre mesure pouvait-il prendre pour renforcer sa position et la sécurité du Projet ? Si ce groupe Rainbow posait problème, serait-il possible de le frapper directement ? Au mieux, le détruire, au pire, le distraire, détourner son regard ?

« Il va falloir que j'y réfléchisse attentivement, Dimitri », finit-il par dire.

Popov acquiesça sans un mot. Il se demandait quelles réflexions avaient traversé l'esprit de son employeur durant la quinzaine de secondes qu'il avait prise pour peser sa question. C'était à présent son tour d'être préoccupé. Il venait tout simplement d'informer John Brightling des risques opérationnels à l'utiliser, lui, Popov, pour organiser des attentats terroristes, et surtout des failles dans la sécurité de ses communications. Cette dernière observation avait tout spécialement inquiété son interlocuteur. Peut-être aurait-il dû l'en avertir plus tôt, mais en tout état de cause, le sujet n'avait jamais été abordé, et Dimitri Arkadeïevitch se rendait compte à présent qu'il avait commis là une grosse erreur. Enfin, peut-être pas si grosse que ça... La sécurité opérationnelle n'était pas si mauvaise. Deux personnes seulement étaient au courant de ce qui se passait... enfin, ce Bill Henriksen aussi, sans doute. Mais Henriksen était un ancien agent du FBI, et s'il avait été un indic, ils seraient déjà tous en taule. Le FBI aurait eu toutes les preuves nécessaires pour lancer une enquête criminelle et les traîner devant les tribunaux. Et jamais ils n'auraient laissé les choses en l'état — à moins qu'il y eût un autre complot bien plus vaste encore à démasquer...

... mais quelle devait être l'ampleur de ce complot pour laisser se commettre des meurtres ? Qui plus est, ils devraient déjà en connaître les tenants et aboutissants, sinon, ils n'auraient eu aucune raison de surseoir aux arrestations.

Non, leurs mesures de sécurité devaient être bonnes. Et même si le gouvernement américain avait la capacité technique de décrypter les communications prétendument sûres de Brightling, leur simple écoute requérait un mandat de justice et, pour l'obtenir, il fallait des preuves, preuves qui auraient déjà suffi à envoyer plusieurs personnes dans le quartier des condamnés à mort. *Moi compris*, se rappela Popov.

Qu'est-ce qui se passe vraiment ici ? s'interrogea le Russe. À force de ressasser la question, une évidence venait de s'imposer à lui : quoi que fasse son employeur, ce devait être *encore plus gros* que des massacres organisés ! Bon sang, de quoi pouvait-il s'agir ? Mais le plus préoccupant, c'est qu'il avait entrepris ces missions dans l'espoir — désormais réalisé, espérait-il — d'en tirer une jolie contrepartie financière. Il avait à présent plus d'un million de dollars sur son compte bancaire en Suisse. Largement de quoi retourner au pays et vivre plus qu'à l'aise... mais pas encore assez pour le but qu'il s'était assigné. Comme il était bizarre de découvrir qu'un « million », ce mot magique désignant un chiffre magique, ne s'avérait, une fois qu'on détenait la somme en question... plus magique du tout. Ce n'était qu'un montant dont il fallait soustraire tout ce qu'on désirait. Un million de dollars américains, ce n'était pas assez pour se payer la maison, la voiture, les repas qu'il voulait, tout en se gardant un capital suffisant pour financer le train de vie dont il rêvait de jouir jusqu'à la fin de ses jours... sauf sans doute en Russie ; or il n'avait hélas aucune envie d'y vivre. S'y rendre en touriste, oui, s'y installer, non. De sorte que Dimitri se trouvait toujours coincé dans ce piège.

Mais quel piège, il l'ignorait. Et c'est pour ça qu'il se retrouvait assis en face d'un individu qui, comme lui, s'échinait à résoudre son dilemme, sans qu'aucun des deux sache au juste quelle voie choisir. L'un savait de quoi il retournait mais pas l'autre ; en revanche, ce dernier savait comment s'y prendre pour agir, contrairement au premier. C'était une impasse intéressante et d'une certaine élégance.

Et voilà pourquoi ils restèrent assis, à se dévisager, durant une bonne minute, sans un mot, moins parce qu'ils ne savaient quoi dire que parce qu'ils répugnaient à courir le risque de l'exprimer. Finalement, ce fut Brightling qui rompit le silence.

« Il faut vraiment que j'envisage tous les aspects du problème. Laissez-moi un jour ou deux pour y réfléchir, d'accord ?

— Certainement. » Popov se leva, lui serra la main, quitta le bureau. Depuis toujours adepte de ce jeu, le plus intéressant et le plus fascinant de tous, il se rendait compte à présent qu'il avait entamé une nouvelle partie, avec de nouveaux partenaires. Il avait pris possession d'une énorme somme d'argent ; or c'était un montant que son employeur avait jugé négligeable. Il était impliqué dans une opération qui dépassait en ampleur le massacre organisé. Ce n'était pas vraiment inédit pour lui, nota Popov après réflexion. Naguère encore, il servait un pays que son ancien adversaire, aujourd'hui victorieux, avait surnommé l'« Empire du Mal », et qui avait eu plusieurs massacres de masse à son actif. Mais Brightling était un individu, pas un État, et si importantes que puissent être ses ressources, elles étaient minuscules comparées à celles de n'importe quel pays développé. La grande question demeurait : quel objectif visait au juste cet homme ? Et pourquoi avait-il besoin des services de Dimitri Arkadeïevitch Popov pour y parvenir ?

Henriksen prit le vol Qantas pour Los Angeles. En perspective, une bonne partie de la journée à rester assis dans son fauteuil de première — largement de quoi récapituler ce qu'il avait appris.

Le plan pour les jeux Olympiques était quasiment bouclé. Le système de brumisation était en place, ce qui convenait à merveille au déroulement du Projet. Il devait envoyer un de ses hommes vérifier le système, ce qui lui donnerait un prétexte pour se trouver sur place pour la phase de dissémination, le dernier jour. Enfantin. Il avait en poche les contrats de consultant pour réaliser tout ça. Seul problème, ce groupe Rainbow qui allait se radiner. N'allaient-ils pas se montrer trop envahissants ? Impossible de savoir. Dans la pire des hypothèses, il était toujours envisageable que ce genre de grain de sable fasse gripper la machine. C'était fréquent. Il avait pu le constater lors de son passage au FBI : une simple patrouille de routine, un agent à pied ou en voiture-radio pouvait tomber par hasard sur un braquage et faire capoter l'opération la mieux montée. Ou bien, lors d'une enquête, les souvenirs inhabituellement précis d'un badaud, la remarque en passant d'un sujet à un ami pouvaient tomber dans l'oreille du bon inspecteur et faire éclater une affaire. Rien de plus simple — ça s'était produit des millions de fois. Et l'avantage allait toujours au camp adverse, bien entendu.

Bref, vu sous cet angle, il savait qu'il devait éliminer tout risque d'événement fortuit de cet ordre. Il avait déjà frôlé la catastrophe. Le concept opérationnel était brillant — du reste, il en était l'auteur presque exclusif depuis le début ; John Brightling s'était contenté d'apporter la mise de fonds. Amener les terroristes à opérer en Europe avait provoqué un émoi général, et c'était justement cette prise de conscience des grandes nations qui lui avait permis, avec son entreprise, d'aller décrocher ce contrat à l'étranger pour assurer la sécurité des jeux Olympiques. Et puis voilà que ce satané groupe Rainbow entrait en scène et intervenait sur trois incidents terroristes — d'ailleurs, quel était le connard qui avait déclenché le troisième ? — avec une telle maestria qu'à présent les Australiens leur demandaient de venir à leur tour jeter un œil sur leurs installations. Et s'ils venaient, ils allaient rester et continuer de fureter, auquel cas ils seraient peut-être encore là pour les Jeux... Et si jamais ils envisageaient l'éventualité d'un attentat aux armes chimiques, ils risquaient assez vite de repérer l'existence d'un système de dissémination idéal...

Cela faisait quand même beaucoup de si, nota Henriksen. Tout un enchaînement de circonstances malheureuses pour entraver le Projet. Cela le réconforta quelque peu. Peut-être qu'il pourrait rencontrer les responsables de Rainbow et les orienter sur une autre piste. Après tout, il avait, lui, un expert en armes chimiques dans ses effectifs, eux, sans doute pas, et ça lui donnait un avantage. Avec un rien de doigté, son homme était fort capable de remplir sa mission à leur nez et à leur barbe sans qu'ils s'aperçoivent de rien. N'était-ce pas à cela que servait une bonne organisation ?

Relax, se répéta-t-il, tandis que l'hôtesse repassait avec le chariot des boissons. Il reprit un verre de vin. Relax. Mais, non, impossible. Il avait trop d'expérience comme enquêteur pour accepter le simple risque d'une interférence fortuite sans en envisager les conséquences éventuelles. Que son homme ne puisse mener à bien sa tâche, même par accident, et c'est l'ensemble du Projet qui risquait d'être démasqué. Et ça, ce serait autrement plus grave qu'un échec : cela voudrait dire l'emprisonnement à vie dans le meilleur des cas, une perspective qu'il n'était pas prêt à accepter. Non, s'il s'était impliqué dans le Projet, c'était pour au moins deux raisons : d'abord et avant tout, sauver le monde, mais aussi être là pour profiter des résultats de ce sauvetage.

De sorte que les risques, quelles qu'en soient la forme ou l'ampleur, étaient inacceptables. Il devait donc trouver le moyen de les éliminer. La clé, c'était ce Russe, Popov. Il se demanda ce que l'ancien espion avait découvert à la faveur de son voyage en Angleterre. Une fois en possession des bons renseignements, il pouvait ourdir un plan pour se débarrasser une bonne fois pour toutes de ce Rainbow. Voilà qui serait intéressant. Il se cala dans son fauteuil et choisit un film à regarder distraitement, pour mieux masquer ce qu'il faisait. Oui, décida-t-il dix minutes plus tard, à condition d'avoir en main les bons éléments, en hommes et en matériel, ça pouvait marcher.

Popov dînait seul dans une gargote à la pointe sud de Manhattan. La cuisine y était bonne, disait-on, mais l'endroit donnait l'impression que les rats devaient faire le ménage à la nuit tombée. En revanche, la vodka était somptueuse et, comme d'habitude, quelques verres l'aidaient à prendre du recul pour réfléchir.

Que savait-il au juste de John Brightling ? C'était un scientifique de génie, ainsi qu'un brillant homme d'affaires. Il avait épousé quelques années plus tôt une femme aussi brillante que lui, aujourd'hui conseillère scientifique du président, mais le mariage avait été un échec et, depuis, son employeur passait de lit en lit... Devenu l'un des célibataires les plus courus d'Amérique (son assise financière lui donnait droit au titre), sa photo apparaissait souvent dans les pages mondaines, ce qui ne devait pas être du goût de son ex-épouse.

L'homme avait des relations dans les milieux qui avaient accès aux dossiers confidentiels. Ce groupe Rainbow était à l'évidence « noir » ; or il avait réussi en une journée à obtenir son nom et celui de son commandant. Rien qu'une journée. C'était plus qu'impressionnant : c'était incroyable. Comment diable avait-il pu accomplir un tel exploit ?

Et il était embringué dans une affaire dont les implications dépassaient en envergure un massacre collectif. C'était là que ça coinçait, encore une fois. Popov avait l'impression d'avancer dans une rue encombrée pour venir buter contre un mur. De quoi pouvait se mêler un simple homme d'affaires qui fût encore plus sérieux que ça ? Au point de contre-balancer le risque de perdre la liberté, voire d'encourir la peine de mort ? Si ce plan devait déboucher sur quelque chose de plus grave encore qu'un massacre collectif, jusqu'où pouvait-il aller ? Et surtout, dans quel but ? Déclencher une guerre ? Mais il n'était pas un chef d'État, et cela n'était donc pas de son ressort. Brightling était-il un espion, qui transmettait des informations vitales, classées secret d'État, à une puissance étrangère ? Mais en échange de quoi ? Comment pouvait-on, gouvernement ou pas, soudoyer un milliardaire ? Non, l'argent n'était pas un enjeu. Que restait-il ?

Il y avait quatre grandes raisons qui poussaient quelqu'un à trahir sa patrie : l'argent, l'idéologie, la conscience, l'ego. L'argent était exclu : Brightling en avait trop. L'idéologie était toujours la motivation idéale pour un traître ou un espion — les gens étaient bien plus enclins à risquer leur vie pour défendre leurs croyances que par vil goût du lucre —, mais quelle idéologie avait un tel individu ? Popov l'ignorait. En trois : la conscience. Mais laquelle ? Contre quoi pouvait-il se révolter ? Non, c'était peu crédible. Restait l'ego. Certes, Brightling était plutôt bien doté dans ce domaine, mais l'ego impliquait l'aiguillon d'une revanche prise sur un individu ou une institution qui aurait pu lui faire du tort. Qui aurait bien pu faire du tort au milliardaire John Brightling, au point que sa réussite matérielle ne puisse pas suffire à panser cette blessure ? Popov fit signe au garçon de lui resservir une vodka. Ce soir, il rentrerait chez lui en taxi.

Non, le lucre était hors de question. L'ego aussi. Restaient donc l'idéologie et la conscience. Quelles croyances, quels torts pouvaient amener un homme à commettre des meurtres à grande échelle ? Dans un cas, Brightling n'avait rien d'un fanatique religieux. Dans l'autre, il n'avait rien à reprocher à son pays. En conséquence, les deux dernières motivations étaient presque aussi improbables que les premières et si Popov nc les éliminait pas d'office, c'était uniquement parce que... parce que quoi ? se demanda-t-il. Parce qu'il n'avait que quatre possibilités, à moins que Brightling ne soit complètement dément, et ce n'était pas le cas...

Non, certainement pas. Son employeur n'avait rien d'un déséquilibré. Chacun de ses actes était mûrement réfléchi, et même si son point de vue (en particulier sur les questions financières) était bien différent du sien, il avait une telle fortune que la différence était compréhensible ; ce n'était jamais qu'une affaire de perspective : pour lui, un million de dollars, c'était de l'argent de poche. Pourrait-il dans ce cas s'agir d'un de ces malades qui, à l'instar d'un chef d'État, un nouveau Saddam Hussein, un nouvel Hitler ou un nouveau Staline... mais non, il n'était pas chef d'État, il n'avait aucune ambition politique, et seuls des politiciens pouvaient être atteints par cette folie criminelle...

Tout au long de sa carrière au KGB, Popov en avait vu des vertes et des pas mûres. Il avait eu affaire à des adversaires de classe internationale, et pas une seule fois il ne s'était laissé prendre, pas une seule fois il n'avait échoué en mission. Il avait donc fini par se juger plutôt plus malin que la moyenne. Ce qui rendait la présente impasse d'autant plus frustrante. Il détenait plus d'un million de dollars dans une banque bernoise. Avec la perspective d'arrondir encore ce magot. Il avait organisé deux opérations terroristes qui avaient rempli leur objectif, non ? C'était en tout cas manifestement l'avis de son employeur, malgré un navrant échec tactique dans les deux cas. Pourtant, il avait l'impression d'en savoir encore moins qu'au début. Plus il creusait, moins il obtenait de résultats. Et moins il en obtenait, plus son inquiétude grandissait. Il avait plus d'une fois demandé à son employeur pour quelle raison il faisait ce travail pour lui, mais Brightling avait toujours refusé de répondre. Le plan devait être d'une ampleur insoupçonnée... mais quel était-il ?

Ils faisaient des exercices respiratoires. Ding trouvait ça amusant, tout en sachant qu'ils étaient indispensables. Patsy avait beau être grande et mince, elle n'était pas l'athlète qu'il était devenu pour diriger le groupe Deux, et elle devait donc apprendre à respirer pour que le bébé vienne plus facilement, et rien de mieux que l'exercice physique pour y parvenir. C'est pour cela qu'ils étaient assis par terre tous les deux, jambes écartées, à souffler comme des phoques, et il avait toutes les peines du monde à ne pas éclater de rire.

« On respire lentement, profondément », dit-il, une fois décomptées les contractions théoriques. Puis il lui saisit la main et se pencha pour l'embrasser. « Comment va, Patsy ?

— Je suis prête, Ding. J'ai simplement hâte d'en avoir fini.

— Inquiète ?

— Ma foi, répondit Patsy Clark Chavez, docteur en médecine, je sais que ça ne va pas être une partie de plaisir, et j'ai simplement envie d'être débarrassée, tu vois ?

— Ouais. » Ding était d'accord avec elle. La perspective d'une épreuve désagréable était souvent pire encore que sa réalisation, du point de vue physique, tout du moins. Il le savait d'expérience, mais elle, pas encore. C'était peut-être pour cela que les deuxièmes accouchements étaient presque toujours plus faciles que les premiers. On savait à quoi s'attendre, on savait que, malgré les désagréments de l'épreuve, on avait au bout un bébé. Pour Domingo, c'était la clé de tout le processus : être *père* ! Avoir un enfant, entamer la plus grande de toutes les aventures : élever une nouvelle vie, faire de son mieux, commettre bien sûr des erreurs, mais en tirer la leçon et, au bout du compte, offrir à la société un nouveau citoyen responsable pour poursuivre la route. C'était à cela que ça servait d'être un homme. Oh, bien sûr, porter une arme et faire un boulot comme le sien avait également son importance, puisqu'il était désormais un gardien de la société, un redresseur de torts, protecteur de l'innocent, une des forces de cet ordre sur lequel était bâtie la civilisation... Mais voilà que l'occasion lui était donnée d'être personnellement impliqué dans ce qui faisait justement la civilisation : élever convenablement ses enfants, les éduquer et les guider vers le Bien, à toute heure du jour ou de la nuit. Peut-être que ce gamin serait un espion/soldat comme lui, ou peut-être mieux encore, un médecin comme Patsy, un de ces éléments indispensables à la société, ceux qui rendaient service à leur prochain. Tout cela n'adviendrait que si Patsy et lui accomplissaient comme il fallait leur travail de parents, et cette responsabilité était la plus grande qui se puisse imaginer. Domingo avait hâte d'y être confronté, hâte de tenir son enfant dans ses bras, de l'embrasser et le dorloter, de changer des couches et nettoyer des petites fesses. Il avait déjà monté le berceau, décoré les murs de la chambre de lapins roses et bleus, acheté des joujoux pour distraire le petit démon, et même si tous ces détails semblaient incongrus au regard de son existence habituelle, lui et ses compagnons de Rainbow voyaient les choses autrement, car tous avaient déjà des gosses, et pour eux, l'engagement avait été strictement le même. Eddie Price avait un gamin de quatorze ans, un rien rebelle et têtu — sans doute comme son père au même âge — mais également assez déluré pour s'interroger sur tout et rechercher ses propres réponses qu'il finirait par trouver en temps opportun, toujours comme son père. Ce gamin avait le mot « soldat » écrit sur le front, estimait Ding... mais, la chance aidant, il passerait d'abord par l'école et deviendrait officier, comme Price aurait dû et pu le faire en Amérique. Ici, le système était toutefois différent. C'est pour cela qu'il était devenu cet adjudant hors pair, son plus fidèle subordonné, toujours prêt à offrir ses suggestions, avant d'exécuter les ordres à la lettre. Oui, l'avenir s'annonçait prometteur, se dit-il, serrant toujours la main de Patsy dans la sienne.

« Effrayée ?

— Pas effrayée, juste nerveuse, admit Patsy.

— Chérie, si c'était si dur, comment se ferait-il qu'on soit si nombreux sur terre ?

— C'est bien une parole d'homme, nota le Dr Patricia Chavez. Facile à dire pour toi. C'est pas toi qui t'y colles.

— Je serai là pour t'aider, promit son mari.

— T'as intérêt ! »

23

Surveillance

Quand Henriksen débarqua à l'aéroport international Kennedy, il avait l'impression d'avoir été plié, froissé, déchiqueté et jeté dans une corbeille à papier, mais enfin, c'était prévisible. Il avait effectué presque un demi-tour du monde en une journée, et son horloge interne, totalement perturbée, se vengeait méchamment. Il allait passer la semaine à se réveiller et s'endormir à n'importe quelle heure, mais tant pis. Quelques comprimés et quelques verres l'aideraient à récupérer le sommeil nécessaire.

Un employé l'attendait au bout de la passerelle ; il prit sa mallette sans un mot et le précéda vers la réception des bagages, où, chance insigne, son sac était le cinquième sur le carrousel, ce qui lui permit de quitter rapidement le terminal pour rejoindre l'autoroute de New York.

« Comment s'est passé le voyage ?

— On a décroché le contrat, répondit Henriksen à l'homme qui ne faisait pas partie du Projet.

— Bon », dit l'autre, sans se douter à quel point effectivement c'était bon pour certains et mauvais pour lui.

Henriksen boucla sa ceinture et se cala dans le siège pour récupérer quelques instants de sommeil, mettant de fait un terme à la conversation.

« Alors, qu'est-ce qu'on a trouvé ? demanda l'agent du FBI.

— Pour l'instant, rien, répondit d'Alessandro. J'ai relevé un autre cas de disparition similaire : même quartier, même âge, même signalement, disparue à peu près au même moment que Mlle Bannister : Anne Pretloe, secrétaire juridique, évanouie elle aussi sans laisser de traces.

— Et du côté des cadavres non identifiés ?

— Rien qui corresponde. Les gars, il va falloir se faire à l'idée qu'on a un *serial killer* sur les bras...

— Mais pourquoi ce message électronique est-il apparu soudain ?

— Est-il comparable aux autres e-mails que Mlle Bannister a pu envoyer à son vieux ? demanda l'inspecteur de la police de New York.

— Pas franchement, répondit le responsable de l'enquête au FBI. Celui qu'il avait apporté à notre bureau de Gary donnait l'impression... ma foi, que la fille était sous l'emprise de la drogue, vous voyez ?

— Entendu, reconnut d'Alessandro. Mais vous en avez d'autres ?

— Tenez. » L'agent lui tendit six télécopies envoyées au bureau de New York. L'inspecteur les parcourut. Tous les courriers étaient rédigés de manière parfaitement claire, sans la moindre faute d'orthographe.

« Et si ce n'était pas elle qui les avait envoyés, mais quelqu'un d'autre ?

— Le *serial killer* ? » enchaîna le deuxième agent du FBI. Puis il réfléchit à cette hypothèse et son visage trahit ses pensées. « Faudrait qu'il soit sacrément déjanté, Mario.

— Ouais, mais enfin, les tueurs en série ne sont pas non plus des enfants de chœur, pas vrai ?

— Torturer les familles ? On a déjà eu un tel exemple ? demanda le responsable de l'enquête.

Pas que je sache, Tom, mais comme on dit...

— Merde, grommela Tom Sullivan.

— On fait appel aux psychologues du comportement ? » demanda son jeune collègue qui s'appelait Frank Chartham.

Sullivan acquiesça. « Ouais, c'est ce qu'on va faire. Je vais prévenir Pat O'Connor. Ensuite, je pense qu'on devrait faire imprimer des tracts avec la photo de Mary Bannister et se mettre à les distribuer dans le West Side. Mario, vous pouvez demander à vos hommes de nous filer un coup de main ?

— Sans problème, répondit d'Alessandro. Si l'affaire prend le tour que j'imagine, je veux qu'on coince ce salopard avant qu'il cherche à entrer dans le *Livre des records*. Pas de ça dans ma ville, les mecs », conclut l'inspecteur.

« Tu veux réessayer l'interleukine ? demanda Barbara Archer.

— Ouais, fit Killgore. La 3a est censée accroître la réponse du système immunitaire, mais ils ne savent pas trop comment elle agit. Moi non plus ; cela dit, si elle a un effet quelconque, on doit être fixés.

— Mais les complications respiratoires ? » L'un des problèmes avec l'interleukine, c'était en effet qu'elle attaquait le tissu pulmonaire, là aussi pour des raisons inconnues, et qu'elle pouvait s'avérer dangereuse pour les fumeurs et les sujets souffrant de problèmes respiratoires.

Nouveau signe d'acquiescement. « Ouais, je

sais, comme pour le 2, mais le sujet F4 ne fume pas, et je veux m'assurer que la 3a ne risque pas de compromettre l'action de Shiva. On ne peut pas courir ce risque, Barb. »

Le Dr Archer était tout à fait d'accord. Comme son collègue, elle ne pensait pas que cette nouvelle forme d'interleukine aurait le moindre effet, mais il fallait en avoir la confirmation. « Et l'interféron ?

— Cela fait cinq ans que les Français le testent sur les fièvres hémorragiques mais sans aucun résultat. On peut également essayer, Barb, mais je suis convaincu que ça ne donnera rien.

— Testons-le malgré tout sur le F4, suggéra-t-elle.

— Si tu veux. » Killgore le nota sur la feuille de soins de la patiente et quitta la pièce. Une minute plus tard, il apparaissait sur l'écran du moniteur.

« Eh bien, Mary, comment se sent-on aujourd'hui ? Il y a du mieux ?

— Non. Toujours vachement mal à l'estomac.

— Oh, vraiment ? Voyons voir ce qu'on peut faire. » La maladie progressait rapidement. Killgore se demanda si elle ne souffrirait pas d'une anomalie génétique dans le tractus digestif supérieur, peut-être une susceptibilité à l'ulcère gastrique... Si tel était le cas, Shiva allait la mettre en pièces en un rien de temps. Il augmenta la dose de morphine dans sa perfusion. « Bien, dans ce cas, nous allons tenter un nouveau traitement. Cela devrait vous remettre sur pied d'ici deux ou trois jours, d'accord ?

— Est-ce les fameux produits que j'avais accepté de tester ? demanda F4 d'une voix faible.

— Tout à fait » répondit Killgore, accrochant à la perche les poches d'interleukine-3a et d'interféron. « Avec ça, vous devriez sentir une nette amélioration », promit-il avec un sourire. C'était si bizarre de parler ainsi à ses rats de laboratoire. Enfin, comme il se l'était souvent répété, un rat, un porc ou un chien... ou une fille, en l'occurrence : c'était du pareil au même. Il n'y avait pas tant de différence que ça, après tout.

Il vit le corps se relaxer sous l'effet de la dose accrue de morphine, le regard devenir trouble. Eh bien si, finalement, il y en avait une : les rats, on ne leur donnait pas de sédatifs ou de narcotiques pour soulager la douleur. Non qu'il refuse d'en administrer, mais simplement, il n'existait pas de moyen efficace de les soulager. Il n'avait jamais été ravi de voir l'éclat de leurs jolis petits yeux roses se ternir, reflet de la souffrance. Enfin, dans ce cas précis au moins, le regard vitreux témoignait-il d'un répit dans l'épreuve.

L'information était fort intéressante, estima Henriksen, et ce Russe s'y entendait pour l'exploiter. Il aurait fait une excellente recrue pour leur service de contre-espionnage... D'un autre côté, c'était précisément son activité naguère, sauf bien sûr qu'il travaillait dans l'autre camp.

L'information lui remit en mémoire l'idée qu'il avait eue durant le vol de retour. « Dimitri, demanda-t-il, avez-vous des contacts en Irlande ? »

Popov acquiesça. « Oui, plusieurs. »

Henriksen jeta un œil vers le Dr Brightling, quêtant son approbation, et reçut un signe d'assentiment. « Ça leur dirait de venir se frotter au SAS ?

— On en a déjà discuté bien des fois, mais c'est infaisable. Ce serait comme d'envoyer un braqueur dans une banque gardée... non, même pas. Plutôt l'envoyer attaquer l'usine qui imprime les billets pour le Trésor. Il y a trop de dispositifs de défense pour que la mission soit réalisable.

— Mais ils n'auraient pas besoin d'attaquer Hereford. On pourrait attirer les gars de Rainbow à l'extérieur et leur préparer une petite surprise de notre cru », continua d'expliquer Henriksen.

Popov jugea l'idée intéressante. Mais : « Cela reste une mission à haut risque.

— Très bien. Quelle est la situation actuelle de l'IRA ? »

Popov se carra dans son fauteuil. « Le mouvement est très divisé. On y compte désormais plusieurs factions. Certains veulent la paix, d'autres voudraient que les désordres continuent. Les raisons sont à la fois idéologiques et personnelles. Idéologiques parce qu'ils croient sincèrement réaliser leur objectif politique qui est de chasser les Anglais d'Irlande du Nord et de renverser le gouvernement républicain de Dublin pour le remplacer par un pouvoir "socialiste progressiste". Un objectif bien trop ambitieux pour pouvoir se concrétiser ; malgré tout, ils continuent d'y croire et s'y accrochent. Ce sont des marxistes convaincus — en fait, ils seraient plus maoïstes que marxistes, mais là n'est pas l'essentiel.

— Et l'aspect personnel ? s'enquit Brightling.

— Quand on est un révolutionnaire, ce n'est pas une simple question de croyance, c'est aussi une affaire de perception par l'opinion. Pour bien des gens, un révolutionnaire est un personnage romantique, quelqu'un qui croit en une certaine vision de l'avenir et qui est prêt à risquer sa vie pour elle. De là découle son statut social. Ceux qui connaissent personnellement ces individus ont souvent du respect pour eux. Par conséquent, la perte de ce statut est vécue comme un déchirement par l'ancien révolutionnaire. Il doit se résoudre à gagner sa vie, redevenir ouvrier, chauffeur, au gré de ses aptitudes...

— En d'autres termes, un peu comme lorsque le KGB vous a mis à la retraite d'office », suggéra Henriksen.

Popov dut admettre que la comparaison était juste. « Dans un sens, oui. Quand j'étais agent de la sécurité d'État, j'avais un statut, un rang social partagés par une petite élite en Union soviétique, et les perdre a été pour moi plus grave que de perdre mon modeste traitement. Il en sera de même pour les marxistes irlandais. Ils ont deux raisons pour vouloir que les troubles se poursuivent : leurs convictions idéologiques, et leur besoin d'une reconnaissance sociale autre que celle du simple ouvrier.

— En connaissez-vous personnellement ?

— Oui, je pourrais sans doute en identifier plusieurs. J'en ai croisé bon nombre au Liban, dans la vallée de la Bekaa, où ils s'entraînaient avec d'autres "éléments progressistes". Et j'ai déjà eu l'occasion de me rendre en Irlande pour livrer des messages ou de l'argent destiné à financer leurs activités. Toutes ces opérations mobilisaient un large effectif de l'armée britannique, voyez-vous, de sorte que l'Union soviétique avait tout intérêt à les soutenir pour affaiblir un ennemi de poids au sein de l'OTAN. » Popov mit fin à son exposé et considéra ses deux interlocuteurs. « Vous voudriez qu'ils fassent quoi ?

— Le problème est moins de décider quoi que de savoir comment, nota Bill. Voyez-vous, quand j'étais au FBI, on avait l'habitude de dire que l'IRA était composée des meilleurs terroristes du monde : zélés, intelligents, parfaitement vicieux.

— J'aurais tendance à partager cette opinion. Ils étaient formidablement organisés, idéologiquement solides, et quasiment prêts à tout si cela pouvait avoir un impact politique réel.

— Comment envisageraient-ils cette opération ?

— Une opération, quelle opération ? » demanda Dimitri, et Bill alors lui en exposa les grands traits. Le Russe écouta poliment, pensif, avant de répondre : « Ça ne devrait pas leur déplaire, mais c'est une entreprise d'envergure et les risques sont grands.

— Que leur faudrait-il pour qu'ils coopèrent ?

— De l'argent et un soutien matériel : armes, explosifs, tout ce qui est indispensable pour ce genre d'opération. L'actuelle guerre des clans a probablement eu pour conséquence de désorganiser leur logistique. C'est sans aucun doute de cette façon que les partisans de la solution pacifique cherchent à contrôler ceux qui prônent la violence, en restreignant leur accès aux armes : sans armes, impossible pour eux de réaliser des actions, et donc de renforcer leur prestige personnel. Alors, si vous leur offrez les moyens de mener des opérations, ils ne pourront que vous prêter une oreille attentive.

— L'argent ?

— L'argent permet d'acheter des choses. Les factions avec lesquelles nous sommes susceptibles de collaborer ont sans doute été coupées de leurs sources de financement habituelles.

— Qui sont ?

— Les cafés irlandais, et disons ce qu'on pourrait appeler l'extorsion de fonds, c'est cela ?

— C'est cela, confirma Henriksen avec un signe de tête. C'est ainsi qu'ils se financent et cette source est sans doute parfaitement contrôlée par les factions pacifistes.

— Bref, selon vous, combien faudrait-il, Dimitri ?

— Plusieurs millions de dollars, je dirais... enfin, au minimum.

— Il faudra redoubler de précautions pour blanchir cette somme, nota Bill à l'adresse de son patron. Là, je peux être utile.

— On part sur cinq millions ?

— Ça devrait suffire, répondit Popov, après un instant de réflexion, avec l'attrait psychologique supplémentaire d'aller titiller le lion si près de sa tanière. Mais je ne peux rien promettre. Ces gens prennent leurs propres décisions en fonction de leurs raisons propres.

— Combien de temps vous faut-il pour arranger une rencontre ?

— Deux jours, peut-être trois, après mon arrivée en Irlande, répondit Popov.

— Prenez vos billets », lui dit aussitôt Brightling.

« L'un d'eux avait bavardé avant le déploiement de leur commando, expliqua Tawney. Il s'appelait René. Avant de partir pour l'Espagne, il s'est confié à sa petite amie. Elle a eu des scrupules et s'est présentée d'elle-même à la police. Les Français l'ont interrogée hier.

— Et ? fit Clark.

— Et le but était bien de libérer Carlos, mais il ne lui a rien révélé sur l'instigateur de la mission. En fait, il n'a pas dit grand-chose, même si l'interrogatoire de la fille a révélé le nom d'un autre membre du commando, en tout cas, c'est ce que pensent nos collègues français. Ils cherchent en ce moment à l'identifier avec précision. Quant à la fille... eh bien, ils avaient été amis, puis amants, et manifestement il avait confiance en elle. Elle s'est rendue à la police de son plein gré à cause du meurtre de la petite Hollandaise. La presse française en a fait ses gros titres, et il semble bien que ça lui ait donné des remords. Elle a dit aux policiers qu'elle avait tenté de le dissuader d'agir — ça, je n'y crois pas trop — et qu'il lui aurait répondu qu'il allait y réfléchir. À l'évidence, il n'a pas suivi sa suggestion mais les Français en sont maintenant à se demander s'ils n'auraient pas pu avoir de défections dans leurs rangs. Ils sont en train de faire le tour des suspects habituels pour les cuisiner. Ça donnera peut-être quelque chose, conclut Tawney, plein d'espoir.

— C'est tout ? demanda Clark.

— C'est déjà pas mal, en fait, observa Peter Covington. C'est plutôt mieux que ce qu'on avait hier, et cela permet à nos amis français de suivre de nouvelles pistes.

— Peut-être. » Chavez semblait dubitatif. « Mais enfin pourquoi ces salopards ont-ils repris du service ? Qui les y a poussés ?

— Autre chose concernant les deux premiers incidents ? reprit Clark.

— Pas le moindre indice, répondit Tawney. Les Allemands ont pourtant ratissé dans tous les coins. On a vu des voitures aller et venir autour de la maison Fürchtner/Dortmund, mais c'était une artiste, et elle aurait pu recevoir d'éventuels acheteurs de ses toiles. De toute façon, aucun signalement précis de véhicule, aucun relevé d'immatriculation. C'est une piste froide, à moins qu'un inconnu ne vienne se pointer dans un commissariat pour faire une déposition.

— Ils avaient des associés connus ? demanda Covington.

— Le BKA les a tous interrogés, sans résultat. Hans et Petra n'ont jamais été très loquaces. Idem pour Model et Guttenach. » Tawney eut un geste dépité.

« C'est pourtant là, John, dit Chavez. Je le sens.

— Je suis bien d'accord, admit Covington. Mais le tout, c'est d'arriver à mettre la main dessus. »

Clark avait le front soucieux, mais il connaissait la musique, lui aussi : il avait travaillé sur le terrain. On voulait avoir du concret, mais il ne suffisait pas de le vouloir pour que ça se fasse. Ces trucs-là vous arrivaient quand ils le voulaient bien. Pas plus compliqué que ça, et particulièrement irritant, surtout quand vous saviez que les indices se trouvaient à portée de main et que vous en aviez absolument besoin. La moindre bribe d'information pouvait permettre à Rainbow de déclencher tout le dispositif policier d'un pays pour coincer le ou les suspects qu'ils recherchaient, avant de les cuisiner jusqu'à ce qu'ils obtiennent les révélations nécessaires. Les Français ou les Allemands étaient les meilleurs à ce petit jeu — aucun des deux pays n'avait le carcan légal auquel les Anglo-Saxons soumettaient leurs forces de police.

Mais il ne fallait pas non plus penser comme ça : au FBI aussi, on savait amener les suspects à cracher le morceau, même si en apparence on y traitait tous les criminels avec des égards... Les terroristes étaient comme les autres : une fois capturés, ils balançaient ce qu'ils savaient... enfin, sauf les Irlandais, rectifia mentalement John. Certains de ces salopards n'ouvraient pas la bouche, même pas pour prononcer leur nom. Cela dit, il y avait des moyens de venir à bout des plus récalcitrants. Il suffisait de les prendre entre quatr'z-yeux, à l'insu de la police, et de leur flanquer une sainte trouille — de Dieu et de la souffrance. En général, ça marchait... en tout cas, ça avait toujours marché, d'après l'expérience de John Clark. Mais il fallait déjà avoir quelqu'un à se mettre sous la dent. Et c'était ça le plus dur.

Lorsqu'il était agent de la CIA, il s'était souvent trouvé en mission dans des coins éloignés et pas agréables, pour découvrir que l'opération était annulée — ou pis encore, retardée — parce qu'un élément d'information vital manquait ou bien avait été perdu. Il avait vu trois hommes et une femme mourir pour cette raison, en quatre endroits différents, tous situés derrière le rideau de fer. Trois hommes et une femme, dont il connaissait les visages, perdus, légalement assassinés par leur pays natal. Leur lutte contre la tyrannie avait fini par triompher, mais ils n'avaient pas vécu pour le voir ou goûter les fruits de leur courage, et le souvenir de chacun d'eux pesait sur la conscience de Clark... Et c'est pour cela qu'il avait fini par haïr ceux qui détenaient l'information dont il avait besoin, sans être capables cependant de la lui procurer à temps. Et voilà que ça recommençait. Ding avait raison. Il y avait quelqu'un qui forçait ces bêtes à sortir de leur tanière, et il avait bien l'intention de le retrouver. Cela leur permettrait de mettre la main sur des listes de noms, de numéros de téléphone et d'adresses grâce auxquelles les services de police européens pourraient opérer une rafle de grande envergure et anéantir ainsi une bonne partie des foyers terroristes dont la menace pesait encore sur l'Europe. Et ça, ça serait autrement plus efficace que d'envoyer ses hommes au casse-pipe, le fusil chargé.

Popov fit ses bagages. À force, il avait acquis le coup de main et savait désormais ranger ses chemises sans qu'elles ressortent toutes froissées — ce qu'il n'avait jamais réussi à faire quand il était agent du KGB. Cela dit, ses chemises étaient d'une autre qualité maintenant, et il avait appris à mieux en prendre soin. Les sacs de voyage, en revanche, avec leur multitude de poches et de compartiments spéciaux lui permettant de dissimuler ses documents « de rechange » reflétaient son activité antérieure. Il les conservait désormais en permanence. Que le projet s'écroule, il voulait être en mesure de disparaître sans laisser de traces, et ses trois jeux de papiers étaient là pour l'y aider. En toute dernière extrémité, il pourrait toujours vider son compte en Suisse et retourner en Russie, même s'il avait d'autres plans pour l'avenir...

Il redoutait toutefois que la passion du lucre n'obscurcisse son jugement. Cinq millions de dollars... S'il réussissait à les empocher, il aurait alors les moyens de vivre dans le luxe jusqu'à la fin de ses jours, quasiment dans le lieu de son choix, surtout s'il faisait des placements judicieux. Mais comment parvenir à détourner les sommes promises à l'IRA ? Cela ne devrait pas trop poser de problème. Puis il ferma les yeux et songea de nouveau à la cupidité. Ne prenait-il pas un risque inutile, entraîné qu'il était par son désir d'empocher cette énorme somme d'argent ? Difficile d'être objectif sur ses propres motivations. Et surtout difficile d'être un homme libre, et non plus un agent parmi les milliers d'autres du Comité de sécurité de l'État, toujours à devoir justifier le moindre dollar, la moindre livre, le moindre rouble dépensé devant les comptables du 2, place Dzerjinski, les gens les plus dénués d'humour dans une agence particulièrement peu gâtée en la matière.

La cupidité... L'idée le turlupinait. Il allait devoir mettre ce problème de côté. Il devait continuer d'aller de l'avant, comme le professionnel qu'il avait toujours été, prudent et circonspect à chaque étape, de crainte d'être surpris par le contre-espionnage ennemi, voire par ceux-là mêmes qu'il était censé rencontrer. L'aile provisoire de l'Armée républicaine irlandaise était aussi impitoyable que n'importe quel autre groupe terroriste. Même si ses membres avaient l'air de joyeux drilles prompts à lever le coude — à cet égard, ils étaient proches des Russes —, ils tuaient malgré tout leurs ennemis, à l'intérieur comme à l'extérieur de l'organisation, sans plus de pitié que des expérimentateurs leurs rats de laboratoire. Pourtant, ils savaient aussi se montrer fidèles jusqu'au bout. En cela, ils étaient prévisibles, et c'était un avantage pour Popov. En outre, il savait comment les manipuler. Il l'avait fait si souvent par le passé, tant en Irlande que dans la vallée de la Bekaa. Il n'allait quand même pas les laisser deviner son envie d'empocher l'argent qui leur était destiné.

Ses bagages terminés, Popov descendit par l'ascenseur. En bas, le portier de l'immeuble lui héla un taxi. Il prit la direction de La Guardia, où il prendrait la navette pour Boston et de là, un vol Aer Lingus vers Dublin. Faute de mieux, son travail pour Brightling lui aurait toujours rapporté quantité de bons kilométriques, même s'ils étaient répartis sur trop de compagnies différentes pour être très utiles. Et ils lui avaient toujours pris des billets de première, ce que le KGB n'avait jamais fait, se souvint-il en retenant un sourire...

Assis sur la banquette du taxi, Dimitri Arkadeïevitch repensa à ses tractations avec l'IRA provisoire. Tout ce qu'il avait à faire, c'était de traiter honnêtement avec eux. Si jamais l'occasion se présentait de piquer le fric, il la saisirait. Mais il avait déjà une certitude : ils allaient sauter sur la proposition de contrat. On ne ratait pas une chance pareille, et s'il fallait leur reconnaître une qualité, c'était bien l'enthousiasme...

L'agent Patrick O'Connor examina le fax envoyé de New York. Le problème dans les affaires d'enlèvement, c'était le temps. Aucune enquête ne se déroulait assez vite mais c'était encore pire avec les rapts, parce qu'on savait que, quelque part, il y avait quelqu'un dont la vie dépendait de votre capacité à obtenir des informations et à agir en conséquence avant que le ravisseur ne décide de mettre fin à son petit jeu malsain, tuant son otage et filant en prendre une autre. Une autre ? C'était probable : puisqu'il n'y avait pas eu demande de rançon, cela voulait dire que l'éventuel ravisseur de Mary Bannister n'avait aucunement l'intention de la troquer contre de l'argent. Non, elle allait lui servir de jouet, sans aucun doute pour assouvir ses pulsions sexuelles, jusqu'au moment où, s'étant lassé d'elle, il la tuerait probablement.

C'est pour cela que Patrick O'Connor se sentait lancé dans une course contre la montre, même si la piste était invisible et le chrono caché dans la main d'un autre. Il avait une liste des amis et relations de Mlle Bannister, dans la région, et ses agents étaient partis les interroger, dans l'espoir d'obtenir un nom, un numéro de téléphone susceptibles de les conduire à l'étape suivante de leur enquête... mais non, c'était peu probable. Non, pour lui, l'affaire se cantonnait à New York. La jeune femme était partie chercher fortune, attirée comme tant d'autres par les lumières de la grande ville. Beaucoup y trouvaient effectivement ce qu'elles étaient venues chercher, mais elle, la petite provinciale des faubourgs de Gary, Indiana, était partie sans trop savoir ce qu'était une grande ville, et elle ignorait comment se protéger dans une cité de huit millions d'habitants...

Et sans doute était-elle déjà morte, songea avec résignation O'Connor, tuée par le monstre qui l'avait enlevée. Il n'y pouvait hélas pas grand-chose, sinon identifier, arrêter et faire condamner ce salopard ; ça en sauverait d'autres, mais ça ferait une belle jambe à la disparue dont le nom était inscrit sur la couverture du dossier ouvert sur son bureau. Enfin, c'était l'un des problèmes du métier de flic : on ne pouvait pas sauver toutes les victimes. Mais on faisait en revanche de son mieux pour les venger toutes. C'était mieux que rien, se dit l'agent en se levant pour décrocher son pardessus avant de prendre sa voiture pour rentrer chez lui.

Chavez embrassa du regard le club tout en sirotant sa Guinness. L'aigle de la légion avait été accroché sur le mur face au comptoir, et les clients avaient déjà pris l'habitude de venir en caresser le bois avec respect. Trois de ses gars du groupe Deux étaient attablés autour de leur bière, à deviser de choses et d'autres avec deux des hommes de Peter Covington. La télé, allumée, diffusait... un championnat de billard ? Ici, c'était un événement national. Le reportage laissa place au journal et à la météo.

Encore et toujours El Niño, bougonna Ding. Naguère, on appelait ça tout bêtement les caprices du temps, mais un putain d'océanographe avait découvert que l'équilibre des eaux chaudes et froides au large de la côte sud-américaine était bouleversé à intervalles réguliers et que lorsque cela se produisait, le climat de la planète était légèrement altéré, ici ou là... et les journalistes s'étaient jetés dessus, apparemment ravis de coller une nouvelle étiquette sur des phénomènes qu'ils étaient trop ignares pour comprendre. Et voilà qu'ils expliquaient que l'actuelle phase de l'« effet El Niño » se traduisait par une canicule inhabituelle en cette saison sur l'Australie.

« Monsieur C., vous qui êtes plus âgé... qu'est-ce qu'ils trouvaient à raconter, avant ces conneries ?

— Ils parlaient de temps inhabituellement

chaud, froid ou variable, tâchaient de nous prédire que ça allait se réchauffer ou se refroidir, faire soleil ou pleuvoir le lendemain, et passaient vite fait aux résultats de base-ball. » Avec encore moins d'exactitude que pour la météo, se garda-t-il d'ajouter. « Comment va Patsy ?

— Encore deux semaines à attendre, John. Elle tient plutôt bien le coup, même si elle râle sans arrêt à cause de son embonpoint. » Il regarda sa montre. « Elle devrait être rentrée d'ici une demi-heure. Elle a le même tour de garde que Sandy.

— Elle dort bien ?

— Ouais, sauf quand le petit *hombre* fait des siennes, mais elle a son content de sommeil. Faut pas s'inquiéter, John. Je prends soin d'elle. Alors, on a hâte d'être papy ? »

Clark sirota une gorgée de bière. Sa troisième de la soirée. « Un pas de plus sur la route menant à la mort, j'imagine. (Puis il rigola.) Trêve de plaisanteries, ouais, Domingo, je m'en réjouis d'avance. » *Je gâterai ce petit salopiot et m'empresserai de le lui refourguer dès qu'il se mettra à chialer.* « Et toi, prêt à être papa ?

— Je crois en être capable, John. Ça doit pas être si difficile que ça : tu y es bien arrivé.

Clark ne releva pas la pique. « On compte envoyer une équipe en Australie d'ici quelques semaines.

— Pour quoi faire ?

— Les Kangourous commencent à se faire du souci à l'approche des jeux Olympiques et, avec tous nos exploits, ils nous trouvent du tonnerre. Bref, ils veulent que certains d'entre nous descendent là-bas analyser la situation avec leur SAS.

— Et leurs gars, ils sont bons ? »

Clark acquiesça. « J'ai entendu dire que oui, mais ça ne peut pas faire de mal de se forger une opinion personnelle, pas vrai ?

— Qui doit descendre ?

— Je n'ai pas encore décidé. Ils ont déjà une société de conseil, Global Security, Inc. Le patron est un ancien du FBI. Noonan le connaît. Henriksen, un nom comme ça.

— Est-ce qu'ils ont déjà eu des attaques terroristes ?

— Rien de bien notable, pour autant que je me souvienne, mais d'un autre côté, tu n'as pas un souvenir marquant de l'attentat de Munich en 1972... »

Chavez hocha la tête. « Juste les articles que j'ai lus. La police allemande avait franchement merdé, sur ce coup-là.

— Ouais, j'imagine. Mais personne ne leur avait dit qu'ils auraient à affronter ce genre d'adversaires. Enfin, aujourd'hui, on est prévenus, pas vrai ? C'est d'ailleurs ce qui a suscité la création du GSG-9, et ceux-là, ce sont de fameux lascars.

— C'est un peu l'histoire du *Titanic*... Si aujourd'hui les bateaux ont un nombre suffisant de chaloupes, c'est parce qu'il n'en avait pas assez. »

John acquiesça. « C'est toujours comme ça que ça marche. Il faut une bonne leçon pour que les gens comprennent, fils. » Il reposa sa chope vide.

« D'accord, mais alors, comment ça se fait que les sales types n'apprennent jamais ? demanda Chavez, terminant pour sa part sa deuxième bière de la soirée. On leur a pourtant flanqué quelques sérieuses leçons, non ? Et vous croyez qu'on pourrait plier bagage ? Que nenni, monsieur C. Ils sont toujours à l'affût, John, et ils ne sont pas près de prendre leur retraite. Non, ils ont appris que dalle.

— Eh bien, moi en tout cas, sûr que j'en ai tiré la leçon. Peut-être que c'est simplement parce qu'ils sont plus cons que nous. Faudra que tu poses la question à Bellow, suggéra Clark.

— Ouais, je crois que c'est ce que je vais faire. »

Popov sombrait dans le sommeil. L'océan sous les ailes du 747 d'Aer Lingus était noir à présent, et son esprit avait pris une large avance sur l'appareil, cherchant à faire ressurgir du passé des visages et des voix. Il se demanda si son contact n'aurait pas pu dans l'intervalle devenir indic du Service de sécurité britannique, le condamnant à se faire identifier, voire arrêter. Sans doute pas. Ces types semblaient entièrement dévoués à leur cause... mais on ne pouvait jamais être sûr de rien. Les gens trahissaient pour tout un tas de raisons. Popov le savait bien. Lui-même n'y avait pas peu contribué, amenant un nombre non négligeable d'individus à changer de camp et à trahir leur pays, souvent pour des sommes dérisoires. N'était-il pas encore plus facile de se retourner contre un étranger athée qui vous avait naguère apporté un soutien équivoque ? Et si ses contacts avaient fini par prendre conscience de la futilité de leur cause ? Quoi qu'ils en aient, l'Irlande ne deviendrait jamais marxiste. La liste des pays communistes se réduisait comme une peau de chagrin, même si de par le monde les intellectuels continuaient de s'accrocher aux écrits de Marx, Engels et même Lénine. Les imbéciles. Il y en avait même pour prétendre que le communisme n'avait pas été appliqué au bon pays : que la Russie de l'époque était bien trop arriérée pour permettre la mise en œuvre de toutes ces belles théories.

Autant de réflexions qui firent naître sur ses lèvres un sourire ironique. Il avait jadis fait partie d'une organisation baptisée l'Épée et le Bouclier du Parti. Il avait fréquenté l'académie, assisté à tous les cours d'endoctrinement politique, appris par cœur les réponses aux inévitables questions d'examen, avait été assez roublard pour noter avec précision ce que voulaient entendre ses instructeurs et s'assurer ainsi les meilleures notes et le respect de ses mentors — dont bien peu avaient cru plus que lui à toutes ces balivernes, même si aucun n'avait trouvé le courage d'exprimer ouvertement le fond de sa pensée. Incroyable, quand on y songeait, que le mensonge ait pu perdurer à ce point. Et Popov se souvenait effectivement de sa surprise quand il avait vu enlever le drapeau rouge du Kremlin. Apparemment, rien ne survivait plus longtemps qu'une idée perverse.

24

Douanes

L'une des différences entre l'Europe et l'Amérique était que les pays du Vieux Continent accueillaient volontiers les étrangers, alors que l'Amérique, en dépit de son hospitalité, compliquait à l'envi les formalités d'accès. Rien de tout cela en tout cas avec les Irlandais, comme put le constater Popov alors qu'on tamponnait son passeport et qu'il récupérait ses bagages après une inspection si superficielle que le douanier n'aurait sans doute pas été fichu de préciser le sexe de leur détenteur. Cette affaire réglée, Dimitri Arkadeïevitch sortit de l'aérogare et héla un taxi pour rejoindre son hôtel. La chambre qu'on lui avait réservée donnait sur une grande artère. Il se déshabilla aussitôt pour récupérer encore quelques heures de sommeil avant de passer son premier coup de fil. Sa dernière pensée avant de clore les yeux en cette matinée radieuse fut pour espérer que le numéro de son contact n'avait pas été changé ou placé sur écoute. Dans ce dernier cas, il risquait de devoir s'expliquer devant la police, mais il avait un alibi, si nécessaire. Même s'il n'était pas parfait, il suffirait à protéger un individu qui n'avait après tout commis aucun crime sur le territoire de la république d'Irlande.

Vega chantonnait une chanson de marche, alors qu'ils entamaient leur dernier kilomètre.

Chavez avait toujours été surpris de constater que, malgré sa carrure, le sergent-chef Julio Vega n'avait jamais l'air d'en souffrir lors de leurs courses d'entraînement. Il faisait une bonne quinzaine de kilos de plus que les autres membres du groupe. Une taille au-dessus et il aurait fallu lui couper des treillis sur mesure, mais en dépit de ses mensurations imposantes, jamais encore ses jambes et son souffle ne l'avaient trahi. Et aujourd'hui comme les autres jours, il avait pris son dernier relais en tête du jogging matinal... quatre minutes encore, et ils apercevraient cette ligne d'arrivée que tous avaient hâte de rallier, même si aucun n'aurait voulu l'admettre.

« Au pas de gymnastique... marche ! » lança Vega dès qu'il eut franchi la ligne jaune. Tout le monde ralentit illico au rythme réglementaire de cent vingt pas la minute. « Gauche, gauche, gauche, droite, gauche ! » Trente secondes encore et puis : « Section... halte ! » Et tout le monde s'arrêta. On entendit juste toussoter les deux ou trois qui avaient bu une bière de trop la veille au mess.

Chavez reprit sa position devant les deux lignes de soldats. « Repos ! » ordonna-t-il, autorisant ses hommes à rentrer se doucher, maintenant qu'ils avaient eu leur dose quotidienne d'exercice musculaire. Plus tard dans la journée, ils iraient faire un tour au stand de tir pour une séance d'exercice à balles réelles. Rien de bien folichon, car ils avaient déjà testé à peu près toutes les permutations possibles d'otages et de sales gueules. En précision de tir, ils frisaient la perfection. Du point de vue forme physique, ils l'avaient atteinte, et leur moral était si solide qu'ils en avaient l'air presque désabusé. Il faut dire qu'ils étaient gonflés à bloc, après avoir prouvé leurs capacités de manière plus que convaincante sur le terrain, avec tir à balles réelles sur cibles vivantes. Jamais, même avec la 7e division d'infanterie légère, Chavez n'avait éprouvé une telle confiance en ses hommes. Ils étaient parvenus au stade où les Britanniques du SAS, malgré la longue liste de leurs faits d'armes et leur scepticisme initial devant les hommes de Rainbow, les accueillaient chaleureusement au mess en reconnaissant volontiers avoir appris d'eux certains trucs. Et ça, ce n'était pas rien, quand il était admis partout que les SAS étaient les spécialistes mondiaux des opérations spéciales.

Quelques minutes plus tard, douché et rhabillé, Chavez gagnait le QG opérationnel de l'escouade où ses hommes, installés à leurs bureaux, étudiaient les informations recueillies par Bill Tawney et son équipe. Ils examinaient les photos dont une bonne partie avait été retraitée sur ordinateur pour tenir compte des outrages du temps. Les résultats semblaient s'améliorer de jour en jour au gré de l'évolution du logiciel. Le programme était désormais capable de manipuler un cliché pris de biais pour donner une vue de face. Les hommes de Chavez étudiaient ces portraits comme si c'était ceux de leurs propres enfants, ainsi que toutes les données dont ils pouvaient disposer sur la localisation possible des suspects, leurs relations éventuelles et ainsi de suite. De l'avis de Chavez, c'était perte de temps et compagnie, mais on ne pouvait pas non plus courir et tirer toute la journée, et définir les traits de leurs adversaires n'était pas totalement inutile. Ça leur avait quand même permis d'identifier Fürchtner et Dortmund lors de leur déploiement en Autriche.

L'adjudant Price était en train d'éplucher le budget qu'il devait déposer ensuite sur le bureau de Ding pour qu'il le vise, afin que son patron soit en mesure de justifier leurs dépenses, et réclamer une éventuelle rallonge de fonds destinée à la mise en œuvre de telle ou telle idée nouvelle. Tim Noonan testait ses nouveaux gadgets électroniques et Clark, comme toujours (c'était du moins l'impression qu'il donnait), devait se battre avec la CIA et les autres agences fédérales pour décrocher des moyens financiers. Autant d'efforts là aussi que Chavez estimait parfaitement vains. D'emblée, Rainbow avait semblé quasiment indéboulonnable — il faut dire qu'un soutien présidentiel ne faisait jamais de mal — et leurs missions n'avaient pas franchement diminué leur crédibilité, une crédibilité dont dépendait directement leur financement. Dans deux heures ils se rendraient au stand de tir pour aller gâcher leur quota quotidien de cent balles de pistolet et de mitraillette, avant de passer aux exercices à balles réelles... bref, encore une journée de routine. Pour Ding, ce mot rimait souvent avec ennui, mais c'était inévitable, et c'était toujours moins ennuyeux que ses missions à l'époque de la CIA. La plupart du temps, elles se passaient à attendre l'arrivée d'un contact et/ou à remplir des fiches décrivant leur déroulement à l'intention des bureaucrates de Langley. Ces derniers exigeaient en effet un compte rendu détaillé de tous leurs faits et gestes, parce que... eh bien, parce que c'était le règlement. Au mieux, celui-ci était appliqué par des types qui avaient l'expérience du terrain, qui avaient fait ce boulot vingt ans plus tôt et pensaient encore être dans le coup, et au pire, par des types qui n'y connaissaient rien et qui, pour cela même, ne s'en montraient que plus exigeants. Néanmoins le gouvernement, qui par ailleurs dilapidait chaque jour des milliards, était bien souvent capable de pinailler sur un malheureux millier de dollars, et quoi qu'il fasse, Chavez ne pourrait jamais rien y changer.

Le colonel Malloy avait dorénavant son bureau personnel dans le bâtiment du QG de Rainbow, depuis qu'on l'avait bombardé chef de division. Officier dans le corps des Marines, il avait l'habitude de ce genre d'absurdité, et plus d'une fois l'idée l'avait effleuré d'accrocher à son mur une cible à fléchettes, histoire de se distraire quand il ne travaillait pas. Pour lui, le travail consistait à piloter son hélico — dont il était du reste privé pour l'instant, puisque celui qu'on leur avait attribué était démonté pour entretien. On était en train d'y remplacer un des bidules par un nouveau bidule amélioré, censé accroître sa capacité à faire un truc sur lequel on n'avait pas daigné l'informer mais qui devait à coup sûr être de la plus extrême importance, surtout pour le sous-traitant qui avait conçu, dessiné et fabriqué ledit nouveau bidule amélioré.

Enfin, ça aurait pu être pire. Sa femme et ses enfants se plaisaient bien ici. Lui aussi, d'ailleurs. Son affectation relevait plus d'un travail d'expert que de casse-cou, il y avait peu de risques à être pilote d'hélicoptère dans une unité chargée d'opérations spéciales. Non, sa seule hantise, c'était de heurter des lignes à haute tension, puisque Rainbow se déployait en général dans des zones urbanisées ; or, au cours des vingt dernières années, on avait perdu de par le monde plus d'hélicos à cause des lignes électriques que des armes antiaériennes, toutes catégories confondues. Son MH-60K n'était pas équipé de coupe-câbles. Il avait d'ailleurs adressé en ce sens une note cinglante au commandant de la 24e escadrille d'opérations spéciales, qui lui avait répondu, contrit, en lui adressant copie des six demandes qu'il avait lui-même envoyées à son supérieur hiérarchique sur ce même thème. Il lui précisait en outre qu'un expert du Pentagone examinait la faisabilité d'une modification de l'appareil existant — ce qui, estimait Malloy, avait dû faire l'objet d'un contrat de consultant de quelque trois cent mille dollars pour l'une des officines de la capitale fédérale, laquelle conclurait sans aucun doute que *oui, c'était une bonne idée*, le tout noyé sous quatre cents pages de prose bureaucratique abrutissante, que de toute façon personne ne lirait jamais et qui finirait enfouie dans quelque archive poussiéreuse. La modification devait revenir en tout et pour tout à trois mille dollars en pièces et main-d'œuvre, ce dernier poste correspondant d'ailleurs à l'activité d'un sergent (du reste déjà employé à plein temps par l'armée de l'air, que ce soit à bosser pour de bon ou à lire *Playboy* dans sa guérite)... mais le règlement restait, hélas, le règlement. Alors, qui sait ? Peut-être que d'ici un an ou deux, les Night Hawk seraient enfin dotés de coupe-câbles.

Malloy grimaça en regrettant ses fléchettes. Il n'avait pas besoin de voir les comptes rendus du renseignement. Le signalement précis des terroristes suspectés n'était d'aucun intérêt pour lui. Il ne s'approchait jamais suffisamment pour les voir. C'était le boulot des tireurs, et, chef de division ou pas, il n'était jamais que leur chauffeur. Enfin, il n'avait pas trop à se plaindre : il avait au moins la possibilité de porter sa combinaison de vol même au bureau, presque comme s'il était intégré à une véritable unité d'aviateurs. Il volait quatre jours sur sept, ce qui n'était pas mal, et, lui avait-on laissé entendre, au retour de cette affectation, il pourrait prendre les commandes du VMH-1, l'hélicoptère présidentiel. Une tâche ennuyeuse mais qui équivalait à une promotion. Ça n'avait sûrement pas fait de tort à son vieil ami, le colonel Hank Goodman, qui venait lui-même d'intégrer ce corps d'élite, un exploit exceptionnel pour un pilote d'hélico, puisque l'aéronavale avait été de tout temps la chasse gardée de ces éternels rivaux des voilures tournantes : les pilotes de bombardiers à réaction. Enfin, ça leur permettrait toujours d'arborer de jolies fourragères.

Histoire de passer le temps avant le déjeuner, Malloy sortit d'un tiroir le livret technique du MH-60K pour continuer à potasser les performances de l'appareil en matière de motorisation, ce qui n'était en général indispensable que pour les officiers mécaniciens ou à la rigueur son chef d'équipage, le sergent Jack Nance.

La première rencontre eut lieu dans un jardin public. Popov avait consulté l'annuaire et appelé le numéro d'un certain Patrick X. Murphy, peu avant midi.

« Allô, ici Joseph Andrews. J'essaie de toucher M. Yates. »

La phrase avait été suivie d'un silence, le temps que son interlocuteur se rappelle la réponse codée. Elle n'avait plus servi depuis une éternité, mais en une dizaine de secondes, il l'avait retrouvée.

« Ah oui, monsieur Andrews. Cela fait longtemps qu'on n'avait plus eu de vos nouvelles.

— Je suis à Dublin depuis ce matin, et j'ai hâte de le voir. Quand est-ce que ça pourrait se faire ?

— Que diriez-vous de cet après-midi ? » Avaient suivi les instructions.

Et c'est ainsi qu'il se retrouvait dans ce parc, en imper et coiffé d'un feutre à large bord, un exemplaire de l'*Irish Times* dans la main droite, assis sur un banc bien précis à l'ombre d'un chêne. Étant arrivé en avance, il en avait profité pour lire le journal et se tenir au fait des événements sur la planète — pas grand-chose de neuf depuis ce qu'il avait vu sur CNN la veille à New York... l'actualité internationale était d'un tel ennui, depuis la disparition de l'Union soviétique, qu'il se demandait comment les rédacteurs des grands organes de presse avaient réussi à gérer ça. Cela dit, les habitants du Rwanda et du Burundi continuaient à se massacrer allégrement, tandis que l'Irlande se demandait s'il convenait d'envoyer là-bas des troupes pour assurer le maintien de la paix. Curieux, non, de demander ça à des hommes qui avaient démontré une singulière incapacité à assurer cette mission dans leur propre pays ?

« Joe ! » lança une voix joviale. Il leva les yeux pour découvrir un quadragénaire au sourire épanoui.

« Patrick ! répondit Popov en se levant pour lui serrer la main. Ça fait une éternité ! » Sans aucun doute, vu que c'était la première fois qu'il rencontrait ce type, même s'ils se saluèrent comme deux vieilles connaissances. Puis ils se dirigèrent vers O'Connell Street où les attendait une voiture. Popov et son nouvel ami montèrent à l'arrière et le chauffeur démarra aussitôt. Il roulait sans excès mais surveillait avec soin son rétro et changea plusieurs fois d'itinéraire au hasard. À l'arrière, « Patrick » scrutait le ciel, à la recherche d'un éventuel hélicoptère. Enfin bon, se dit le Russe, ces soldats de l'IRA provisoire n'avaient pas atteint l'âge qu'ils avaient sans se montrer extrêmement vigilants. Quant à lui, il s'enfonça sur la banquette et se relaxa. Il aurait pu fermer les yeux, mais c'eût été par trop condescendant vis-à-vis de ses hôtes. Il se contenta donc de regarder droit devant lui. Ce n'était pas la première fois qu'il venait à Dublin, mais hormis quelques sites typiques, il n'avait guère de souvenir précis de la ville. Ses actuels compagnons auraient eu du mal à le croire, puisque tout espion était censé avoir une mémoire infaillible, quasiment photographique — ce qui était vrai, mais jusqu'à un certain point. Ils passèrent quarante minutes à sillonner les rues avant de déboucher devant un immeuble de bureaux et de s'engager dans une ruelle adjacente. La voiture s'arrêta enfin, et ils en descendirent pour franchir une porte percée dans un mur de brique sans fenêtres.

« Iossif Andreïevitch », dit une voix tranquille dans le noir. Puis un visage apparut.

« Sean, ça fait longtemps... » Popov s'avança, la main tendue.

« Onze ans et six mois exactement, reconnut Sean Grady en prenant la main du Russe pour la serrer chaleureusement.

— T'as pas perdu la main, sourit Popov. Je ne serais pas fichu de dire où nous sommes.

— Ma foi, il faut toujours être prudent, Iossif. Mais, je t'en prie... » Grady lui fit signe de le suivre.

Grady le conduisit dans une petite pièce meublée d'une table et de quelques sièges. Du thé était en train d'infuser. L'Irlandais n'avait pas perdu son sens de l'hospitalité, nota Dimitri Arkadeïevitch, ôtant son pardessus pour le jeter sur un fauteuil. Puis il s'assit.

« Que puis-je faire pour toi ? » demanda Grady. L'homme approchait de la cinquantaine, mais le regard avait gardé sa ferveur juvénile — dépourvu d'émotion mais toujours aussi intense et attentif.

« Avant d'aborder cette question, comment ça se passe pour toi, Sean ?

— Ça pourrait aller mieux, fit l'Irlandais. Plusieurs de nos anciens confrères en Ulster se sont engagés dans la voie de la reddition. Ils sont hélas nombreux à partager ces penchants, mais nous œuvrons à convaincre les autres d'adopter un point de vue plus réaliste.

— Merci », dit Popov à l'homme qui venait de lui donner une tasse de thé. Il en but une gorgée avant de répondre. « Vois-tu, Sean, dès notre première rencontre au Liban, j'ai toujours respecté ton attachement à tes idéaux. Je m'étonne de constater que tant d'autres hésitent aujourd'hui.

— La guerre a été longue, Iossif, et j'imagine que tout le monde n'est pas capable de rester fidèle à ses convictions. Je le regrette autant que toi, mon ami. » Là aussi, la voix était singulièrement dépourvue d'émotion. Le visage était moins cruel qu'inexpressif. Cet homme aurait fait un superbe espion, estima le Russe. Il ne laissait rien paraître, pas même la satisfaction que pouvait lui donner l'accomplissement d'une mission. Sans doute n'avait-il pas été plus expansif le jour où il avait torturé et assassiné deux membres des commandos britanniques qui avaient commis l'erreur de baisser leur garde, rien qu'une seule fois. Pareil exploit était rare, mais Sean Grady l'avait réussi à deux reprises — au prix, il faut bien le dire, d'une sanglante vendetta entre la crème des corps d'élite de l'armée britannique et la propre

114

cellule de Grady au sein de l'IRA. Les SAS avaient tué pas moins de huit de ses plus proches compagnons, et en une autre occasion qui remontait à sept ans, ils avaient bien failli l'avoir lui aussi. Il en avait réchappé uniquement parce que sa voiture était tombée en panne alors qu'il devait se rendre à une réunion — réunion où les SAS avaient débarqué en force et tué trois des principaux leaders de l'IRA provisoire. La tête de Sean Grady était mise à prix et Popov était certain que le Service de sécurité britannique avait dépensé des milliers de livres à essayer de le localiser et de monter contre lui un nouveau raid. À l'instar du travail de renseignement, ce genre d'activité était un jeu fort dangereux pour tous les joueurs, mais surtout pour les révolutionnaires. Or, voilà que l'on commençait à mettre en doute son leadership, c'est du moins ce qu'avait dû penser Grady. Jamais cet homme ne se résoudrait à faire la paix avec les Britanniques. Il croyait trop en sa vision du monde, si biaisée fût-elle. Iossif Vissarionovitch Staline avait eu le même regard, la même obstination, la même incapacité totale à accepter des compromis sur les thèmes essentiels.

« Il y a un nouveau groupe antiterroriste qui opère désormais en Angleterre, lui dit Dimitri.

— Oh ? » Grady l'ignorait et la révélation le surprit.

« Oui. Son nom est Rainbow. C'est une unité anglo-américaine, et c'est elle qui s'est chargée des opérations à Worldpark, en Autriche et en Suisse. Ils ne se sont pas encore occupés de vous, mais ce n'est, je crois, qu'une question de temps.

— Que sais-tu de ce nouveau groupe ?

— J'en sais pas mal. » Popov lui tendit son rapport écrit.

« Hereford, observa Grady. On est déjà allés y jeter un œil, mais ce n'est pas un endroit qu'on attaque aisément.

— Oui, je sais, Sean, mais ils ont d'autres points faibles, et avec un travail de préparation convenable, nous pensons qu'il est possible de leur porter un coup sérieux. Vois-tu, la femme et la fille du commandant du groupe, cet Américain, John Clark, travaillent à l'hôpital public voisin. Elles pourraient constituer l'appât pour l'opération que...

— L'appât ? l'interrompit Grady.

— Oui, Sean. » Et Popov entreprit de lui décrire le concept de l'opération. Grady, comme de juste, ne réagit pas, mais deux de ses hommes si : ils se dandinèrent sur leur siège et échangèrent des regards en attendant que leur chef s'exprime. Ce qu'il fit, avec une certaine solennité.

« Colonel Serov, vous nous proposez de prendre un risque d'envergure. »

Dimitri acquiesça. « Oui, c'est vrai, et je vous laisse décider si ce risque en vaut la peine. » Il n'avait pas besoin de rappeler au chef de l'IRA qu'il leur avait déjà filé un coup de main par le passé (minime, certes, mais ces gens n'étaient pas des ingrats) ; il n'avait toutefois pas besoin non plus d'insister sur le fait qu'une telle action, en cas de succès, non seulement propulserait Grady à l'avant-scène du mouvement mais pourrait peut-être plomber le processus de paix entre le gouvernement britannique et la branche « officielle » de l'IRA provisoire. Être l'homme qui est allé ridiculiser le SAS et les autres groupes d'opérations spéciales sur leur propre terrain lui vaudrait un prestige comme n'en avait jamais connu aucun révolutionnaire irlandais depuis 1920. C'était toujours la faiblesse de ces peuples, Popov le savait : leur attachement idéologique les rendait otages de leur ego, obnubilés qu'ils étaient non seulement par leur objectif politique mais par l'entretien de leur image.

« Iossif Andreïevitch, nous n'avons hélas pas les moyens d'envisager la mise en œuvre d'une telle mission.

— Je le comprends bien. Quels moyens vous faut-il, Sean ?

— Plus que vous ne pourriez nous offrir. » D'après son expérience personnelle et ses rapports avec d'autres représentants de la communauté du terrorisme international, Grady savait combien le KGB était près de ses sous. La surprise n'en fut que plus grande pour lui.

« Cinq millions de dollars américains, sur un compte suisse numéroté et protégé par mot de passe », répondit Popov sur un ton égal, et cette fois, il nota une émotion sur le visage de son interlocuteur : il cilla. Sa bouche s'entrouvrit comme s'il voulait émettre une objection, mais bien vite il se ressaisit.

« Six », répondit l'Irlandais, histoire de reprendre le contrôle des débats.

Popov n'y voyait aucun inconvénient. « Ma foi, d'accord, je suppose que je peux aller jusqu'à six millions. Dans quel délai les veux-tu ?

— Dans quel délai peux-tu nous les fournir ?

— Une semaine, je pense. De ton côté, combien de temps pour monter l'opération ? »

Grady réfléchit quelques secondes. « Quinze jours. » Il connaissait déjà à peu près les abords d'Hereford. Son incapacité jusqu'ici à y conduire une attaque ne l'avait pas empêché d'y réfléchir — d'en rêver — et de collecter les renseignements nécessaires. Il avait de même cherché à recueillir des informations sur les opérations du SAS, pour découvrir que ses agents n'étaient pas très loquaces, même après coup, sauf entre eux. Quelques clichés discrets avaient été pris, mais sans rien donner de bien exploitable sur le terrain. Non, ce qu'il leur aurait fallu, et qu'il n'avait pu obtenir à l'époque, était l'alliance d'individus prêts à courir un risque énorme et des fonds permettant d'obtenir le matériel exigé par l'opération.

« Encore un détail, ajouta Grady.

— Oui ?

— As-tu de bons contacts dans le milieu des dealers ? » demanda Grady.

Popov se permit d'être scandalisé, même s'il n'en laissa rien paraître. Grady voulait-il acheter ou revendre ? C'était un sacré changement d'éthique pour l'IRA. Dans les années passées, les Provos avaient mis un point d'honneur à tuer ou mutiler les revendeurs de drogue, histoire de montrer qu'ils n'étaient pas dignes du soutien populaire. Alors, changement de cap, là aussi ?

« Quelques contacts indirects, je suppose. Qu'est-ce qu'il te faudrait ?

— De la cocaïne, en grande quantité. Pure, de préférence.

— À fourguer ici ?

— Oui. L'argent n'a pas d'odeur, Iossif. Et nous avons besoin d'un revenu régulier pour financer nos actions.

— Je ne promets rien, mais je vais voir ce que je peux faire.

— Très bien. Préviens-moi quand l'argent sera

disponible. Je te ferai alors aussitôt savoir si l'opération est réalisable, et si oui, dans quel délai.

— Les armes ?

— Ce n'est pas un problème, lui assura Grady.

— J'aurai besoin d'un numéro de téléphone pour appeler. »

Grady acquiesça, prit sur la table un calepin, griffonna dessus. C'était à l'évidence un numéro de mobile. Le Russe empocha le papier. « Il devrait être valable encore quelques semaines. Ça te va ?

— Oui. » Popov se leva. Il n'y avait rien à ajouter. On le reconduisit dehors jusqu'à sa voiture. La rencontre s'était plutôt bien déroulée, estima Dimitri en regagnant son hôtel.

« Sean, c'est une opération suicide ! avertit Roddy Sands, une fois de retour dans l'entrepôt.

— Pas si nous contrôlons la situation, rétorqua Grady. Et c'est faisable pourvu qu'on dispose des moyens convenables. Il faudra être prudents, agir très vite, mais on peut le faire. » *Et quand on l'aura réalisée*, ajouta mentalement Grady, *tout le mouvement pourra alors constater qui représente réellement le peuple irlandais*. « On aura besoin d'une quinzaine d'hommes. On peut les trouver, Roddy. » Sur quoi, Grady se leva et sortit par l'autre porte pour monter dans sa voiture et rejoindre sa planque. Il avait encore du boulot. Le genre de boulot qu'il accomplissait toujours seul.

Henriksen constituait son équipe. Il avait envisagé un effectif de dix hommes, tous expérimentés, tous au fait du Projet. En premier, le lieutenant-colonel Wilson Gearing, ancien des Chemical Corps de l'armée américaine. Véritable spécialiste des armes chimiques, c'est lui qui se chargerait de la livraison. Pendant ce temps, les autres auraient pour mission d'occuper les forces de sécurité locales, en leur racontant des trucs qu'elles savaient déjà, histoire de conforter cette règle admise partout que les meilleurs experts venaient toujours de chez votre voisin. Les SAS australiens écouteraient avec politesse ses gars débiter leur boniment, au passage ils apprendraient peut-être un ou deux trucs, surtout quand ses gars leur présenteraient leur nouveau matériel radio fabriqué par E-Systems et que Dick Voss leur en ferait la démonstration. Ce nouvel équipement réservé aux commandos et autres troupes d'intervention spéciale était de toute beauté.

Par la suite, ils n'auraient qu'à profiter de leur badge d'accès pour visiter tous les points de contrôle des services de sécurité, voire descendre se balader sur la piste du stade olympique. Ils seraient aux premières loges pour assister aux Jeux, un petit plus sympa pour ses gars dont certains, il n'en doutait pas, étaient de vrais amateurs de sport qui seraient ravis d'assister aux derniers jeux Olympiques de l'histoire.

Il sélectionna ses meilleurs éléments, puis demanda au voyagiste de l'entreprise de s'occuper des billets d'avion et de leur logement — ce dernier point, via la police australienne qui avait réservé à son propre usage un ensemble de chambres dans des hôtels proches du stade pour toute la durée des Jeux. Henriksen se demanda si les médias s'intéresseraient à sa société. En temps normal, il aurait tenu à cette curiosité, ne serait-ce que pour des buts publicitaires, mais pas cette fois. De toute façon, quel intérêt de faire encore de la pub pour sa boîte ?

Et voilà, le chantier se terminait. Hollister contempla l'ensemble de bâtiments, de routes, de parkings, et le semblant de piste d'atterrissage dont il avait supervisé la construction au milieu de ces plaines du Kansas. Comme toujours, la dernière phase avait vu une accumulation de petits détails crispants à régler, mais tous les sous-traitants avaient rapidement réagi à ses observations, d'autant mieux que leurs contrats étaient assortis de clauses incitatives.

La voiture de société quitta la route à quatre voies et s'immobilisa. Et là, surprise pour Hollister : le type qui en descendit était le grand patron, John Brightling en personne. Il n'avait jamais rencontré le P-DG de l'entreprise, même s'il le connaissait de nom et l'avait aperçu une fois ou deux à la télé. Il avait dû descendre ici dans la matinée avec un de ses jets d'affaires, et le maître d'œuvre du projet regretta fugitivement qu'il n'ait pas emprunté sa piste toute neuve qui aurait pu sans peine accueillir le Gulfstream.

« Monsieur Hollister, je présume ?

— Oui, monsieur. » Il prit la main tendue et la serra. « Tout est terminé, dès aujourd'hui, monsieur.

— Avec deux semaines et demie d'avance sur la date promise, observa Brightling.

— Ma foi, nous avons été aidés par le temps. Je n'y ai aucun mérite. »

Rire de Brightling. « Mais si, mais si.

— Le plus délicat, ça a été la climatisation. Jamais je n'avais eu un tel cahier des charges à remplir. C'est si important que cela, monsieur Brightling ?

— Ma foi, certaines des substances que nous utilisons exigent une isolation parfaite — de niveau quatre, comme on dit dans le métier. Des produits de laboratoire extrêmement dangereux, que nous devons manipuler avec les plus extrêmes précautions, comme vous pouvez l'imaginer. En ce domaine, nous sommes soumis à la réglementation fédérale.

— Mais l'ensemble du bâtiment ? » s'étonna Hollister. Les spécifications de ce chantier avaient été plus proches de la construction navale ou aéronautique que des travaux publics. Il était rare qu'une structure de cette taille soit conçue pour bénéficier d'une étanchéité parfaite. Mais c'est avec ce bâtiment qu'ils avaient dû réaliser des tests de surpression dès l'achèvement de chaque module, menant les sous-traitants chargés des huisseries au bord de la crise de nerfs.

« Eh bien, on tenait à ce que la construction suive notre cahier des charges.

— C'est votre bâtiment, docteur », concéda Hollister. Cette seule spécification avait gonflé de cinq millions de dollars le devis du projet, somme intégralement reversée au fabricant des fenêtres, dont les ouvriers avaient détesté ce boulot minutieux même s'ils n'avaient pas craché sur les primes afférentes. Même l'ancienne usine Boeing aux abords de Wichita n'avait pas eu droit à une telle rigueur dans les finitions. « Vous avez quand même choisi un chouette coin pour vous installer !

— N'est-ce pas ? » Tout autour, la campagne n'était qu'un vaste tapis de blés ondulants, encore verts en cette saison. On apercevait quelques engins agricoles dans les champs. Ce n'était peut-être pas aussi joli qu'un terrain de golf, mais sûrement plus utile. Le complexe disposait même d'installations de minoterie et de boulangerie ; pour préparer de la farine et cuire le pain à partir des céréales récoltées sur le domaine ? Hollister se posa la question. D'ailleurs, pourquoi ne s'en était-il pas étonné plus tôt ? Les exploitations achetées en même temps que les terrains comprenaient également des fermes d'élevage pour engraisser le bétail, ainsi que des exploitations maraîchères. L'ensemble du complexe pouvait parfaitement vivre en autosuffisance. Enfin, peut-être désiraient-ils juste s'intégrer à la région. Cette partie du Kansas vivait entièrement de l'agriculture et même si les constructions de verre et d'acier du Projet n'avaient pas tout à fait l'allure de fermes et de granges, l'environnement atténuait en partie ce que ce contraste pouvait avoir d'envahissant. Du reste, c'est tout juste si on les apercevait depuis l'autoroute passant au nord ou des quelques routes locales plus proches ; quant aux postes de garde aux accès, c'étaient des bâtiments trapus, presque des blockhaus — destinés à les protéger des tornades, avait stipulé le cahier des charges, et de ce côté, ils n'avaient effectivement rien à craindre... et fichtre, sûrement pas non plus d'un éventuel paysan lunatique, même armé d'une mitraillette de calibre 50.

« Ma foi, vous avez bien mérité votre prime. L'argent sera versé sur votre compte dès demain soir, promit le Dr Brightling.

— Impeccable, monsieur. » Hollister plongea la main dans sa poche et en ressortit la clé principale, le passe qui ouvrait toutes les portes du complexe. C'était une petite cérémonie qu'il accomplissait toujours à la remise d'un chantier. Il tendit la clé. « Eh bien, monsieur, vous êtes chez vous, désormais. »

Brightling contempla le passe électronique et sourit. Il venait de franchir l'ultime obstacle du Projet. Ce complexe allait accueillir l'essentiel de ses effectifs. Au Brésil, un ensemble identique, quoique de bien moindre envergure, avait été achevé deux mois auparavant, mais il n'accueillerait que cent personnes tout au plus, quand celui-ci pourrait en abriter trois mille — quelque peu serrés, mais dans de bonnes conditions de confort, malgré tout — sur une période de plusieurs mois, et c'était en gros ce qu'il fallait. Passé les deux premiers mois, il pourrait reprendre ici ses recherches médicales avec l'élite de son personnel — dont la majorité n'était pas dans le secret du Projet mais méritait néanmoins de vivre — car ces travaux s'apprêtaient à prendre une orientation nouvelle, inattendue mais prometteuse. Si prometteuse qu'il en venait à se demander combien de temps lui-même était susceptible de survivre. Cinquante ans ? Cent ? Mille, peut-être ? Qui pouvait le dire désormais ?

L'*Olympe*, tel était le nom qu'il allait donner au complexe, décida-t-il sur-le-champ. La demeure des dieux, car c'était précisément ce qu'il espérait en faire. D'ici, ils pourraient observer le monde, l'étudier, en jouir... l'apprécier dans toute sa plénitude. Il choisirait Olympe-1 comme indicatif pour sa radio portative. En partant d'ici, il pourrait d'un coup d'aile survoler la planète avec les compagnons de son choix, pour observer et apprendre comment l'écosystème était censé fonctionner. Pendant une vingtaine d'années encore, ils pourraient utiliser les satellites de communication — impossible de dire avec précision combien de temps ils dureraient ; par la suite, ils seraient réduits aux transmissions radio par ondes courtes. C'était un inconvénient pour l'avenir, mais lancer leurs propres satellites de remplacement dépassait leurs moyens en hommes et en matériel, sans parler que les lanceurs étaient des polluants majeurs de l'atmosphère.

Brightling se demanda pendant combien de temps ses compagnons choisiraient de rester vivre ici. Certains s'empresseraient de partir, sans doute pour parcourir en voiture tout le continent, créant leurs propres enclaves, rendant compte au début par relais-satellite. D'autres se rendraient en Afrique — qui semblait devoir être la destination la plus populaire. D'autres encore choisiraient le Brésil et la zone d'étude de la forêt équatoriale. Peut-être que certaines des tribus primitives qui l'habitaient seraient épargnées par Shiva. Ses compagnons auraient tout loisir de les étudier également, pour découvrir comment l'homme primitif vivait dans un environnement naturel vierge, en pleine harmonie avec la nature. Ils les étudieraient tels qu'en eux-mêmes, espèce unique digne d'être protégée — et trop arriérée pour constituer un danger pour l'environnement. Certaines tribus d'Afrique allaient-elles survivre aussi ? Ses compagnons en doutaient. Les pays africains étaient trop enclins à laisser leurs primitifs en contact avec les citadins ; or les villes seraient les foyers de dispersion de la mort pour toutes les nations de la planète — surtout à partir de la distribution du vaccin A. On en produirait des dizaines de millions de doses, livrées par avion dans le monde entier, puis distribuées, prétendument pour préserver la vie... en réalité pour l'éliminer. En douceur, bien entendu.

Les travaux progressaient. Au siège de son entreprise, les faux documents techniques pour le vaccin A étaient déjà entièrement rédigés. On était censé l'avoir testé sur plus de mille singes rhésus exposés ensuite à Shiva. Deux seulement auraient développé les symptômes, et un seul serait mort au bout du dix-neuvième mois d'un essai qui n'existait que sur le papier et des disques durs d'ordinateurs. Ils n'avaient pas encore contacté la FDA[1] pour demander l'autorisation de procéder à des essais sur l'homme, parce que ce n'était pas nécessaire : dès le début de l'épidémie de Shiva, Horizon Corporation annoncerait que, depuis l'attaque iranienne contre l'Amérique[2], elle avait continué de travailler sans tapage à la mise au point de vaccins contre les fièvres hémorragiques. Confrontée à une urgence et se voyant présenter un remède assorti d'un protocole de traitement parfaitement documenté, la FDA n'aurait d'autre choix que de donner son aval à des expérimentations sur l'homme, et par conséquent accorder sa bénédiction officielle à la mission du Projet : l'extermination générale de l'espèce humaine. Moins

___

1. *Food and Drug Administration* : organisme gouvernemental de contrôle pharmaceutique et alimentaire, responsable, entre autres, des autorisations de mise sur le marché de médicaments *(N.d.T.)*.

2. Cf. *Sur ordre*, Albin Michel, 1997, Le Livre de Poche n°s 17066 et 17067.

son élimination, rectifia mentalement John Brightling, qu'un processus de sélection de l'espèce la plus dangereuse de la planète, ce qui permettrait à la nature de reprendre ses droits, avec le minimum de gardiens humains pour l'observer, l'étudier et apprécier le processus. D'ici un petit millénaire, il y aurait peut-être un million d'hommes sur terre, mais ce ne serait qu'un chiffre infime dans une perspective générale ; en outre, tous ces gens seraient éduqués et formés à comprendre et respecter la nature au lieu de la détruire. Le but du Projet n'était pas de détruire le monde. Mais d'en créer un nouveau, conforme au modèle dicté par la nature. Un Projet auquel son nom serait associé à jamais : John Brightling, le sauveur de la planète.

Il contempla la clé au creux de sa main, puis remonta en voiture. Le chauffeur le conduisit à l'entrée principale où il utilisa son nouveau passe pour découvrir, surpris et vexé, que la porte n'était pas verrouillée. Il est vrai qu'il y avait encore des ouvriers qui allaient et venaient. Il prit l'ascenseur pour gagner son appartement-bureau installé au dernier étage du bâtiment principal. Cette porte-ci, en revanche, était normalement verrouillée. Il l'ouvrit donc avec un geste cérémonieux pour pénétrer dans le siège du dieu de l'Olympe. Non, faux. Jusqu'à plus ample informé, il n'existait qu'une seule divinité, et c'était la Nature.

Des fenêtres de son bureau, il embrassait les plaines du Kansas, les blés verts ondulants... c'était superbe. Il en avait presque les larmes aux yeux. La Nature... Elle pouvait se montrer cruelle pour les individus, mais les individus n'avaient pas d'importance. En dépit de tous les avertissements, l'humanité n'avait pas retenu cette leçon.

Eh bien, elle allait la retenir, mais selon les méthodes d'enseignement naturelles : à la dure.

Pat O'Connor fit son rapport quotidien dans la soirée. Après avoir ôté son pardessus, il se glissa dans la chaise face au bureau d'Ussery, son dossier en main. Un dossier déjà bien épais.

« L'affaire Bannister, dit Chuck Ussery. Du nouveau, Pat ?

— Rien, chef. On a interrogé quatorze amies de la disparue dans le secteur de Gary. Aucune n'avait la moindre idée de ce que Mary pouvait faire à New York. Elles n'étaient du reste que six à être au courant de sa présence là-bas, et elle ne discutait jamais de son boulot ou de ses petits amis, si elle en avait. Bref, pas le moindre indice de ce côté-ci.

— New York ? s'enquit ensuite l'inspecteur du FBI.

— Deux agents sont sur le coup : Tom Sullivan et Frank Chatham. Ils ont établi le contact avec un inspecteur divisionnaire de la police locale, un certain d'Alessandro. Les experts de la médecine légale ont épluché son appartement : que dalle. Toutes les empreintes latentes sont les siennes, pas même de femme de ménage. Les voisins de son immeuble la connaissaient de vue, mais aucun ne s'est vraiment lié et, par conséquent, on ne lui connaît aucun ami proche. Les collègues de New York pensent imprimer des tracts et les faire distribuer par la police. Le divisionnaire redoute d'avoir sur les bras un tueur en série. Il a en effet un cas similaire : une femme du même âge, de signalement analogue, résidant dans le même quartier, et disparue à peu près au même moment.

— Que disent les psychologues ? » demanda aussitôt Ussery.

O'Connor hocha la tête. « Ils ont examiné l'ensemble des faits dont nous disposons. Ils se demandent si le courrier électronique a été envoyé par la victime ou bien par un *serial killer* cherchant à s'amuser aux dépens de la famille... Les écarts de style dans le message apporté par M. Bannister... bref, nous avons pu constater l'un et l'autre qu'il semble avoir été rédigé par une autre personne, ou à tout le moins par un individu sous l'empire de la drogue ; or il est patent que la victime n'était pas une toxico. Et il est impossible de remonter à l'origine de cet e-mail. Il a transité par un serveur de reroutage anonyme. C'est un dispositif destiné à protéger l'anonymat de l'auteur d'un courrier électronique — soi-disant pour lui éviter d'avoir sa boîte aux lettres encombrée de messages publicitaires. En fait, je crois surtout pour permettre aux gens d'échanger en toute discrétion des photos porno sur le Net. J'en ai discuté avec Eddie Morales, à Baltimore. C'est le grand technicien du projet Innocent Images » — il s'agissait d'une initiative du FBI destinée à repérer, arrêter et boucler les pédophiles officiant sur le réseau — « et Bert dit qu'ils sont en train de bosser pour contourner cet écueil technique. Ils ont dans leurs effectifs un gars qui pense arriver à pirater ce dispositif, mais il n'y est pas encore parvenu et de toute façon les juristes ne sont pas sûrs que la procédure soit légale.

— Quelle merde... » Ussery réfléchit à cette embrouille juridique. La pédophilie était une des bêtes noires de l'agence fédérale, et Innocent Images était devenu une priorité nationale, dirigée par la section enquêtes de Baltimore.

O'Connor hocha la tête. « C'est exactement l'opinion de Bert, Chuck.

— Bref, toujours rien ?

— Rien de concret, non. Il nous reste encore quelques amies de Mary à interroger... cinq sont convoquées demain, mais si jamais on doit avoir une révélation, je suis prêt à parier qu'elle viendra de New York. Il y a bien quelqu'un qui a dû l'aborder. Sortir avec elle. Mais pas ici, Chuck. Elle a quitté Gary sans se retourner. »

Ussery fronça les sourcils mais il n'y avait rien à reprocher aux méthodes d'enquête d'O'Connor, et il avait mis douze hommes au total sur le cas Bannister. Ce genre d'affaire se déroulait à son rythme propre. Si James Bannister appelait, comme il le faisait chaque jour, il ne pourrait que lui répondre que l'agence continuait de travailler dessus, avant de lui demander s'il ne connaîtrait pas par hasard d'autres amis ou amies de sa fille qu'il aurait pu oublier de mentionner à ses enquêteurs.

25

Lever de soleil

« Votre séjour n'a pas été long, monsieur, nota l'inspecteur de l'immigration en examinant le passeport de Popov.

— Une brève réunion d'affaires, expliqua le Russe, de son plus bel accent américain. Je dois revenir bientôt, d'ailleurs, ajouta-t-il avec un sourire.

— Eh bien, revenez-nous vite, monsieur. » Encore un coup de tampon sur le livret bien usé, et Popov gagna le hall des premières.

Grady allait le faire. Il en était sûr. Le défi titillait trop son amour-propre pour qu'il se défile, sans parler de la récompense... Six millions de dollars, c'était plus que l'IRA avait jamais vu en une seule fois, même au temps où elle recevait des fonds de Kadhafi, au début des années quatrevingt. Le financement des groupes terroristes avait toujours été un problème. Par le passé, les Russes leur avaient procuré des armes, et, plus important encore pour l'IRA, des lieux pour s'entraîner et des informations sur le fonctionnement des services de sécurité britanniques, mais en revanche jamais de fortes sommes. L'Union soviétique n'avait jamais possédé des masses de devises et elle préférait s'en servir pour acquérir des technologies ayant des applications militaires. Par ailleurs, il s'était avéré que le couple âgé qui leur servait de courrier avec l'Ouest, en livrant de l'argent liquide aux agents soviétiques installés au Canada et en Amérique, était en réalité contrôlé par le FBI, et ce quasiment depuis le début ! Popov hocha la tête en y repensant. Le KGB avait beau être excellent, le FBI lui taillait des croupières. L'agence américaine avait une longue tradition dans les techniques de double jeu, lesquelles, dans le cas des courriers, avaient compromis bon nombre d'opérations sensibles lancées par les spécialistes des « mesures actives » à la direction A du KGB. Les Américains avaient eu la bonne idée de ne pas se démasquer, mais au contraire d'exploiter à fond le filon pour obtenir une cartographie générale des activités du KGB, ses cibles et ses objectifs ; ainsi savaient-ils ce que les Russes n'avaient pas encore infiltré.

Il hocha de nouveau la tête en gagnant la porte d'embarquement. Et dire que lui, il était toujours dans le noir ! Les questions continuaient d'affluer : que faisait-il au juste ? Que voulait donc Brightling ? Pourquoi diable s'en prendre au groupe Rainbow ?

Chavez décida de mettre de côté sa MP-10 pour aujourd'hui et de se concentrer plutôt sur son Beretta calibre 45. Il n'avait pas mis un seul coup à côté avec le Heckler & Koch depuis des semaines — dans le contexte, un « coup à côté », ça voulait dire ne pas loger la balle à moins de deux centimètres du point idéal, à savoir entre les sourcils dessinés sur le mannequin du stand de tir. Le viseur dioptrique du H&K était si parfaitement conçu qu'il suffisait de voir la cible dans l'oculaire pour être sûr de la toucher. Pas plus compliqué que ça.

Mais avec les pistolets, ce n'était pas aussi simple, et il avait besoin de s'entraîner. Il saisit l'arme dans l'étui en Gore-Tex vert et dégaina rapidement, la main gauche rejoignant la droite sur la crosse en même temps que son pied droit reculait d'un demi-pas et qu'il pivotait, adoptant la posture qu'on lui avait apprise bien des années plus tôt lors des stages de formation en Virginie : baisser la tête en évitant de fixer la cible, pour regarder dans le viseur au moment où celui-ci arrivait à hauteur d'œil, et à cet instant précis, de l'index droit, presser délicatement sur la queue de détente...

... pas avec assez de délicatesse toutefois. Le coup aurait sans doute brisé la mâchoire de l'adversaire, peut-être sectionné une artère importante, mais il n'aurait pas été instantanément fatal. Contrairement au suivant, tiré une demi-seconde plus tard. Ding grommela, embêté. Il laissa retomber le chien, remit la sécurité, rangea l'arme dans son étui. *Encore une fois*. Il baissa les yeux, évitant toujours de regarder la cible, releva la tête. Il l'avait là, devant lui : un terroriste, tenant son canon plaqué contre la tempe d'un enfant. En un éclair, le Beretta apparut, le viseur vint dans l'alignement du regard, le doigt de Chavez pressa la détente. Déjà mieux : cette balle-ci aurait traversé l'œil gauche du salopard, et la suivante, toujours une demi-seconde plus tard, vint compléter le premier trou entre les deux yeux pour y découper un joli huit.

« Excellent coup double, monsieur Chavez. »

Ding se retourna pour découvrir Dave Woods, le maître d'armes.

« Ouais, mais le premier était imprécis et tiré trop bas », concéda Ding. Qu'il eût à moitié pulvérisé la tronche du salaud n'était pas suffisant.

« Moins de rigidité dans le poignet, plus de pression sur le doigt, conseilla Woods. Et faites-moi voir un peu comment vous tenez la crosse. » Ding obéit. « Ah oui... je vois. » Les mains du maître d'armes rajustèrent légèrement la position de la main gauche de Chavez. « Voilà qui est déjà mieux... »

Merde, songea Ding. Était-ce donc si simple ? Il avait suffi de déplacer deux doigts de six ou sept millimètres pour que le pistolet se cale dans sa main comme si la crosse avait été moulée sur mesure. Il fit deux ou trois essais à vide, puis remit l'arme dans son étui avant de dégainer à nouveau rapidement. Cette fois, la première balle se logea pile entre les deux yeux de la cible à sept mètres de distance, et la seconde juste à côté.

« Excellent, commenta Woods.

— Vous enseignez depuis combien de temps, adjudant ?

— Un sacré bail, commandant. Neuf ans que je suis affecté à Hereford.

— Comment se fait-il que vous n'ayez jamais intégré les rangs du SAS ?

— Un problème de genou. Je me le suis pété en 86, en sautant d'un Warrior. Je ne peux plus courir plus de trois mille mètres sans qu'il se raidisse, vous voyez. » Au-dessus de la moustache rousse aux pointes impeccablement cirées, les yeux gris étaient étincelants. Ce fils de pute aurait pu donner des leçons à Doc Holliday en personne. « Continuez à vous exercer, commandant, dit le maître d'armes avant de s'éloigner.

— Ben merde », souffla Chavez, à voix basse. Il recommença quatre fois de suite à dégainer rapidement. *Plus de fermeté sur le doigt, moins de raideur dans le poignet, baisser un poil la main gauche sur la crosse... et hop, c'est bon !* Au bout de trois minutes, il y avait un nouveau trou de cinq centimètres en plein dans le mille de la cible. Il allait s'agir de ne pas oublier cette petite leçon.

Dans la rangée voisine, Tim Noonan s'exerçait avec son Beretta personnel. Il tirait moins vite que Chavez, ses balles étaient moins regroupées, mais toutes sans exception auraient transpercé le crâne de la cible, jusqu'au bulbe rachidien, provoquant une mort instantanée, car c'était l'endroit où la moelle épinière pénétrait dans le cerveau. Finalement, les deux hommes se retrouvèrent à court de munitions. Chavez ôta son casque protecteur et tapa sur l'épaule de Noonan.

« Un peu lent, aujourd'hui, observa celui-ci, les sourcils froncés.

— Ouais, enfin t'as quand même descendu l'autre salaud. T'étais dans les commandos, non ?

— Ouais, mais pas vraiment un tireur. Je m'occupais surtout du côté technique. Bon, d'accord, je tirais avec eux régulièrement, mais j'avais quand même pas le niveau. Jamais réussi à être aussi rapide. Ce doit être une question d'influx nerveux. » Noonan sourit tout en démontant son pistolet pour le nettoyer.

« Au fait, comment marche ce bidule à repérer les gens ?

— Ce truc est carrément magique, Ding. Donne-moi encore une semaine et je te dévoile tous les secrets du nouveau modèle. L'antenne est équipée d'un réflecteur parabolique, on dirait un gadget sorti de *Star Trek*, mais merde, ça marche. » Tout en parlant, il avait essuyé les pièces avant de les passer sous une bombe d'huile graphitée pour les nettoyer et les lubrifier. « Ce Woods, c'est un sacré bon maître d'armes, pas vrai ?

— Ouais, je dois dire d'ailleurs qu'il vient de me régler un petit problème, remarqua Ding en lui prenant la bombe pour nettoyer lui aussi son arme de service.

— Quand j'étais à l'académie du FBI, le responsable de l'époque m'avait également filé des bons tuyaux. Comment bien croiser les mains sur la crosse. Et stabiliser le doigt... » Noonan passa un tampon de nettoyage dans le canon, le mira d'un œil critique, puis remonta son pistolet. « Tu vois, ce qu'il y a de sympa ici, c'est qu'on est quasiment les seuls à avoir le droit de porter des armes.

— Effectivement, j'ai cru comprendre que les civils n'avaient pas le droit d'en avoir sur eux.

— Ouais, ils ont modifié la loi il y a quelques années. Sûr que ça a contribué à la baisse de la criminalité, observa Noonan. En fait, les lois sur le port d'armes ont commencé à être promulguées dès les années vingt, pour contrôler l'IRA. Ça a marché impec, non ? railla l'agent du FBI. Bon, enfin, ils n'ont jamais réussi à écrire une constitution comme la nôtre.

— T'es toujours armé ?

— Merde, oui ! » Noonan leva les yeux. « Eh, Ding, je suis flic, pigé ? Je me sens tout nu sans un pote à la ceinture. Même quand je bossais au laboratoire central, avec parking réservé et tout le bastringue, mec, je ne me suis jamais baladé dans la capitale sans une arme sur moi.

— Déjà eu à l'utiliser ? »

Tim hocha la tête. « Non, peu d'agents en ont l'occasion, mais ça fait partie du mythe, tu piges ? » Il contempla de nouveau sa cible. « Il y a certains talents qu'on préfère avoir, mec.

— Ouais, idem pour nous. » Par dérogation à la loi britannique, les membres de Rainbow avaient le droit d'être armés où qu'ils aillent, l'argument étant que les membres d'une brigade anti-terroriste étaient toujours en service. C'était un droit que Chavez n'avait guère exercé mais il donnait raison à Noonan sur ce point.

136

Tim introduisit un chargeur plein dans le pistolet remonté après son nettoyage, rabattit le levier pour fermer la coulisse, puis, après avoir mis la sécurité, il éjecta le chargeur pour glisser une balle supplémentaire. L'arme retourna dans son étui de hanche, accompagnée de deux chargeurs de rechange glissés dans les poches extérieures à rabats. Effectivement, ça faisait partie de l'image du flic, pas de doute.

« À plus tard, Tim.

— À plus, Ding. »

Bien des gens en sont incapables, mais certaines personnes se souviennent des visages. C'est une qualité fort utile pour les tenanciers de bistrot, car le client aura tendance à retourner dans un établissement dont le barman se rappelle son breuvage favori. C'était le cas aussi à New York dans ce bar de Columbus Avenue. Le policier de quartier y entra juste après l'ouverture à midi et lança : « Salut, Bob !

— Salut, Jeff, un café ?

— Ouaip », répondit le jeune flic en regardant officier le loufiat. Fait inhabituel pour un bar, on y servait du bon café, la boisson étant devenue à la mode dans ce quartier.

Jeff bossait sur ce secteur depuis près de deux ans, assez longtemps pour connaître la plupart des bistrotiers, et ces derniers le connaissaient et connaissaient ses habitudes. C'était un flic honnête, mais pas du genre à refuser un verre ou une pâtisserie... surtout un bon beignet, le péché mignon du flic américain.

« Alors, quoi de neuf ? s'enquit Bob.

— On cherche une nana disparue. Tu connais ce visage ? » Il lui tendit la photo imprimée.

« Ouaip ! Annie je ne sais trop quoi. Elle a un faible pour le chardonnay Kendall Jackson Reserve. C'était une cliente régulière. Mais c'est vrai que je l'ai pas revue depuis un bail.

— Et celle-ci ? » Il présenta le second tract. Bob ne le lorgna qu'une seconde ou deux.

« Mary... Mary Bannister. Celle-là, je me souviens du nom. Mais je l'ai pas vue non plus depuis un bout de temps. »

Le flic avait du mal à croire à sa veine.

« Que sais-tu d'elles ?

— Attends une minute... tu dis qu'elles ont disparu... on les a enlevées ou quoi ?

— Tout juste, Auguste. » Jeff but une gorgée de café. « Le FBI est sur le coup. » Il tapota la photo de Bannister.

« Ben merde, alors... J'peux pas te dire grand-chose. J'les voyais toutes les deux une ou deux fois par semaine, elles venaient danser, tout ça, tu vois le plan... genre la fille seule qui cherche à lever un mec.

— Bon, j'vais te dire un truc : des types vont sans doute passer pour te poser des questions sur elles. Tâche de t'en souvenir, d'accord ? » Le flic devait envisager l'éventualité que Bob fût à l'origine de leur disparition, mais c'étaient des risques à prendre lors d'une enquête, et c'était malgré tout fort improbable. Comme bien d'autres serveurs et tenanciers de bistrot new-yorkais, ce type était un acteur refoulé, ce qui expliquait sans doute sa mémoire.

« Ouais, bien sûr, Jeff. Ben, merde... des enlèvements, tu dis ? Ça fait un bail qu'on n'en avait plus entendu parler... Chierie ! conclut le serveur.

— La roue tourne, vieux. Allez, à plus. » Et le flic se dirigea vers la porte. Il avait l'impression d'avoir abattu l'essentiel de sa journée de travail, et dès qu'il fut sorti, il décrocha le micro-épaulette de sa radio portative pour avertir son commissariat de ces derniers développements.

Le visage de Grady était connu au Royaume-Uni, mais pas avec la barbe rousse et les lunettes, qui (espérait-il) masqueraient suffisamment ses traits pour réduire le risque d'être reconnu d'un agent de police plus vigilant qu'un autre. De toute façon, la présence policière n'était pas aussi marquée ici que dans la capitale. La grille d'accès à la base d'Hereford était restée telle que dans son souvenir, et de là, il n'y avait qu'un saut en voiture jusqu'à l'hôpital, où il se rendit pour examiner les voies d'accès, les accotements, les parkings, qu'il trouva à sa convenance. Il en profita pour sortir son Nikon et prendre six rouleaux de pellicule. Le plan qu'il se mit à élaborer mentalement était simple, comme tous les bons plans. La disposition des routes jouait en sa faveur, les abords aussi. Comme toujours, l'élément de surprise allait constituer son arme essentielle. Il en aurait besoin, vu que l'opération se déroulerait à proximité de la base abritant la meilleure et la plus redoutable unité de l'armée britannique, mais la distance lui donnait le délai possible : entre trente et quarante minutes maxi. Quinze hommes, mais ça, ce n'était pas un problème. Les moyens matériels, il aurait l'argent pour ça, réfléchit-il, garé sur le parking de l'hôpital. Oui, ça pouvait, ça devait marcher. Seule question : de jour ou de nuit ? La dernière option était la plus évidente mais il avait appris à ses dépens que les unités antiterroristes adoraient la nuit, car leur équipement de vision infrarouge les rendait indépendantes des contraintes horaires du point de vue tactique... alors que les gens comme Grady n'étaient pas entraînés à opérer aussi bien dans le noir. C'est ce qui avait récemment donné à la police un avantage énorme en Suisse, en Autriche et en Espagne. Alors, pourquoi ne pas tenter le coup en plein jour ? Il faudrait qu'il en discute avec ses amis, conclut Grady en redémarrant pour rejoindre l'aéroport de Gatwick.

« Ouais, j'y ai réfléchi depuis que Jeff m'a montré les photos », dit le barman. Bob Johnson. À cette heure-ci, il avait sa tenue de service de soirée : chemise blanche, large ceinture noire, nœud pap.

« Vous connaissez cette femme ?

— Ouais. » Il opina. « Mary Bannister. L'autre, c'est Anne Pretloe. Deux habituées. Plutôt sympas, comme filles. Elles dansaient et flirtaient pas mal. Y a du monde ici en soirée, surtout le week-end. Elles se pointaient en général aux alentours de huit heures, puis repartaient vers onze heures, onze heures et demi.

— Seules ?

— Quand elles repartaient ? La plupart du temps, mais pas toujours. Annie avait un petit copain qu'elle aimait bien. Je connais juste son prénom : Hank. Blanc, cheveux bruns, des yeux noisette, à peu près ma taille, un soupçon de brioche, mais pas vraiment gros. Je crois qu'il est avocat. Il devrait sans doute être là ce soir. C'est un habitué. Et puis, il y avait un autre type... peut-être la dernière fois qu'elle est venue, d'ailleurs... merde, comment s'appelait-il, déjà ? » Johnson baissa les yeux vers le comptoir pour réfléchir. « Kurt, Kirk, quelque chose comme ça... Maintenant que j'y repense, j'ai vu Mary danser également avec lui, une fois ou deux. Un Blanc, grand, belle prestance... pas revu depuis un bout de temps. Il aimait les whiskey sours préparés avec du Jim Beam... il avait le pourboire facile. » Le genre de détail dont se souviennent tous les barmen. « C'était un coureur...

— Hein ? fit l'agent Sullivan.

— Un coureur de jupons, précisa le loufiat. Eh, c'est pour ça qu'ils viennent dans des boîtes comme celles-ci, si vous voyez ce que je veux dire... »

Ce type-là était une véritable aubaine, songèrent les deux flics. « Malgré tout, vous ne l'avez pas revu depuis un bout de temps ?

— Ce Kurt ? Non, au moins une bonne quinzaine. Peut-être plus.

— Vous pensez que vous pourriez nous aider à en dresser un portrait-robot ?

— Comme ces espèces de croquis d'artiste qu'on voit dans les journaux ?

— Tout à fait, confirma Chatham, le collègue de Sullivan.

— On peut toujours essayer. Mais certaines des nanas qui viennent ici pourraient le connaître également. Je pense que c'est le cas de Marissa. C'est une habituée : elle est là presque tous les soirs. Elle se pointe aux alentours de sept heures, sept heures et demie.

— Eh bien, je pense qu'on va rester un petit

moment », conclut Sullivan en regardant sa montre.

Il était minuit sur la base RAF de Mildenhall. Malloy fit décoller le Night Hawk et mit cap à l'ouest, direction Hereford. Les commandes répondaient toujours avec la même précision, et le nouveau bidule fonctionnait. Il s'agissait tout bêtement d'une jauge : le niveau de carburant était indiqué par un affichage numérique au lieu d'une banale aiguille sur un cadran. Un inverseur permettait en outre de basculer l'affichage en gallons américains ou en livres. Pas con. La nuit était relativement dégagée, ce qui était plutôt inhabituel dans ce pays, mais il n'y avait pas de lune et il avait choisi de chausser ses lunettes infrarouges. Il se retrouvait baigné dans un crépuscule verdâtre, et même si elles réduisaient de moitié son acuité visuelle, c'était quand même infiniment mieux que d'être totalement aveugle dans l'obscurité. Il se maintenait à trois cents pieds d'altitude, pour éviter les lignes électriques dont il avait une sainte frousse, comme tout pilote d'hélico qui se respecte. Il volait à vide. Son seul passager était le sergent Nance, toujours armé de son pistolet pour se donner l'air plus belliqueux — tous les membres des forces spéciales avaient le droit de porter une arme de poing, même ceux qui avaient peu de chances de jamais en faire usage. Malloy planquait son Beretta M9 dans sa sacoche d'aviateur plutôt que dans un étui d'épaule. Ça lui paraissait moins mélodramatique, surtout pour un Marine.

« Il y a un hélico posé sur la plate-forme de

l'hosto », nota son copilote, le lieutenant Harrison, comme ils le survolaient pour gagner leur base. « Rotor en rotation et feux allumés.

— Vu », confirma Malloy. Ils passèrent au large, au cas où le pilote redécollerait. « Rien d'autre à notre niveau », ajouta-t-il en guettant dans le ciel le clignotement des feux d'avions de ligne aux abords de Luton et d'Heathrow. On ne cessait de surveiller le ciel quand on tenait à la vie. S'il se retrouvait aux commandes du VHM-1 attaché à la base aéronavale d'Anacostia, vu la densité du trafic autour de l'aéroport national Reagan, il faudrait bien qu'il s'habitue à voler dans un espace aérien plus qu'encombré. Même s'il respectait les pilotes civils, il avait moins confiance en eux qu'en ses propres capacités : pour gagner sa vie en tenant le manche d'un appareil, il fallait se considérer comme le meilleur, même si dans son cas personnel il savait que c'était vrai. Et ce jeune Harrison montrait de réelles dispositions, s'il restait sous les drapeaux au lieu de finir aux infos routières sur une chaîne locale dans un trou perdu... Enfin, ils aperçurent le terrain d'Hereford, et Malloy mit le cap dessus. Cinq minutes après, il était au sol, moteurs au ralenti pour refroidir les tuyères, et vingt minutes plus tard, il était dans son lit.

« Oui, il va le faire », confirma Popov. Ils s'étaient installés dans un recoin de la salle et la musique de fond préservait l'anonymat de leur conversation. « Il n'a pas encore donné sa réponse définitive, mais j'en suis sûr.

— Qui est-ce ? demanda Henriksen.

— Sean Grady. Le nom vous dit quelque chose ?

— L'IRA provisoire... il officiait surtout à Londonderry, c'est ça ?

— La plupart du temps, oui. Il a capturé des gars du SAS et... il les a liquidés. À trois reprises. Les SAS l'ont alors pris pour cible lors de trois missions différentes. Ils ont bien failli l'avoir une fois, et ils ont quand même réussi à éliminer une dizaine de ses plus proches compagnons. Il a alors décidé de nettoyer son unité de plusieurs éléments soupçonnés d'être des indics. Il ne fait pas de quartier, assura Popov en regardant Brightling.

— C'est tout à fait exact, confirma Henriksen. Je me souviens d'avoir lu ce qu'il a fait subir aux gars du SAS qu'il avait capturés... Pas joli-joli. Grady est un vrai salopard. Mais a-t-il suffisamment d'hommes pour réaliser l'opération ?

— Je pense que oui, répondit Dimitri Arkadeïevitch. Et de toute façon, il tient à notre fric. Je lui avais proposé cinq plaques, il en a demandé six, plus de la dope.

— De la dope ? » Henriksen était surpris.

« Attendez... je croyais que l'IRA était opposée au trafic de drogue, objecta Brightling.

— On vit dans un monde concret. Pendant des années, l'IRA s'est chargée d'éliminer les dealers dans toute l'Irlande — en général en leur faisant sauter les rotules, histoire de se faire de la pub. C'était un geste à la fois psychologique et politique. Peut-être qu'à présent ils caressent l'idée d'en faire une source de financement régulier », expliqua Dimitri. L'aspect moral du problème semblait le cadet des soucis de ses interlocuteurs.

« Ouais, j'imagine qu'on peut accéder à sa

requête », réfléchit Brightling, avec tout juste une ombre de dégoût. Puis il reprit, curieux : « Faire sauter les rotules, comment ça ?

— C'est tout simple, lui expliqua Bill : tu prends un flingue, tu places le canon au creux du genou, et tu tires. L'os est pulvérisé. Très douloureux, et le type est estropié à vie. C'était leur façon de traiter les balances et tous ceux qui ne leur plaisaient pas. Pour leur part, les terroristes protestants avaient un faible pour la perceuse électrique. Mais le résultat est le même. Le bruit se répand vite que vous êtes pas un rigolo, conclut Henriksen.

— Ouille, commenta le médecin en Brightling.

— C'est précisément pour ça qu'on les appelait des terroristes, nota Henriksen. De nos jours, ils se contentent de les liquider... Bref, ce Grady est un client sérieux.

— C'est en tout cas sa réputation, confirma Popov. Il ne fait pas de doute qu'il entreprendra cette mission. L'idée lui plaît, tout comme vos suggestions pour l'organiser, Bill. Sans compter que ça flatte son ego, qui est vaste. » Popov but une gorgée de vin. « Il veut prendre la tête politique du mouvement, et pour ce faire, il se doit d'accomplir une action d'éclat.

— Ça, c'est le côté irlandais — la terre des amours contrariées et des guerres fraîches et joyeuses...

— Vous pensez qu'il peut réussir ? demanda Brightling.

— L'idée est astucieuse. Mais n'oubliez pas que pour lui le succès signifie l'élimination des cibles désignées, à savoir les deux femmes, et dans la foulée, de quelques-uns des soldats venus les secourir. Ensuite, il ne fait aucun doute qu'il prendra la tangente pour tenter de retourner se planquer en Irlande. Le simple fait de survivre à une action de ce type serait déjà pour lui un succès politique notable. Se lancer dans une véritable action de commando serait folie de sa part, et Grady n'est pas un fou », ajouta Dimitri, pas vraiment sûr d'y croire. Tous les révolutionnaires n'étaient-ils pas un peu timbrés ? Il était toujours difficile de comprendre des individus qui laissaient leur idéal mener leur existence. Ceux qui avaient réussi, Lénine, Mao, Gandhi, rien qu'au cours du XXe siècle, étaient ceux qui avaient su appliquer leur idéal de manière efficace, bien sûr, mais même dans leur cas, pouvait-on réellement parler de succès ? L'Union soviétique s'était effondrée, et la République populaire de Chine ne tarderait pas à succomber à ces mêmes réalités politico-économiques qui avaient signé la perte de l'URSS. Quant à l'Inde, elle continuait à stagner, perpétuellement au bord du désastre économique. Sur ce modèle, un éventuel succès de l'IRA condamnerait sans doute plus l'Irlande que la poursuite de son alliance économique avec l'Angleterre. Au moins les Cubains avaient-ils le soleil des tropiques pour se réchauffer. Faute de ressources naturelles dignes de ce nom, l'Irlande était condamnée à survivre dans une alliance économique étroite avec un partenaire quelconque, et le plus proche était le Royaume-Uni. Mais ce n'était pas le sujet du dîner.

« Bref, vous comptez sur un raid éclair de sa part », reprit Bill.

Dimitri acquiesça. « C'est la seule option tactique qui se tienne. Il espère bien vivre assez longtemps pour utiliser l'argent qu'on lui a offert.

S'entend, si vous approuvez l'augmentation de tarif qu'il réclame.

— Qu'est-ce qu'un million de plus ou de moins ? » nota Henriksen en retenant un sourire.

Donc, l'un et l'autre considèrent une telle somme comme dérisoire, nota Popov, une fois encore frappé de constater qu'ils devaient ourdir quelque plan monstrueux... mais lequel ?

« Le règlement, ils le veulent sous quelle forme ? demanda Brightling. En liquide ?

— Non. Je leur ai promis que l'argent serait déposé sur un compte numéroté en Suisse. Je peux m'en occuper.

— J'ai déjà blanchi une somme suffisante, indiqua Bill à son employeur. On pourrait avoir réglé tout ça pour demain...

— Bref, je vais encore me retaper un voyage en Suisse, râla Dimitri.

— Fatigué de prendre l'avion ?

— J'ai beaucoup voyagé, Dr Brightling », soupira Popov. Il souffrait du décalage horaire, et ça commençait à se voir.

« John...

— John », répéta Popov, notant pour la première fois une vague marque d'affection sincère chez son employeur. Il en conçut une certaine surprise.

« Je comprends, Dimitri, renchérit Henriksen. Vous savez, pour moi aussi, ce voyage en Australie était chiant.

— C'était comment, d'être un enfant en Russie ? s'enquit Brightling.

— Plus dur qu'en Amérique. Il y avait plus de violence à l'école. Pas vraiment de crimes, expliqua Popov, mais toujours des bagarres entre élèves, par exemple. Pour asseoir sa domination, comme souvent chez les garçons. En général, les pions détournaient les yeux.

— D'où êtes-vous originaire ?

— De Moscou. Mon père était lui aussi agent de la sécurité d'État. J'ai fait mes études à l'université de Moscou.

— Quelles disciplines ?

— Langues et économie. » La première s'était révélée bien utile. La seconde, beaucoup moins, vu l'inefficacité flagrante des thèses marxistes en matière d'économie.

« Ça vous arrivait de faire des sorties dans la nature, enfin, un peu comme les scouts, ici ? »

Popov sourit, en se demandant où il voulait en venir avec toutes ces questions. Mais il décida de jouer le jeu. « L'un de mes meilleurs souvenirs d'enfance. Je faisais partie des Pionniers. On s'était rendus dans une ferme d'État pour y travailler pendant un mois, au moment des moissons, et vivre en harmonie avec la nature, comme vous dites ici. » Et puis, à quatorze ans, il avait rencontré son premier amour, Elena Ivanovna. Il se demanda où elle était aujourd'hui. Cédant à un bref accès de nostalgie, il se souvint de la douceur de sa peau dans le noir... Sa première conquête...

Brightling avait noté le sourire lointain et crut y voir ce qui lui convenait. « Ça vous plaisait bien, hein ? »

De toute évidence, ils n'avaient pas envie d'écouter cette version des faits. « Oh, oui. Je me suis souvent demandé quel effet ça faisait de vivre dans un endroit pareil, au grand soleil toute la journée, à travailler la terre. Avec mon père, on allait souvent dans les bois... cueillir des champignons — c'était un loisir répandu chez les Russes dans les années soixante, les balades en forêt. » Contrairement à la majorité de leurs concitoyens, ils s'y rendaient dans la voiture de fonction paternelle, mais quand il était gosse, il s'était toujours plu dans les bois. Comme tous les garçons de son âge, il y voyait un terrain d'aventure, un endroit romantique. Et puis, il aimait bien se retrouver avec son père.

« Il y avait du gibier ? demanda Bill Henriksen.

— On voyait des oiseaux, bien sûr, toutes sortes d'espèces, et parfois des élans, mais c'était rare. Les agents des eaux et forêts passaient leur temps à les tuer. Mais leurs cibles préférées restaient les loups. Ils les chassaient en hélicoptère. Nous autres Russes, nous ne leur portons pas cet amour immodéré qu'on constate ici en Amérique. Trop de récits folkloriques de bêtes enragées dévorant les gens... Même s'il s'agit le plus souvent d'inventions, j'imagine. »

Brightling hocha la tête. « C'est pareil ici. Les loups ne sont jamais que de gros chiens sauvages, on peut les dresser comme des animaux domestiques. Il y a des gens qui le font.

— Les loups sont des animaux sympas », ajouta Bill. Il avait souvent caressé l'idée d'en adopter un, mais il fallait avoir du terrain pour ça. Peut-être, une fois le Projet concrétisé...

Bon sang, mais où veulent-ils en venir ? se demandait Dimitri, continuant à jouer le jeu. « J'ai toujours voulu voir un ours, mais il n'en reste plus dans la région de Moscou. Les seuls sont au zoo. J'adorais les ours », mentit-il ; ces animaux l'avaient toujours terrifié. On entendait des flopées d'histoires d'ours quand on était un petit Russe...

et c'étaient rarement de gentils ours, même s'ils n'étaient jamais aussi terribles que les loups. De gros chiens ? Merde, les loups tuaient les gens dans les steppes. Les paysans les avaient en horreur et ils étaient toujours ravis de voir apparaître les chasseurs d'État, avec leurs hélicos et leurs mitraillettes. Ça restait encore le moyen le plus efficace de les traquer et de les massacrer.

« Ma foi, John et moi sommes des amoureux de la nature, expliqua Bill, tout en hélant le garçon pour demander une autre bouteille de vin. On l'a toujours été. Depuis l'époque où on était chez les scouts... l'équivalent de vos Pionniers, j'imagine.

— L'État n'a jamais été tendre avec la nature en Union soviétique, nota Popov. Les problèmes là-bas sont autrement plus graves que ceux que vous avez pu connaître ici en Amérique. Vos compatriotes se sont rendus en Russie pour évaluer les dégâts et proposer des solutions pour résoudre les problèmes de pollution, tout ça... » Surtout du côté de la mer Caspienne, où elle avait entraîné la disparition de presque tous les esturgeons, et avec eux du caviar, pendant longtemps une des premières sources de rentrée de devises pour l'URSS.

« Oui, une inconscience criminelle, approuva sobrement Brightling. Mais le problème est général. Les gens ne respectent pas la nature comme ils le devraient. » Il poursuivit sur ce ton pendant plusieurs minutes, débitant ce qui ressemblait à un résumé appris par cœur, que Dimitri écouta avec des hochements de tête polis.

« C'est un mouvement politique influent dans votre pays, n'est-ce pas ?

— Pas aussi influent que le voudraient certains,

150

observa Bill. Mais il est important pour certains d'entre nous.

— Un tel mouvement serait bien utile en Russie. Il est révoltant que tant de choses aient été détruites pour rien », rétorqua Popov. Il était en partie sincère ; l'État devait préserver les ressources en vue de leur exploitation optimale, pas se contenter de les détruire parce que les politiciens locaux n'étaient pas foutus de les utiliser convenablement. Mais l'URSS s'était dans l'ensemble montrée d'une telle inefficacité dans tous les domaines... enfin, l'espionnage excepté, rectifia Popov. L'Amérique s'en était mieux sortie. Les villes étaient plus propres que leurs équivalents russes, même ici à New York, et il suffisait de rouler une heure en voiture pour trouver de la verdure et des fermes productives et bien tenues. La grande question demeurait toutefois : pourquoi une conversation entamée sur les préparatifs d'une action terroriste avait-elle pris ce tour ? Y était-il pour quelque chose ? Non. C'était son employeur qui avait brusquement dévié sur ce sujet. Ce n'était pas fortuit. Cela voulait dire qu'ils le sondaient. Mais sur quoi ? Ces niaiseries sur la défense de la nature ? Tout en buvant une gorgée de vin, il jaugea ses compagnons de table. « Vous savez, je n'ai jamais eu la chance de découvrir l'Amérique. J'aimerais tant visiter les parcs nationaux. Comment s'appelle-t-il déjà, celui avec les geysers ? Goldstone ?

— Yellowstone, rectifia Henriksen. C'est dans le Wyoming. Peut-être l'une des plus jolies régions du pays.

— Non, le plus beau, c'est Yosemite, rétorqua Brightling. En Californie. La plus belle vallée de toute la planète. Envahie de touristes aujourd'hui, bien sûr, mais ça va changer.

— Pareil pour Yellowstone, John, et ouais, c'est vrai, ça va changer. Un jour... », conclut Bill Henriksen.

Ils semblaient rudement convaincus que les choses allaient changer. Pourtant, les parcs nationaux américains étaient gérés par le gouvernement fédéral au bénéfice de tous les citoyens, non ? Normal, puisqu'ils étaient financés par le contribuable. Pas question d'en limiter l'accès à une élite. L'égalité pour tous... un précepte qu'on lui avait enseigné dans les écoles soviétiques, sauf qu'ici on l'appliquait pour de bon. Encore une des causes, jugea Dimitri, de l'effondrement de son pays, alors que son ancien ennemi se renforçait.

« Que voulez-vous dire par "ça va changer" ?

— Oh, l'idée est de réduire l'impact des populations sur les régions naturelles. C'est un bon départ, mais il faut tout d'abord procéder à certains ajustements, répondit Brightling.

— Ouais, John, juste un ou deux petits ajustements », approuva Henriksen, en étouffant un rire. Puis il dut décider que la phase de sondage avait assez duré. « Pour en revenir à notre sujet, Dimitri, comment saurons-nous à quel moment Grady est prêt à passer à l'action ?

— Je dois l'appeler. Il m'a laissé un numéro de téléphone mobile que je peux utiliser à heures fixes.

— Que d'obligeance.

— À mon égard, certainement. On est amis depuis les années quatre-vingt, quand j'ai fait sa connaissance dans la vallée de la Bekaa. Et du reste, son abonnement a sans doute été pris sous un autre nom et réglé avec une fausse carte de crédit. Ce genre d'appareil est une aubaine pour tous les espions. Ils sont difficiles à repérer, à moins de disposer d'un équipement ultra-perfectionné. Les États-Unis en ont, l'Angleterre aussi, ainsi que quelques autres pays, mais ils ne sont pas si répandus.

— Eh bien, appelez-le dès que vous le jugerez bon. On aimerait bien que cette affaire se fasse, pas vrai, John ?

— Tout à fait, confirma Brightling. Bill, tu t'occupes de dégager les fonds pour que le transfert ait lieu demain. Dimitri, vous avez le feu vert pour leur ouvrir un compte.

— D'accord, John », répondit Popov alors que le chariot des desserts s'approchait de leur table.

Grady était manifestement excité par cette mission. Il n'était pas loin de deux heures du matin dans la capitale irlandaise. Les photos avaient été développées par un sympathisant du mouvement, et six clichés avaient été agrandis. Ces derniers étaient punaisés au mur. Les autres étaient disposés sur une carte étalée sur la table, en regard de l'endroit où ils avaient été pris.

« Ils approcheront par ici, en remontant cette route. Ils n'ont qu'un emplacement où garer les véhicules, d'accord ?

— D'accord, confirma Rodney Sands, en vérifiant les angles sur le plan.

— Bien. Donc, on va procéder ainsi... » Et Grady leur esquissa son plan.

« Comment communique-t-on ?

— Par téléphones mobiles. Chaque groupe en

aura un, et tous auront déjà les numéros en mémoire pour nous permettre d'échanger les informations rapidement et avec efficacité.

— Les armes ? s'enquit Danny McCorley.

— C'est pas ce qui manque, gamin. Il faut s'attendre en face à trouver cinq hommes, dix maxi. Ils n'en ont jamais déployé plus de dix ou onze pour une mission, même en Espagne. On les a recomptés sur les cassettes vidéo. Quinze de notre côté, dix du leur, plus l'effet de surprise en notre faveur lors des deux phases. »

Les jumeaux Barry, Peter et Sam, parurent d'abord sceptiques mais si l'action était menée rapidement... si elle se déroulait conformément au plan... oui, c'était jouable.

« Et les bonnes femmes ? demanda Timothy O'Neil.

— Quoi, les bonnes femmes ? Elles sont notre objectif premier.

— L'une d'elles est enceinte, Sean... politiquement, ça risque de faire mauvais effet.

— Ce sont des Américaines, leurs maris sont nos ennemis, et elles servent d'appâts pour les attirer. On ne va pas les tuer tout de suite, et si les circonstances le permettent, elles pourraient bien survivre pour pleurer leurs chers disparus, gamin », ajouta Grady, histoire d'apaiser les éventuels scrupules de son cadet. Timmy n'était pas un couard, mais il lui restait quelques relents de sentimentalisme bourgeois.

O'Neil hocha la tête, résigné. Grady n'était pas le genre d'homme qu'on fâche, et de toute façon c'était le chef.

« Donc, je prends la tête du groupe qui s'introduit dans l'hôpital, c'est ça ?

154

— Oui, fit Grady. Roddy et moi, on reste dehors avec les autres pour vous couvrir.

— Très bien, Sean », répondit Timmy, désormais engagé à fond dans la mission.

26

Conclusions

Le problème avec ce genre d'enquête, c'est que vous risquiez d'alerter le sujet, mais il n'y avait parfois pas moyen de faire autrement. Les agents Sullivan et Chatham déambulèrent dans la salle jusqu'aux alentours de minuit. Ils trouvèrent deux femmes qui connaissaient Mary Bannister et une qui connaissait Anne Pretloe. Dans le cas de la première disparue, ils obtinrent le nom d'un homme avec qui on l'avait vue danser — un habitué de la boîte qui ne s'était pas montré ce soir, mais dont ils auraient tôt fait de trouver l'adresse à partir de son numéro de téléphone qu'il semblait apparemment avoir donné à plusieurs femmes présentes dans la salle. À minuit, les deux inspecteurs s'apprêtaient à prendre congé, un tantinet déçus d'avoir passé tout ce temps dans un bar animé sans pouvoir boire autre chose que du Coca, mais avec en poche quelques ébauches de pistes. Jusqu'ici, c'était un cas d'école. Pour Sullivan, c'était un peu comme d'entrer dans un supermarché en vue de se préparer à dîner, parcourir les rayons et piocher au hasard, sans jamais savoir ce que donneront les produits une fois déballés dans la cuisine.

« B'jour, chérie », fit Ding, avant de quitter le lit. Comme tous les matins, il commençait sa journée par un baiser.

« Bisou, Ding. » Patsy voulut se retourner mais ça devenait difficile, presque autant que de dormir sur le dos, maintenant qu'elle était incapable de se mettre sur le ventre à cause du bébé. Il n'allait pas tarder à venir, songea Patricia Clark Chavez, oubliant les désagréments que n'allait pas manquer de lui faire subir l'accouchement. Elle sentit la main de son mari glisser sur la peau distendue de ce qui était naguère encore un ventre plat et musclé.

« Comment va notre petit bonhomme ?

— On se réveille, dirait-on », répondit-elle avec un sourire lointain, en se demandant à quoi il ou elle allait ressembler.

Ding était convaincu que ce serait un garçon. Il semblait incapable d'envisager une autre possibilité. Ce devait être un truc de Latino, imagina Patricia. Étant médecin, elle avait un autre point de vue. Quel que soit le sexe de l'enfant, en tout cas, il serait vigoureux. Le petit monstre n'arrêtait pas de s'agiter depuis qu'elle avait perçu son premier « bloup », comme elle disait, au troisième mois. « Voilà que ça recommence », annonçat-elle quand il ou elle se retourna dans son océan de liquide amniotique.

Domingo Chavez le sentit sous sa paume, lui aussi, il sourit et se pencha pour embrasser de nouveau sa femme avant de gagner la salle de bains.

« Je t'aime, Patsy », s'écria-t-il en quittant la chambre. Comme chaque jour, le monde tournait bien rond. Dans le couloir, il jeta un coup d'œil à la chambre du petit, avec ses murs décorés de bestioles bariolées, et le petit berceau prêt à accueillir son nouvel occupant. Bientôt, se dit-il. D'un moment à l'autre, avait prévenu l'obstétricien, ajoutant toutefois que les premiers-nés étaient souvent en retard.

Un quart d'heure plus tard, il était en survêtement et s'apprêtait à sortir, après deux ou trois tasses de café, mais rien d'autre, car il n'aimait pas se charger l'estomac avant son entraînement matinal. D'un coup de volant, il fut devant le bâtiment du groupe Deux où tous ses compagnons arrivaient déjà.

« Eh, Eddie ! lança-t-il à Price en guise de salut.

— Bonjour, commandant », répondit l'adjudant. Cinq minutes plus tard, ils étaient sur la pelouse, tous en tenue de sport. Ce matin, c'était le sergent Mike Pierce, toujours en tête au tableau de chasse, qui dirigeait l'exercice. Un quart d'heure de pompes et d'étirements avant de passer à leur jogging matinal.

« Les pa-ras-saut'nt-des-avions », scanda Pierce, à quoi les autres répondirent tous en chœur : « Faut-vrai-ment-qu'y-soient-des-cons ! »

La rengaine traditionnelle avait des accents de vérité pour Chavez qui était passé par l'école des commandos de Fort Benning, mais n'avait pas fait la préparation parachutiste. Il était quand même plus logique, selon lui, d'arriver au combat en hélico que de se faire larguer en risquant de servir de cible aux salopards au sol sans pouvoir riposter. Cette seule idée l'emplissait de terreur. Cela dit, il était le seul membre du groupe Deux à n'avoir jamais sauté, ce qui faisait de lui un « bouseux », un de ces pauvres rampants de fantassins qui n'avaient pas reçu l'onction des élus arborant l'insigne argenté en forme de cornet de glace renversé... Curieux du reste qu'aucun de ses compagnons ne l'ait jamais chambré là-dessus, songea-t-il en dépassant la borne du premier mile sur le parcours. Pierce, qui était bon coureur, avait imprimé un rythme soutenu, peut-être pour en semer certains. Mais personne n'aurait voulu se laisser distancer, et chacun le savait. Chez eux, songea Ding, Patsy devait s'apprêter à partir assurer sa garde aux urgences. Elle envisageait éventuellement de se spécialiser en médecine d'urgence, ce qui allait l'obliger à passer un certificat de chirurgie. Marrant qu'elle n'ait pas décidé à l'avance de sa spécialité. Elle avait certes les moyens intellectuels de faire à peu près n'importe quoi, et avec ses mains délicates, elle ferait merveille en chirurgie. Elle travaillait souvent sa dextérité en s'exerçant avec un jeu de cartes, et ces derniers mois, elle était devenue experte pour certains tours. Elle en avait fait la démonstration devant son époux, mais malgré ses explications, et même en mettant le nez dessus, il n'était pas arrivé à trouver le truc, ce qui l'étonnait et l'irritait à la fois. Sa coordination motrice devait être incroyable, songea Domingo avec fierté, alors qu'ils abordaient le troisième mile du parcours. C'était le moment où on commençait à le sentir dans les jambes, où on se disait qu'il serait sympa de ralentir un brin. Du moins, c'était l'impression pour Ding. Deux membres de son équipe étaient des coureurs de marathon, et à première vue, ces deux-là — Loiselle et Weber, respectivement le plus petit et le plus grand de la bande — ne fatiguaient jamais. L'Allemand surtout. Sorti de l'école des chasseurs alpins de la Bundeswehr, titulaire du diplôme d'alpiniste, c'était sans doute l'un des types les plus coriaces qu'il ait jamais rencontrés — et pourtant, Chavez avait tendance à se ranger lui-même dans cette catégorie. Quant à Loiselle, c'était un véritable lièvre, tout en grâce et en puissance contenue.

Dix minutes encore. Ses jambes commençaient à protester, mais il n'en laissa rien paraître, le visage impavide, le faciès déterminé, presque ennuyé, alors qu'il continuait à marteler la cendrée. Le groupe Un courait également, dans la direction opposée, ce qui leur évitait — une veine ! — de se tirer la bourre. Ils faisaient certes des chronos de temps à autre, mais toute compétition directe n'aurait pu que mener les hommes de Rainbow dans une spirale destructrice génératrice de blessures — et ils en avaient déjà leur lot avec l'entraînement de routine, même si pour l'heure le groupe Deux était opérationnel à cent pour cent, tous les blessés étant rétablis.

« Détachement... au pas gymnastique, marche ! » lança enfin Pierce, à la fin de l'exercice matinal. Cinquante mètres encore et ils s'arrêtaient.

« Bon, salut, les gars ! J'espère que vous avez tous apprécié de vous lever aux aurores pour entamer une nouvelle journée à protéger le monde des sales gueules », sourit Pierce, le visage couvert de sueur. Puis, avant de réintégrer les rangs, il s'écria : « Commandant Chavez...

— Très bien, messieurs, c'était un bon décrassage. Merci, sergent Pierce, d'avoir mené le train ce matin. Douche et petit déj pour tout le monde. Rompez. » Sur quoi, les deux rangs de cinq se dispersèrent, chacun filant vers le bâtiment et les douches. Quelques-uns restèrent à faire des étirements pour éliminer les courbatures. Les endorphines avaient envahi leur organisme, récompense du corps après l'exercice, engendrant cette « poussée d'adrénaline du coureur », qui allait déboucher sous peu sur une merveilleuse impression de bien-être qui se prolongerait jusqu'en fin de matinée. Déjà, les hommes s'étaient mis à bavarder de choses et d'autres, professionnelles ou pas.

Le petit déjeuner britannique ne différait guère de son équivalent américain : œufs, bacon, pain grillé, café — voire du thé pour certains. Selon les tempéraments et le métabolisme, les hommes mangeaient plus ou moins. À cette heure, tous avaient déjà passé l'uniforme ; ils étaient prêts à entamer leur journée. Tim Noonan devait leur faire une communication sur la sécurité des transmissions. Il n'était guère besoin de présenter les nouvelles radios fabriquées par E-Systems, mais Noonan tenait malgré tout à leur enseigner tous les secrets de ces appareils, y compris le fonctionnement de leurs systèmes de cryptage. Désormais, les hommes étaient en mesure de dialoguer à tout moment, et quiconque chercherait à surprendre leur conversation n'entendrait qu'un crépitement de parasites. Ce dernier point n'était pas à proprement parler une nouveauté, mais ces nouveaux modèles portatifs, avec leur casque et la mince tige du micro venant devant la bouche, représentaient un grand progrès technologique, avait expliqué Noonan. Ensuite, Bill Tawney devait les mettre au fait des derniers développements des enquêtes ouvertes à la suite de leurs trois déploiements. Puis, en guise d'apéritif, ce serait le détour par le stand de tir pour leur exercice quotidien, mais aujourd'hui pas de tir à balles réelles. À la place, ils s'entraîneraient à effectuer des déploiements au filin depuis l'hélicoptère de Malloy.

Bref, une journée chargée en perspective pour Rainbow. Chavez faillit ajouter « ennuyeuse », mais il savait que John faisait son possible pour briser la routine, et de toute façon, il fallait bien travailler les points essentiels, parce que, justement, ils étaient essentiels au bon accomplissement de leur tâche : tous ces trucs auxquels on se raccrochait quand il y avait un pépin et qu'on n'avait pas le temps de réfléchir aux mesures à prendre. À ce stade de leur entraînement, chaque membre du groupe Deux savait très exactement comment réagissait chacun de ses compagnons, de sorte que lors des exercices où le scénario déviait du schéma de départ, ils parvenaient à s'adapter, parfois sans échanger de paroles, devinant les réactions des autres membres du commando comme s'ils communiquaient par télépathie. C'était la juste rançon de cet entraînement intensif et répétitif jusqu'à l'écœurement. Le groupe Deux de Chavez et le groupe Un de Peter Covington s'étaient mués en des organismes vivants et pensants dont chaque partie agissait en coordination et, semblait-il, de manière automatique. Quand Chavez y songeait, il trouvait le résultat remarquable, mais lorsqu'ils s'entraînaient, cela lui semblait aussi naturel que de respirer. Comme lorsque Mike Pierce avait bondi par-dessus le bureau à Worldpark : ce n'était pas une figure imposée de son entraînement, pourtant il l'avait réalisée, et à la perfection ; sa seule erreur avait été que la première balle n'avait pas cueilli le sujet en pleine tête mais s'était logée dans le dos — entraînant des blessures fatales à brève échéance — avant que sa deuxième salve ne fasse éclater le crâne du salopard. *Boum, paf, schlak !* Dans le même temps, ses compagnons avaient compté sur lui pour couvrir son secteur, puis, après avoir nettoyé les lieux de toute résistance, venir leur filer un coup de main. Tels les doigts de la main, songea Chavez, qui pouvaient se serrer pour décocher un coup de poing meurtrier mais aussi accomplir des tâches séparées, car chaque doigt avait son cerveau. Et ils étaient tous ses hommes. C'était ça le mieux.

Trouver les armes était le plus facile. Pour des témoins extérieurs, il y avait là quelque chose de comique : les Irlandais avec leurs armes évoquaient les écureuils avec les noisettes, on aurait dit qu'ils passaient leur temps à les planquer dans tous les coins en oubliant parfois où diable ils avaient pu les mettre. Depuis plus d'une génération, des gens avaient livré des armes à l'IRA et l'IRA les avait planquées, en général en les enterrant dans l'attente du jour où l'ensemble du peuple irlandais se soulèverait contre l'envahisseur anglais, afin de le bouter définitivement hors du sol sacré de la patrie... ou quelque chose comme ça, songea Grady. Il avait pour sa part enterré plus de trois mille armes, en majorité des fusils d'assaut AKMS de fabrication soviétique, comme par exemple ce stock dans un champ du comté de Tipperary. Il avait enfoui les caisses à quarante mètres à l'ouest d'un grand chêne sur la colline dominant la ferme. À six pieds — deux mètres — sous terre, assez profond pour ne pas risquer d'être heurtées ou déterrées par un tracteur, mais pas trop pour être récupérables en une petite heure de travail à la pelle. Cent fusils, livrés en 1984 par un sympathisant rencontré un peu plus tôt au Liban, accompagnés de leurs chargeurs, vingt par arme. L'ensemble était rangé dans des caisses, armes et munitions enveloppées dans du papier graissé, selon la méthode russe, pour les protéger de l'humidité. La plupart n'avaient pas bougé, nota Grady en les sélectionnant avec soin. Il sortit vingt fusils, les déballant un par un pour vérifier qu'il n'y avait pas de trace de rouille ou de corrosion, manœuvrant le mécanisme, pour constater à chaque fois que la graisse était intacte, comme au jour de leur sortie de l'usine, à Kazan. L'AKMS était la version modernisée de l'AK-47, et c'étaient les modèles à crosse pliante, bien plus discrets que l'arme d'épaule utilisée par l'armée. Mais surtout, c'était celle avec laquelle ses hommes s'étaient entraînés au Liban. Elle était fiable, d'un maniement simple, facile à cacher. Autant de caractéristiques qui en faisaient le modèle idéal pour la mission prévue. Les quinze qu'il prit en définitive, avec trois cents chargeurs de trente balles, furent embarquées à l'arrière du camion. Il s'agissait ensuite de reboucher le trou. Trois heures plus tard, le camion approchait d'une autre ferme, située celle-ci sur la côte du comté de Cork, où vivait un paysan avec qui Sean Grady s'était arrangé.

Sullivan et Chatham étaient au bureau avant sept heures du matin, pour éviter les embouteillages et ne pas avoir à se garer au diable, pour une fois. Premier boulot : effectuer une recherche croisée sur une base de données pour retrouver noms et adresses à partir de numéros de téléphone. Ce fut rapide. Ensuite, il s'agissait de rencontrer les trois hommes signalés comme ayant connu Mary Bannister et Anne Pretloe afin de les interroger. Il était possible que l'un des trois fût le tueur en série ou le ravisseur. Dans le premier cas, il s'agirait sans doute d'un criminel rusé et prudent. Un *serial killer* était un chasseur d'hommes. Les plus intelligents avaient un comportement bizarre : tels des soldats, ils commençaient par surveiller leurs futures victimes, pour relever leurs habitudes, établir leurs faiblesses, puis ils passaient à l'acte en abusant d'elles jusqu'au moment où, s'étant lassés de leur jouet, il était temps de les faire disparaître. L'aspect homicide de l'activité d'un tueur en série n'était pas, à proprement parler, du ressort du FBI, mais l'enlèvement, oui, si le tueur avait transféré ses victimes d'un État à un autre... Et comme il y avait une frontière d'État à quelques centaines de mètres à peine de Manhattan, cela valait le coup pour les deux agents d'aller jeter un œil dans cette direction. Mais prudence : un tueur psychopathe se cachait presque toujours sous les dehors d'un homme élégant, pour mieux gagner la confiance de ses victimes. L'homme serait aimable, peut-être beau, certainement amical, et pas le moins du monde menaçant — jusqu'à ce qu'il soit trop tard, et à ce moment sa victime était perdue. Le psychopathe, les deux policiers le savaient, était le plus dangereux de tous les criminels.

Le sujet F4 progressait rapidement. Ni l'interféron ni l'interleukine-3a n'avaient eu le moindre effet sur le virus Shiva qui se répliquait avec entrain et, dans ce cas précis, s'attaquait au foie avec un appétit féroce. Idem pour le pancréas, qui était en train de se désintégrer, occasionnant de sérieuses hémorragies internes. Étrange, songea le Dr Killgore. Le virus Shiva avait pris son temps pour occuper la place, mais une fois qu'il avait commencé à s'attaquer à l'organisme de son hôte, il se mettait littéralement à le dévorer. Killgore estima que Mary Bannister avait encore à peu près cinq jours à vivre.

M7, Chip Smitton, était un peu mieux loti. Son système immunitaire luttait de son mieux, mais même si Shiva agissait moins vite que chez le sujet F4, sa progression restait tout aussi inexorable.

F5, Anne Pretloe, était dans la tranche des sujets à l'hérédité lourde. Il avait pris la peine de rassembler l'ensemble des antécédents médicaux de sa cohorte expérimentale. Bannister avait dans sa famille plusieurs cas de cancer : sa mère et sa grand-mère avaient été emportées par une tumeur du sein, et il nota que Shiva progressait rapidement chez elle. Pouvait-il y avoir une corrélation entre la vulnérabilité au cancer et la vulnérabilité aux maladies infectieuses ? Cela indiquerait que le cancer était foncièrement une maladie du système immunitaire comme le soupçonnaient de nombreux cliniciens. Voilà qui aurait pu donner matière à un article pour le *New England Journal of Medicine*, et aurait encore accru sa réputation dans le milieu médical... mais il avait d'autres chats à fouetter, et de toute manière, le temps que l'article paraisse, il risquait de ne plus avoir beaucoup de lecteurs... Enfin, ça ferait toujours un sujet de conversation au Kansas, parce qu'ils continueraient malgré tout à exercer la médecine, et continueraient à travailler sur le projet Immortalité. La majorité des meilleurs spécialistes en recherche médicale d'Horizon Corporation n'étaient pas réellement impliqués dans le Projet, mais ils ne pouvaient quand même pas non plus les tuer ! Résultat, comme tant d'autres, ils se retrouveraient malgré eux bénéficiaires des largesses du Projet. Ils allaient laisser la vie à plus d'individus que nécessaire — certes, ils avaient besoin de diversité génétique et, tant qu'à faire, pourquoi ne pas sélectionner des sujets intelligents susceptibles de comprendre les raisons du Projet ? Et même s'ils ne les comprenaient pas, quel autre choix auraient-ils, sinon de survivre ? Tous avaient été sélectionnés pour recevoir la variante B du vaccin que Steve Berg avait développée parallèlement à la variante A, létale.

Quoi qu'il en soit, ses spéculations avaient une valeur scientifique, même si elles étaient d'un intérêt plus que limité pour les cobayes qui occupaient désormais tous les lits de l'aile des soins intensifs. Killgore rassembla ses notes et entama sa tournée, en commençant par F4, Mary Bannister.

Désormais, seules les doses massives de morphine lui permettaient d'endurer l'épreuve. Le dosage aurait tué un individu sain, et aurait suffi à ravir le junkie le plus endurci.

« Comment se sent-on ce matin ? demanda-t-il d'un ton enjoué.

— Crevée... faible... vraiment patraque, marmonna Mary Bannister.

« — Et la douleur, Mary ?

— Toujours là, mais c'est supportable... j'ai surtout mal à l'estomac. » Elle était livide, à cause des hémorragies internes, et les pétéchies [1] étaient suffisamment marquées pour qu'on l'empêche d'utiliser un miroir, de peur qu'elle ne panique en découvrant son état. Ils voulaient que tous les sujets meurent dans des conditions confortables. Ce serait bien plus facile pour tout le monde — une attention dont ne bénéficiaient pas tous les cobayes, songea Killgore. C'était injuste, mais c'était une simple question pratique. Les animaux inférieurs qu'ils utilisaient pour leurs expérimentations n'avaient pas la capacité d'engendrer des problèmes, et par ailleurs, on ne disposait d'aucune donnée fiable sur le meilleur moyen de leur administrer un traitement antalgique. Peut-être pourraient-ils à l'avenir se pencher sur le problème. Ce serait une bonne occasion de mettre à profit ses talents, estima-t-il, tout en augmentant encore la dose de morphine dans la perfusion de F4... là, juste de quoi la plonger dans les vapes. Il pouvait bien lui témoigner la miséricorde qu'il aurait bien aimé accorder à ses singes rhésus. Feraient-ils de l'expérimentation animale au Kansas ? Cela soulèverait des problèmes pratiques. Approvisionner en animaux les laboratoires risquait de s'avérer difficile en l'absence de réseaux de fret aérien international, sans parler des questions éthiques. Nombre de membres du Projet marqueraient leur désaccord, et il ne niait pas leurs arguments. Mais enfin merde, comment voulait-

---

1. Marques rouge violacé dues à une infiltration de sang sous la peau. Ce piqueté hémorragique est symptomatique d'un certain nombre de maladies *(N.d.T.)*.

on mettre au point des médicaments et définir des protocoles thérapeutiques sans un minimum d'expérimentation animale ? Bien sûr, songea Killgore, sortant d'une chambre pour passer dans la suivante, cela pesait sur la conscience, mais le progrès scientifique avait un prix, et puis, ils s'apprêtaient en définitive à sauver des millions d'animaux, non ? Ils avaient eu besoin de milliers de cobayes pour mettre au point Shiva, et personne n'avait alors soulevé d'objections sérieuses. Encore un sujet de débat pour la conférence de direction, décida-t-il en pénétrant dans la chambre de M7.

« Eh bien, comment se sent-on, Chip ? » lança-t-il.

Ils remercièrent collectivement le ciel pour l'absence de représentants de la Garda dans cette partie du comté de Cork. Il faut dire que la criminalité y était faible, et que donc leur présence ne s'imposait pas. La police nationale irlandaise était aussi efficace que son homologue britannique, et sa section renseignements avait le malheur de coopérer avec les gens du « Cinq » à Londres. Toutefois, aucun des deux services n'avait réussi à trouver Sean Grady — du moins, pas après qu'il eut identifié et éliminé les balances infiltrées dans sa cellule. Des individus qui avaient disparu de la circulation et nourri les saumons ou tout autre poisson friant de chair d'indic. Grady se souvenait encore de leur tête quand ils avaient protesté de leur innocence devant lui jusqu'au moment où il les avait balancés dans la mer, à quinze milles au large, les jambes lestées de gueuses de fonte. Protesté de leur innocence ? Dans ce cas, pourquoi le SAS n'avait-il plus jamais embêté sa cellule après ces trois attaques sérieuses visant à les éliminer tous ? Innocence, mon cul !

Ils avaient à moitié rempli un charmant pub de province, le *Foggy Dew* — le « Voile de rosée », baptisé en référence à un célèbre chant rebelle —, après plusieurs heures d'entraînement au tir sur le terrain isolé de la ferme côtière. L'endroit était trop éloigné de toute civilisation pour qu'on risque d'entendre le crépitement caractéristique des tirs d'arme automatique. Il avait fallu quelques chargeurs pour que chacun de ses hommes retrouve ses marques avec le fusil d'assaut AKMS, mais l'arme d'épaule est d'un maniement facile et celle-ci plus que toute autre. À présent, ils discutaient de choses et d'autres, comme un groupe d'amis réuni autour d'une bonne bière. Plusieurs regardaient un match de foot sur la télé accrochée à sa potence murale. Grady aussi, mais avec le cerveau au point mort. Il s'était déjà projeté vers leur prochaine opération, analysant et réanalysant la scène, s'interrogeant sur la vitesse à laquelle les Anglais de ce nouveau groupe Rainbow pourraient débarquer. La direction de leur approche était évidente : il avait tout organisé dans ce but, et plus il révisait son plan d'action, meilleur il lui semblait. Il pouvait certes perdre quelques hommes, mais c'était le prix à payer pour toute action révolutionnaire, et lorsqu'il parcourait du regard ses compagnons attablés dans la salle du pub, il savait qu'ils en avaient accepté les risques, tout comme lui.

Il regarda sa montre, ôta mentalement cinq heures et glissa la main dans sa poche pour allumer son téléphone mobile. Une manœuvre effectuée trois fois par jour, sans jamais plus de dix minutes de décalage, par mesure de sécurité. Il devait être prudent. Cela seul — et un minimum de chance, il le reconnaissait volontiers — lui avait permis de poursuivre le combat si longtemps. Deux minutes plus tard, l'appareil sonnait. Grady quitta son siège et sortit pour prendre l'appel.

« Allô ?

— Sean, c'est Joe.

— Salut, Joe, fit Grady, enjoué. Comment ça se passe en Suisse ?

— À vrai dire, je suis en ce moment à New York. Je voulais juste te dire que l'affaire dont nous avions parlé... le financement... c'est arrangé, indiqua Popov.

— Excellent. Et pour notre autre affaire, Joe ?

— Je m'en occupe personnellement. Ce sera réglé d'ici deux jours. Je rejoins Shannon avec mon jet privé. Je devrais y être aux alentours de six heures trente du matin.

— Je serai là pour t'accueillir, promit Grady.

— Parfait, mon ami. Eh bien, à bientôt.

— Au revoir, Joe.

— R'voir, Sean. » La ligne fut coupée. Grady éteignit le téléphone et le remit dans sa poche. Si quelqu'un avait surpris la conversation — hypothèse improbable, puisqu'il avait une vue dégagée jusqu'à l'horizon et qu'on n'apercevait aucun véhicule utilitaire garé dans les parages... d'ailleurs, si on avait su où il se trouvait, il aurait vu débarquer un peloton de soldats ou de flics pour s'emparer de lui et de ses hommes — toujours est-il que celui qui les aurait écoutés n'aurait entendu qu'une banale conversation d'affaires. Il retourna dans la salle.

« Qui c'était, Sean ? demanda Roddy Sands.

— C'était Joe, répondit Grady. Il a fait ce qu'on lui a demandé. Donc, je suppose qu'on peut y aller à notre tour.

— D'accord. » Roddy leva sa chope pour fêter ça.

Le Service de sécurité, naguère baptisé MI5 — MI signifiant *Military Intelligence*, « Renseignement militaire » —, avait eu durant près de trente ans deux missions privilégiées : la première était de repérer les agents soviétiques infiltrés au sein du gouvernement britannique — une tâche, hélas, d'envergure, vu que le KGB et ses prédécesseurs avaient une longue tradition en ce domaine. À un moment donné, ils avaient presque failli placer leur agent infiltré, Kim Philby, à la tête du MI5, manquant de justesse offrir aux Soviétiques le contrôle de l'ensemble du contre-espionnage britannique. La seconde mission était de noyauter l'Armée républicaine irlandaise et les autres groupes terroristes irlandais, afin de mieux identifier leurs leaders pour les éliminer, car c'était une véritable guerre à l'ancienne qui se livrait là. Parfois, on faisait appel à la police pour procéder aux arrestations, et d'autres fois, c'étaient les commandos du SAS qui se déployaient pour agir d'une façon plus radicale. Les différences d'approche tenaient à l'incapacité du gouvernement de Sa Majesté de décider si le problème irlandais relevait du droit commun ou de la sécurité nationale. Aux yeux des Américains du FBI, la conséquence de cette indécision avait été de prolonger « les troubles » d'au moins une bonne dizaine d'années.

Mais les choix politiques n'étaient pas du ressort des employés du « Cinq ». C'était celui des élus, trop souvent enclins à ne pas écouter les experts qui avaient consacré leur vie à la question. N'étant pas à même de faire ou de modifier la politique, les agents accomplissaient leur travail de fourmis, rassemblant et tenant à jour de volumineux dossiers sur tous les éléments connus ou suspectés de l'IRA, en vue d'une action éventuelle d'autres services gouvernementaux.

La tâche était réalisée pour l'essentiel grâce au recrutement d'indics. Balancer ses petits copains était là aussi une vieille tradition irlandaise, que les Britanniques n'avaient pas manqué de détourner à leur profit. On spéculait sur ses origines. Cela devait tenir en partie à la religion. L'IRA se voyait en protectrice exclusive des Irlandais catholiques, et cette identification avait son prix : les dogmes et l'éthique du catholicisme avaient tendance à imprégner le cœur et l'esprit de ceux qui tuaient au nom de leur foi religieuse. Entre autres, la culpabilité. D'un autre côté, la culpabilité était une conséquence obligée de leur action révolutionnaire ; or c'était la seule chose qu'ils ne pouvaient se permettre de garder sur la conscience.

Le « Cinq » avait un lourd dossier sur Sean Grady, comme sur nombre de ses camarades, d'ailleurs. Grady était toutefois spécial, car les services secrets britanniques avaient réussi à infiltrer dans sa cellule un informateur particulièrement bien placé qui avait, hélas, disparu, sans aucun doute assassiné par lui. Ils savaient que Grady avait assez vite renoncé à mutiler pour choisir le meurtre comme moyen plus radical de résoudre le problème des fuites. En prenant soin de ne jamais laisser derrière lui de corps pour la police. Le « Cinq » avait vingt-trois indics infiltrés dans diverses unités de l'IRA provisoire. Quatre étaient des femmes de vertu plus légère que la moyenne irlandaise. Les dix-neuf autres étaient des hommes recrutés par un moyen ou un autre — même si trois d'entre eux ignoraient qu'ils partageaient leurs secrets avec des agents britanniques. L'ensemble du Service de sécurité faisait de son mieux pour les protéger tous ; plusieurs avaient été évacués en Angleterre à l'issue de leur mission, puis expédiés au Canada pour y refaire leur vie à l'abri. Mais de manière générale, le « Cinq » avait plutôt tendance à les user jusqu'à la corde, parce qu'il s'agissait en majorité d'individus coupables ou complices de meurtres, ce qui en faisait à la fois des criminels et des traîtres, aux scrupules de conscience un peu trop tardifs pour leur permettre un rachat par les agents qui les « travaillaient ».

D'après les derniers éléments du dossier, Grady avait disparu de la surface de la planète. Certains supposaient qu'il s'était fait liquider par un rival, mais l'hypothèse était peu plausible : une telle nouvelle aurait filtré via la direction du mouvement. Les chefs de factions rivales dans le mouvement le soupçonnaient d'être un pur et dur de la cause, un agent qui aurait tué plus que sa part de flics et de soldats à Londonderry. Et le Service de sécurité continuait à vouloir sa peau pour venger les trois hommes du SAS qu'il avait réussi à capturer, torturer et tuer. On n'avait jamais retrouvé les corps, et la rage collective de leurs compagnons était toujours vivace car le 22e régiment du SAS ne pardonnait et n'oubliait jamais de tels forfaits. Tuer, peut-être, mais torturer, jamais.

Cyril Holt, directeur adjoint du Service, effectuait sa revue trimestrielle des affaires importantes et il s'arrêta en arrivant au dossier Grady. L'homme avait complètement disparu de la circulation. S'il était mort, il l'aurait appris. Il était également possible qu'il ait renoncé à la lutte armée, qu'il ait compris que son organisation de tutelle était enfin prête à négocier, et décidé de jouer le jeu en mettant fin à son activisme. Toutefois, Holt et ses collègues n'y croyaient pas non plus. Le profil psychologique dessiné par le chef du service psychiatrique à Londres indiquait qu'il serait plutôt un des derniers à déposer les armes et songer à se reconvertir dans une activité pacifique.

La troisième possibilité était donc qu'il continue de rôder, sans doute en Ulster, plus probablement en Eire, puisque la majorité des indics du « Cinq » étaient implantés au Nord. Holt contempla les photos de Grady et de son groupe d'une vingtaine de « soldats » de l'IRA, également fichés. Aucun des clichés n'était de très bonne qualité, malgré le traitement informatique de l'image. Il devait supposer que l'homme était toujours actif à la tête de sa faction, quelque part dans le pays, préparant des opérations éventuelles tout en se faisant discret : il devait certainement se dissimuler sous une fausse identité. Tout ce que pouvait faire Holt, c'était de garder l'œil sur eux. Il porta une brève annotation, referma le dossier, le posa sur la pile sortie et en choisit un autre. Dès le lendemain, l'annotation serait entrée dans l'ordinateur du service, qui remplaçait peu à peu les archives papier, mais que Holt répugnait à utiliser. Il préférait les dossiers qu'il pouvait tenir dans ses mains.

« Si vite ? s'étonna Popov.

— Pourquoi pas ? répondit Brightling.

— Comme vous voudrez, monsieur. Et la cocaïne ? ajouta-t-il avec dégoût.

— La valise est bouclée. Cinq kilos, de qualité médicalement pure, issue de nos propres labos. Le colis sera dans l'avion. »

Popov n'appréciait pas d'avoir à convoyer de la drogue. Ce n'était pas une question de scrupules soudains mais de simple prudence vis-à-vis des douaniers et de leurs chiens. Brightling nota son inquiétude et sourit.

« Relax, Dimitri. S'il y a le moindre problème, vous livrez la marchandise à notre filiale de Dublin. Nous avons tous les documents justificatifs. Faites simplement en sorte que vous n'ayez pas à les produire. Cela pourrait être gênant.

— À qui le dites-vous... » Popov admit toutefois être soulagé. Cette fois-ci, il allait voler sur un jet d'affaires privé, un Gulfstream-V affrété tout exprès : faire passer de la drogue par un grand aéroport à la descente d'un vol international était par trop dangereux. Même si, à l'entrée en Europe, on n'était pas trop regardant sur les Américains venus y dépenser leurs dollars et pas y poser des bombes, il fallait quand même compter avec les chiens policiers, parce que tous les pays du monde faisaient une fixation sur les stupéfiants.

« Ce soir ? »

Brightling acquiesça en consultant sa montre. « L'avion décolle de Teterboro. Soyez-y à dix-huit heures. »

Popov prit congé et rentra chez lui en taxi. Faire ses bagages n'était pas compliqué mais réfléchir, si. Brightling était en train de mettre à mal les

175

règles les plus élémentaires de la sécurité. Lui affréter un avion d'affaires au nom de sa société allait pour la première fois établir un lien entre les deux, comme en attestait le document accompagnant la cocaïne. Rien n'était fait pour isoler Popov de son employeur. Certes, cela pouvait démontrer que Brightling se méfiait de son employé et redoutait qu'en cas d'arrestation, il soit incapable de tenir sa langue... mais non, c'était absurde, réfléchit aussitôt Dimitri Arkadeïevitch : s'ils n'avaient pas eu confiance en lui, la mission n'aurait pas été entreprise. Popov avait toujours été le seul lien entre Brightling et les terroristes.

Donc, c'est bien qu'il me fait confiance, conclut le Russe. Or, il viole malgré tout la sécurité... et cela ne peut signifier qu'une chose : c'est qu'il s'en moque éperdument. Mais pourquoi ? Comment peut-on s'en moquer ? À moins que Brightling n'ait prévu de l'éliminer. C'était une éventualité, mais il n'y croyait guère. Si impitoyable fût-il, Brightling n'était pas assez malin — ou plutôt il l'était trop : il devait avoir envisagé la possibilité que Popov ait laissé quelque part un témoignage écrit, et que sa mort révèle sa participation à un projet criminel. Donc, il pouvait éliminer cette hypothèse.

Alors quoi ?

L'ancien agent du KGB contempla dans la glace ce visage qui demeurait plongé dans l'expectative. Il avait toujours été attiré par l'argent. C'est pourquoi il n'avait pas hésité à louer ses services au plus offrant. Or, s'il était motivé par le lucre, l'argent semblait n'avoir aucune importance pour son employeur. Même la CIA, si riche soit-elle, comptait les sous qu'elle allouait à ses agents.

Le service de renseignements américain payait cent fois mieux que son équivalent russe, mais là aussi les dépenses devaient être justifiées, parce que la CIA avait des comptables qui surveillaient les agents d'active avec le même zèle que celui avec lequel les percepteurs du tsar mettaient jadis en coupe réglée les plus petits villages. Ses enquêtes avaient permis à Popov de vérifier qu'Horizon Corporation disposait de capitaux énormes, mais on ne s'enrichissait pas en jetant l'argent par les fenêtres. Dans une société capitaliste, on s'enrichissait parce qu'on était habile, parfois impitoyable, mais sûrement pas stupide. Or, dilapider les fonds comme un service public était stupide.

Alors quoi ? se répéta Dimitri en se mettant à remplir son sac.

Quels que soient ses plans, quelles que soient ses raisons de déclencher ces attentats terroristes... ils ne devraient pas tarder à se manifester.

Il y avait là un minimum de logique. On se cachait aussi longtemps qu'il était nécessaire, mais lorsque ça ne l'était plus, on ne continuait pas, juste pour le plaisir. Cela dit, c'était une réaction d'amateur. Et un amateur, même doué comme Brightling, n'avait pas fait l'amère expérience qu'en aucun cas il ne fallait révéler le secret de ses méthodes, même après la réussite d'une action : l'ennemi pouvait en effet toujours y découvrir des éléments qu'il pourrait utiliser contre vous la fois suivante...

... sauf s'il ne doit plus y avoir de fois suivante ? Serait-ce la dernière opération à lancer ? Ou plutôt : serait-ce la dernière opération qu'il me demande de lancer ?

Il reprit depuis le début. Les opérations avaient gagné chaque fois en ampleur, jusqu'à ce qu'il se retrouve maintenant transformé en convoyeur de cocaïne (de cocaïne !) — pour satisfaire un terroriste, après lui avoir versé sur un compte la somme de six millions (six millions !) de dollars... Pour faire passer plus aisément la dope, on lui fournissait des documents attestant qu'il s'agissait d'un transfert de produits médicaux entre deux filiales d'un grand groupe pharmaceutique, ce qui le liait *ipso facto*, lui et son chargement, à la société de Brightling. Sans doute était-il garanti par ses faux papiers, si jamais la police en venait à s'intéresser à lui... à moins que la Garda ne soit en liaison directe avec le MI5, ce qui était peu probable... Comme il était peu probable que le Service de sécurité britannique soit au courant de son identité d'emprunt ou possède une photo récente de lui...

Non, décida Popov en finissant de boucler son sac, la seule hypothèse logique était qu'il s'agissait là de son ultime mission. Brightling s'apprêtait à mettre la clé sous la porte. Pour Popov, cela signifiait sa dernière chance de ramasser la mise. Et c'est pourquoi il en vint à espérer que Grady et sa bande d'assassins connaissent le même triste sort que leurs homologues à Berne et en Autriche — voire en Espagne, même s'il n'y avait été pour rien. Il possédait en effet le numéro et le code du nouveau compte en Suisse, et il y avait sur celui-ci largement de quoi lui permettre de vivre dans l'opulence le restant de ses jours. Il suffisait pour cela que le groupe Rainbow les liquide tous : alors, il pourrait disparaître définitivement. Sur cette note pleine d'espoir, Popov descendit de chez lui et héla un taxi pour se faire conduire à l'aéroport de Teterboro.

Il n'allait cesser d'y songer alors qu'il survolait l'Atlantique.

27

Agents de transfert

« C'est vraiment une perte de temps, protesta Barbara Archer. Le sujet F4 est mort, même si son cœur bat toujours. On a tout essayé. Rien ne peut arrêter Shiva. Absolument rien.

— Sauf les anticorps générés par le vaccin B, nota Killgore.

— Effectivement, admit Archer. Mais c'est bien tout, n'est-ce pas ? »

Assentiment général autour de la table de conférence. Ils avaient essayé quasiment tous les traitements connus de la médecine, y compris ceux qui n'étaient encore qu'envisagés au CDC, le Center for Disease Control d'Atlanta, ou à l'Institut Pasteur de Paris. Ils avaient même utilisé tout l'arsenal d'antibiotiques disponibles, de la pénicilline au Keflex, plus deux nouveaux composés, encore en phase d'expérimentation dans les labos de Merck et d'Horizon Corporation. Ils n'avaient recouru aux antibiotiques que par simple acquit de conscience puisqu'il était avéré qu'aucun n'agissait sur les infections virales, mais à circonstances désespérées, mesures désespérées, et il fallait toujours envisager l'éventualité d'un résultat parfaitement inattendu.

... Mais pas avec Shiva. Cette version améliorée du virus de la fièvre hémorragique d'Ébola, manipulée par génie génétique pour être encore plus résistante que la souche naturelle qui continuait d'infester la vallée du Congo, était létale à près de cent pour cent, et parfaitement résistante à l'ensemble des thérapeutiques connues de la science médicale. En l'absence d'une percée radicale dans le domaine du traitement des maladies infectieuses, rien ne pourrait sauver les sujets exposés au virus. Beaucoup seraient exposés dès la phase initiale de dissémination ; les autres seraient infectés par le vaccin A qu'avait élaboré Steve Berg. Quelles que soient les modalités, Shiva balaierait la planète inexorablement. Au bout de six mois, les survivants se répartiraient en trois catégories. D'abord ceux qui auraient échappé à l'infection. Ils seraient rares, puisque chaque pays du monde se serait précipité sur le vaccin A et l'aurait administré à ses citoyens, parce que les premières victimes de Shiva auraient suscité l'horreur chez tous les gens ayant pu les voir à la télévision. Le deuxième groupe serait constitué des très rares spécimens dotés d'un système immunitaire assez résistant pour les protéger. Le labo n'avait pas encore réussi à découvrir de tels individus mais il devait fatalement en exister. Heureusement, la majorité disparaîtrait, conséquence de l'effondrement des services sociaux dans toutes les villes du monde. La plupart allaient mourir d'inanition ou bien seraient victimes des troubles inévitables inhérents à la disparition de l'ordre public ou, plus banalement, des affections bactériennes dues à la multiplication des cadavres sans sépulture.

Le troisième groupe serait celui des quelques milliers d'élus du Kansas. Le projet Lifeboat, ou « Chaloupe de sauvetage », comme se plaisaient à le baptiser ses membres. Ce groupe serait composé des membres actifs du Projet — tout au plus quelques centaines d'individus — et de leurs familles, auxquels s'ajouteraient quelques rares scientifiques protégés par le vaccin B de Berg. Le complexe du Kansas était vaste, isolé et, en cas de visite importune, un arsenal imposant permettait de faire face à toute éventualité.

Six mois... vingt-sept semaines. Telle était l'estimation que leur donnaient les projections par ordinateur. Dans certaines zones, cela irait plus vite. Les modèles suggéraient que l'Afrique serait la dernière touchée, parce que ses populations seraient les dernières à recevoir le vaccin A, et surtout à cause de la faiblesse des infrastructures médicales pour le distribuer. L'Europe en revanche serait la première à disparaître, avec son système de soins médicaux généralisé, ses citoyens dociles qui ne manqueraient pas de se présenter aux campagnes de vaccination obligatoire. Viendraient ensuite l'Amérique, et en temps voulu, le reste du monde.

« Le monde entier, tout simplement », observa Killgore en contemplant derrière la baie vitrée les collines verdoyantes formant la limite entre les États de New York et du New Jersey. Les grandes exploitations des plaines qui s'étendaient du Canada au Texas retourneraient en jachère, même si certaines allaient voir prospérer le blé sauvage pour les siècles à venir. Les bisons se répandraient rapidement, depuis leurs enclaves dans les parcs naturels ou les élevages privés et avec eux les loups, les grizzlis, puis les oiseaux, les coyotes et les chiens-de-prairie. La nature aurait tôt fait de rétablir son équilibre, les modèles informatiques le leur assuraient ; en moins de cinq ans, c'est l'aspect de toute la planète qui serait bouleversé.

« Oui, John, confirma Barbara Archer. Mais on n'y est pas encore. En attendant, qu'est-ce qu'on fait de nos cobayes ? »

Killgore savait à quoi elle voulait en venir. Archer détestait la médecine clinique. « La F4 d'abord ?

— C'est un gâchis d'oxygène de la laisser respirer, tu le sais aussi bien que moi. Ils souffrent tous, et on n'apprend rien de nouveau à les prolonger, sinon que Shiva est létal — ce qu'on savait déjà. En plus, on ne va pas tarder à devoir déménager, alors à quoi bon continuer à les maintenir en vie ? On ne va pas les trimbaler avec nous, n'est-ce pas ?

— Ma foi, non, convint un autre médecin.

— D'accord, je suis las d'user mes talents de clinicien pour des morts en sursis. J'opte pour qu'on fasse ce qu'on a à faire et qu'on en finisse.

— Moi aussi, approuva encore un autre scientifique présent à la réunion.

— Qui est pour ? demanda Killgore, et il compta les mains levées. Contre ? Deux voix seulement. Les oui l'emportent. Très bien. Barbara et moi, on va s'en occuper — aujourd'hui, Barb ?

— À quoi bon attendre, John ? » fit Archer d'une voix lasse.

« Kirk Maclean ? demanda l'agent Sullivan.

— Lui-même, dit l'homme, de derrière sa porte.

182

— FBI. » Sullivan exhiba sa carte. « Pouvons-nous vous parler ?

— À quel sujet ? » Toujours la méfiance habituelle, notèrent les deux policiers.

« On est obligés de rester dans le hall pour discuter ? demanda Sullivan.

— Oh, bien sûr, excusez-moi, entrez... » Maclean ouvrit la porte pour les introduire dans son séjour. La télé était allumée — un film sur le câble, genre kung-fu et fusillades à tout va.

« Je me présente : Tom Sullivan, et voici mon collègue Frank Chatham. Nous enquêtons sur la disparition de deux femmes, dit l'inspecteur après s'être assis. Nous espérons que vous pourrez éventuellement nous renseigner.

— Bien sûr... vous voulez dire qu'elles auraient pu être enlevées ?

— C'est une possibilité. Elles s'appellent Anne Pretloe et Mary Bannister. Certaines personnes nous ont dit que vous auriez pu connaître l'une d'elles, voire les deux », enchaîna Chatham.

Ils virent Maclean fermer les yeux, puis détourner la tête vers la fenêtre durant quelques secondes. « Au Turtle Inn, peut-être ?

— C'est là que vous les avez rencontrées ?

— Eh, les gars, je rencontre des tas de gonzesses, vous savez. C'est une boîte extra pour les rencontres, musique et tout... vous avez leurs photos ?

— Tenez... » Chatham les lui tendit.

« OK, ouais, j'me souviens d'Annie... jamais réussi à me rappeler son nom de famille, expliqua-t-il. Secrétaire juridique, c'est ça ?

— Exact, confirma Sullivan. Vous la connaissiez bien ?

— On a dansé un peu, causé pas mal, bu quelques verres, mais je ne suis jamais sorti avec elle.

— Même pas fait un tour avec elle en quittant le bar, par exemple ?

— Je pense que j'ai dû la raccompagner une fois. Son appartement n'était qu'à quelques rues de là, pas vrai... ? Ouais... » Ça lui revint au bout de quelques secondes. « C'est ça, à un demi-pâté de maisons de Columbus Avenue. Je l'ai raccompagnée chez elle... mais, eh, attention ! je suis pas monté... je veux dire... on n'a jamais... enfin, je ne l'ai jamais... bon, enfin, on n'a jamais couché ensemble. » Il semblait gêné.

Chatham avait sorti son calepin pour prendre des notes. Il poursuivit : « Savez-vous si elle avait d'autres relations ?

— Ouais, il y avait un type avec qui elle était très liée, Jim quelque chose... Comptable, je crois. Je ne saurais vous dire la nature de leur relation mais quand ils étaient au bar tous les deux, ils buvaient en général des verres ensemble... L'autre nana, je me rappelle son visage, mais le nom ne me dit rien. Peut-être qu'on a eu l'occasion de parler, mais ça ne m'a pas frappé. Eh, vous savez, c'est une boîte pour célibataires, on y croise des tas de gens, parfois ça accroche, mais c'est loin d'être toujours le cas.

— Vous avez des numéros de téléphone ?

— Pas de ces deux filles-là. J'ai ceux de deux autres filles que j'ai rencontrées là-bas. Ça vous intéresse ?

— Est-ce qu'elles connaissaient Mary Bannister et Anne Pretloe ? demanda Sullivan.

— Peut-être. Les nanas se lient plus facilement

que les mecs, elles ont leur petite clique, racontent leurs trucs dans notre dos... comme on fait, nous, mais elles, c'est comme qui dirait plus systématique... »

L'interrogatoire se poursuivit pendant une demi-heure. Certaines questions furent posées à plusieurs reprises mais Maclean ne parut pas s'en formaliser, contrairement à certains. Finalement, ils lui demandèrent s'ils pouvaient jeter un coup d'œil à l'appartement. Ils n'avaient aucun mandat en ce sens, mais assez curieusement, même des criminels laissaient souvent faire les policiers et on en avait vu plus d'un tomber parce qu'il avait laissé des indices bien en évidence. Dans ce cas précis, les agents du FBI étaient en quête de revues pornographiques présentant des perversions sexuelles, voire de photos personnelles exhibant des pratiques similaires. Mais quand Maclean leur fit visiter les lieux, ils ne virent que des photos d'animaux ou des revues consacrées à la nature ou à l'écologie — certaines d'ailleurs éditées par des mouvements que le FBI considérait comme extrémistes — et tout un bric-à-brac de matériel de plein air.

« Randonneur ? demanda Chatham.

— J'adore, dans les coins sauvages, confirma Maclean. Ce qu'il me faudrait, c'est une nana qui aime ça, elle aussi, mais ça court pas les rues à New York.

— J'imagine que non. » Sullivan lui tendit sa carte. « Si jamais un détail vous revient, n'hésitez pas à m'appeler immédiatement. Mon numéro personnel est derrière. Encore merci pour votre aide.

— Je ne suis pas sûr de vous avoir été bien utile.

— Chaque détail compte, comme on dit. À plus tard », dit Sullivan en lui serrant la main.

Maclean ferma la porte derrière eux et laissa échapper un long soupir. Merde, comment avaient-ils réussi à dégoter son nom et son adresse ? Les questions avaient été tout à fait prévisibles et il avait bien des fois travaillé les réponses, même si cela remontait à un bout de temps déjà... Alors, pourquoi maintenant seulement ? Les flics étaient-ils cons, ou lents, ou quoi ?

« Pas vraiment concluant, observa Chatham comme ils remontaient en voiture.

— Ma foi, peut-être que les femmes qu'il nous a indiquées pourront nous fournir quelque chose d'utile.

— J'en doute. J'ai discuté avec la seconde, l'autre soir au bar.

— Retourne la cuisiner. Demande-lui ce qu'elle pense de Maclean, suggéra Sullivan.

— D'accord, Tom. Je vais le faire. Ce gars, là-haut, je le sens pas, et toi ?

— Non, moi non plus, admit Sullivan. Mais je n'ai pas encore appris à lire dans les pensées. »

Chatham hocha la tête. « Certes. »

Il était temps, et rien ne servait de retarder l'échéance. Barbara Archer ouvrit avec sa clé l'armoire à médicaments pour y prendre dix ampoules de solution saline de potassium. Elle les fourra dans sa poche. Devant la chambre de F4, elle emplit une seringue de cinquante centimètres cubes, puis ouvrit la porte.

186

« B'jour. » Vague grognement de la patiente, étendue sur le lit, regardant distraitement le téléviseur mural.

« Bonjour, Mary ! Alors, comment se sent-on ? » Archer se demanda soudain pourquoi les médecins avaient toujours cette manie de demander comment *on* se sentait. Curieux tic de langage, appris à la faculté et sans doute destiné à instaurer une forme de solidarité avec le patient... quasiment inexistante dans le cas présent. L'un de ses premiers boulots d'été, quand elle était étudiante, avait été de travailler dans une fourrière. Les chiens étaient gardés durant sept jours ; passé ce délai, les bêtes non réclamées étaient euthanasiées — *assassinées*, c'est ainsi qu'elle le voyait —, le plus souvent avec une dose massive de phénobarbital. L'injection était toujours pratiquée à la patte avant gauche, elle s'en souvenait encore, et les bêtes s'endormaient en cinq ou six secondes. Ça la faisait à chaque fois pleurer — les séances avaient lieu le mardi, juste avant le déjeuner, et elle ne pouvait jamais avaler quoi que ce soit ensuite, y compris au dîner, parfois, si elle avait été contrainte d'achever un chien particulièrement mignon. Ils les alignaient sur des tables d'examen en inox, tandis qu'un employé de la fourrière les maintenait. Elle parlait à ces pauvres bêtes d'une voix apaisante, pour qu'elles aient moins peur et connaissent une mort plus douce. Archer se mordit la lèvre...

« Franchement patraque, répondit enfin Mary Bannister.

— Eh bien, voilà qui devrait nous soulager », promit Archer, en exhibant la seringue. Elle ôta le capuchon de plastique protégeant l'aiguille. Elle fit trois pas vers le côté gauche du lit, saisit le bras de F4 et le maintint, tout en introduisant l'aiguille dans la veine à la saignée du coude. Puis elle regarda F4 dans les yeux et enfonça le piston.

Mary écarquilla les yeux. La solution de potassium brûlait les veines en se diffusant dans le corps. Elle porta brusquement la main droite à son bras gauche, puis, une seconde plus tard, vers le haut du buste, à mesure que la sensation de brûlure progressait vers le cœur. Sous l'afflux de potassium, il s'arrêta d'un coup. L'ECG placé près du lit, qui avait affiché jusqu'ici une courbe à peu près normale, présenta un pic brusque avant de devenir absolument plat, déclenchant le signal d'alarme. Les yeux de Mary restèrent toutefois ouverts, car le cerveau avait suffisamment d'oxygène pour tenir encore une minute, même après que le cœur eut cessé de pomper le sang. Le choc fut visible : F4 ne pouvait plus parler, ne pouvait plus protester, puisque sa respiration s'était arrêtée en même temps que son cœur, mais elle regarda Archer droit dans les yeux... un peu comme ses chiens d'autrefois, songea la toubib, sauf que jamais leurs yeux n'avaient paru l'accuser comme ces yeux-là. Archer lui rendit son regard, sans trahir la moindre émotion, contrairement à jadis à la fourrière. Et puis, en moins d'une minute, les paupières de F4 retombèrent : elle était morte. Une de moins. Encore neuf à traiter, avant que le Dr Archer puisse rentrer chez elle en voiture. Elle espérait que son magnétoscope avait bien démarré. Elle tenait à enregistrer l'émission de Discovery Channel sur les loups de Yellowstone, mais programmer cette satanée machine avait le don de la rendre folle.

Trente minutes plus tard, les corps, enveloppés dans des sacs plastique et posés sur des chariots, étaient conduits à l'incinérateur. C'était un modèle tout spécialement conçu pour l'usage médical, la destruction des matériels biologiques à jeter — fœtus ou membres amputés. Alimenté au gaz naturel, il atteignait une température extrêmement élevée, capable de fondre les plombages dentaires, convertissant le tout en une cendre si fine que les vents dominants l'emportaient jusque dans la stratosphère, et de là vers l'océan. Les salles de soins seraient récurées à fond pour qu'il ne reste plus la moindre trace de Shiva, et pour la première fois depuis des mois, le complexe serait dépourvu de souches virales prêtes à fondre sur des hôtes pour s'en repaître et les tuer. Les membres du Projet seraient ravis de l'apprendre, se dit Archer en conduisant sa voiture. Shiva était un instrument bien pratique pour aboutir à leurs objectifs, mais suffisamment redoutable pour que tout le monde soit soulagé d'en être enfin débarrassé.

Popov réussit à dormir cinq heures pendant la traversée de l'Atlantique ; il fut réveillé par l'hôtesse qui lui secoua l'épaule à vingt minutes de l'arrivée à Shannon. Située sur la côte ouest de l'Irlande, l'ancienne base où les hydravions fabriqués par Boeing pour la Pan Americain faisaient escale avant de repartir pour Southampton — et où la compagnie avait inventé l'*Irish coffee* pour aider les passagers à se réveiller — était entourée de fermes et de prairies qui semblaient étinceler dans la lumière de l'aube. Popov alla se rafraîchir aux toilettes avant de retourner s'asseoir pour l'atterrissage. Celui-ci s'effectua en douceur, et le roulage fut bref, comme l'appareil se dirigeait vers le terminal réservé à l'aviation générale où étaient garés plusieurs jets d'affaires semblables au Gulfstream-V que lui avait affrété Horizon Corporation. Le biréacteur s'était à peine immobilisé qu'une vieille guimbarde officielle venait se garer tout à côté et qu'un homme en uniforme se précipitait dehors pour escalader l'échelle d'accès. Le pilote lui indiqua l'arrière de la carlingue.

« Bienvenue à Shannon, monsieur, dit le fonctionnaire des services de l'immigration. Puis-je voir votre passeport, je vous prie ?

— Tenez. »

Le bureaucrate le feuilleta. « Ah, vous êtes déjà venu chez nous récemment. L'objet de votre voyage, monsieur ?

— Déplacement d'affaires. Produits pharmaceutiques, ajouta le Russe, au cas où le fonctionnaire désirerait ouvrir ses bagages.

— Hmmm », fit l'autre, sans manifester une once d'intérêt. Il tamponna le passeport et le restitua. « Des marchandises à déclarer ?

— Pas spécialement.

— Parfait. Eh bien, bon séjour, monsieur ! » Le sourire du type était aussi mécanique que le geste, avant qu'il ne fasse demi-tour pour redescendre les marches et regagner sa voiture.

Au lieu de pousser un soupir de soulagement, Popov se mit à grogner, regrettant ses inquiétudes injustifiées. Franchement, qui s'amuserait à louer cent mille dollars un avion pour passer de la drogue en contrebande ? Encore une leçon à tirer du capitalisme, nota Dimitri Arkadeïevitch. Même quand on était assez fortuné pour voyager comme un prince, il était impensable qu'on enfreigne la loi. Incroyable. Il enfila son pardessus et descendit sur le tarmac où l'attendait une Jaguar noire. Ses sacs étaient déjà dans la malle.

« Monsieur Serov ? » s'enquit le chauffeur en lui tenant la portière. Le bruit ambiant était tel qu'il n'avait pas à se soucier d'être entendu.

« C'est exact. On va voir Sean ?

— Oui, monsieur. »

Popov hocha la tête et monta derrière. Une minute plus tard, ils quittaient le terrain. Les routes de campagne étaient comme celles d'Angleterre, plus étroites qu'en Amérique... et ici aussi, ils conduisaient du mauvais côté. Comme c'est bizarre, s'avisa Popov. Si les Irlandais détestent à ce point les Anglais, alors pourquoi avoir copié leurs habitudes de conduite ?

Le trajet prit une demi-heure pour s'achever dans une ferme très à l'écart des voies de circulation. Deux voitures étaient déjà garées, ainsi qu'un fourgon. Un homme se tenait en faction à proximité. Popov le reconnut : Roddy Sands, le plus méfiant de la bande.

Dimitri descendit et le regarda, sans lui serrer la main. Il prit dans le coffre la sacoche noire remplie de drogue et entra.

« Salut, Iossif, lança Grady, comment s'est passé ton vol ?

— Agréablement. » Popov lui tendit la sacoche. « Voilà ce que t'as demandé, Sean. »

Le ton était sans équivoque. Grady regarda son hôte dans les yeux, l'air un tantinet gêné. « Moi, non plus, ça ne me plaît pas, mais il faut bien de l'argent pour financer les actions, et c'est un moyen d'en obtenir. » Les cinq kilos de cocaïne avaient une valeur élastique. Ils avaient coûté tout au plus vingt-cinq mille dollars à Horizon Corporation en s'approvisionnant sur le marché réservé aux entreprises pharmaceutiques. Dilués, revendus sur le trottoir, leur valeur serait multipliée par cinq cents. Encore un autre aspect du capitalisme, nota Popov, sans plus beaucoup d'intérêt maintenant que la transaction était faite. Puis il tendit à l'Irlandais un bout de papier.

« Voici le numéro et le code de validation du compte bancaire en Suisse. Autre mesure de sécurité, les retraits ne sont possibles que les lundis et mercredis. Il y a sur ce compte six millions de dollars américains. Le montant peut être vérifié à tout moment, ajouta Popov.

— C'est toujours un plaisir de traiter avec toi, Joe », observa Sean, en s'autorisant un de ses rares sourires. En plus de vingt années d'activisme révolutionnaire, il n'avait jamais eu ne serait-ce que le dixième de cette somme à sa disposition. Enfin, songea Dimitri Arkadeïevitch, ils n'étaient pas non plus des hommes d'affaires, n'est-ce pas ?

« Quand passerez-vous à l'action ?

— Très bientôt. Nous avons inspecté l'objectif, et notre plan est de toute beauté, mon ami. On va bien les avoir, Iossif Andreïevitch, promit Grady. Ils vont le sentir passer.

— J'aurai besoin de connaître le moment exact. J'ai de mon côté un certain nombre de choses à faire également », lui indiqua Popov.

L'autre se figea aussitôt, c'était manifeste. C'est qu'il s'agissait d'une question de sécurité opérationnelle. Un étranger voulait des informations réservées aux seuls initiés. Deux paires d'yeux s'entre-regardèrent durant quelques secondes.

Mais l'Irlandais se laissa fléchir. Une fois qu'il eut vérifié le versement de l'argent, sa confiance dans le Russe fut confirmée — du reste, la livraison de cinq kilos de poudre blanche était en soi une preuve suffisante —, à supposer qu'il ne se fasse pas serrer par la Garda un peu plus tard dans la journée. Mais ce n'était pas le genre de Popov, n'est-ce pas ?

« Après-demain, répondit-il. L'opération débutera à treize heures précises.

— Si tôt ? »

Grady parut ravi que le Russe l'ait sous-estimé. « À quoi bon traîner ? Nous avons tout ce qu'il nous faut, maintenant que l'argent est viré.

— Comme tu voudras, Sean. As-tu besoin d'autre chose encore ?

— Non.

— Dans ce cas, avec ta permission, je m'en vais prendre congé. »

Cette fois, ils se serrèrent la main. « Daniel va te raccompagner... À Dublin ?

— Correct. À l'aéroport.

— Indique-lui. Il te conduira.

— Merci, Sean — et bonne chance. Peut-être qu'on se retrouvera par la suite, ajouta Dimitri.

— Ce sera avec plaisir. »

Popov lui jeta un dernier regard — certain que ce serait le dernier, nonobstant ce qu'il venait de dire. Les yeux de Grady brillaient à présent. Sans doute à l'idée de l'action d'éclat qui allait être le couronnement de sa carrière. Popov y lut une cruauté qu'il n'avait jamais relevée auparavant. Comme Fürchtner et Dortmund, c'était moins un être humain qu'un animal prédateur qu'il avait devant lui, et malgré sa longue expérience auprès de tels individus, le Russe s'avoua troublé. Il avait la réputation de savoir déchiffrer les pensées, mais là, il ne lisait que le vide, qu'une absence de tout sentiment humain, au profit d'une idéologie qui le menait... où ça ? Le savait-il lui-même ? Sans doute pas. Grady s'imaginait sur le chemin de quelque avenir radieux — l'expression favorite du parti communiste soviétique —, mais le phare qui lui servait de guide était bien plus loin qu'il ne se le figurait, et son éclat éblouissant dissimulait des ornières qui s'ouvraient juste sous ses pas. Et à bien y songer, Popov était convaincu que si l'homme devait concrétiser son objectif, il ferait un dirigeant catastrophique, à l'image de ceux à qui il ressemblait, Staline, Mao et consorts, avec son mode de pensée tellement détaché du sens commun qu'il était devenu une sorte d'extra-terrestre, pour qui la vie et la mort n'étaient que de vulgaires instruments afin de parvenir à ses fins, des fins qui n'avaient plus rien d'humain. Sean Grady avait troqué son humanité et ses émotions contre le modèle d'une précision géométrique d'un monde idéal — et il était trop obnubilé par cette vision pour s'aviser qu'elle avait échoué partout où on avait tenté de la mettre en pratique. Il s'était lancé à la poursuite d'une chimère, créature irréelle, inaccessible, mais qui continuait de l'attirer vers sa propre destruction, comme tous ceux qu'il avait tués auparavant. Et ses yeux luisaient maintenant d'enthousiasme à la perspective de cette quête. Sa pureté idéologique l'empêchait de voir le monde tel qu'il était... tel que même les Russes avaient fini par le voir, après avoir couru soixante-dix ans durant après cette même chimère... Un regard étincelant au service d'un maître aveugle, comme c'est étrange, nota le Russe, en se tournant pour prendre congé.

« OK, Peter, à ton tour de t'y coller », dit Chavez à son homologue du groupe Un. Désormais, c'était lui qui allait être opérationnel, le groupe Deux repassant en réserve, bon pour retrouver son régime d'entraînement intensif.

« Entendu, Ding, répondit Covington. Mais on dirait que partout c'est le calme plat. »

Les informations transmises par divers services de renseignements alliés étaient en effet plutôt encourageantes. Les indics qui avaient eu l'occasion de bavarder avec des terroristes connus ou suspectés — surtout ces derniers, les éléments les plus actifs étant déjà sous les verrous — signalaient que l'incident à Worldpark avait considérablement rafraîchi le climat, surtout depuis que les Français s'étaient enfin décidés à publier les noms et les photos des terroristes fichés abattus en Espagne. Il apparaissait que l'un d'eux avait été un ancien membre éminent d'Action directe, avec six meurtres à son actif et une réputation d'expert dans sa partie. Sa liquidation quasiment en direct avait provoqué un émoi certain dans les milieux activistes, en même temps qu'elle suscitait un respect accru pour la police espagnole, désormais officiellement auréolée des mérites de Rainbow, et ce au grand dam des terroristes basques : d'après des sources ibériques, ces derniers semblaient également avoir vu leur ardeur quelque peu refroidie par la perte de plusieurs de leurs éléments les plus en vue.

Si toutes ces données étaient vraies, suggérait

le compte rendu concocté par Bill Tawney, alors Rainbow avait bien eu l'effet qu'ils avaient espéré provoquer au moment de sa formation. Peut-être que cela voulait dire qu'ils n'auraient plus aussi souvent à intervenir sur le terrain pour prouver leur valeur.

En revanche, ils n'avaient toujours aucun élément de réponse sur le pourquoi de ces trois incidents coup sur coup, ni sur l'identité de leur éventuel instigateur. Les analystes du renseignement britannique privilégiaient la thèse d'une coïncidence, en soulignant que la Suisse, l'Autriche et l'Espagne étaient trois pays différents et qu'il était douteux que le même individu y ait entretenu des contacts avec des groupes clandestins. Dans deux pays, passait encore. Mais trois, non. Ils suggéraient également d'interroger les services de renseignements des anciens pays du bloc de l'Est, pour s'enquérir du sort de certains de leurs anciens agents mis à la retraite. Il pourrait même être judicieux d'acheter cette information au prix du marché, assez élevé maintenant que tous ces ex-espions étaient contraints de gagner leur vie dans le monde réel — mais toujours moins élevé que celui d'un incident où des hommes seraient blessés. Tawney avait insisté sur ce point lorsqu'il avait transmis son rapport à John Clark, et ce dernier en avait discuté de nouveau avec le siège de l'Agence, à Langley, pour essuyer une nouvelle rebuffade, l'amenant à passer la semaine à bougonner contre ces empaffés de fonctionnaires encroûtés. Tawney avait pensé suggérer la même idée à la direction du « Six » à Londres, mais sans l'aval de la CIA, c'était peine perdue.

D'un autre côté, la machine Rainbow semblait

fonctionner. Même Clark était forcé de l'admettre, malgré ses réticences à jouer les ronds-de-cuir assis derrière un bureau à envoyer les petits jeunots se taper le boulot intéressant. Durant presque toute sa carrière d'agent de renseignements, John avait râlé contre la hiérarchie. Maintenant qu'il était passé de l'autre côté de la barrière, il avait l'impression d'un peu mieux la comprendre. Avoir la responsabilité du commandement pouvait être gratifiant, mais ça n'avait rien de drôle pour celui qui avait été sur le terrain, qui était passé entre les balles et avait toujours été à la pointe du combat. L'idée que cette expérience le mettait en position de donner des leçons lui était aussi difficile à admettre que lorsqu'il se trouvait, à peine cinq ans plus tôt, en position de les recevoir. La vie était un piège, se dit Clark, et l'unique moyen de s'en échapper n'était guère plus réjouissant. Alors, tous les matins, il enfilait son pardessus et bougonnait contre le poids des ans, comme n'importe quel homme de son âge partout sur la planète. Qu'avait-il fait de sa jeunesse ? Comment avait-il fait son compte pour la perdre ?

Popov arriva à l'aéroport de Dublin avant le déjeuner. Il acheta un billet pour Gatwick. Une heure de vol pour regagner l'Angleterre. Il se prit à regretter le jet d'affaires. Un moyen bien pratique de voyager, en s'affranchissant de la cohue des aérogares. Le Gulfstream-V était en tout point aussi fiable qu'un gros-porteur, mais il n'avait jamais eu les moyens de se permettre un tel luxe, si bien qu'il oublia bien vite cette idée. Il allait devoir se contenter de voyager en première, grommela-t-il en dégustant un verre de vin tandis que le 737 gagnait son altitude de croisière. Il avait de nouveau matière à réfléchir et la solitude de la cabine de première d'un long-courrier était propice à la réflexion.

Désirait-il que Grady réussisse ? Ou plutôt : son employeur le désirait-il ? Cela n'avait pas vraiment semblé le cas pour les opérations en Suisse et en Autriche, mais s'agissait-il ici d'une autre affaire ? Henriksen semblait le penser. C'est en tout cas l'impression qu'il lui avait donnée lors de leurs discussions. Y avait-il une différence ? Et si oui, laquelle ?

Henriksen était un ancien du FBI. C'était peut-être une explication. Comme Popov, il ne pouvait se complaire dans l'échec. Ou bien désirait-il réellement voir ce groupe Rainbow neutralisé au point de ne plus être capable... de quoi ? D'interférer avec une éventuelle action ?

Encore une fois ce mur de brique contre lequel Popov se fracassait le crâne. Il avait téléguidé deux opérations terroristes, dont le seul objectif manifeste à ses yeux avait été de déclencher une prise de conscience internationale des risques liés au terrorisme. Or, Henriksen possédait une société multinationale de conseil dans ce domaine, et il cherchait à déclencher une réaction de panique susceptible de lui amener des contrats... Pourtant, cela semblait de prime abord un moyen aussi coûteux qu'inefficace d'y parvenir, estima Popov. Il ne faisait aucun doute que les profits tirés des contrats ne contrebalanceraient pas les sommes que Popov avait déjà engagées... ou empochées. Et une fois encore, il dut se remémorer que cet argent provenait de John Brightling et de son entreprise Horizon Corporation — voire de ses fonds personnels — et non pas de Global Security, Inc., la société d'Henriksen. Donc les deux entreprises étaient liées par des objectifs communs, si elles avaient des financements différents.

Par conséquent, continua de raisonner Popov en dégustant son chablis français, l'opération est entièrement du ressort de Brightling, Henriksen n'intervenant qu'au titre de soutien, chargé de fournir son expertise et ses conseils...

... il n'empêche qu'un des objectifs était d'offrir à Henriksen le contrat de consultant pour les JO de Sydney qui devaient débuter dans quelques semaines à peine. Le projet avait paru capital aux deux hommes. Donc, Henriksen remplissait une mission essentielle pour Brightling, assurément dans la perspective des objectifs de ce dernier, quels qu'ils puissent être...

Mais que faisaient au juste Brightling et sa société ? Horizon Corporation et sa myriade de filiales internationales s'occupaient de recherche médicale. L'entreprise fabriquait des médicaments et consacrait chaque année des sommes colossales à en mettre au point de nouveaux. Des prix Nobel bossaient dans ses labos et (comme le lui avait révélé une recherche sur Internet) elle travaillait dans un certain nombre de domaines susceptibles de déboucher sur des avancées spectaculaires. Popov hocha de nouveau la tête. Quel rapport pouvait-il y avoir entre le génie génétique, l'industrie pharmaceutique et le terrorisme ?

L'éclair se fit au-dessus de la mer d'Irlande : à peine quelques mois plus tôt, les États-Unis avaient subi une attaque à l'arme biologique. Elle avait tué près de cinq mille personnes, et déclenché l'ire meurtrière du pays et de son président. Or, le dossier qu'on lui avait transmis indiquait que le chef de ce groupe Rainbow, le dénommé Clark, ainsi que son gendre, Chavez, avaient joué un rôle discret quoique déterminant dans le dénouement de ce conflit bref et sanglant [1].

La guerre bactériologique. Elle avait suscité l'effroi du monde entier. En pratique, elle s'était révélée inefficace d'un point de vue géostratégique — d'autant que l'Amérique avait réagi avec sa promptitude habituelle, en démontrant toute sa vigueur sur les champs de bataille d'Arabie Saoudite. La conséquence immédiate était qu'aujourd'hui, plus aucun pays n'osait même envisager de s'en prendre aux États-Unis. Ses forces armées arpentaient la planète avec l'assurance d'un shérif — respectées, mais surtout redoutées pour leurs capacités meurtrières.

Popov finit son vin et caressa le verre vide tout en contemplant par le hublot la ligne verdoyante des côtes britanniques qui approchait. La guerre bactériologique... Partout, elle avait suscité terreur et dégoût. Horizon Corporation était à la pointe de la recherche médicale et pharmaceutique. Donc, il ne faisait aucun doute que l'entreprise de Brightling pouvait fort bien être impliquée dans les recherches sur la guerre bactériologique... mais dans quel but ? Par ailleurs, c'était une simple entreprise commerciale, pas un État souverain. Elle n'avait pas de politique étrangère. Elle n'avait rien à gagner directement à se livrer à des pratiques belliqueuses. La seule guerre à laquelle se livraient éventuellement les entreprises, c'était la

---

1. Cf. *Sur ordre, op. cit.*

guerre commerciale. Elles pouvaient tenter de voler des secrets de fabrication, mais aller jusqu'à verser le sang ? Bien sûr que non. Encore une fois, il butait contre un mur.

« OK, leur dit l'adjudant Dick Voss. Pour commencer, la qualité sonore de ces radios numériques est telle que vous pourrez reconnaître les voix de vos interlocuteurs comme s'ils conversaient dans un salon avec vous. Ensuite, les émissions sont codées de telle manière que si vous avez deux équipes qui opèrent en simultané sur le terrain, les messages de l'une vous parviendront dans l'oreille gauche, et ceux de l'autre dans la droite. Cela évitera toujours à votre commandant de s'emmêler les pinceaux, expliqua-t-il, au grand amusement des sous-offs australiens. Plus sérieusement, cela vous procure un meilleur contrôle des opérations, et surtout, cela permet à tout le monde d'être informé de ce qui se passe. Plus on en sait, plus on est efficace dans l'action. Le volume peut être réglé ici... » Il indiqua le curseur sur la fixation du micro.

« Quelle est la portée ? demanda un sergent-chef australien.

— Jusqu'à quinze kilomètres, un peu plus en terrain découvert. Au-delà, il y a des coupures. Les batteries sont rechargeables, et chaque kit est fourni avec deux accus de rechange. Ils tiennent la charge six mois, mais on recommande une charge d'entretien hebdomadaire. Aucun problème de ce côté : le chargeur est fourni, et il est équipé d'une fiche universelle. Quel que soit le type de prise électrique murale, il s'y adapte. Ici ou partout ailleurs. Il suffit de faire jouer ce petit levier jusqu'à ce que vous obteniez la bonne configuration des broches... » Il fit la démonstration. Une bonne partie de ses auditeurs le quittèrent des yeux pour examiner leur appareil. « Bien, je vous suggère à présent de les coiffer pour faire un essai. L'interrupteur marche/arrêt est placé ici... »

« Quinze kilomètres, hein ? demanda Malloy.

— Exact, confirma Noonan. Ce qui permet d'écouter tout ce qui se passe au sol au lieu d'attendre qu'on vous le dise. L'arceau des écouteurs se glisse à l'intérieur de votre casque de pilote et ne devrait pas gêner l'écoute de l'interphone. On peut y fixer ce petit interrupteur, et avec ce fil qui descend le long de la manche, cela vous permet de garder le bouton d'enclenchement au creux de la main. On peut également basculer en mode d'écoute exclusif. C'est la troisième position de l'inverseur.

— Pas con, commenta le sergent Nance. C'est toujours sympa de savoir ce qui se passe en bas.

— Un peu, oui. Si jamais vous autres, pauvres rampants, faut vous évacuer, je serai quasiment sur place avant que vous ayez eu le temps de m'avertir. Ça me plaît, nota le colonel Malloy. Je crois bien que je vais adopter ton bidule, Tim.

— Il est encore expérimental. D'après E-Systems, il pourrait y avoir encore quelques bogues, mais personne n'a encore réussi à les trouver. Pour le cryptage, c'est ce qui se fait de mieux à l'heure actuelle : un algorithme à cent vingt-huit bits en continu, synchronisé sur le boîtier-maître, mais hiérarchisé de manière qu'en cas de panne d'un des appareils, le suivant reprenne automatiquement la main. Les petits malins de Fort Meade devraient sans doute réussir à décrypter le code, mais seulement douze heures après son utilisation.

— Pas de problème en cas d'utilisation à l'intérieur d'un aéronef ? Pas d'interférences avec les systèmes embarqués ? s'inquiéta le lieutenant Harrison.

— Pas que je sache. Il a été testé sur des Night Hawk et des Stalker de Fort Bragg, sans problème apparent.

— Ouais, ben, on va voir ce qu'il a dans le ventre », dit aussitôt Malloy. Il avait appris à se méfier de l'électronique, et c'était en outre un bon prétexte pour faire décoller le Night Hawk. « Sergent Nance, sortez-nous la bête.

— Tout de suite, colonel. » Le sergent se leva et gagna la porte.

« Tim, vous restez ici. On va l'essayer à l'intérieur puis à l'extérieur, histoire de vérifier également la portée. »

Trente minutes plus tard, le Night Hawk décrivait des cercles au-dessus d'Hereford.

« Comment ça passe, Noonan ?

— Je vous reçois cinq sur cinq, Ours.

— OK, c'est bon. On est à environ onze kilomètres de vous et on vous capte comme si vous étiez de l'autre côté de la rue. Ces radios numériques marchent du feu de Dieu, pas vrai ?

— Ouaip. » Noonan monta dans sa voiture pour confirmer que la cage de Faraday formée par la carrosserie n'influait en rien sur les performances. Il s'avéra que le système continuait de fonctionner jusqu'à plus de dix-huit kilomètres de distance, ce qui n'était pas mal du tout pour un bidule alimenté par une batterie à peine plus grosse que deux piles de montre, et doté d'une antenne longue comme un demi-cure-dent. « Ça va sacrément vous faciliter les déploiements au filin, Ours.

— Comment ça, Noonan ?

— Eh bien, les gars au bout de la corde pourront vous dire si vous êtes un poil trop bas ou trop haut. »

La réplique vint, cinglante : « Noonan ! La perception de la profondeur, ça sert à quoi, à votre avis ?

— Affirmatif, j'ai rien dit, Ours », rit l'agent du FBI.

28

Pleine lumière

L'argent facilitait grandement les choses. Au lieu de voler des camions, vous pouviez les acheter en les réglant avec des chèques tirés sur un compte ouvert par un individu muni de faux papiers, et déguisé par mesure de précaution supplémentaire. Les camions étaient des Volvo bâchés. Les bâches portaient inscrites des marques d'entreprises fantaisistes.

Les véhicules avaient traversé la mer d'Irlande en ferry pour débarquer à Liverpool, chargés de caisses en carton remplies de réfrigérateurs. Ils avaient passé la douane anglaise sans encombre et pris la route, les chauffeurs prenant garde à ne pas dépasser les limitations de vitesse. Roulant en convoi, ils avaient atteint Hereford dans la soirée et s'étaient garés à un endroit repéré à l'avance. Les chauffeurs descendirent et se rendirent dans un bistrot.

Sean Grady et Roddy Sands avaient pris l'avion le même jour. Ils avaient passé le contrôle de douane et d'immigration à Gatwick grâce à des faux papiers qui avaient à maintes reprises fait leurs preuves, et démontraient une fois encore que les fonctionnaires britanniques étaient aveugles en plus d'être sourds et muets. Chacun de leur côté, les deux hommes louèrent des voitures avec leur fausse carte de crédit avant de prendre la route de l'ouest et rallier Hereford, par des itinéraires calculés à l'avance, pour arriver au même bistrot peu avant les chauffeurs des camions.

« Des problèmes ? demanda Grady en s'adressant aux jumeaux Barry.

— Aucun », répondit Sam, tandis que son frère acquiesçait. Comme toujours, les membres de sa cellule se la jouaient détendue, malgré l'inquiétude que tous éprouvaient avant une action. Peu de temps après, tout le monde était là et deux groupes, l'un de sept et l'autre de huit, attablés autour d'une Guinness, devisaient tranquillement, à peine remarqués par les habitués du bar.

« Ces trucs marchent rudement bien, confia Malloy à Noonan, derrière un demi au mess. C'est E-Systems qui les fabrique, hein ?

— Une boîte excellente. On utilisait pas mal de leur matos au HRT. »

Le Marine acquiesça. « Ouais. Pareil au commandement des opérations spéciales. Malgré tout, je persiste à préférer les trucs commandés par des fils et des câbles.

— Ouais, bien reçu, colonel, mais c'est pas évident non plus de prendre deux boîtes de conserve et une pelote de fil pour communiquer avec un hélicoptère, non ?

— Je suis quand même pas arriéré à ce point, Tim. » Mais la remarque lui avait néanmoins arraché un sourire. « Et j'ai jamais eu besoin d'aide pour un déploiement au filin.

— Ça a l'air de vous connaître, observa Noonan en sirotant sa bière. Ça fait combien de temps que vous pilotez des hélicos ?

— Vingt ans. Vingt et un en octobre prochain. Vous savez, c'est la dernière machine qu'on pilote encore réellement. Sur les derniers zincs à voilure fixe, merde, les ordinateurs doivent voter pour savoir s'ils apprécient ce que vous faites avant de décider de le faire à votre place. J'aime bien jouer avec les gadgets électroniques, les jeux vidéo, le Net et ainsi de suite, mais merde, il ferait beau voir qu'ils pilotent à ma place ! » C'était un combat d'arrière-garde, estimait Noonan. Tôt ou tard, cette forme de progrès toucherait également les appareils à voilure tournante. Les pilotes râleraient, bien sûr, mais ils finiraient par l'accepter malgré tout, découvrant au bout du compte que c'était plus sûr et plus efficace. « Du reste, j'attends une lettre de ma hiérarchie, ajouta le lieutenant-colonel.

— Oh ? À quel sujet ?

— J'ai demandé mon affectation comme commandant du VMH-1.

206

— Oh, piloter l'avion présidentiel ? »

Malloy acquiesça. « C'est Hank Goodman qui tient le poste actuellement, mais il a décroché ses étoiles de général et avec sa promotion, ils vont l'affecter ailleurs. Et puis, il semblerait que quelqu'un ait entendu dire que je savais tenir un manche.

— Pas trop foulant, comme boulot, nota Noonan.

— Chiant, vous voulez dire, passer son temps à voler en palier, sans faire de vagues, non, rien de marrant, c'est vrai », renchérit le Marine, jouant les blasés. Piloter le VMH-1 était un honneur pour un capitaine, et vous attribuer ce commandement était une façon de reconnaître vos aptitudes. « Je devrais être fixé d'ici une quinzaine. Ça devrait être sympa de pouvoir à nouveau assister pour de vrai à des matches des Redskins.

— Qu'est-ce qu'on a au programme de demain ?

— Juste avant le déjeuner, entraînement à l'insertion à basse altitude ; l'après-midi, paperasse. J'en ai des tonnes à faire pour l'Air Force. Enfin, ce sont les propriétaires de ce fichu bourrin, et ils ont l'amabilité de me l'entretenir et de me fournir un bon équipage. Je parie malgré tout que les pilotes de ligne n'ont pas à se taper ce genre de corvée. » Ces veinards pouvaient se contenter de voler, même si leur type de pilotage était à peu près aussi excitant qu'une compétition de séchage de peinture ou peut-être un championnat de pousse de gazon.

Chavez ne s'était pas encore fait à l'humour britannique. Résultat, les séries télévisées sur les chaînes locales l'ennuyaient à mourir. Heureusement encore qu'il y avait le câble : ça lui permettait de regarder la chaîne Histoire qui était devenue sa préférée, faute d'être celle de son épouse.

« Rien qu'une, Ding », avertit-elle en regardant son mari. Maintenant qu'elle approchait du terme, elle voulait le voir sobre en permanence, ce qui voulait dire pas plus d'une bière par soirée.

« Oui, chérie. » Les bonnes femmes avaient décidément le chic pour vous faire tourner en bourrique, estima Domingo en lorgnant d'un œil torve son verre presque vide. C'était super de boire un demi au mess et de parler boutique dans un climat détendu, entouré de copains... À part que maintenant il ne s'éloignait jamais de plus de quinze mètres de son épouse, sauf obligation, et dans ce cas, elle avait toujours son numéro de bip. Le bébé était descendu — il ne savait pas trop ce que ça signifiait, sinon que l'accouchement était imminent. Et qu'à présent il n'avait plus droit qu'à une bière par soirée, quand il pouvait être parfaitement sobre au bout de trois... voire quatre...

Ils étaient installés dans des chauffeuses placées côte à côte. Ding étudiait ses dossiers tout en essayant de suivre le programme à la télé. C'était un truc qu'il arrivait à faire, au grand dam de son épouse qui était en train de lire une revue médicale en portant des annotations dans les marges du papier glacé.

L'ambiance était en gros la même chez les Clark, mis à part que c'était une vidéocassette qui défilait.

« Du nouveau, au bureau ? » demanda Sandy.

Au bureau, songea John. Ce n'est pas ce qu'elle lui disait quand il revenait de mission. Non, c'était plutôt : « Est-ce que ça va ? » Toujours avec une pointe d'inquiétude dans la voix, parce que, même s'il ne lui parlait jamais (enfin presque jamais) des détails de l'opération, Sandy savait que ça n'avait pas grand-chose à voir avec rester assis derrière un bureau. Bref, c'était, s'il en avait besoin, une confirmation de plus de sa mise sur la touche. *Merci, chérie...* « Non, pas vraiment. Et toi, à l'hosto ?

— Un accident de voiture juste après déjeuner. Rien de grave.

— Comment se comporte Patsy ?

— Elle devrait faire un excellent toubib, une fois qu'elle aura appris à être un peu plus relax. Mais enfin, moi, il y a pas loin de vingt ans que je fais les urgences... Elle en sait plus que moi dans le domaine théorique, en revanche, question pratique, elle a encore à apprendre. Mais, tu sais, elle se débrouille plutôt pas mal.

— Et toi, t'as jamais songé à faire toubib ? demanda son mari.

— Je suppose que j'aurais pu mais... enfin, les circonstances en ont décidé autrement, pas vrai ?

— Comment ça se présente, avec le bébé ? »

Cela fit sourire Sandy. « J'étais comme elle : impatiente. Il arrive un moment où on est pressé d'en finir.

— Pas de problème ?

— Non, le Dr Reynolds est un excellent obstétricien, et Patsy se porte à merveille... C'est simplement que je ne suis pas sûre d'être prête à être grand-mère si vite, ajouta Sandy avec un sourire.

— Je vois ce que tu veux dire, chou. Ça peut arriver d'un moment à l'autre, hein ?

— Le bébé est descendu hier. Ça veut dire qu'il est sur le point d'arriver.

— "Il" ? s'étonna John.

— C'est ce que tout le monde semble penser, mais on le saura quand il sortira. »

John grommela. Domingo soutenait que ce ne pouvait être qu'un fils, beau comme son père — et bilingue en plus, *jefe*, ajoutait-il avec ce sourire rusé de Latino. Enfin, il aurait pu tomber sur pire comme gendre. Ding était intelligent, incroyablement doué pour apprendre... de jeune sergent dans l'infanterie légère, il avait réussi à passer officier de renseignements à la CIA, tout en décrochant au passage une maîtrise à l'université George-Mason... et voilà qu'il songeait à faire encore deux ans d'études pour son doctorat. Qui sait même, à Oxford... avait-il envisagé au début de la semaine, s'il parvenait à se libérer suffisamment. Ne serait-ce pas une sacrée revanche sur le destin... un Chicano de Los Angeles est, coiffé de la toque d'Oxford ! Il allait finir directeur du service, un de ces quatre, et là, il serait vraiment insupportable. John étouffa un rire, but une gorgée de Guinness et reporta son attention sur l'écran de télé.

Popov se dit qu'il devait absolument voir ça. De retour à Londres, il était descendu dans un hôtel bourgeois installé dans une rangée de maisons basses contiguës récemment rénovées. Ce serait une première en matière d'action terroriste. Ils avaient un plan solide, bien que venu d'une suggestion de Bill Henriksen, et Grady avait tout de suite mordu. Certes, d'un point de vue tactique, il se tenait, à condition de savoir à quel moment arrêter pour dégager. Quoi qu'il en soit, Dimitri voulait voir ça, ne fût-ce que pour savoir s'il pouvait aussitôt après appeler la banque pour leur dire de virer l'argent sur son propre compte... avant de disparaître à jamais dès qu'il le voudrait. C'est que Grady ne semblait pas s'être rendu compte qu'il y avait au moins deux personnes à pouvoir accéder aux fonds transférés. Peut-être que Sean était d'un naturel confiant, si bizarre que ça puisse paraître. Il avait accepté sans arrière-pensée de renouer le contact avec son ancien ami du KGB, et bien que celui-ci l'ait soumis à deux tentations majeures, l'argent et la cocaïne, une fois la livraison effectuée, il s'en était tenu à sa promesse de passer à l'action. Maintenant qu'il y pensait, Popov jugeait le fait remarquable. Mais il prendrait quand même sa berline Jaguar de location pour le vérifier *de visu*. La mission ne devrait pas être réellement difficile, ni franchement dangereuse si elle était conduite dans les règles. Sur cette dernière réflexion, il s'enfila sa dernière Stolichnaya de la soirée et éteignit la lumière.

Tous s'éveillèrent à la même heure ce matin-là, Domingo et Patricia dans une maison, John et Sandra dans une autre, ouvrant les yeux à cinq heures trente, à la sonnerie du réveil. Les deux couples se préparèrent au train-train quotidien : les femmes devaient être à l'hôpital à sept heures moins le quart pour le début de leur service — de sept heures à quinze heures aux urgences —, si bien que dans chaque foyer les femmes occupèrent la salle de bains en premier, pendant que leurs maris se traînaient jusqu'à la cuisine pour remplir et allumer la machine à café, avant d'aller récupérer le journal sur le paillasson et d'allumer la radio pour avoir les infos du matin de la BBC. Vingt minutes plus tard, échange de journaux et de salles de bains, et un quart d'heure après, les deux couples se retrouvaient dans la cuisine pour le petit déjeuner — sauf pour Domingo qui se contentait d'une deuxième tasse de café, puisqu'il avait l'habitude de déjeuner avec ses hommes à l'issue de l'entraînement matinal. Chez les Clark, Sandy se lançait dans des expérimentations culinaires : en l'occurrence des tomates grillées, une spécialité locale qu'elle essayait de maîtriser, mais que son époux rejetait par principe, en bon patriote américain. À six heures vingt, il était temps pour les femmes de revêtir leurs uniformes respectifs, bientôt imitées par leurs maris, et peu après, tous quittaient leur domicile pour entamer une nouvelle journée de travail.

Clark ne participait plus aux entraînements avec ses hommes. Il avait dû finir par admettre qu'il était trop vieux pour ça, même s'il se forçait chaque jour à pratiquer en gros le même genre d'exercice. Ce n'était pas si différent du temps où il était SEAL, sauf l'épreuve de natation de fond — la base était bien dotée d'une piscine, mais le bassin en était trop court à son goût... Alors, pour compenser, il courait cinq kilomètres. Certes, les hommes en faisaient huit... et à un autre rythme, devait-il reconnaître à sa grande honte. John Clark était conscient d'avoir une forme physique superbe pour un homme de son âge, mais la maintenir était de jour en jour plus difficile, et la prochaine borne symbolique sur sa route personnelle menant à la mort portait le chiffre soixante... Ça faisait tellement drôle de ne plus être le jeune gars fringant qu'il était lorsqu'il avait épousé Sandy. Comme si un inconnu lui avait piqué quelque chose en douce... Simplement, un beau jour, en regardant autour de lui, il s'était découvert différent du personnage qu'il s'imaginait être. Une surprise loin d'être agréable, songea-t-il en terminant son cinquième kilomètre, en sueur, les jambes courbaturées, et pressé de prendre sa seconde douche de la journée.

Alors qu'il se dirigeait vers le QG, il avisa Alistair Stanley qui se préparait à commencer son entraînement matinal personnel. Al, qui était son cadet de cinq ans, entretenait sans doute encore ses illusions sur la jeunesse. Ils étaient devenus copains. Stanley avait de l'instinct, en particulier pour la collecte d'informations, et c'était un agent traitant efficace, à sa manière britannique curieusement réservée. Avec ses airs de ne pas y toucher, Stanley pouvait donner le change jusqu'à ce qu'on le regarde dans les yeux, et encore fallait-il savoir quoi y chercher. Bel homme, élégant, un rien dégingandé, cheveux toujours blonds et sourire tout en dents, pourtant, comme John, il avait déjà tué en opération, et comme John, il n'avait pas d'états d'âme à ce sujet. À vrai dire, il était plus doué pour commander que Clark, devait bien admettre ce dernier tout en gardant cette opinion pour lui. C'est que les deux hommes continuaient à rivaliser comme s'ils avaient toujours vingt ans, et aucun n'avait le compliment facile.

Une fois sorti de la douche, Clark se dirigea vers son bureau, s'installa et se mit à parcourir la paperasse matinale, maudissant en silence le temps perdu et l'énergie dépensée à se livrer à des tâches aussi futiles que les prévisions budgétaires. Dans son tiroir de bureau, le Beretta calibre 45 était là toutefois pour rappeler qu'il n'était pas un simple fonctionnaire comme un autre, mais aujourd'hui il n'aurait guère le temps de se rendre au stand de tir pour un de ces entraînements qui avaient fait de lui le commandant de Rainbow... poste qui, ironie du sort, l'empêchait de faire la preuve de ses mérites. Mme Foorgate arriva un peu après huit heures, passa la tête à la porte du bureau de son chef, vit le front plissé qu'il arborait chaque fois qu'il se penchait sur des tâches administratives, quand les dossiers concernant les renseignements ou les opérations semblaient, eux au moins, trouver grâce à ses yeux. Elle entra pour mettre en route la machine à café, eut droit à l'habituel bonjour émis d'une voix ronchonne et retourna dans son bureau, en jetant un œil sur le télécopieur pour vérifier qu'aucun fax crypté ne requérait l'attention immédiate du patron. Rien. Une nouvelle journée venait de commencer sur la base d'Hereford.

Grady et ses hommes étaient debout eux aussi. Ils prirent leur petit déjeuner traditionnel, thé, œufs au bacon et toasts grillés, car le breakfast irlandais n'était guère différent de sa version bri-

214

tannique. En fait, les deux pays différaient fort peu sur l'essentiel, un fait sur lequel Grady et ses compagnons avaient oublié de s'appesantir. Il s'agissait de deux sociétés policées, fort hospitalières pour les étrangers. Les gens se souriaient, travaillaient assidûment, regardaient plus ou moins les mêmes programmes de télé, lisaient les mêmes rubriques sportives, et pratiquaient en gros les mêmes sports — qui dans l'un et l'autre pays étaient de véritables passions nationales — et ils buvaient en quantités équivalentes des bières similaires dans des pubs qui auraient pu être interchangeables, jusqu'aux enseignes et aux noms qu'ils portaient.

Mais ils fréquentaient des églises différentes et avaient des accents différents — malgré leur similitude pour des oreilles étrangères. Tout cela continuait à jouer un rôle essentiel dans la vie quotidienne, même si ces divergences étaient appelées à être nivelées peu à peu par la culture télévisuelle. Un individu revenant sur terre après cinquante ans d'absence aurait noté que nombre d'américanismes s'étaient insinués dans le langage quotidien, mais le processus avait été si graduel que les principaux intéressés en avaient à peine pris conscience. C'était une situation fréquente dans les pays où existaient des mouvements révolutionnaires. Des différences minimes pour des observateurs extérieurs étaient amplifiées par ceux qui professaient le changement, au point que Grady et ses partisans ne voyaient dans les similitudes des Britanniques que de simples camouflages destinés à faciliter leurs opérations et non des points communs susceptibles de rapprocher leurs deux peuples. Des gens avec qui il aurait pu partager un demi de bière en discutant d'un match de foot lui semblaient aussi étrangers que des Martiens, ce qui les rendait plus faciles à tuer. Ils étaient des choses, pas des « potes », et si incroyable que l'idée pût paraître aux yeux d'un tiers objectif, on la leur avait si bien inculquée qu'ils n'y faisaient pas plus attention qu'à l'air qu'ils respiraient en cette belle matinée limpide, alors qu'ils se dirigeaient vers leurs véhicules pour se préparer à accomplir leur mission.

À dix heures trente, Chavez et ses hommes pénétraient dans le stand pour leur exercice de tir de précision. Dave Woods les attendait : il avait déjà disposé les boîtes de cartouches pour les membres du groupe Deux. Comme les fois précédentes, Chavez décida de travailler le pistolet plutôt que le MP-10, arme d'un maniement plus facile et avec laquelle n'importe quel type pas miraud et doté d'un index en état de marche était capable de mettre dans le mille. Il dédaigna donc les cartouches de 10 mm pour prendre deux boîtes de calibre 45 ACP Federal modèle « Hydra-Shok » de fabrication américaine, des balles dotées d'une pointe creuse assez volumineuse pour s'y préparer un cocktail — en tout cas c'était l'impression qu'elles donnaient quand on les regardait de face.

Le lieutenant-colonel Malloy et son équipage, le lieutenant Harrison et le sergent Nance entrèrent au moment où les hommes de Chavez commençaient. Ils étaient armés du Beretta M9 qui équipait tous les militaires américains, et tiraient les balles de 9 mm à âme pleine exigées par la convention de La Haye. Même si l'Amérique n'avait jamais signé les traités internationaux stipulant ce qu'il convenait ou non d'employer sur le champ de bataille, elle se conformait néanmoins aux usages en vigueur. En revanche, les agents très spéciaux de Rainbow utilisaient des munitions différentes, autrement plus efficaces, au motif qu'ils n'intervenaient pas sur un champ de bataille mais affrontaient plutôt d'authentiques criminels indignes de la sollicitude qu'on témoignait à des ennemis portant l'uniforme et censément mieux organisés. Quiconque aurait réfléchi un tant soit peu à ce raisonnement l'aurait jugé un rien tordu, mais ils savaient que personne n'avait dit que le monde devait suivre des règles cohérentes, et ils tiraient donc le quota de projectiles qu'on leur assignait. Soit, dans le cas de Rainbow, pas moins de cent balles par jour et par tête de pipe. Malloy et ses hommes devaient tirer aux alentours de cinquante cartouches par semaine mais ils n'étaient pas censés être des tireurs, et si on les admettait au stand, ce n'était que par pure courtoisie. En fait, Malloy se révélait une fine gâchette, même s'il tirait au pistolet d'une seule main, à la façon recommandée jadis par les manuels d'instruction américains. Harrison et Nance utilisaient la posture plus moderne dite de Weaver, les deux mains empoignant la crosse. Malloy regrettait lui aussi le calibre 45 de sa jeunesse, mais les services de l'approvisionnement avaient opté pour des projectiles d'un calibre plus réduit afin de satisfaire les alliés de l'OTAN, bien qu'ils eussent le défaut notoire de faire des trous plus petits dans les individus que vous étiez censé descendre.

La fillette s'appelait Fiona. Elle venait d'avoir cinq ans et était tombée d'une balançoire à la garderie. Les échardes de bois lui avaient éraflé la peau, mais on craignait surtout une fracture du radius gauche. Sandy Clark maintint l'avant-bras de la petite en larmes. Avec lenteur et délicatesse, elle le manipula, sans noter de changement d'intensité dans les pleurs de la gamine. Pas de fracture... enfin, peut-être une fêlure du cubitus, ou sans doute même pas...

« On va quand même lui faire une radio », dit Patsy en tendant à l'enfant une sucette. Ça marchait aussi bien en Angleterre qu'aux États-Unis. Les larmes cessèrent aussitôt et la gamine usa de son bras valide et de ses dents pour arracher le papier cristal et fourrer la friandise entre ses mignonnes petites lèvres roses. Sandy se servit d'une compresse pour nettoyer le bras blessé. Pas besoin d'agrafes : juste un badigeon d'antiseptique sur ces méchantes éraflures avant de couvrir le tout de deux larges pansements adhésifs.

Le service des urgences n'était pas aussi encombré que ses équivalents d'outre-Atlantique. Déjà, il était situé à la campagne, où les risques de blessures graves étaient moins importants. Certes, la semaine précédente, ils avaient admis un fermier qui avait failli se sectionner le bras dans une machine agricole, mais Sandy et Patsy n'étaient pas de garde ce jour-là. On comptait moins d'accidents graves de la circulation qu'aux États-Unis : les Britanniques, malgré des routes plus étroites et des limitations de vitesse moins draconiennes, semblaient conduire plus prudemment que les Américains, ce qui ne laissait pas de rendre perplexes les deux femmes. Dans l'ensemble, le travail se déroulait plutôt dans de bonnes conditions. Le personnel hospitalier était pléthorique selon les normes en vigueur aux États-Unis, ce qui rendait la charge de travail plutôt raisonnable, autre surprise pour les deux Américaines.

Dix minutes plus tard, Patsy examinait les radios qui lui confirmèrent que les os de l'avant-bras de Fiona étaient en parfait état. Une demi-heure après, la petite était de retour à sa garderie, juste à temps pour la cantine. Patsy s'assit à son bureau et reprit la lecture du dernier numéro du *Lancet*, la célèbre revue médicale britannique, tandis que sa mère retournait à l'accueil discuter avec une collègue. Non sans une certaine perversité, l'une et l'autre auraient voulu avoir plus de travail, même si cela devait se traduire par la souffrance d'un inconnu. Sandy Clark fit remarquer à une amie britannique qu'elle n'avait pas vu une seule blessure par balle depuis son arrivée en Angleterre. Alors qu'à son hôpital de Williamsburg, en Virginie, cela se produisait presque tous les jours, ce qui ne manqua pas d'horrifier ses collègues, quand cela faisait partie du paysage quotidien de toute infirmière des urgences aux États-Unis.

Hereford n'était pas précisément une commune tranquille, mais la circulation automobile n'en faisait pas non plus une métropole grouillante d'activité. Au volant de sa Jaguar de location, Grady suivait les camions en route vers leur objectif. Le convoi progressait moins vite que prévu, sur la file la plus lente, parce qu'ils avaient tablé sur une circulation plus dense et donc un trajet plus long.

Il aurait pu accélérer, et donc déclencher la mission plus tôt, mais il était du genre méthodique, et une fois un plan établi, il avait tendance à s'y conformer presque servilement. De cette manière, chacun savait ce qui devait se produire et à quel moment, ce qui se justifiait d'un point de vue tactique. En cas d'imprévu, chaque homme était muni d'un téléphone mobile avec en mémoire les numéros d'appel de chaque autre membre du commando. Sean estimait qu'ils étaient presque aussi bons que les radios de campagne utilisées par les soldats.

L'hôpital apparut, niché en contrebas d'une pente douce. Le parking était presque désert. Peut-être n'y avait-il pas beaucoup de patients, à moins que ce ne soit pas encore l'heure des visites.

Dimitri rangea sa voiture de location sur le bas-côté de la route et s'immobilisa. Il était à cinq cents mètres environ de l'hôpital, et du haut de cette colline, il apercevait deux côtés du bâtiment : la façade et une entrée latérale réservée aux urgences. Il coupa le moteur après avoir descendu les vitres électriques et attendit les événements. Sur la banquette arrière, il avait une paire de jumelles bon marché — des 7x35 achetées à une boutique d'aérogare — qu'il décida de sortir de leur étui. Posé sur le siège à côté de lui, il y avait son téléphone mobile, en cas de besoin. Il vit trois gros camions s'arrêter en contrebas sur la route, nettement plus près que lui de l'hôpital, mais dans une position qui leur permettait eux aussi d'embrasser la façade et l'entrée des urgences.

C'est alors qu'il lui vint une idée fortuite. Pourquoi ne pas appeler ce Clark, à Hereford, et l'avertir de ce qui se tramait ? C'est qu'il n'avait pas la moindre envie de voir ces types survivre à leur mission de cet après-midi... Dans ce cas en effet, il ne pourrait récupérer les six millions de dollars et disparaître de la circulation... Les îles des Caraïbes l'attiraient, il avait déjà lu quelques dépliants touristiques. On y trouvait certains avantages de la civilisation britannique — une police correcte, des pubs, des gens aimables —, mêlés à une vie tranquille, détendue. En même temps, il serait suffisamment proche de l'Amérique pour pouvoir s'y rendre d'un coup d'aile afin de gérer les fonds qu'il aurait pu placer...

Mais... non. Il restait toujours le risque, certes minime, que Grady s'en tire encore une fois, et il n'avait pas du tout envie de se retrouver pourchassé par cet Irlandais irascible et vicelard. Non, mieux valait qu'il le laisse faire son numéro sans interférer. Il resta donc sagement assis dans sa voiture, les jumelles posées sur les genoux, tout en écoutant un programme classique de la BBC sur l'autoradio.

Grady sortit de la Jaguar. Il ouvrit la malle, en sortit son paquet, mit les clés dans sa poche. Timothy O'Neil descendit de son véhicule — il avait choisi une fourgonnette — et attendit que les cinq autres l'aient rejoint. Ce qu'ils firent au bout de quelques minutes. Timmy saisit son téléphone mobile et pressa sur la touche mémoire numéro un. À cent mètres de là, l'appareil de Grady se mit à pépier.

« Oui ?

— On est prêts, ici, Sean.

— Dans ce cas, allez-y. On est prêts nous aussi. Bonne chance, petit.

— Très bien, on y va. »

O'Neil portait la combinaison brune d'un livreur de colis exprès. Il se dirigea vers l'entrée latérale de l'établissement, chargé d'une longue boîte en carton. Il était suivi par quatre hommes en civil, portant des paquets identiques en taille, mais de couleurs différentes.

Popov regarda dans son rétro, ennuyé. Une voiture de police venait de se garer sur le côté de la route, et quelques secondes plus tard un agent en descendait et se dirigeait vers son véhicule.

« Un problème, monsieur ? s'enquit le flic.

— Euh, non, pas vraiment... c'est-à-dire, j'ai appelé l'agence de location et ils doivent m'envoyer un réparateur, vous voyez.

— C'est quoi, la panne ? insista le policier.

— Je n'en sais trop rien. Le moteur s'est mis à tousser, et j'ai pensé qu'il valait mieux que je me gare et que je coupe le contact. De toute façon, répéta le Russe, j'ai appelé l'agence, et ils m'envoient quelqu'un régler ça.

— Ah, eh bien, dans ce cas, c'est parfait. » Le policier s'étira, il semblait qu'il s'était arrêté autant pour prendre l'air que pour rendre service à un usager en détresse. Le moment, estima Popov, n'aurait pas pu mieux tomber.

« Puis-je vous aider ? s'enquit la réceptionniste.

— J'ai un colis pour le Dr Chavez et l'infirmière... (Timmy O'Neil consulta le bout de papier agrafé au carton, il trouvait que ça faisait plus réaliste)... Clark. Sont-elles là cet après-midi ?

— Je vais les faire appeler », répondit, serviable, la réceptionniste, en gagnant le fond du bureau.

La main du soldat de l'IRA glissa sous le couvercle du carton, prête à l'ouvrir d'un coup. Il se retourna pour faire signe aux quatre autres, qui faisaient poliment la queue derrière lui. O'Neil se caressa le nez et l'un des hommes — il s'appelait Jimmy Carr — retourna dehors. Une voiture de police était garée devant l'hôpital, un Range Rover blanc à zébrures orange. Le flic à l'intérieur mangeait un sandwich. Apparemment, il avait choisi ce coin tranquille pour faire sa pause déjeuner et tuer le temps pendant que tout était calme. Il vit l'homme en faction devant l'entrée des urgences, tenant dans les bras ce qui ressemblait à un carton de fleuriste. Plusieurs autres venaient d'entrer, encombrés de cartons identiques, mais après tout, c'était un hôpital, et les visiteurs avaient l'habitude d'offrir des fleurs aux malades... néanmoins... le type au grand carton blanc n'arrêtait pas de mater sa voiture, comme ça arrivait souvent. Le flic lui rendit son regard, par curiosité surtout, même si cela finit par titiller son instinct de limier.

« Je suis le Dr Chavez », dit Patsy. Elle était presque aussi grande que lui, nota O'Neil, et enceinte jusqu'aux yeux, sous sa blouse blanche amidonnée. « Vous avez quelque chose pour moi ?

— Oui, docteur, effectivement. » Puis une autre femme arriva, et dès qu'il les vit côte à côte, leur ressemblance lui sauta aux yeux. Ce devait être la mère et la fille... et cela voulait dire que l'heure avait sonné.

O'Neil rabattit le couvercle du carton et sortit aussitôt le fusil AKMS. Comme il avait les yeux baissés, il rata le regard éberlué des deux femmes devant lui. Sa main droite retira un des chargeurs et l'introduisit dans l'arme. Puis il changea de main pour empoigner la crosse, tandis que la main gauche rabattait le levier d'armement. L'ensemble de la manœuvre n'avait pas pris deux secondes.

Patsy et Sandy se figèrent, interdites, comme souvent les gens soudain confrontés à une arme à feu. Sur leur gauche, quelqu'un poussa un cri. Derrière ce livreur, trois autres types venaient de sortir des armes identiques, qu'ils braquaient vers l'extérieur, pour tenir en respect les gens dans la zone de réception. Une journée de routine aux urgences venait soudain de basculer.

Dehors, Carr ouvrit son carton et visa sans cesser de sourire la voiture de police, à sept mètres à peine de lui.

Le moteur tournait, et le premier réflexe du flic fut de filer donner l'alerte. Sa main gauche enclencha la marche arrière, son pied écrasa l'accélérateur, et la voiture recula en faisant une embardée.

La réaction de Carr fut machinale. Le fusil levé et armé, il visa et pressa la détente, tirant quinze balles en rafale dans le pare-brise du 4x4. Le résultat fut immédiat. Le Range reculait à peu près en ligne droite, mais dès que les projectiles l'atteignirent, il se mit à dévier pour finir sa course dans le mur en brique de l'hôpital. Carr fonça vers le véhicule immobilisé et put s'assurer qu'il y avait désormais un policier de moins sur cette terre, ce qui pour lui n'était pas une grande perte.

« Qu'est-ce que c'est que ça ? » C'était le policier serviable et non Popov qui venait de poser cette question toute rhétorique. Rhétorique car on ne peut guère se méprendre sur un bruit de tir d'arme automatique. Il tourna la tête et vit la voiture de police — d'un modèle identique à la sienne — reculer à toute vitesse et s'arrêter brutalement contre un mur, puis un homme se précipiter, regarder dans l'habitacle et s'éloigner. « Sacré nom de Dieu ! »

Dimitri Arkadeïevitch n'avait pas bronché et continuait d'observer le flic venu contre son gré lui porter assistance : l'homme retourna en courant à son véhicule, passa le buste à l'intérieur, saisit le micro de sa radio. Popov ne put entendre ce qu'il disait mais devina la teneur du message.

« On les a, Sean », lui dit la voix d'O'Neil. Grady accusa réception, pressa la touche fin et composa le numéro de l'appareil de Peter Barry.

« Oui ?

— Timothy les a. Il semble qu'on maîtrise la situation.

— OK. » Et il coupa. Sean composa aussitôt un autre numéro en mémoire. « Allô ? Ici, Patrick Casey. Nous venons de nous emparer de l'hôpital public d'Hereford. Nous tenons actuellement en otages le Dr Chavez et l'infirmière Clark, plus un certain nombre d'autres personnes. Elles seront libérées si l'on accède à nos exigences. Dans le cas contraire, nous nous verrons contraints de tuer des otages jusqu'à ce que vous ayez pris conscience de votre erreur. Nous exigeons la libération de tous les prisonniers politiques détenus dans les prisons d'Albany et de Pankhurst, sur l'île de Wight. Dès qu'ils seront libérés et qu'on en verra les images à la télévision, nous quitterons les lieux. Avez-vous compris ?

— Oui, j'ai compris », répondit le sergent de permanence. C'était faux, mais il avait un enregistrement de la conversation, et il le retransmit à quelqu'un qui comprendrait, lui.

Carr entra par les urgences, les jumeaux Barry, Peter et Sam traversant le bâtiment pour rejoindre l'entrée principale. Ici, la situation était pour le moins chaotique. La première fusillade, contre la voiture de police, n'avait pas été nettement perçue de ce côté-ci : la majorité des gens avaient tourné la tête dans la direction approximative du bruit et, ne voyant rien, avaient continué de vaquer à leurs occupations. Le vigile de l'hôpital, un homme de cinquante-cinq ans en tenue rappelant un uniforme de policier, se dirigeait vers la porte d'accès principale quand il vit les jumeaux arriver en sens inverse, l'arme à la main. Le flic à la retraite réussit tout juste à dire : « Qu'est-ce qui se passe ici ? », avant qu'un mouvement sec de canon le convainque de lever les bras et de la fermer. Sam le prit par le col et le repoussa dans le hall principal. Là, les gens virent les armes à feu. Certains se mirent à crier. Plusieurs se ruèrent vers les portes et tous réussirent à sortir sans qu'un coup de feu soit tiré, car les frères Barry avaient déjà fort à faire.

L'appel radio du policier garé au bord de la route déclencha une réaction plus importante que le coup de fil de Grady, surtout après l'annonce qu'un collègue venait de se faire tirer dessus et sans doute tuer dans sa voiture. La réaction immédiate du commissaire fut de demander à toutes ses unités mobiles de converger sur l'hôpital. La moitié environ des policiers en patrouille étaient équipés d'armes à feu, et il s'agissait pour l'essentiel de revolvers Smith & Wesson — guère de taille à répliquer à ce qui semblait être des armes automatiques. La mort du policier fut confirmée quand on ne réussit pas, malgré des appels radio réitérés, à établir le contact avec l'agent qui s'était garé près de l'hôpital.

Dans tous les commissariats de police de la planète, il existe des procédures bien définies pour les divers cas d'urgence. Dans celui-ci, c'était une chemise étiquetée « Terrorisme », que le commissaire ouvrit, même s'il en connaissait le contenu par cœur, afin de s'assurer de ne rien oublier. Le premier numéro à appeler était au ministère de l'Intérieur. Ce qu'il fit, signalant le peu qu'il savait au responsable de permanence, en ajoutant qu'il faisait son possible pour collecter d'autres informations et qu'il rappellerait.

Au siège du Home Office, le ministère britannique de l'Intérieur, à deux pas du palais de Buckingham, les fonctionnaires étaient chargés, entre autres, des tâches de police et de sécurité. Là aussi, une chemise listant une série de procédures fut extraite de son classeur. Elle contenait une autre page portant un autre numéro.

« Quarante-deux trente-trois », dit Alice Foorgate en décrochant le téléphone. C'était le poste réservé exclusivement aux communications vocales importantes.

« M. Clark, s'il vous plaît.

— Oui. Un instant, je vous prie... Monsieur Clark, un appel sur la trente-trois, annonça-t-elle dans l'interphone.

— Ici John Clark, dit aussitôt Rainbow Six, en décrochant son poste.

— Ici, Frederick Callaway, de l'Intérieur. Nous avons une possible situation d'urgence, annonça le fonctionnaire.

— D'accord. Où ça ?

— Juste à deux pas de chez vous, j'en ai peur : l'hôpital d'Hereford. La voix qui a appelé s'est présentée sous le nom de Patrick Casey. C'est un nom de code qu'utilise l'IRA provisoire pour désigner ses opérations.

— L'hôpital d'Hereford ? répéta John, soudain glacé.

— C'est bien cela.

— Une petite seconde, ne quittez pas. Je veux qu'un de mes hommes participe à notre conversation. » John plaqua sa main sur le micro. « Alice ! Branchez-vous avec Alistair. Tout de suite !

— Oui, John ?

— Monsieur Callaway, je vous présente Alistair Stanley, mon second. Voulez-vous lui répéter ce que vous venez de me dire. »

Ce qu'il fit, en ajoutant : « La voix a identifié

228

deux otages, une infirmière du nom de Clark et un certain Dr Chavez.

— Oh, merde, souffla John.

— Je mets en action le groupe de Peter, John, dit aussitôt Stanley.

— D'accord. Autre chose, monsieur Callaway ?

— C'est tout ce que nous avons pour l'instant. Le commissaire de police local est en train d'essayer d'en savoir plus.

— Très bien. Merci. Vous pouvez me toucher à ce même numéro si jamais vous avez besoin de moi. » Clark reposa le combiné sur sa fourche. « Putain de merde », lâcha-t-il doucement.

Son esprit tournait à cent à l'heure. Quel qu'il soit, celui qui avait espionné Rainbow avait une bonne raison, et ces deux noms n'étaient pas sortis par accident. Il s'agissait d'un défi direct lancé contre lui et ses hommes — en utilisant comme monnaie d'échange sa femme et sa fille. Aussitôt, il se dit qu'il allait devoir passer les commandes à Stanley, et immédiatement après, que sa famille courait un danger mortel... et enfin, qu'il était impuissant.

« Bon Dieu, grommela le commandant Peter Covington au téléphone. Oui, monsieur. Laissez-moi y aller. » Il se leva et entra dans la salle de préparation de son escouade.

« Attention, les gars, on a du pain sur la planche. Tout le monde se prépare à décoller sur-le-champ. »

Les membres du groupe Un se levèrent et se précipitèrent vers leurs vestiaires. Ça ne ressemblait pas à un exercice, mais ils firent tous comme si. Le sergent-chef Mike Chin était le premier en tenue. Il s'avança vers son supérieur qui venait d'enfiler son gilet pare-balles.

« Qu'est-ce qui se passe, chef ?

— Un commando de l'IRA. À l'hosto d'à côté. Ils ont pris en otages les femmes de Clark et de Ding.

— Quoi ? s'écria Chin en plissant les paupières.

— T'as très bien compris, Mike.

— Oh, merde. D'accord. » Chin retourna vers les hommes. « Allez, en selle, les gars, c'est pas un putain d'exercice ! »

Dehors, Malloy venait de sprinter vers son Night Hawk. Le sergent Nance l'attendait déjà au pied de l'appareil. « Tout baigne, lieutenant, on peut démarrer.

— Lancement du numéro un, confirma Harrison, tandis que le sergent Nance remontait à bord et bouclait son harnais, avant de se pencher vers la porte de gauche pour examiner la queue de l'appareil.

— Rotor de queue dégagé, colonel.

— Bien compris », dit Malloy tout en regardant les instruments s'animer. Puis il pressa de nouveau la pédale du micro. « Commandement pour Ours. Nous sommes prêts à décoller. Quelle est la mission, à vous ?

— Ours pour Cinq, répondit la voix de Stanley, au grand étonnement de Malloy. Décollez et allez tourner autour de l'hôpital communal. C'est le site du présent incident.

— Veuillez répéter, Cinq, à vous.

— Ours, nous avons des sujets qui ont investi

l'hôpital communal. Ils détiennent en otages Mmes Clark et Chavez. Ils les ont citées nommément toutes les deux. Vous avez ordre de décoller et de tourner autour de l'hôpital.

— Roger, bien copié. Ours est en train de décoller. » Sa main gauche tira sur la commande de pas collectif, élevant le Sikorsky dans les airs.

« Est-ce que j'ai bien entendu, colonel ? » C'était Harrison.

« T'as parfaitement bien entendu. Quel bordel... », observa le Marine. Quelqu'un s'amusait à titiller le tigre dans son repaire. En baissant les yeux, il avisa deux camions qui quittaient la base à toute vitesse pour prendre la même direction que lui. Ce devait être Covington avec le groupe Un. Après un instant de réflexion, il fit grimper l'hélico à quatre mille pieds, appela le centre de contrôle aérien régional pour leur indiquer son cap, et se vit attribuer un code de répéteur qui permettrait aux aiguilleurs du ciel de le repérer plus facilement.

Quatre véhicules de police étaient déjà arrivés sur place : ils bloquaient l'accès au parking de l'hôpital, mais guère plus, nota Popov dans ses jumelles. Les agents descendus de leur voiture se contentaient d'observer. Deux d'entre eux avaient des revolvers mais ils les tenaient braqués vers le sol.

Dans le premier camion, Covington relaya l'information qu'il détenait. Dans le second, Chin faisait de même. Les hommes étaient complètement abasourdis. C'est qu'ils s'étaient considérés, eux et leur famille, comme protégés *ipso facto* contre ce genre d'incident, car jamais personne n'avait été assez fou pour tenter un truc pareil. On pouvait venir agacer un lion en cage avec un bâton, mais on ne s'amusait pas à ça quand il n'y avait pas de barreaux entre vous et le fauve. Et on allait encore moins embêter sa progéniture. En tout cas, pas si on tenait à la vie. Pour tous ces hommes, c'était la famille. S'en prendre à la femme du commandant de Rainbow était pour eux l'équivalent d'un affront personnel, un acte d'une arrogance incompréhensible... sans compter que la femme de Chavez était enceinte. Elle était le symbole de deux vies innocentes, l'une et l'autre attachées à l'un des gars avec qui ils s'entraînaient chaque matin et avec qui ils buvaient parfois une bière dans la soirée, un frère d'armes, un des leurs. Tous allumèrent leur radio et se carrèrent sur leur banquette, étreignant leur arme individuelle, laissant leur esprit divaguer, mais jamais bien loin.

« Al, je dois te laisser diriger cette opération », dit John. Debout près de son bureau, il s'apprêtait à partir. Le Dr Bellow était également dans la pièce, accompagné de Bill Tawney.

« Je comprends, John. Tu connais la valeur de Peter et de ses hommes. »

Long soupir. « Oui. » Il n'y avait pas grand-chose à ajouter pour l'instant.

Stanley se tourna vers les autres. « Bill ?

— Ils ont utilisé le bon nom de code. "Patrick Casey" est inconnu de la presse. C'est le nom qu'ils emploient pour nous signaler que leur action est sérieuse — en général pour les alertes à la bombe ou les cas similaires. Paul ?

— Identifier votre femme et votre fille, c'est nous lancer directement un défi. Ce qu'ils sont en train de nous signaler, c'est qu'ils sont au courant de l'existence de Rainbow, qu'ils savent qui nous sommes et bien sûr qui vous êtes, vous, John. Ils proclament leur supériorité et leur volonté d'aller jusqu'au bout. » Le psychiatre hocha la tête. « Mais s'ils appartiennent réellement à l'IRA provisoire, cela veut dire qu'ils sont catholiques. Je peux travailler là-dessus. Laissez-moi y aller et tenter d'établir le contact, d'accord ? »

Tim Noonan était déjà dans sa voiture personnelle, tout son arsenal tactique posé à l'arrière. Pour lui au moins la tâche était facile. Il existait deux nœuds de réseau téléphonique cellulaire dans le secteur d'Hereford, qu'il avait visités tous les deux alors qu'il testait son logiciel de blocage. Il se rendit au plus éloigné. L'installation était classique : une tour en treillis métallique portant une succession de râteaux verticaux, un abri préfabriqué, le tout entouré d'un enclos grillagé. Une voiture était garée à l'extérieur. Noonan s'arrêta à côté et descendit sans même prendre la peine de verrouiller la portière. Dix secondes plus tard, il ouvrait la porte de l'abri.

« Qu'est-ce que c'est ? lança le technicien assis à l'intérieur.

— Je viens d'Hereford. Nous déconnectons du réseau cette cellule. Immédiatement.

— Sur l'ordre de qui ?

— Le mien ! » Noonan se tourna de telle manière que l'homme puisse bien voir le pistolet sur sa hanche. « Appelez votre chef. Il sait qui je suis et ce que je fais. » Et sans plus d'explication, Noonan se dirigea vers le tableau électrique et actionna le disjoncteur, coupant les transmissions relayées par cette tour. Puis il s'assit devant la console de l'ordinateur pilotant la station et introduisit la disquette sortie de sa poche de chemise. Deux clics de souris et quarante secondes plus tard, le système était modifié. Seul un numéro précédé de l'indicatif 777 serait accepté désormais.

Le technicien était largué, mais il eut le bon sens de ne pas poser de questions à un type armé.

« Il y a quelqu'un à l'autre relais... de l'autre côté du patelin ? demanda Noonan.

— Non, ça devrait être moi s'il y a un problème... mais il n'y en a pas.

— Les clés ? » Noonan tendit la main.

« Je ne peux pas. Je veux dire : je n'ai pas l'autorisation de...

— Appelez donc votre supérieur », suggéra l'agent du FBI, en lui tendant le téléphone normal.

Covington bondit du véhicule près de l'endroit où étaient garés plusieurs camions bâchés. La police avait établi un périmètre de sécurité pour tenir éloignés les curieux. Il se dirigea au petit trot vers le policier qui semblait le responsable sur place.

« Les voilà, indiqua Sean Grady au téléphone à Timmy O'Neil. Pas de doute, ils ont réagi vite. Et ils semblent avoir déballé le grand jeu..., ajouta-t-il. Comment ça se passe, à l'intérieur ?

— Trop de gens pour qu'on puisse les surveiller dans de bonnes conditions, Sean. J'ai placé les frangins dans le hall principal, Jimmy est ici avec moi et Daniel patrouille à l'étage.

— Et les otages ?

— Les bonnes femmes, tu veux dire ? Elles sont assises par terre. La jeune est enceinte jusqu'aux yeux, Sean. Il se pourrait bien qu'elle accouche aujourd'hui.

— Tâche de nous éviter ça, fils », conseilla Grady avec un sourire. Tout se déroulait selon le plan, et l'horloge tournait. Les foutus soldats avaient même garé leurs camions à moins de trente mètres du sien. On aurait difficilement pu rêver mieux.

Le sergent Houston ne se prénommait pas réellement Sam — sa mère l'avait baptisé Mortimer, en souvenir d'un oncle bien-aimé — mais il avait hérité de son actuel sobriquet alors qu'il était en camp d'entraînement à Fort Jackson, en Caroline du Sud, onze ans plus tôt, et il n'avait pas protesté. Son fusil de précision était encore dans son étui pour le protéger des chocs, car pour l'heure il se cherchait un bon perchoir. L'endroit où il se trouvait n'était finalement pas mal, estima-t-il. Il se sentait prêt à toute éventualité. Son fusil était quasiment le jumeau de celui utilisé par son ami Homer Johnston ; et il était aussi bon tireur que lui — voire un rien meilleur, s'empresserait-il d'ajouter si on lui posait la question. Il en était de même pour le Fusil Un-Deux, le sergent-chef Fred Franklin, ex-instructeur dans l'unité de tireurs d'élite de l'armée à Fort Benning, et gâchette meurtrière jusqu'à quinze cents mètres lorsqu'il avait dans les mains son énorme MacMillan calibre 50.

« Qu'est-ce que t'en dis, Sam ?

— Plutôt pas mal, Freddy. Qu'est-ce que tu dirais de te mettre sur cette butte, de l'autre côté de la plate-forme d'hélicos ?

— C'est OK pour moi. À plus. » Franklin plaça l'étui sur son épaule et partit dans cette direction.

« Ces types me flanquent la trouille, admit Roddy Sands au téléphone.

— Je sais, mais l'un d'eux est assez près pour qu'on lui règle son compte tout de suite, Roddy. Tu t'en charges, fils.

— D'accord, Sean », répondit Sands, planqué sous la bâche du gros Volvo.

Noonan, les clés de l'autre site en poche, avait repris sa voiture et s'y rendait. Il en avait pour une vingtaine de minutes de trajet — non, un peu plus : la circulation était à nouveau embouteillée sur cette route à chaussées séparées, et malgré son pistolet et ses papiers de policier, il n'avait ni sirène ni gyrophare — une négligence coupable qui le mettait en rogne. Comment avait-il pu laisser échapper un tel détail ? Merde, il était flic, quand même ! Il prit la bande d'arrêt d'urgence, alluma ses feux de détresse et, la main plaquée sur le klaxon, se mit à dépasser les autres voitures immobilisées.

Chavez n'eut pratiquement aucune réaction. Au lieu de se laisser dominer par la peur ou la colère, il se referma sur lui-même. Déjà qu'il avait un petit gabarit, il donnait l'impression de littéralement se ratatiner sous les yeux de Clark. « D'accord, fit-il enfin, la bouche sèche. Qu'est-ce qu'on va faire ?

— Le groupe Un est déjà sur place ou ne devrait pas tarder. Al dirige les opérations. Nous, on reste spectateurs.

— On passe la main ? »

Clark hésita, ce qui lui était inhabituel. Le mieux à faire, lui disait calmement une partie de son esprit, était de rester peinard dans son bureau à attendre, plutôt que de prendre sa voiture et d'aller se ronger les sangs en sachant qu'il ne pouvait pas agir. Sa décision de confier à Stanley la responsabilité des opérations était la bonne. Il ne devait pas laisser ses émotions lui dicter sa conduite. Il y avait bien d'autres vies en jeu que celles de son épouse et de sa fille ; par ailleurs, Stanley était un pro qui pouvait se passer de ses conseils. D'un autre côté, rester ici à guetter un coup de fil ou un flash à la radio était pire que tout. Alors il retourna derrière son bureau, ouvrit un tiroir, et sortit son Beretta 45 automatique dont il accrocha l'étui à sa ceinture, contre la hanche droite. Il nota que Chavez avait pris lui aussi son arme de protection.

« Allons-y.

— Attends... » Chavez décrocha le téléphone de Clark pour appeler le bâtiment du deuxième groupe.

« Adjudant Price, répondit la voix.

— Eddie, c'est Ding. John et moi, on file là-bas. Tu as le commandement du groupe Deux.

— Oui, mon commandant, bien compris. Le commandant Covington et ses hommes sont aussi bons que nous et, de toute façon, nos gars sont déjà harnachés et parés à se déployer.

— Très bien. J'ai pris ma radio.

— Bonne chance, mon commandant.

— Merci, Eddie. » Chavez raccrocha. « Allons-y, John. »

Cette fois-ci, Clark avait un chauffeur, mais il se retrouva dans les mêmes embouteillages que Noonan et adopta la même solution, fonçant sur la bande d'arrêt d'urgence, klaxon bloqué et feux de détresse allumés. Ce qui aurait dû n'être qu'un trajet de dix minutes en prit finalement vingt.

« Qui est à l'appareil ?

— Le commissaire Fergus Macleash, répondit le flic à l'autre bout de la ligne. Et vous ?

— Patrick Casey fera provisoirement l'affaire, répondit Grady, sur un ton suffisant. Avez-vous déjà contacté l'Intérieur ?

— Oui, monsieur Casey, c'est fait. » Macleash regarda Stanley et Bellow qui écoutaient la communication sur l'ampli. Les trois hommes se trouvaient au PC installé à huit cents mètres de l'hôpital.

« Quand relâcheront-ils les prisonniers comme nous l'avons demandé ?

— Monsieur Casey, la plupart des fonctionnaires du ministère ne sont pas encore rentrés de déjeuner. Pour l'instant, les types avec qui j'ai parlé à Londres essaient de les localiser pour leur demander de rejoindre leurs bureaux. En bref, je n'ai pas encore pu m'entretenir avec un haut responsable, voyez-vous.

— Je vous suggère de leur dire de se dépêcher d'aller les chercher. Je ne suis pas d'un naturel patient.

— J'ai besoin de votre assurance que d'ici là personne ne sera maltraité, hasarda le commissaire.

— Hormis l'un de vos agents, personne n'a souffert... jusqu'à présent. Cela changera si vous prenez des mesures contre nous et cela changera également si vos amis londoniens nous laissent mariner trop longtemps. Est-ce que vous m'avez compris ?

— Oui, monsieur, j'ai parfaitement compris.

— Vous avez deux heures avant qu'on ne commence à éliminer les otages. Ce n'est pas la quantité qui manque, voyez-vous...

— Vous êtes bien conscient que si jamais vous touchez à un otage, cela changera la situation du tout au tout, monsieur Casey ? Ma capacité à négocier en votre nom sera grandement réduite si vous franchissez cette ligne.

— Ça, c'est votre problème, pas le mien, fut la réponse, une réponse glaciale. J'ai plus de cent personnes, ici, dont la femme et la fille du chef de votre brigade antiterroriste. Elles seront les premières à pâtir de votre inaction. Il vous reste désormais une heure cinquante-huit minutes pour commencer à libérer l'ensemble des prisonniers politiques détenus à Albany et à Pankhurst. Je vous suggère de ne plus perdre de temps. Au revoir ! » Et la ligne fut coupée.

« Il ne plaisante pas, observa le Dr Bellow. À la voix, c'est un homme mûr, la quarantaine. Il a confirmé qu'il connaissait l'identité de Mmes Clark et Chavez. Nous avons en face de nous un professionnel, et qui dispose de renseignements inhabituellement précis. D'où peut-il les tenir ? »

Bill Tawney regarda par terre. « Aucune idée, docteur. On soupçonnait que certaines personnes pouvaient s'intéresser à nous, mais tout cela reste déroutant.

— D'accord. La prochaine fois qu'il appelle, je lui parle, décida Bellow. Je verrai si je parviens à le calmer un peu.

— Peter, c'est Stanley, lança Rainbow Cinq, en se servant de sa radio de campagne.

— Covington, j'écoute.

— Vous en êtes où, pour l'instant ?

— J'ai déployé deux tireurs pour surveiller la zone et recueillir des informations, mais je garde tous les autres à proximité. J'attends à présent qu'on m'apporte les plans des lieux. À l'heure qu'il est, je n'ai aucune estimation précise du nombre de sujets et d'otages retenus à l'intérieur. » La voix hésita avant de poursuivre. « Je recommande qu'on considère de faire intervenir également le groupe Deux. C'est un gros bâtiment à couvrir avec seulement huit hommes, si jamais on doit s'y introduire. »

Stanley était d'accord. « Très bien, Peter. Je vais les prévenir. »

« Qu'est-ce que dit la jauge ? demanda Malloy, regardant vers le sol tandis qu'ils tournaient autour de l'hôpital.

— Trois bonnes heures et demie d'autonomie, colonel », répondit le lieutenant Harrison. Nance avait sorti les filins de descente et accroché les mousquetons aux œillets fixés au plancher de l'appareil. Cela fait, il s'était assis sur le strapontin installé en retrait entre les sièges du pilote et du copilote, son pistolet bien en évidence dans l'étui d'épaule. Comme les autres, il écoutait les communications sur sa radio de campagne.

« Eh bien, on risque d'être là pour un bout de temps, nota le Marine.

— Colonel, qu'est-ce que vous pensez de...

— J'en pense que ça ne me dit rien qui vaille, lieutenant. En dehors de ça, on ferait mieux de ne pas trop penser. » Une réponse bidon, tout le monde à bord du Night Hawk en était conscient. Il aurait été plus facile de dire à la planète de cesser de tourner que de demander à des hommes dans une telle situation de cesser de penser. Malloy continuait d'observer en bas l'hôpital, en estimant des angles d'approche en vue d'un déploiement au filin ou au harnais. La tâche ne paraissait pas insurmontable, s'il fallait en venir là.

La vue panoramique depuis l'hélico était bien utile. Malloy pouvait embrasser l'intégralité du site : on voyait des voitures garées partout, ainsi que plusieurs camions, près des bâtiments. Les voitures de police étaient reconnaissables à leurs gyrophares bleus, et toute circulation dans le secteur avait été quasiment interrompue. Ailleurs, en revanche, l'ensemble du réseau routier était totalement bloqué, du moins les voies menant à l'hôpital. Évidemment, celles quittant la zone restaient entièrement ouvertes. Un camion de télévision apparut comme par magie et vint s'installer à huit cents mètres du centre hospitalier, sur une colline où plusieurs autres véhicules s'étaient déjà arrêtés... sans doute des badauds venus se rincer l'œil, songea le Marine. C'était imparable, aussi imparable que des vautours venus tourner autour d'une carcasse. Écœurant... et tellement humain.

Popov se retourna au bruit du camion blanc de la télévision, s'arrêtant à moins de dix mètres du pare-chocs arrière de sa Jaguar. Le véhicule était muni d'une antenne satellite sur le toit et à peine s'était-il immobilisé que plusieurs types en descendaient. L'un escalada l'échelle latérale pour orienter la parabole. Un autre installa une caméra vidéo et un troisième, manifestement le reporter, apparut en costume-cravate. Il échangea rapidement quelques mots avec les deux techniciens puis se retourna pour regarder vers le pied de la colline. Popov décida de les ignorer.

Enfin, se dit Noonan, en arrivant à l'autre relais de téléphone cellulaire. Il gara sa voiture, descendit, sortit les clés que le technicien lui avait données. Trois minutes plus tard, il avait effectué la reconfiguration logicielle. Il alluma sa radio de campagne.

« Stanley pour Noonan, à vous.

— Stanley en fréquence.

— OK, Al, je viens de couper l'autre relais cellulaire. Tous les mobiles du secteur devraient être HS, à présent.

— Excellent travail, Tim. Rappliquez, maintenant.

— Bien compris, j'arrive. » L'agent du FBI rajusta son casque pour placer le micro juste devant sa bouche avant de remonter en voiture et

242

de reprendre la route de l'hôpital. *OK, bande de salopards, essayez donc maintenant de vous servir de vos putains de bigophones.*

Comme toujours dans les situations graves, nota Popov, il était impossible de savoir ce qui se passait. Une bonne quinzaine de véhicules de police étaient visibles, sans compter les deux camions militaires venus de la base d'Hereford. Ses jumelles ne lui permettaient pas de reconnaître les visages, mais après tout il n'avait vu de près qu'un seul de ces types, et comme c'était le chef de l'unité, il devait se trouver à l'abri dans son poste de commandement, à l'écart de la scène... à supposer même qu'il soit là.

Deux hommes portant des étuis allongés, sans doute des tireurs d'élite, s'étaient peu auparavant éloignés des camions recouverts de peinture camouflage ; ils étaient désormais invisibles, quoique... si... grâce à ses jumelles, il parvenait à en repérer un, tache verte qui n'était pas là quelques instants plus tôt. Malin. Il devait se servir de sa lunette de visée pour inspecter les fenêtres et tâcher de voir ce qui se passait à l'intérieur des bâtiments, ensuite de quoi il s'empresserait de rendre compte à son chef. Le second tireur d'élite devait également être planqué quelque part dans les parages, mais Popov ne réussit pas à le repérer.

« Commandement pour Fusil Un-Deux, appela Fred Franklin.

— Un-Deux pour commandement, j'écoute, répondit Covington.

— Je suis en position, je domine le bâtiment, mais je ne vois rien du tout par les fenêtres du rez-de-chaussée. De vagues mouvements derrière les rideaux au second, comme si des gens essayaient de regarder dehors, mais c'est tout.

— Bien compris, merci, continuez votre surveillance.

— Bien compris. Fusil Un-Deux terminé. » Quelques secondes plus tard, Houston confirmait. Les deux hommes étaient juchés sur leur perchoir, parfaitement dissimulés grâce à leur tenue camouflée.

« Pas trop tôt », dit Covington. Une voiture de police venait d'arriver, avec les plans de l'hôpital. La gratitude de Peter fut de brève durée, une fois qu'il eut jeté un œil aux deux premiers feuillets. Il y avait des dizaines de chambres, en majorité situées dans les étages, et toutes pouvaient dissimuler un homme armé qu'il faudrait déloger... circonstance aggravante, la plupart devaient être occupées par des malades, ce qui empêchait de recourir aux grenades. Maintenant qu'il était prévenu, le seul avantage immédiat était qu'il pouvait désormais mesurer pleinement la difficulté de l'opération.

« Sean ? »

Grady se retourna. « Oui, Roddy ? »

— Les voilà », indiqua Sean. Les soldats vêtus de noir étaient planqués derrière leurs véhicules militaires, à quelques mètres seulement des camions que les Irlandais avaient garés sur le site.

« J'en compte que six, fils, dit Grady. On en attendait une bonne dizaine...

— C'est pas le moment de faire la fine bouche, Sean... »

Grady rumina la question quelques secondes, puis il regarda sa montre. Il s'était accordé entre trois quarts d'heure et une heure pour cette mission. Plus, et il risquait de laisser trop de temps à l'adversaire pour s'organiser. Ils arrivaient à moins de dix minutes de la limite inférieure. Jusqu'ici, tout s'était déroulé selon le plan. Ils allaient bloquer la circulation sur les routes, mais uniquement pour se rendre vers l'hôpital, pas pour quitter le coin. Il avait ses trois gros camions, le fourgon et deux voitures particulières, tous garés à moins de cinquante mètres de l'endroit où il se trouvait. Ils n'avaient pas encore abordé la partie cruciale du boulot, mais tous ses gars savaient ce qu'ils devaient faire. Roddy avait raison, il était temps de passer à l'action. Grady adressa un signe de tête à son subordonné, sortit son téléphone mobile, pressa la touche mémoire de Timothy O'Neil.

Mais rien ne se passa. Il porta le combiné à son oreille mais tout ce qu'il entendit, ce fut le bip-bip précipité signalant que l'appel n'avait pu être acheminé. Ennuyé, il pressa la touche fin et renouvela l'appel... pour obtenir le même résultat.

« Qu'est-ce que... ? » Il fit une troisième tentative. « Roddy, passe-moi ton téléphone. »

Sands le lui tendit. Les deux appareils étaient de la même marque et ils avaient été programmés de manière identique. Il pressa la même touche mémoire et obtint à nouveau un signal de réseau saturé. Plus perplexe que fâché, Grady n'en eut pas moins soudain comme une drôle de sensation au creux de l'estomac. Il avait prévu tout un tas de trucs mais pas ça. Pour que la mission réussisse, il fallait une coordination parfaite entre ses trois groupes. Tous savaient ce qu'ils devaient faire, mais pas à quel moment, du moins pas avant qu'il leur ait donné le top.

« Putain de merde », souffla-t-il, au grand étonnement de Roddy Sands. Grady tenta alors de contacter simplement le standard de leur opérateur de téléphone, sans, cette fois encore, obtenir autre chose que ce signal de réseau saturé. « Ces putains de mobiles ont cessé de fonctionner. »

« Ça fait déjà un bout de temps qu'il ne nous a pas donné de ses nouvelles, remarqua le Dr Bellow.

— Et il ne nous a toujours pas indiqué de numéro où le rappeler.

— Essayez donc celui-ci. » Tawney lui tendit une liste manuscrite des postes de l'hôpital. Bellow choisit le standard des urgences et composa le numéro sur son mobile, en prenant soin de le faire précéder de l'indicatif 777. Le poste sonna une demi-minute avant qu'on vienne décrocher.

« Oui ? » La voix avait un accent irlandais, mais c'était celle d'un autre.

« J'aurais besoin de parler à M. Casey », dit le psychiatre, en passant la communication sur l'ampli.

« Il n'est pas ici pour l'instant.

— Pourriez-vous aller me le chercher, je vous prie ? Il faut que je lui dise quelque chose.

— Un instant », dit la voix.

Bellow appuya sur la touche secret. « Pas le même type. Où est Casey ?

— Ailleurs dans l'hôpital, j'imagine », suggéra Stanley, mais la réponse était d'autant moins convaincante qu'il s'écoula plusieurs minutes sans que personne vienne au bout du fil.

Noonan avait dû expliquer qui il était à deux barrages de police successifs, mais l'hôpital était désormais en vue. Il prévint de son arrivée par radio, indiquant à Covington qu'il serait là dans cinq minutes, pour s'entendre répondre que la situation n'avait pas évolué.

Clark et Chavez descendirent de leur véhicule à cinquante mètres des camions verts qui avaient amené les hommes du groupe Un sur le site. Le groupe Deux était maintenant en route, acheminé lui aussi dans des camions verts de l'armée britannique, avec une escorte de motards de la police pour leur ouvrir le passage. Chavez avait sur lui une collection de photos de terroristes identifiés de l'IRA, récupérées sur le bureau du service renseignements. Le plus dur, découvrit-il, était d'empêcher ses mains de trembler — de peur ou de rage, il n'aurait su dire. Il devait mobiliser toutes les ressources acquises au fil d'années d'entraînement pour ne songer qu'à la mission et ne pas s'inquiéter pour sa femme, sa belle-mère... et son fils à naître. Le seul moyen pour lui était d'examiner ces photos et de ne surtout pas contempler le paysage, car ce qu'il avait entre les mains, c'étaient des visages à traquer et tuer, alors que la verdure autour de l'hôpital n'évoquait qu'un paysage désert où régnait le danger. Dans ce genre de circonstances, l'attitude à adopter était de serrer les dents et de faire comme si on maîtrisait la situation, mais Chavez était en train de découvrir que s'il était facile d'être courageux pour soi, affronter le danger pour quelqu'un qu'on aimait était une tout autre histoire, où le courage n'avait plus aucune importance quand la seule chose à faire était... de rester les bras croisés. Vous étiez spectateur, rien de plus, témoin d'une compétition obscène dans laquelle des vies chères couraient un immense danger, mais où vous n'aviez pas voix au chapitre. Il n'avait d'autre choix que de se fier au professionnalisme de l'équipe de Covington. Une partie de son esprit lui soufflait que Peter et ses gars les valaient bien, lui et les siens, et que si un sauvetage était possible, ils le réaliseraient certainement — malgré tout, ce n'était pas la même chose que d'être sur place en personne, d'assumer les responsabilités et de se charger du boulot soi-même. Un peu plus tard dans la journée, il tiendrait de nouveau sa femme dans ses bras — ou bien elle et l'enfant qu'elle portait lui seraient ravis à jamais. Ses mains étreignirent nerveusement les photos retouchées par ordinateur, cornant le papier, et le seul réconfort qu'il trouvait en ce moment venait du poids du pistolet lestant l'étui accroché à sa hanche, sous la ceinture. La sensation d'un objet familier mais, se rappela-t-il aussitôt, inutile pour l'instant, et sans doute voué à le rester.

« Bon, alors comment dois-je vous appeler ? demanda Bellow, sitôt que la ligne fut rétablie.

— Vous pouvez m'appeler Timothy.

— Très bien, fit le psychiatre d'une voix aimable, moi c'est Paul.

— Vous êtes américain, observa O'Neil.

— C'est exact. Comme les otages que vous détenez, le Dr Chavez et Mme Clark.

— Et alors ?

— Alors, je croyais que vos ennemis étaient les Britanniques, pas nous autres Américains. Vous n'ignorez pas que ces deux femmes sont la mère et la fille, n'est-ce pas ? » Il devait forcément le savoir, Bellow n'en doutait pas, raison pour laquelle il pouvait faire comme s'il lui livrait une information.

« Oui, répondit la voix.

— Saviez-vous en revanche qu'elles sont toutes les deux catholiques, comme vous ?

— Non.

— Eh bien, elles le sont, lui assura Bellow. Vous pouvez leur demander. Au fait, le nom de jeune fille de Mme Clark est O'Toole... C'est une citoyenne américaine, de confession catholique et d'origine irlandaise. Ce qui fait d'elle votre ennemie, n'est-ce pas, Timothy ?

— Elle... son mari est... je veux dire...

— C'est également un citoyen américain catholique d'origine irlandaise, et pour autant que je sache, il n'a jamais entrepris la moindre action contre vos compatriotes ou votre mouvement. C'est pourquoi j'ai du mal à saisir pourquoi vous menacez leur vie.

— Son mari est le chef de cette racaille de Rainbow, qui assassine des gens pour le compte du gouvernement britannique.

— Non, en réalité c'est faux. Rainbow est un organisme qui dépend en fait de l'OTAN. La dernière fois que nous sommes intervenus, c'était pour sauver une trentaine d'enfants. J'y étais, moi aussi. Ceux qui les détenaient en ont assassiné un, une petite Hollandaise prénommée Anna. Elle était condamnée, Timothy. Elle avait un cancer, mais ces gens n'avaient pas le temps d'attendre. Ils l'ont abattue, froidement, d'une balle dans le dos. Vous avez dû le voir à la télé. Ce n'est pas le genre d'acte que ferait un bon chrétien, tuer ainsi une petite fille... Et le Dr Chavez est enceinte. Je suis sûr que vous pouvez le voir. Si vous la touchez, avez-vous pensé à l'enfant ? Ce ne sera pas seulement un meurtre, Timothy. Vous vous rendrez également coupable d'un avortement. Je connais l'opinion des autorités épiscopales sur cette question. Vous aussi. Le gouvernement de votre pays aussi. Je vous en conjure, Timothy, avez-vous bien pesé les conséquences de ce que vous menacez d'accomplir ? Ces gens sont des êtres de chair et de sang, pas des abstractions, et le bébé dans le ventre du Dr Chavez est un être de chair et de sang, lui aussi... À propos, ajouta le psychiatre, j'ai toujours quelque chose à dire à M. Casey. L'avez-vous retrouvé, depuis le temps ?

— Je... non, non, il ne peut pas venir au téléphone pour le moment.

— Entendu. Il va falloir que je raccroche. Si je rappelle à ce même poste, est-ce que vous serez là pour répondre ?

— Oui.

— Bien. Je vous rappelle dès que j'ai du nouveau pour vous. » D'une pichenette, Bellow coupa la communication. « Bonne nouvelle. Un type différent, plus jeune, nettement moins sûr de lui. J'ai matière à influer sur lui : c'est un catholique sincère, du moins c'est ainsi qu'il se voit. Cela signifie une conscience et des règles. Je peux travailler sur celui-ci, conclut-il avec sobriété mais confiance.

— Oui, mais où est passé l'autre ? intervint Stanley. À moins que...

— Hein ? fit Tawney.

— À moins qu'il ne soit plus là.

— Comment ça ? fit le psy.

— À moins qu'il ait foutu le camp. Merde, c'est lui qui nous a appelés la première fois ; or il ne s'est plus manifesté depuis un bon bout de temps. Est-ce qu'il n'aurait pas dû ? »

Bellow hocha la tête. « Assurément, si.

— Sauf que Noonan a intercepté les communications des mobiles », fit remarquer Stanley. Il alluma sa radio de campagne. « PC en fréquence. Cherchez-moi un individu qui essaie de se servir d'un téléphone mobile. Il se pourrait qu'on ait affaire à deux groupes de sujets. Accusez réception.

— PC, de Covington, bien reçu. »

« Bordel ! gronda Malloy, du haut de son hélicoptère.

— On redescend d'un poil ? proposa Harrison.

— Non, fit le Marine avec un hochement de tête. À cette altitude, on a des chances de passer inaperçus. Continuons comme ça pour le moment. »

« Comment ça ? observa Chavez en lorgnant son beau-père.

— Une entrée-sortie ? » proposa John.

Grady était à deux doigts de perdre patience. Il avait essayé à sept reprises en tout de téléphoner avec son portable, retombant à chaque fois sur cet irritant signal « occupé ». Il bénéficiait d'une situation tactique virtuellement parfaite mais se trouvait dans l'incapacité de cordonner ses équipes. Ces gars de Rainbow se retrouvaient massés à moins de cent mètres de leurs deux camions Volvo. Toutefois, ça n'allait pas durer. La police du coin n'allait sans doute pas tarder à boucler le secteur. Il y avait peut-être cent cinquante à deux cents personnes aux alentours, massées par petits groupes, dans un rayon de trois cents mètres autour de l'établissement. Le moment était idéal. Toutes les cibles étaient réunies.

Noonan venait de franchir la crête et commençait à redescendre vers la position de l'équipe, tout en se demandant ce qu'il allait bien pouvoir faire. Mettre le bâtiment sur écoute, selon son habitude, exigeait de se rapprocher. Seulement, on était en plein jour, et s'approcher risquait d'être sacrément coton, sans doute impossible avant la nuit tombée. Enfin, il avait toujours accompli sa tâche première : empêcher l'ennemi d'utiliser des téléphones mobiles — s'ils avaient l'occasion de s'en servir, ce qu'il ignorait. Il ralentit en approchant, avisa de loin Peter Covington en grande discussion avec ses tireurs d'élite vêtus de noir.

Chavez et Clark faisaient en gros la même chose, à quelques mètres de la voiture de fonction de Clark.

« Il faut boucler ce périmètre », observa Ding. D'où sortaient toutes ces bagnoles ? Sans doute appartenaient-elles aux gens surpris dans le secteur au début de la fusillade. Il y avait bien entendu le sempiternel camion de télévision, avec sa parabole satellite sur le toit, et apparemment, un journaliste planté à côté, qui bavassait devant une caméra vidéo. Parfait, se dit Chavez, les risques que court ma famille servent à présent à faire de l'audimat.

Grady devait prendre une décision, et vite. S'il voulait remplir sa mission, puis filer, il fallait que ce soit maintenant. Le paquet contenant son arme était posé par terre, près de la voiture de location. Il en confia la garde à Roddy Sands, puis se dirigea vers le dernier camion Volvo de la file.

« Sean, souffla une voix de sous la bâche, ces putains de téléphones ne marchent plus.

— Je sais. On commence dans cinq minutes. Surveille les autres, puis enchaîne comme prévu.

— OK, Sean », répondit la voix. Comme pour ponctuer la réponse, Grady entendit un cliquetis d'armes à l'intérieur, puis il s'approcha du camion suivant pour répéter son message. Puis du dernier. Il y avait trois hommes dans chaque Volvo. Les bâches avaient été découpées, comme des meurtrières dans des fortifications, et les occupants avaient légèrement entrebâillé ces ouvertures pour observer les soldats postés à moins de cent mètres d'eux. Grady retourna vers la Jaguar et consulta sa montre. Il regarda Roddy Sands et lui adressa un signe de tête.

Le camion du groupe Deux abordait la descente vers l'hôpital. La voiture de Noonan était à présent juste devant lui.

Popov surveillait l'ensemble de la zone aux jumelles. Un troisième camion militaire venait d'apparaître. Il l'observa et repéra d'autres hommes assis à l'arrière, sans doute des renforts pour les troupes déjà postées devant l'hôpital. Il reporta son attention vers ce secteur. Un examen plus attentif lui révéla... n'était-ce pas John Clark, là ? Un peu à l'écart des autres. Eh bien, si sa femme était prise en otage, il était logique qu'il laisse la main à un autre pour commander l'opération. Il devait bien avoir un second dans cette unité. Et c'est pour cela qu'il restait planté là sans rien faire, l'air crispé, malgré tout.

« Excusez-moi... » Popov se retourna et découvrit un journaliste accompagné d'un cadreur, et il ferma aussitôt les yeux, pestant en silence.

« Oui ?

— Pourriez-vous nous donner vos impressions sur ce qui se passe ? Et tout d'abord, votre nom, et les raisons de votre présence ici...

— Ma foi, je... je m'appelle... je m'appelle Jack Smith, répondit Popov, de son meilleur accent londonien. Et j'étais venu en balade dans le coin... pour observer les oiseaux, voyez-vous... j'adore profiter de la nature, c'était une journée magnifique, n'est-ce pas, et...

— Monsieur Smith, avez-vous une idée de ce qui se passe ici, en contrebas ?

— Non, non, pas vraiment. » Il n'avait pas quitté des yeux ses jumelles, pour ne pas leur montrer son visage. *Nitchevo !* Pas question ! Il reconnaissait maintenant Sean Grady, debout à côté de Roddy Sands. S'il avait cru en Dieu, il lui aurait rendu grâce pour ce qu'il voyait en ce moment, alors qu'il savait avec précision ce qu'ils devaient penser en cet instant précis.

Grady se pencha et ouvrit son paquet pour en retirer le fusil d'assaut AKMS. Puis il introduisit un chargeur, déplia la crosse, et d'un seul mouvement fluide se redressa en épaulant l'arme. Une seconde plus tard, il visait et tirait dans le groupe de soldats vêtus de noir. Une seconde encore, et les hommes dans les camions l'imitaient.

Il n'y eut pas d'avertissement. Des balles s'écrasèrent sur le côté du camion derrière lequel ils se tenaient à l'abri, mais avant que le groupe Un ait eu le temps de réagir, les projectiles avaient transpercé les corps. Quatre hommes tombèrent dans les deux premières secondes. Aussitôt, les autres s'étaient jetés à terre, cherchant des yeux l'origine des coups de feu.

Noonan les vit s'affaisser et il lui fallut une seconde ou deux pour saisir, interloqué, ce qui se passait. Aussitôt, il lança dans sa radio de campagne : « Alerte ! Alerte ! Le groupe Un est pris à contre-feu ! » Dans le même temps, il cherchait d'où étaient partis les coups... forcément de là, de ce gros camion... L'agent du FBI écrasa l'accélérateur et fonça dans cette direction, la main droite dégainant déjà son pistolet.

Le sergent-chef Mike Chin était à terre, une balle dans chaque cuisse. La soudaineté de l'attaque rendait la souffrance encore plus insupportable. Il ne s'attendait absolument pas à ça, et la douleur le paralysa plusieurs secondes, jusqu'à ce que son entraînement reprenne le dessus et qu'il essaie de ramper pour se mettre à couvert. « Chin est touché, Chin est touché », hoqueta-t-il dans sa radio, puis il se retourna et découvrit alors un autre compagnon à terre, du sang coulant à flots de sa tempe.

La tête du sergent Houston quitta brutalement l'oculaire de la lunette, tournant à droite en entendant le crépitement soudain d'un tir d'armes automatiques. *Merde, qu'est-ce qui se passe ?* Il vit ce qui ressemblait au canon d'un fusil qui dépassait de sous la bâche d'un des camions garés, et aussitôt il orienta son arme vers le haut à droite pour tenter d'acquérir une cible.

Roddy Sands vit bouger quelque chose. Le tireur embusqué était à l'emplacement qu'il avait déjà relevé, mais recouvert comme il l'était de son filet de camouflage, il n'était pas évident à repérer. Seul son mouvement l'avait trahi, et de toute façon, il n'était qu'à cent cinquante mètres. Visant vers le bas sur la gauche, il pressa la détente et maintint le doigt dessus, arrosant la forme au flanc de la colline de deux longues rafales successives.

Houston tira un seul coup qui se perdit car un projectile venait de le toucher à l'épaule droite, transperçant son gilet. Ce dernier était suffisant pour arrêter une balle de pistolet mais certainement pas celle d'une arme automatique. Ni le courage ni la force musculaire ne pouvaient faire fonctionner des os brisés. L'impact le fit se tasser sur lui-même et, une seconde plus tard, Houston avait compris que son bras droit ne lui obéirait plus. D'instinct, il roula sur la gauche, pendant que sa main valide tâtonnait sur la droite pour dégainer son pistolet de service, tout en annonçant par radio qu'il venait d'être touché lui aussi.

Cela se passa mieux pour Fred Franklin : placé trop loin pour offrir une cible facile aux terroristes, il était en outre mieux caché sous sa couverture. Il lui fallut deux ou trois secondes pour se rendre compte de ce qui se passait, mais les cris et les grognements transmis par son écouteur lui indiquèrent que plusieurs membres de l'équipe venaient d'être salement touchés. Il balaya la zone avec sa lunette de visée et vit un canon de fusil dépasser de la bâche d'un des camions. Franklin ôta le cran de sûreté, visa et tira sa première balle de calibre 50. La détonation résonna dans le silence alentour. Le gros fusil de précision Mac-Millan tirait les mêmes cartouches que les gros fusils-mitrailleurs, expédiant un projectile de cinquante-cinq grammes à neuf cents mètres-seconde : la balle couvrit la distance en moins d'un tiers de seconde pour percer un trou de douze millimètres dans la toile de bâche, mais il lui était impossible de savoir s'il avait ou non fait mouche. Il orienta le fusil sur la gauche, cherchant une autre cible. Il vit défiler dans son viseur un autre poids lourd, vit des trous dans la bâche, mais rien à l'intérieur. Encore plus à gauche... là, il y avait un type en train de tirer... exactement dans sa direction. Le sergent-chef Fred Franklin manœuvra le levier d'armement, chargea une seconde balle et visa avec soin.

Roddy Sands était sûr d'avoir touché sa cible, et il cherchait maintenant à l'achever. Sur sa gauche, Sean était déjà retourné dans sa voiture pour démarrer en vue de l'évacuation qui devait commencer dans moins de deux minutes.

Grady entendit le moteur vrombir et il se tourna alors vers son plus fidèle subordonné. Ce dernier venait juste de contourner la voiture quand la balle le cueillit, juste au creux de l'occiput. L'énorme projectile de calibre 50 fit exploser le crâne comme une pastèque, et malgré toute son expérience de terroriste, Grady n'avait jamais vu un truc pareil. Il eut l'impression que seul le maxillaire restait accroché au corps, avant que celui-ci ne disparaisse de son champ visuel. Le groupe Un venait d'éliminer son premier terroriste de la journée.

Noonan arrêta la voiture à quelques centimètres du dernier camion. Il plongea dehors par la porte de droite en entendant le crépitement caractéristique d'une Kalachnikov. Il devait s'agir des ennemis, et ils devaient être tout près. Empoignant à deux mains son pistolet Beretta, il regarda pendant une seconde à l'arrière du camion en se demandant comment... oui... il y avait un marchepied sous la ridelle arrière. Il posa un pied botté, se hissa. Il glissa le pistolet sous sa ceinture et sortit son couteau de combat à lame crantée pour trancher les cordes arrimant la bâche. Soulevant un coin de sa main libre, il vit trois hommes à l'intérieur, en train de tirer un feu nourri sur le côté gauche. Bien. Il ne jugea pas vraiment nécessaire de leur lancer une quelconque sommation. Penché vers l'intérieur, la main gauche relevant la toile, il visa avec la droite. Son doigt pressa doucement la détente et la tête de l'homme le plus proche de lui fut projetée brutalement sur la droite, puis le corps s'affaissa. Les autres étaient trop distraits par le fracas de leurs propres armes pour entendre la détonation du pistolet. Noonan rajusta aussitôt sa prise pour tirer une deuxième balle en visant la tête suivante. Le troisième homme sentit le corps heurter le sien et se retourna pour regarder. Ses yeux s'agrandirent. Il s'écarta d'un bond de la ridelle en ramenant son fusil-mitrailleur vers la gauche, mais pas assez vite. Noonan lui logea deux balles dans la poitrine, puis rectifiant sa visée pour compenser le recul, il lui expédia la troisième dans le nez. Elle ressortit par le bulbe rachidien, mais déjà le type était passé de vie à trépas. Noonan considéra d'un œil froid ses trois cibles et, certain de leur mort, redescendit du camion pour s'approcher du suivant. Il s'arrêta pour introduire un chargeur neuf, tandis qu'une partie lointaine de son esprit constatait que Timothy Noonan était passé en pilotage automatique, qu'il évoluait presque sans pensée consciente.

Grady mit le pied au plancher, tout en écrasant

le klaxon. C'était le signal pour les autres de dégager. Y compris ceux qui se trouvaient à l'intérieur de l'hôpital et qu'il n'avait pu alerter avec son téléphone mobile.

« Dieu du ciel ! s'écria Tim O'Neil quand les premières balles furent tirées. Bon Dieu de merde, pourquoi n'a-t-il pas...

— Trop tard pour t'inquiéter de ça, Timmy », nota Barry en faisant signe à son frère de foncer comme lui vers la porte. Jimmy Carr était là, et le dernier membre du commando à l'intérieur du bâtiment les rejoignit dix secondes plus tard, émergeant par la porte de l'escalier d'incendie.

« Il est temps de dégager, les mecs », leur annonça O'Neil. Il regarda leurs deux otages, faillit leur faire signe de les accompagner, mais celle qui était enceinte risquait simplement de les ralentir, alors qu'il y avait une bonne trentaine de mètres à parcourir pour rejoindre sa camionnette. Le plan était tombé à l'eau, même s'il en ignorait les raisons, et il n'y avait plus qu'une chose à faire : se tirer d'ici au plus vite.

Le troisième camion militaire s'arrêta quelques mètres derrière la voiture personnelle de Noonan. Eddie Price descendit le premier, le MP-10 dans les mains, et il s'accroupit aussitôt, regardant alentour, cherchant à identifier les bruits. Quoi qu'il se passe, ça allait bougrement trop vite, et il n'avait aucun plan. Il avait certes reçu une instruction de simple fantassin, mais ça remontait à vingt ans. Depuis, il avait été affecté aux opérations spéciales et il était censé connaître à l'avance toutes les phases d'une mission avant de s'y lancer. Mike Pierce vint s'accroupir à côté de lui.

« Bordel, mais qu'est-ce qui se passe, Eddie ? »

Juste à cet instant, ils virent Noonan sauter du camion Volvo et remettre un nouveau chargeur dans son pistolet. L'agent du FBI les remarqua et leur fit signe d'avancer.

« Je suppose qu'il vaut mieux le suivre », dit Price. Louis Loiselle apparut aux côtés de Pierce et les deux hommes s'ébranlèrent. Paddy Connolly les rejoignit, plongeant la main dans son sac pour en tirer une grenade.

O'Neil et ses quatre gars jaillirent de la porte des urgences et foncèrent vers la camionnette sans se faire repérer ou intercepter. Il avait laissé les clés sur le contact et le véhicule s'était ébranlé avant que les autres aient une chance de fermer les grilles.

« Alerte, alerte, lança Franklin par la radio. On a des sales gueules qui cherchent à quitter l'hôpital. Quatre apparemment, à bord d'un fourgon marron. » Puis il fit pivoter son fusil, visa juste derrière le pneu avant gauche et tira.

Le projectile de gros calibre transperça l'aile comme une vulgaire feuille de papier journal, pour aller se loger dans le carter du six-cylindres. Elle pénétra dans le premier, grippant aussitôt le piston, entraînant le blocage presque immédiat du moteur. Le fourgon fit une brusque embardée sur la gauche, manquant de peu verser, avant de retomber brutalement sur ses roues.

O'Neil hurla un juron et voulut redémarrer aussitôt, mais sans succès. Le moteur du démarreur ne pouvait pas décoller le vilebrequin bloqué. O'Neil ne savait pas pourquoi, mais son engin était en rade, et il se retrouvait coincé à découvert.

Franklin constata les dégâts avec un certain plaisir et engagea dans la chambre une autre balle. Il destinait celle-ci à la tête du chauffeur. Il la centra dans le réticule et pressa la détente mais au même instant, la tête bougea et le coup passa à côté, manquant son objectif de quelques centimètres. C'était la première fois que Franklin ratait sa cible. Il quitta de l'œil le viseur, légèrement ébahi, puis rechargea son arme.

Homer Johnston et Dieter Weber avaient toujours leur fusil rangé dans son étui et comme il était à présent douteux qu'ils aient l'un ou l'autre à en faire usage, ils avaient décidé de ne garder que leurs pistolets. Postés en retrait du groupe, ils virent Eddie Price découper un trou à l'arrière de la bâche du deuxième Volvo. Paddy Connolly dégoupilla sa grenade et la balança à l'intérieur. Deux secondes plus tard, l'explosion de la charge pyrotechnique débâchait totalement le véhicule. Pierce et Loiselle bondirent sur le plateau, l'arme à la main, mais les trois hommes avaient été assommés par la déflagration. Pierce se précipita pour les désarmer, jeta leurs armes hors du camion et s'agenouilla au-dessus d'eux.

Dans chacun des trois Volvo, l'un des hommes armés devait également servir de chauffeur. Pour le premier de la file, il s'appelait Paul Murphy et, en même temps qu'il tirait, il n'avait cessé de surveiller du coin de l'œil la Jaguar de Sean Grady. Il la vit démarrer et aussitôt lâcha son arme pour retourner dans la cabine, s'installer dans le siège du conducteur et mettre le contact. Soudain, levant les yeux, il vit un corps qui ne pouvait être que celui de Roddy Sands, mais il était décapité. Merde, que s'était-il passé ? Puis il vit Sean mettre le bras à la portière et, d'un mouvement tournant, fit signe au camion de le suivre. Murphy embraya. Un coup d'œil sur la gauche lui permit de constater que le fourgon de Tim O'Neil s'était immobilisé au beau milieu du parking de l'hôpital. Son premier réflexe fut d'obliquer pour aller récupérer ses camarades, mais la manœuvre n'était pas évidente, et Sean continuait d'agiter le bras avec insistance, aussi décida-t-il de suivre son chef. Derrière, l'un des tireurs, le fusil-mitrailleur à la main, souleva le pan arrière de la bâche pour voir si les autres suivaient, mais aucun des camions n'avait démarré et il y avait des types en noir tout autour...

... L'un d'eux était le sergent Scotty McTyler qui venait de lever son MP-10 pour viser. Il tira une rafale de trois coups vers la tête qui se détachait au loin, et eut la satisfaction d'en voir jaillir une gerbe rose avant qu'elle ne disparaisse de son champ visuel.

Popov n'avait jamais assisté à une bataille ; pourtant c'était bien ce dont il était le témoin en ce moment : un chaos indescriptible, avec des gens qui semblaient courir partout sans raison apparente. Du côté des types en noir, trois gisaient déjà près du camion après la première fusillade, mais les autres semblaient lancés à la poursuite de la Jaguar (presque la copie conforme de la sienne) et du poids lourd qui étaient en train de quitter le parking. À moins de trois mètres de lui, le journaliste de la télé parlait à toute vitesse dans son micro, tandis que son cadreur avait braqué sa caméra vers le pied de la colline. Popov était certain que le spectacle devait être passionnant à contempler de son salon. Comme il était certain qu'il était désormais grand temps pour lui de s'éclipser.

Le Russe remonta dans sa voiture et démarra sur les chapeaux de roues, arrosant de gravier l'équipe de télévision.

« Je les ai, Ours les a », annonça Malloy en réduisant le pas collectif pour descendre à mille pieds environ. Son regard d'aviateur était rivé sur les deux véhicules qui progressaient sur la route en dessous de lui. « Quelqu'un a pris le commandement de ce désastre ? » s'enquit ensuite le Marine.

« Monsieur C. ? demanda Ding.

— Ours pour Six. C'est moi qui ai pris le commandement. » Clark et Chavez retournèrent au pas de course vers la voiture de service de

Clark et montèrent à bord tandis que leur chauffeur, sans se faire prier, se lançait à la poursuite des fuyards. Caporal dans la police militaire britannique, il n'avait rien à voir avec les hommes de Rainbow et les jalousait même quelque peu, mais plus maintenant.

La course était gagnée d'avance : le Volvo avait un moteur puissant, mais il ne faisait pas le poids contre la Jaguar V-8 lancée à sa poursuite.

Paul Murphy regarda dans son rétro, étonné de découvrir derrière eux une Jaguar quasiment identique à celle de Sean qui ouvrait toujours la marche. Il se tourna pour prévenir ses compagnons et découvrit que l'un d'eux gisait à terre, visiblement mort, au milieu d'une mare de sang qui s'étalait, poisseuse, sur le plancher de tôle. L'autre se tenait planqué.

« Ici Price. Où êtes-vous, tous ? Où sont les sujets ?

— Price pour Fusil Un-Deux. Je crois que nous avons un ou plusieurs sujets dans le fourgon immobilisé devant l'hôpital. Je leur ai flingué le moteur. Ils n'iront plus nulle part, Eddie.

— Parfait. » Price regarda alentour. La situation semblait en passe d'être maîtrisée. Il avait l'impression d'avoir subi une tornade et de contempler sa ferme dévastée en essayant de comprendre ce qui s'était passé. Il prit une grande inspiration et, bien vite, la responsabilité du commandement reprit ses droits : « Connolly et Lincoln, filez à droite. Tomlinson et Vega, descendez la colline par la gauche. Patterson, avec moi. McTyler et Price, vous gardez les prisonniers. Weber et Johnston, descendez rejoindre le groupe Un voir comment ils s'en tirent. Exécution ! Au trot ! ajouta-t-il en conclusion.

— Price, de Chavez, entendit-il dans sa radio.

— Oui, Ding.

— Quelle est la situation ?

— Nous avons deux ou trois prisonniers, un fourgon avec un nombre non défini de sujets planqués à l'intérieur, et Dieu sait quoi d'autre. J'essaie de voir où on en est. Terminé. »

« Haut les cœurs, Domingo ! dit Clark, assis à l'avant gauche de la Jaguar.

— Compris cinq sur cinq, John ! répliqua Chavez.

— Caporal... Mole, c'est bien ça ?

— Oui, mon général », dit le chauffeur sans que ses yeux dévient d'un millimètre.

« Bien, caporal, faites-nous remonter à sa hauteur, par la droite. On va lui faire éclater le pneu avant. En tâchant de ne pas se manger ce putain de bahut quand ça se produira.

— Très bien, mon général, répondit le sous-officier sans se démonter. C'est parti. »

La Jaguar bondit et, en vingt secondes, elle était parvenue au niveau du Volvo diesel. Clark et Chavez descendirent leur vitre, et alors qu'ils roulaient maintenant à plus de cent dix, ils se penchèrent vers l'extérieur.

Cent mètres devant, Sean Grady était partagé entre la rage et l'état de choc. Qu'est-ce qui avait bien pu foirer ? Les premières rafales tirées par ses hommes avaient dû tuer un certain nombre d'ennemis en tenue noire mais ensuite... que s'était-il passé ? Il avait élaboré un plan impeccable et ses gars l'avaient réalisé à la lettre au début... et puis, il y avait eu ces putains de téléphones ! Qu'est-ce qui leur avait pris ? Ils avaient tout flanqué par terre. Malgré tout, la situation semblait s'arranger à peu près. Il était à dix minutes du centre commercial où il comptait abandonner la voiture après l'avoir garée, puis se fondre dans la foule, rejoindre un autre parking, monter dans un autre véhicule de location et se rendre à Liverpool prendre le ferry du retour. Il allait se tirer de ce mauvais pas, tout comme les gars dans le camion derrière lui... il jeta un coup d'œil dans le rétro. Merde, qu'est-ce que c'était encore ?

Le caporal Mole avait manœuvré comme un chef : se rapprocher d'abord du camion par la gauche puis, au dernier moment, ralentir et foncer par la droite. Le chauffeur avait été pris par surprise.

À l'arrière, Chavez aperçut le visage de l'homme. Le teint très clair, les cheveux roux, le vrai Irlandais pur souche, nota Domingo tout en braquant son pistolet vers la roue avant droite.

« Vas-y ! » lança Clark, assis à l'avant. Au même moment, leur chauffeur appuya sur la gauche.

Paul Murphy vit la voiture se rapprocher et donna machinalement un coup de volant à gauche pour l'éviter. Puis il entendit des coups de feu.

Clark et Chavez avaient tiré plusieurs balles chacun, et ils n'étaient qu'à quelques dizaines de centimètres de la roue. Tous les projectiles firent mouche, juste au ras de la jante : transpercé de trous de près de quinze millimètres de diamètre, le pneu se dégonfla rapidement. La Jaguar l'avait à peine dépassé que le camion se rabattait sur la droite. Le chauffeur voulut freiner pour ralentir, réaction machinale qui ne fit qu'aggraver la situation : le Volvo piqua vers la droite, le freinage inégal amplifia la dérive, alors que la jante avant droite venait au contact du revêtement. L'arrêt brutal fit basculer le véhicule qui se mit à glisser sur le côté à plus de cent à l'heure. Si robuste qu'il soit, l'engin n'avait pas été prévu pour ce genre de cascade, et quand il partit en tonneau, la caisse commença à se désintégrer.

Le caporal Mole craignit un moment de voir la caisse renversée envahir tout le champ de son rétro, mais bien vite l'épave du Volvo perdit du terrain tandis qu'il se rabattait sur la gauche et accélérait légèrement pour être sûr que l'épave ne risque pas de les rattraper. Rassuré, il se permit de ralentir tout en surveillant dans le rétro le poids lourd qui continuait de valdinguer comme un gros jouet, semant sur son passage des fragments de carrosserie.

« *Jesucristo !* » s'exclama Ding en se retournant pour regarder. Il crut voir ce qui ne pouvait être qu'un corps être éjecté de la carcasse atterrir sur le bitume et poursuivre ses cabrioles à la même vitesse que le Volvo.

« Arrêtez la voiture ! » ordonna Clark.

Mole fit mieux : une fois arrêté, il repartit en marche arrière jusqu'à quelques mètres de l'épave.

Chavez descendit le premier ; le pistolet tenu à deux mains, il s'avança vers le véhicule. « Ours, de Chavez, vous me recevez ?

— Ours vous copie.

— Voyez si vous pouvez rattraper la bagnole, d'ac ? Pour le camion, ça m'a l'air d'une affaire réglée. »

« Bien compris, Ours entame la poursuite.

— Colonel ? » C'était le sergent Nance dans l'interphone.

« Ouais ?

— Vous avez vu comment ils ont fait ?

— Ouais... vous pensez pouvoir faire pareil ?

— J'ai mon pistolet, colonel.

— Eh bien, les gars, c'est l'heure d'attaquer les bouseux. » Il réduisit encore le pas collectif, amenant le Night Hawk à cent pieds au-dessus de la route. Il était derrière la voiture qu'il filait, et à contre-jour. À moins que l'autre salaud n'ait l'idée de regarder par la verrière du toit, il n'avait aucun moyen de se douter de la présence de l'hélico.

« Un signal ! s'écria Harrison en redonnant du pas cyclique pour éviter une potence de signalisation indiquant la prochaine sortie sur l'autoroute.

— Bon... Harrison, tu me surveilles la route. Moi, je m'occupe de la voiture. N'hésite pas à manœuvrer sec s'il le faut, fiston.

— Bien compris, colonel.

— OK, sergent Nance, en piste ! » Malloy vérifia l'indicateur de vitesse. L'autre fonçait maintenant à plus de cent quatre-vingt-cinq sur la voie rapide de l'autoroute. Le gars n'avait pas le pied léger, mais le Night Hawk avait bien plus de réserve de puissance que la Jaguar. Ce n'était pas si différent d'un vol en formation, même si c'était la première fois que Malloy faisait la course avec une voiture. Il descendit à moins de cent pieds. « Côté droit, sergent.

— Bien, colonel. » Nance fit glisser la porte coulissante et s'agenouilla sur le plancher d'aluminium, tenant à deux mains son Beretta 9 mm. « Prêt, colonel. Allons-y !

— Paré à piquer », répondit Malloy, après un nouveau coup d'œil à la route. Merde, c'était comme d'aller chercher la perche de ravitaillement d'un Hercules, mais bien moins vite, et bougrement plus bas...

Grady se mordilla la lèvre en découvrant que le camion n'était plus là, mais derrière la route était dégagée, devant lui aussi, pour l'instant, et il n'était plus qu'à cinq minutes de la sécurité. Il se permit de pousser un soupir de soulagement, et tout en faisant jouer ses doigts sur le volant, se laissa aller à bénir les ouvriers qui lui avaient construit cette superbe berline rapide. Juste à cet instant, il entrevit du coin de l'œil quelque chose de noir, sur sa gauche. Il tourna imperceptiblement la tête pour regarder... merde, c'était quoi, ça ?

« Je l'ai ! » dit Nance en apercevant le chauffeur par la vitre arrière gauche tandis qu'il levait son pistolet pour viser. Il attendit que le colonel Malloy les ait rapprochés de quelques dizaines de centimètres encore et puis...

... le bras gauche calé sur le genou, Nance rabattit le chien et pressa la détente. L'arme tressauta dans sa main. Il rectifia sa visée et se remit à canarder. Cela n'avait rien à voir avec le stand de tir. L'arme sautait dans tous les sens malgré tous ses efforts pour la stabiliser, mais à la quatrième balle, il vit enfin la cible basculer sur la droite.

Le verre éclatait tout autour de lui. Grady ne réagit pas comme il aurait fallu. Il aurait dû écraser la pédale de frein : l'hélicoptère l'aurait alors dépassé en trombe, mais la situation était par trop étrangère à son champ d'expérience. Il essaya au contraire d'aller plus vite, mais la Jaguar ne pouvait guère accélérer encore. Et puis une explosion de feu envahit son épaule gauche. Tout son torse se crispa nerveusement. Sa main droite descendit vers le bas, entraînant le volant et précipitant la voiture droit sur le rail de sécurité.

Malloy tira sur le pas collectif dès qu'il fut certain d'avoir vu au moins une balle faire mouche. En quelques secondes, le Night Hawk était à trois cents pieds et le Marine vira sur la droite pour apercevoir en dessous l'épave fumante d'une voiture immobilisée au milieu de la route.

« On descend le récupérer ? demanda le copilote.

— Je veux, fiston », répondit Malloy. Puis il fouilla dans sa sacoche d'aviateur. Le Beretta était bien là. Harrison se chargea de l'atterrissage, posant le Sikorsky à quinze mètres de la voiture. Malloy déverrouilla son harnais et se tourna pour descendre de la cabine. Nance sauta le premier à terre, et, penché pour passer sous le rotor encore en rotation, fila vers le côté droit de la voiture. Malloy le suivit à deux secondes d'écart.

« Attention, sergent ! » s'écria Malloy, en ralentissant sa progression du côté gauche. La vitre avait disparu, hormis quelques éclats accrochés à l'encadrement, et il apercevait l'homme à l'intérieur de l'habitacle. Il respirait encore mais tout juste, coincé derrière le coussin de sécurité gonflé. La vitre opposée avait également disparu. Nance passa la main, trouva la poignée à tâtons et la tira. Le conducteur avait omis d'attacher sa ceinture. Il fut aisé d'extraire le corps. Et puis, posé sur le siège arrière, Malloy avisa un fusil de fabrication russe. Le Marine le prit et mit le cran de sûreté avant de passer de l'autre côté de l'épave.

« Merde, s'exclama Nance, passablement interloqué. Il est encore en vie ! » Le sergent se demandait comment il avait fait son compte pour ne pas tuer ce salopard à quatre mètres...

Du côté de l'hôpital, Timothy O'Neil était toujours dans son fourgon à se demander que faire. Il crut deviner ce qui était arrivé au moteur. Il y avait un trou de deux centimètres dans la vitre de la portière gauche, et il se demandait encore comment le projectile avait réussi à rater sa tête. Il nota que l'un des Volvo et la Jaguar de location de Grady avaient disparu. Sean l'avait-il lâché, avait-il lâché ses hommes ? Tout s'était passé trop vite et totalement par surprise. Pourquoi Sean n'avait-il pas appelé pour l'avertir de ce qu'il allait faire ? Comment le plan avait-il pu foirer de la sorte ? Mais les réponses à toutes ces questions importaient moins que le fait de se retrouver coincé dans sa camionnette, au beau milieu d'un parking, et encerclé par des ennemis. Il allait falloir y remédier.

« *Lieber Gott !* » grommela Weber en voyant les blessures. Un des membres du groupe Un, atteint par une balle en pleine tempe, était certainement mort. Quatre autres étaient touchés, dont trois à la poitrine. Weber avait des notions de secourisme, mais il ne fallait pas être expert en médecine pour deviner que deux d'entre eux exigeaient des soins d'urgence. L'un d'eux était Alistair Stanley.

« Ici Weber. Nous avons besoin de secours d'urgence, immédiatement ! lança-t-il dans sa radio de campagne. Rainbow Cinq est touché !

— Putain de merde ! s'exclama son voisin Homer Johnston. C'est pas de la blague, les mecs. Commandement pour Fusil Deux-Un, on a besoin de toubibs, et on en a besoin tout de suite, bordel ! »

Price avait tout entendu. Il se trouvait maintenant à trente mètres de la fourgonnette, le sergent Patterson à ses côtés, et tous deux essayaient d'approcher sans être vus. Sur sa gauche, il apercevait la carrure imposante de Julio Vega, accompagné de Tomlinson. Plus loin à droite, il reconnut le visage de Steve Lincoln. Paddy Connolly devait être avec lui.

« Groupe Deux pour Price. Nous avons des sujets dans le fourgon. J'ignore s'il y en a d'autres à l'intérieur du bâtiment. Vega, Tomlinson, allez y jeter un œil, et putain, faites gaffe !

— Ici Vega. Bien compris, Eddie. On y va. »

Oso rebroussa chemin pour se diriger vers l'entrée principale avec Tomlinson en soutien, pendant que les quatre autres continuaient de surveiller la fourgonnette marron. Les deux sergents s'approchaient avec précaution des portes vitrées de l'hôpital, derrière lesquelles ils distinguaient vaguement une petite foule de gens visiblement déboussolés. Le sergent-chef Vega pointa un doigt sur sa poitrine puis indiqua l'intérieur. Tomlinson acquiesça. Vega s'avança alors, pénétrant rapidement dans le hall, scrutant les alentours. Deux personnes se mirent à hurler en apercevant encore un homme armé d'un fusil, malgré son allure différente. L'Américain leva la main gauche.

« Du calme, tout le monde, je fais partie des bons. Quelqu'un peut-il me dire où sont passés les méchants ? » La réponse à sa question fut un brouhaha pour le moins confus, toutefois deux personnes indiquèrent du doigt l'arrière du bâtiment, vers les urgences, ce qui, somme toute, était logique. Vega se dirigea vers la double porte accédant au service tout en indiquant à George par radio que le hall était dégagé, avant de poursuivre : « PC, pour Vega.

— Vega, ici Price.

— Le hall de l'hôpital est dégagé, Eddie. Il y a ici une vingtaine de civils à traiter, d'accord ?

— Je n'ai personne à t'envoyer, Oso. On est tous débordés, ici. Weber signale que nous avons plusieurs blessés graves. »

« Ici Franklin. Je copie. Je peux redescendre maintenant si vous avez besoin de moi.

— Franklin, Price, avancez par l'ouest. Je répète : avancez par l'ouest.

— Franklin avance par l'ouest, répondit le tireur d'élite. J'arrive. »

« Sa carrière de lanceur est terminée, constata Nance en chargeant le corps dans le Night Hawk.

— Ça c'est sûr, s'il est gaucher. Bien, je suppose qu'on est bons pour retourner à l'hosto. » Malloy se harnacha dans le siège du pilote et reprit les commandes. En moins d'une minute, ils avaient repris l'air et filaient vers l'est en direction de l'hôpital. À l'arrière, Nance était en train de ligoter solidement leur prisonnier.

Un vrai massacre. Le chauffeur était mort, constata Chavez, écrasé entre le volant et le dossier du siège quand la cabine avait percuté le rail de sécurité. Il avait les yeux et la bouche ouverts, du sang s'écoulait de celle-ci. Le second type éjecté de l'arrière était mort lui aussi, avec deux impacts de balle au visage. Restait un troisième, les deux jambes brisées et la figure horriblement lacérée ; heureusement pour lui, il était inconscient.

« Ours pour Six, lança Clark par la radio.

— Ici Ours, je copie.

— Est-ce que vous pouvez nous récupérer ? Nous avons avec nous un sujet blessé et je veux retourner là-bas voir un peu ce qui se passe.

— Une seconde, j'arrive. Je vous signale toutefois que nous avons déjà un autre blessé à bord.

— Bien compris, Ours. » Clark regarda vers l'ouest. Le Night Hawk était parfaitement visible, et il le vit changer de cap pour venir droit sur eux.

Chavez et Mole tirèrent le corps à l'extérieur et le déposèrent sur la chaussée. Ses jambes brisées étaient horriblement déformées, mais c'était un terroriste, et il ne pouvait guère espérer leur sollicitude.

« On retourne dans l'hôpital ? proposa l'un des hommes d'O'Neil.

— Mais dans ce cas, on se retrouve pris au piège ! objecta Sam Barry.

— Merde, on est piégés si on reste ici ! fit remarquer Jimmy Carr. Il faut qu'on se bouge ! Maintenant ! »

O'Neil était assez d'accord. « OK, OK... Je vais tirer la porte et vous retournez vous réfugier dans l'entrée. Prêts ? » Ils acquiescèrent, étreignant leurs armes. « Maintenant ! » lança-t-il d'une voix rauque tout en faisant coulisser la porte latérale.

« Merde ! observa Price, à cent mètres de là. Des sujets courent se réfugier à nouveau dans l'hôpital. J'en compte cinq.

— Chiffre de cinq confirmé », ajouta une autre voix sur le circuit radio.

Vega et Tomlinson étaient presque parvenus aux urgences, assez près en tout cas pour aperce-

276

voir les gens enfermés à l'accueil mais pas les doubles portes vitrées menant à l'extérieur. Ils entendirent de nouveaux cris. Vega ôta son casque en Kevlar et jeta un coup d'œil à l'angle du couloir. Oh, merde, songea-t-il en avisant un type armée d'un AKMS. Celui-ci surveillait l'intérieur du bâtiment, tandis que derrière lui on devinait un complice observant l'extérieur. Oso sursauta en sentant une main se plaquer sur son épaule. Il pivota : c'était Franklin, sans son fusil monstrueux, armé d'un simple pistolet Beretta.

« Est-ce que j'ai bien entendu ? Cinq sales gueules à l'intérieur ?

— C'est bien ça », confirma Vega. Il adressa un signe de la main au sergent Tomlinson, de l'autre côté du corridor. « Tu me quittes pas d'un pas, Fred.

— Bien compris, Oso. Tu regrettes pas de ne pas avoir ton M-60 ?

— Ça, tu l'as dit, mec. » Si efficace que puisse être le MP-10 allemand, on aurait dit un jouet entre ses mains.

Vega jeta un nouveau coup d'œil. La femme de Ding était là, enceinte jusqu'aux yeux dans sa blouse blanche. Debout, elle regardait du côté où se trouvaient les terroristes. Chavez et lui étaient potes depuis près de dix ans. Il n'était pas question pour lui qu'on touche à la femme de son ami. Il se dégagea un peu de sa planque et essaya de lui adresser un signe de la main.

Patsy Clark Chavez aperçut le geste du coin de l'œil. Elle se tourna légèrement et découvrit un soldat tout vêtu de noir. Il essayait d'attirer son attention et dès qu'elle se fut tournée, il lui fit signe d'approcher, ce qui lui parut une bonne idée. Avec lenteur, elle esquissa un mouvement sur la droite.

« Toi, stop ! » gronda Jimmy Carr d'une voix stridente. Puis il s'avança vers elle. Invisible sur sa gauche, le sergent George Tomlinson passa la tête et le canon de son arme au coin du couloir. Les signes de main de Vega se faisaient de plus en plus frénétiques et Patsy poursuivit son mouvement de côté. Carr voulut s'interposer, il leva son arme et...

... dès qu'il entra dans son champ visuel, Tomlinson ajusta son tir et, découvrant l'arme braquée sur l'épouse de Ding, il pressa doucement la détente, lâchant une rafale de trois balles.

Le silence qui l'accompagna était peut-être pire que la plus assourdissante des détonations. Patsy se retournait pour regarder le type armé quand sa tête explosa — mais on n'entendait rien d'autre que le chuintement feutré d'une arme au silencieux bien réglé, et le bruit mou que fait un crâne qu'on défonce. La tête fut projetée en arrière, un nuage rouge jaillit de la nuque et le corps s'effondra comme une masse... le son le plus fort fut le cliquetis de l'arme heurtant le sol après avoir échappé à des mains inertes.

« Par ici ! » lança Vega, et elle obéit, se penchant pour courir vers lui.

Oso lui empoigna le bras et la souleva telle une poupée de chiffon, la coucha par terre et l'envoya glisser sur le sol carrelé. Le sergent Franklin la récupéra, la releva et fila vers le bout du couloir, la traînant derrière elle comme un jouet. Une fois dans le hall principal, il rejoignit le responsable de la sécurité de l'hôpital et la lui confia, puis il repartit au pas de course.

« PC pour Franklin. Le Dr Chavez est saine et sauve. On l'a emmenée dans le hall principal. Faites-y venir quelques hommes, voulez-vous ? Il faut qu'on évacue ces putains de civils en vitesse, d'accord ?

— De Price, à tous les hommes. Où êtes-vous tous ? Où sont les sujets ?

— Price, ici Vega, nous n'avons plus que quatre sujets. George vient d'en descendre un. Ils sont tous aux urgences. Mme Clark s'y trouve sans doute encore. On a entendu des bruits, il y a des civils là-bas. On leur a coupé toute possibilité de s'échapper. J'ai Tomlinson et Franklin avec moi. Fred n'a qu'un pistolet. Nombre d'otages inconnu, mais pour autant que je sache, on n'a plus que quatre méchants, à vous. »

« Il faut qu'on y aille », dit le Dr Bellow. Il avait l'air salement secoué. Plusieurs gars s'étaient fait descendre à quelques mètres de lui. Alistair Stanley avait une blessure à la poitrine, et un des hommes de Rainbow au moins était mort, sans compter trois autres blessés, dont un grave.

« Par ici. » Price indiqua la façade de l'hôpital. Un membre du groupe Un apparut, se dirigeant dans la même direction. C'était Geoff Bates, l'un des tireurs d'élite de Covington, un membre du SAS, bardé de tout son arsenal, même s'il n'avait pas encore eu l'occasion de tirer une seule balle aujourd'hui. Bellow et lui prirent rapidement position.

On pouvait dire que Carr était mort sans se faire remarquer. O'Neil se retourna et découvrit son corps, pareil à la tige d'une immense fleur rouge sang couchée sur le carrelage blanc de la salle des urgences. Tout allait de mal en pis. Il avait quatre hommes armés, mais il ne pouvait pas voir au-delà de l'angle du corridor d'accès, à quelques mètres, et des soldats du SAS armés jusqu'aux dents devaient sûrement s'être planqués là : pas moyen de s'échapper. Il y avait encore huit personnes avec lui, qui pourraient lui servir d'otages, éventuellement, mais les dangers d'un tel jeu étaient évidents. *Pas d'échappatoire*, lui répétait son esprit, mais ses émotions lui dictaient autre chose. Il avait des armes et ses ennemis étaient proches ; il était censé les abattre et, s'il devait mourir, autant mourir pour la cause, l'idéal auquel il avait consacré sa vie, celui pour lequel il s'était répété mille fois qu'il était prêt à mourir. Or voilà qu'il se retrouvait au pied du mur, et la mort était proche, ce n'était plus une considération théorique qu'on caresse dans son lit, en attendant que le sommeil vienne, ou en sirotant une bière, tandis qu'on discute de la perte de camarades dévoués, et qu'on se livre à ces discours pleins de bravoure que tout le monde énonce quand il est inutile d'être brave. L'heure était venue de voir si sa bravoure se réduisait à de belles paroles ou s'il l'avait dans les tripes ; l'heure était venue de prouver à la face du monde qu'il était un homme fidèle à sa parole et à ses idéaux... mais une autre part de lui-même désirait fuir se réfugier en Irlande et ne pas mourir aujourd'hui dans un hôpital de la campagne anglaise.

À quinze pas de là, Sandy Clark l'observait. Plutôt bel homme, et sans aucun doute courageux — pour un criminel, rectifia-t-elle mentalement. John lui avait souvent répété que la bravoure était bien plus répandue que la couardise, pour une simple et bonne raison : la honte. Les actions risquées, on ne s'y lançait pas seul mais quand on était avec ses amis, et on n'avait jamais envie de passer pour un faible devant eux ; de cette peur de la couardise naissaient les actes les plus insensés — mais qu'ils soient couronnés de succès et ils se voyaient célébrés par la suite comme autant d'exploits héroïques. Elle avait vu dans ces remarques le plus révoltant cynisme... pourtant, son mari était tout sauf cynique. Pourrait-il donc avoir raison ?

Toujours est-il qu'elle voyait devant elle un homme dans les trente, trente-cinq ans, tenant une arme dans la main, et avec l'air de ne pas avoir un seul ami au monde...

... mais la mère en elle lui disait que sa fille était sans doute en sécurité désormais, avec son petit. L'autre avait voulu l'interpeller mais il gisait maintenant, mort et en sale état, sur le sol de l'hôpital... Donc, Patsy s'en était sans doute tirée. C'était la meilleure nouvelle de la journée et elle ferma les yeux pour murmurer une prière d'action de grâce.

« Eh, toubib ! lança Vega en voyant apparaître le psy.

— Où sont-ils ? »

Vega pointa le doigt. « Derrière ce coin. Quatre, d'après nos estimations. George en a descendu un.

— Vous avez déjà parlementé avec eux ?

— Négatif.

— Bien. » Bellow inspira profondément avant de lancer d'une voix forte : « C'est Paul. Est-ce que Timothy est là ?

— Oui !

— Est-ce que tout va bien ? Je veux dire... pas de blessures, pas de problèmes ? » s'enquit le psychiatre.

O'Neil essuya son visage ensanglanté — des éclats de vitre du fourgon l'avaient légèrement tailladé. « Tout le monde va bien. Qui êtes-vous ?

— Je suis médecin. Mon nom est Paul Bellow. Et le vôtre ?

— Timothy suffira pour l'instant.

— Bien. Parfait. Timothy, euh... la situation actuelle doit vous donner à réfléchir, non ?

— Je sais parfaitement à quoi m'en tenir », répondit O'Neil, avec une once de nervosité.

Dehors, on assistait progressivement à un début d'organisation. Des ambulances étaient arrivées sur place, avec des personnels du service médical de l'armée britannique. On procédait enfin à l'évacuation des blessés vers la base d'Hereford où l'antenne chirurgicale était prête à les accueillir. Dans le même temps, trente soldats du SAS étaient venus prêter main-forte aux hommes de Rainbow. L'hélicoptère du colonel Malloy se posa sur l'aire de la base et les deux prisonniers furent conduits à l'hôpital militaire pour y être soignés.

« Tim, vous n'arriverez pas à vous tirer d'ici. Je pense que vous en êtes conscient, observa le Dr Bellow, de la voix la plus douce possible.

— Je peux tuer des otages si vous ne me laissez pas partir, rétorqua O'Neil.

— Oui, bien sûr, et dans ce cas, on sera forcés d'intervenir pour essayer de l'empêcher ; dans l'un ou l'autre cas, vous ne vous en tirerez pas. Mais que gagnerez-vous à assassiner des gens, Tim ?

— La liberté de mon pays !

— C'est déjà le cas, non ? nota Bellow. Il y a les accords de paix. Et puis Tim, dites-moi, quel pays s'est jamais fondé sur le massacre d'innocents ? Que vont penser de vous vos compatriotes si vous assassinez vos otages ?

— Nous sommes des combattants de la liberté !

— C'est entendu, vous êtes des soldats révolutionnaires, admit le médecin. Mais les soldats, les vrais, n'assassinent pas les gens. Bon, d'accord, un peu plus tôt dans l'après-midi, vous et vos amis avez eu une escarmouche avec des soldats, et cela n'est pas du meurtre. En revanche, tuer des gens désarmés, ça, ça s'appelle un meurtre, Tim. Je crois que vous le savez. Parmi tous ces gens qui sont avec vous, y en a-t-il un seul qui ait une arme ? Un seul qui porte l'uniforme ?

— Et après ? Ce sont quand même des ennemis de mon pays !

— Qu'est-ce qui fait d'eux des ennemis, Tim ? L'endroit où ils sont nés ? Lequel parmi eux a tenté de vous nuire ? Lequel parmi eux a tenté de nuire à votre pays ? Et si vous leur posiez la question ? » suggéra-t-il.

O'Neil hocha la tête. Le but de la manœuvre était de l'amener à se rendre. Il le savait très bien. Il scruta du regard ses camarades. Aucun n'avait envie de croiser le regard de ses voisins. Ils étaient pris au piège, ils en étaient tous conscients. Leur résistance était plus mentale que physique, et tous se sentaient peu à peu rongés par le doute. Un doute encore non formulé mais pourtant bien présent, tous le sentaient.

« On veut un bus pour nous emmener !

— Vous emmener où ? demanda le docteur.

— Amenez-nous simplement ce putain de bus ! hurla O'Neil.

— D'accord, je peux en parler à des responsables, mais il faut qu'ils connaissent sa destination, afin que la police puisse vous dégager la route », observa Bellow sur un ton raisonnable. Ce n'était plus désormais qu'une question de temps. Tim — il n'aurait pas été inutile de savoir s'il avait donné son vrai nom, même si Bellow en était intimement convaincu —, Tim ne parlait pas de tuer, il n'avait pas véritablement lancé de menaces de mort ; il n'avait pas émis d'ultimatum ni jeté dehors de cadavre. Ce n'était pas un tueur, en tout cas pas un assassin. Il se considérait comme un soldat, pas comme un criminel. Et pour un terroriste, cela différait du tout au tout. Il ne redoutait pas la mort, même s'il redoutait l'échec et, presque autant, l'idée qu'on se souvienne de lui comme du responsable de la mort d'innocents. Tuer des soldats était une chose. Assassiner des femmes et des enfants en était une autre. C'était une vieille rengaine pour les terroristes. La part la plus vulnérable en chaque individu, c'est son image de soi. Tous ceux qui tenaient à l'opinion des autres sur eux, ceux qui se regardaient dans la glace en se rasant, ceux-là, on pouvait les travailler. C'était juste une question de patience. Ils étaient différents des vrais fanatiques. On pouvait toujours les avoir à l'usure.

« Oh, Tim ?

— Oui ?

— Est-ce que vous pourriez faire quelque chose pour moi ?

— Quoi ?

— Pourriez-vous me donner une garantie que les otages sont sains et saufs ? Je dois m'en assurer, ordre de mon supérieur. Est-ce que je peux venir voir ? »

O'Neil hésita.

« Tim... allons, un bon geste. Vous avez vos obligations, j'ai les miennes, d'accord ? Je suis toubib. Je ne porte ni arme ni quoi que ce soit. Vous n'avez rien à craindre. » Leur expliquer qu'ils n'avaient rien à redouter, suggérant par là même qu'ils s'inquiétaient inutilement, était en général une bonne carte à jouer. Suivit l'hésitation habituelle, confirmant qu'il avait effectivement peur et démontrant que Tim était un type raisonnable : le psychiatre de Rainbow y vit un bon signe.

« Non, Tim, fais pas ça ! insista Peter Barry. Leur donne rien.

— Mais comment on va sortir d'ici et avoir notre bus si on ne coopère pas un tant soit peu ? » O'Neil regarda les trois autres. Sam Barry acquiesça. Dan McCorley également.

« Très bien, lança O'Neil. Approchez ! »

« Merci », répondit Bellow. Il regarda Vega, qui était le plus haut gradé sur place.

« Faites gaffe, doc », suggéra le sergent-chef. À

son humble avis, se rendre désarmé dans le repaire de sales types armés jusqu'aux dents n'était pas franchement malin. Il n'avait jamais cru que le psy avait un tel culot.

« Toujours », l'assura Paul Bellow. Puis il inspira un grand coup et franchit les trois mètres jusqu'à l'angle avant de tourner, disparaissant à la vue des soldats de Rainbow.

Bellow avait toujours trouvé bizarre, à la limite du comique, que l'écart entre sécurité et danger puisse se réduire à une distance de trois mètres et un virage à angle droit. Il n'en manifesta pas moins un réel intérêt. Il avait rarement eu l'occasion de rencontrer des criminels en de telles circonstances. Tant mieux qu'ils soient armés et pas lui. Ils auraient besoin de l'impression rassurante qui accompagne le sentiment de puissance pour contrebalancer le fait que, armés ou non, ils se trouvaient dans une cage dont ils ne pouvaient pas s'évader.

« Vous êtes blessé, nota Bellow en découvrant le visage de Timothy.

— C'est rien, juste quelques égratignures.

— Pourquoi ne pas vous faire soigner ?

— C'est rien, insista Tim O'Neil.

— D'accord, c'est votre visage », conclut Bellow. Il en compta quatre, tous armés de façon similaire : des AKMS, crut-il reconnaître de mémoire. Ce n'est qu'ensuite qu'il compta les otages. Il reconnut Sandy Clark. Il y en avait sept autres, tous parfaitement terrifiés, à voir leur tête, mais c'était prévisible. « Bon, alors que voulez-vous, au juste ?

— On veut un bus, et on le veut vite, répondit O'Neil.

— D'accord, je vais voir ce que je peux faire, mais il va falloir du temps pour organiser tout ça, et nous aurons besoin de quelque chose en échange.

— Comment ça ? demanda Timothy.

— La libération de plusieurs otages, répondit le psychiatre.

— Non, on n'en a que huit.

— Écoutez, Tim, quand je vais traiter avec les gens à qui je dois rendre compte — pour vous obtenir votre bus, d'accord ? —, je dois bien avoir quelque chose à leur proposer, ou sinon pourquoi m'offriraient-ils quoi que ce soit pour vous en échange ? objecta Bellow. C'est comme ça que ça marche, Tim. Le jeu a ses règles. Allons, vous le savez bien. On troque ce qu'on a contre ce qu'on veut avoir.

— Et alors ?

— Alors, en signe de bonne volonté, vous me donnez deux otages — des femmes et des enfants, en général, parce que ça fait toujours mieux. » Bellow regarda de nouveau. Quatre hommes, quatre femmes. Ce serait bien d'arriver à récupérer Sandy Clark.

« Et ensuite ?

— Ensuite, je dis à mes supérieurs que vous voulez un bus et que vous avez fait preuve de bonne volonté. Je dois vous représenter devant eux, d'accord ?

— Ah, parce que vous êtes dans notre camp ? » demanda un autre. Bellow se retourna et vit que le type avait un jumeau, qui se tenait à quelques pas en retrait. Des terroristes jumeaux. Inté-ressant...

« Non, je ne dirais pas ça. Écoutez, je ne vais pas vous prendre pour des imbéciles. Vous savez fort bien dans quelle galère vous êtes embringués. Mais si vous voulez obtenir quoi que ce soit, il faut marchander pour l'avoir. C'est la règle, et ce n'est pas moi qui l'ai inventée. Je dois être le médiateur. Ça veut dire que je vous représente auprès de mes patrons, et vice versa. S'il vous faut du temps pour réfléchir, pas de problème, mais plus vite vous vous déciderez, plus vite je pourrai agir. Tâchez de ne pas perdre ça de vue, d'accord ?

— Obtenez-nous le bus, insista Timothy.

— En échange de quoi ? rétorqua Paul.

— De deux femmes, répondit O'Neil. Celle-ci et celle-ci.

— Peuvent-elles m'accompagner ? » Bellow vit que Timothy avait bien désigné Sandy Clark. Ce gamin était visiblement dépassé par la situation, et ça aussi, c'était sans doute bon signe.

« Oui, mais trouvez-nous ce putain de bus !

— Je vais faire de mon mieux, promit Bellow, en faisant signe aux deux femmes de le suivre dans le corridor.

— Bienvenué, doc, fit Vega d'une voix tranquille en le voyant déboucher du coin. Eh, super ! ajouta-t-il dès qu'il aperçut les deux femmes. Comment va, m'dame Clark ? Je suis Julio Vega.

— M'man ! » Patsy Chavez courut se jeter dans les bras de sa mère. Puis deux hommes du SAS récemment débarqués emmenèrent avec eux les deux femmes.

« PC, de Vega, appela Oso à la radio.

— Vega pour Price.

— Dites au Six que sa femme et sa fille sont toutes les deux saines et sauves. »

John était remonté dans un camion et se dirigeait vers l'hôpital pour prendre en charge les opérations. Domingo Chavez était assis à côté de lui. Tous deux entendirent l'appel à la radio. L'un comme l'autre manifesta son soulagement, mais ce fut bref : il restait encore six otages.

« OK, Clark en fréquence. Qu'est-ce qui se passe, maintenant ? »

À l'hôpital, Vega passa le micro au Dr Bellow.
« John ? C'est Paul.

— Ouais, toubib, où en est-on ?

— Laissez-moi deux heures et je peux vous les donner, John. Ils savent qu'ils sont coincés. Ce n'est qu'une affaire de négociation. Ils sont encore quatre, la trentaine, tous armés. Il leur reste à présent six otages. Mais j'ai parlé avec leur chef, et je peux travailler ce gars-là, John.

— OK, toubib, on sera là dans dix minutes. Qu'est-ce qu'ils réclament ?

— Le truc habituel, répondit Bellow. Un bus pour les conduire je ne sais où. »

John réfléchit un instant. Les amener à l'extérieur, et laisser les tireurs d'élite régler le problème. Quatre coups de feu, un jeu d'enfant. « Est-ce qu'on cède ?

— Pas encore. On va les laisser mijoter un petit peu.

— OK, doc, c'est vous qui voyez. Quand je serai sur place, vous pourrez m'en dire plus. À tout de suite. Terminé.

— Bien compris, terminé. » Bellow rendit la radio au sergent-chef Vega. Ce dernier venait d'épingler au mur un plan du rez-de-chaussée de l'hôpital.

« Les otages sont ici, indiqua Bellow. Les sujets, là et là. Au fait, il y a deux jumeaux, la trentaine, armés de la version à crosse pliante de l'AK-47. »

Vega hocha la tête. « Kay, s'il faut qu'on intervienne...

— Vous n'en ferez rien, du moins, je ne pense pas. Leur meneur n'est pas un meurtrier, enfin, ce n'est pas l'impression qu'il me donne.

— Si vous le dites, doc », observa Vega. Il était dubitatif. Mais le point positif était qu'ils pouvaient toujours balancer une poignée de grenades fulgurantes derrière l'angle du mur et débouler juste derrière pour emballer les quatre salopards... mais au risque de perdre un otage, ce qu'il fallait si possible éviter. Oso n'avait pas trop apprécié le culot du toubib — aller ainsi affronter quatre types armés et leur tailler une bavette — et réussir à ramener Mme Clark, juste comme ça ! Merde. Il se tourna pour considérer les six mecs du SAS qui venaient d'arriver. Ils étaient tout en noir, comme ses gars, et prêts à en découdre si vraiment il le fallait. Paddy Connolly était à l'extérieur du bâtiment, avec son sac à malices. La position était isolée et ils maîtrisaient désormais presque entièrement la situation. Pour la première fois depuis une heure, le sergent-chef Vega crut pouvoir se relaxer un peu.

« Eh, salut, Sean ! lança Bill Tawney en reconnaissant le visage à l'hôpital de la base d'Hereford. Il semble qu'on ait eu une journée plutôt difficile, pas vrai ? »

On avait immobilisé l'épaule de Grady avant

qu'il ne passe sur le billard. Les radios avaient montré qu'il avait reçu deux balles de 9 mm, dont une avait fracassé la tête de l'humérus. C'était une blessure douloureuse, malgré les calmants administrés dix minutes plus tôt. Il tourna la tête et découvrit un Anglais en costume. Assez naturellement, Grady le prit pour un policier et ne broncha pas.

« Vous avez joué le mauvais cheval aujourd'hui, mon garçon, poursuivit Tawney. Pour votre gouverne, nous sommes en ce moment à l'hôpital de la base militaire d'Hereford. Nous parlerons plus tard, Sean. » Pour l'heure, le chirurgien orthopédiste avait du boulot, s'il voulait réparer ce bras amoché. Tawney regarda une infirmière militaire préparer le blessé pour l'intervention. Puis il se retira dans une autre salle pour s'entretenir avec l'un des rescapés du camion accidenté.

Une journée chargée en perspective pour pas mal de monde, songea l'homme du « Six ». L'autoroute était fermée à cause des deux accidents, et il y avait assez de policiers en uniforme dans le secteur pour noircir le paysage, plus les gars de Rainbow et du SAS. Sans parler des représentants du « Cinq » et du « Six », qui n'allaient pas tarder à débarquer de Londres. Et tout ce beau monde allait s'empoigner sur l'attribution de responsabilité pour l'enquête. Bref, un beau bordel en perspective, puisque l'accord écrit entre gouvernements américain et britannique sur le statut de Rainbow n'avait pas été conçu pour englober une telle situation, ce qui garantissait que le chef de poste de la CIA à Londres n'allait pas tarder à débarquer à son tour. Tawney avait dans l'idée que c'était lui qui allait jouer les Monsieur Loyal de ce drôle de cirque... et peut-être qu'un fouet, une chaise et un pistolet ne seraient pas du luxe.

La bonne humeur de Tawney fut tempérée par le souvenir que deux hommes de Rainbow avaient trouvé la mort, tandis que quatre autres, blessés, étaient traités dans ce même hôpital. Des gens qu'il connaissait vaguement, dont les visages avaient été familiers... Et deux qu'il ne reverrait jamais plus. Mais en contrepartie, il tenait Sean Grady, l'un des plus dangereux extrémistes de l'IRA provisoire, qui se retrouvait sans aucun doute sur le point de finir ses jours à l'ombre aux frais de Sa Majesté. Voilà qui lui promettait une mine d'informations... et sa mission allait être de les lui arracher...

« Où est ce putain de bus ?

— Tim, j'ai discuté avec mes supérieurs et ils sont en train d'y réfléchir.

— Qu'est-ce qu'il y a à réfléchir ? s'énerva O'Neil.

— Vous connaissez la réponse aussi bien moi, Tim. Nous avons affaire à des fonctionnaires gouvernementaux, et jamais ils ne prendront de décision sans assurer au préalable leurs arrières.

— Paul, j'ai six otages avec moi et je peux...

— Oui, vous pouvez, mais pas vraiment, n'est-ce pas ? Timothy, si jamais vous faites ça, alors les soldats postés dehors vont investir la place, et cela réglera la situation, mais on se souviendra éternellement de vous comme du responsable de la mort d'innocents, comme d'un assassin. C'est ce que vous voulez, Tim ? C'est ce que vous voulez vraiment ? » Bellow marqua un temps. « Et vos familles ? Merde, et l'image que vous donnerez de votre mouvement politique ? Tuer ces gens sera délicat à justifier, non ? Vous n'êtes pas des terroristes islamistes, vous êtes des chrétiens, vous vous souvenez ? Les chrétiens ne sont pas censés tuer comme ça. Bref, cette menace est utile en tant que menace, mais guère en tant qu'instrument. Vous ne pouvez pas faire ça, Tim. Cela n'entraînerait que votre mort et votre perte de crédit politique. Oh, au fait, nous avons bouclé Sean Grady, ajouta le psychiatre, calculant soigneusement son effet.

— *Quoi ?* » Manifestement, Tim accusait le coup.

« Il s'est fait pincer alors qu'il tentait de fuir. Il a reçu plusieurs balles, mais il s'en tirera. Il est sur le billard en ce moment. »

C'était comme lorsqu'on perce un gros ballon, nota le psy : il venait de vider son adversaire d'une partie de son air. C'était la bonne façon de procéder, petit à petit. Trop vite, et ils risquaient de réagir violemment, mais si vous les aviez à l'usure, ils étaient à vous. Bellow avait rédigé un bouquin sur le sujet. D'abord s'assurer du contrôle physique, établir une forme de confinement. Ensuite, s'assurer le contrôle de l'information. Puis la leur fournir par bribes, avec tout un luxe de précautions, d'une manière aussi savamment orchestrée qu'une comédie musicale de Broadway. Et vous les teniez.

« Vous allez nous restituer Sean. Il part dans le bus avec nous !

— Timothy, au moment où je vous parle, il est sur la table d'opération, et il y est pour plusieurs

293

heures. Si jamais ils tentaient de le déplacer maintenant, le résultat pourrait lui être fatal... ils risqueraient de le tuer, Tim. Alors, malgré votre désir de le récupérer, ce n'est pas possible. J'en suis désolé, mais personne n'y peut rien changer. »

Son chef, prisonnier ? Tim O'Neil était abasourdi. Sean capturé ? Quelque part, ça lui paraissait pire que sa propre situation. Qu'il se retrouve, lui, en prison, et Sean aurait toujours trouvé moyen de le libérer, mais avec Sean enfermé dans l'île de Wight... alors, tout était perdu ! Pourtant...

« Comment puis-je savoir que vous dites la vérité ?

— Tim, dans une situation comme celle-ci, je ne peux pas mentir. Je ficherais tout par terre. C'est trop délicat d'être un bon menteur, et si vous me preniez à mentir, vous ne me croiriez plus jamais, ce qui réduirait à néant mon utilité vis-à-vis de mon patron ou vis-à-vis de vous, n'est-ce pas ? » Encore et toujours, la voix tranquille de la raison.

« Vous avez dit que vous étiez toubib ?

— C'est exact, acquiesça Bellow.

— Vous pratiquez à quel endroit ?

— Ici, pour l'essentiel, ces derniers temps, mais j'ai fait mon internat à Harvard. J'ai travaillé à quatre endroits différents, et j'ai également enseigné.

— Donc, votre boulot est d'amener les gens comme moi à se rendre, c'est ça ? » La colère, enfin, devant l'évidence.

Bellow secoua la tête. « Non, je vois mon boulot comme un moyen d'aider les gens à rester en vie. Je suis médecin, Tim. Je n'ai pas le droit de tuer les gens ou d'aider d'autres à les tuer. J'ai fait un serment il y a bien longtemps. Vous détenez des armes. D'autres gens, au coin de ce mur, en ont aussi. Je ne veux voir aucun de vous se faire tuer. Il y a eu assez de morts comme ça aujourd'hui, vous ne trouvez pas ? Tim, est-ce que ça vous fait plaisir de tuer des gens ?

— Ma foi... non, bien sûr que non, qui aimerait ça ?

— Eh bien, certains », lui dit Bellow, décidant de flatter un peu son amour-propre. « Nous les qualifions de personnalités sociopathes, mais vous n'en faites pas partie. Vous êtes un soldat. Vous défendez une cause en laquelle vous croyez. Tout comme les gens là-bas. » Bellow indiqua l'endroit où étaient postés les hommes de Rainbow. « Ils vous respectent et j'espère que vous les respectez. Les soldats ne sont pas des assassins. Les criminels, oui, et un soldat n'est pas un criminel. » En plus d'être une vérité, cette remarque était une notion importante à faire passer à son interlocuteur. Et ce, d'autant plus qu'un terroriste était également un romantique et que, pour lui, passer pour un criminel de droit commun était profondément blessant d'un point de vue psychologique. Il venait tout simplement de renforcer leur propre image pour mieux les écarter d'une voie qu'il ne voulait pas les voir prendre. Ils étaient des soldats, pas des criminels, et ils devaient donc agir en soldats, pas en criminels.

« Docteur Bellow ? lança une voix derrière le coin. Un appel pour vous au téléphone.

— Tim, puis-je le prendre ? » Toujours demander la permission de faire quoi que ce soit. Leur laisser l'illusion d'être maîtres de la situation.

« Ouais. » O'Neil lui fit signe d'y aller. Bellow

retourna vers l'endroit où étaient postés les soldats.

Il vit John Clark qui l'attendait. Ensemble, ils s'écartèrent d'une quinzaine de mètres dans le couloir.

« Merci d'avoir sorti de là ma femme et ma petite, Paul. »

Bellow haussa les épaules. « C'était surtout un coup de chance. Il est un peu débordé par tout ça, et il ne réfléchit pas très clairement. Ils veulent un bus.

— Ça, vous me l'avez dit. Est-ce qu'on le leur donne ?

— On n'aura pas besoin. Je suis engagé dans une partie de poker, John, et j'ai dans la main une quinte royale. Sauf pépin monstrueux, on maîtrise parfaitement cette situation.

— Noonan est à l'extérieur et il a placé un micro contre la fenêtre. J'ai écouté la dernière partie de votre entretien. Bon boulot, toubib.

— Merci. » Bellow se massa le visage. La tension pour lui était réelle, mais il ne pouvait le laisser paraître qu'ici. Devant Timothy, il devait se montrer dur comme fer, donner l'image d'un maître amical mais respecté. « Quoi de neuf du côté des autres prisonniers ?

— Pas de changement. Le dénommé Grady est sur le billard ; il y en a pour plusieurs heures, paraît-il. L'autre est toujours inconscient, et de toute façon, nous n'avons pas encore réussi à l'identifier.

— C'est Grady, le chef du commando ?

— C'est ce qu'on pense, d'après nos renseignements.

— Donc, il peut nous révéler pas mal de

choses. Vous voulez que je sois là quand il sortira de la salle d'opération ?

— Finissez d'abord votre boulot ici.

— Je sais. J'y retourne. » Clark l'encouragea d'une tape sur l'épaule et Bellow retourna voir les terroristes.

« Alors ? demanda Timothy.

— Alors, ils n'ont pas encore pris de décision pour le bus. Désolé, ajouta Bellow sur un ton abattu. Je pensais les avoir convaincus, mais ils n'arrivent pas à se bouger le cul.

— Dites-leur que s'ils ne se bougent pas, nous...

— Non, vous n'en ferez rien, Tim. Vous le savez. Je le sais. Et surtout, eux le savent.

— Dans ce cas, pourquoi nous envoyer le bus ? demanda O'Neil, qui commençait maintenant à perdre les pédales.

— Parce que moi, je leur ai dit que vous étiez sérieux, et qu'ils devaient prendre votre menace au sérieux. Même s'ils ne croient pas que vous la mettrez à exécution, ils doivent garder à l'esprit que vous pourriez le faire, et si c'est le cas, alors, c'est eux qui se feront mal voir de leurs supérieurs. » Timothy hocha la tête devant cette logique tortueuse : sa colère semblait avoir laissé place à la perplexité. « Faites-moi confiance, poursuivit Paul Bellow. J'ai déjà fait ça et je sais comment ça marche. Il est plus facile de négocier avec des soldats comme vous qu'avec ces satanés bureaucrates. Les gens de votre trempe savent prendre des décisions. Les types comme eux font tout pour les fuir. Ils se fichent pas mal que des gens se fassent tuer ; en revanche, ils ont horreur d'être mal vus de la presse. »

À ce moment, il se passa quelque chose de positif : Tim glissa la main dans sa poche et en sortit une cigarette. Un signe manifeste de stress.

« Dangereux pour ta santé, fils », observa Clark, l'œil sur l'image de télé que Noonan avait réussi à leur faire parvenir. Le plan d'attaque était entièrement prêt. Connolly avait disposé des charges le long des fenêtres, à la fois pour ouvrir une voie d'entrée et pour distraire les terroristes. Vega, Tomlinson et Bates, du groupe Un, lanceraient en même temps leurs grenades et fonceraient dans la pièce pour descendre les méchants. Le seul écueil était, comme toujours, que l'un d'eux se retourne et arrose d'une rafale les otages — que ce soit son dernier acte conscient ou un simple réflexe, peu importe, le résultat serait le même ! D'après ce qu'il entendait de la conversation, Bellow se débrouillait à merveille. Si ces sujets avaient un minimum de jugeote, ils sauraient qu'il était temps d'arrêter les frais, mais John se souvint qu'il n'avait jamais eu la perspective de finir ses jours derrière les barreaux, du moins, pas à si brève échéance, et il se dit que cette idée n'avait rien de réjouissant. Il avait désormais pléthore de talents militaires à sa disposition : les gars du SAS qui venaient d'arriver avaient débarqué en force à son PC opérationnel, même si leur colonel avait préféré aller jouer les mouches du coche dans le hall principal de l'hôpital.

« Rude journée pour nous tous, pas vrai, Tim ? nota le psy.

298

— C'est vrai que ça aurait pu se passer mieux, admit Timothy O'Neil.

— Vous savez comment tout ceci va finir, n'est-ce pas ? lui lança Bellow, comme une mouche succulente à une truite de rivière, en se demandant s'il allait mordre à l'hameçon.

— Oui, docteur, je sais. » Il marqua un temps. « Je ne me suis même pas servi de mon fusil aujourd'hui. Je n'ai tué personne. Jimmy, si, poursuivit-il en indiquant le corps gisant à terre, mais pas les autres. »

Gagné ! se dit Bellow. « Cela compte pour quelque chose, Tim. À vrai dire, ça compte même bougrement. Vous savez, la guerre va se terminer bientôt. Ils vont finir par faire la paix et il semble qu'on s'oriente vers une amnistie pour la majorité des combattants. Alors vous avez de l'espoir. Et vous aussi », ajouta Paul pour les trois autres qui observaient, écoutaient... et semblaient aussi indécis que leur leader. Ils devaient bien se douter que tout était perdu. Encerclés, leur chef capturé, tout cela ne pouvait s'achever pour eux que de deux façons : par la mort ou la prison. Aucune évasion n'était désormais possible, et ils savaient que toute tentative pour transférer les otages dans un bus ne ferait que les exposer à une mort différente mais tout aussi certaine.

« Tim ?

— Oui ? » Il quitta des yeux sa clope.

« Si vous déposez vos armes par terre, vous avez ma parole que l'on ne vous fera aucun mal.

— Et qu'on ira en prison ? » La repartie était pleine de colère et de défi.

« Timothy, la prison, on en sort un jour. La mort, non. Réfléchissez-y, je vous en prie. Pour l'amour du ciel, je suis médecin, lui rappela le psy. Je n'aime pas voir des gens mourir. »

Timothy O'Neil se retourna vers ses camarades. Tous avaient les yeux baissés. Même les jumeaux Barry ne manifestaient plus aucune arrogance.

« Les gars, si vous n'avez blessé personne aujourd'hui, eh bien oui, vous irez en prison, mais avec de bonnes chances d'en sortir un jour dès que l'amnistie sera promulguée. Sinon, vous serez morts pour rien. Même pas pour votre pays. On ne fait pas des héros de ceux qui tuent des civils », insista-t-il une fois de plus. Répéter, encore et toujours. Leur marteler ces évidences. « Tuer des soldats, oui, c'est le métier des armes, mais assassiner des innocents, non. Vous serez morts pour rien... ou vous vivrez, et alors vous serez libres à nouveau un jour. C'est à vous de choisir, les gars. Vous avez les armes. Mais il n'y aura pas de bus. Vous ne vous en tirerez pas, et bien sûr, vous avez six otages que vous pouvez tuer, mais qu'aurez-vous à y gagner, à part un aller simple pour l'enfer ? Laissez tomber, Timothy », conclut-il, en se demandant si on lui avait jamais parlé ainsi à l'école, chez les frères.

Ce n'était pas si facile pour Tim O'Neil. La perspective d'être emprisonné dans une cage en compagnie de criminels de droit commun, de voir sa famille lui rendre visite comme s'il était une bête dans un zoo lui donnait des frissons... mais il savait depuis des années que c'était une éventualité, et même s'il préférait se bercer de l'image d'une mort héroïque, l'arme à la main, face aux ennemis de son pays, ce toubib américain avait dit la vérité. Il n'y avait aucune gloire à massacrer six civils anglais. Nul n'écrirait ou ne chanterait de ballade autour de cet exploit, nul ne trinquerait à son nom dans les pubs d'Ulster... non, la seule chose qui l'attendait était une mort infamante... la vie, même en prison, était préférable à une telle fin.

Timothy Dennis O'Neil se retourna pour regarder ses compagnons de l'IRA et vit sur leur visage que leur expression devait refléter la sienne. Sans s'être concertés, tous acquiescèrent. O'Neil mit le cran de sûreté de son fusil et le déposa à terre. Les autres l'imitèrent.

Bellow s'approcha pour leur serrer la main.

« Vega pour Six, allez-y, maintenant ! » lança Clark en voyant la scène sur le petit moniteur noir et blanc.

Oso Vega tourna rapidement le coin, le MP-10 levé. Ils étaient là, devant le toubib. Tomlinson et Bates les plaquèrent sans trop de ménagements contre le mur. Pendant que le premier les tenait en respect, le second les fouillait au corps. Quelques secondes plus tard, deux policiers en uniforme entraient, avec des menottes et, très tranquillement, leur signifiaient leur arrestation. Et c'est ainsi que, tout aussi tranquillement, les combats de la journée prirent fin.

29

Récupération

Pour le Dr Bellow, la journée n'était pas encore terminée. Sans même prendre le temps de boire un verre d'eau pour apaiser sa gorge desséchée, il sauta dans un camion peint en vert de l'armée britannique pour rejoindre Hereford. Elle n'était pas terminée non plus pour tous ceux qui étaient restés sur place.

« Eh, chérie ! » lança Ding. Il avait enfin réussi à retrouver sa femme à l'extérieur de l'hôpital, au milieu d'un cordon de soldats du SAS.

Patsy courut pour parcourir les dix pas les séparant et le serrer dans ses bras, aussi fort que le permettait son abdomen dilaté.

« Tu vas bien ? »

Elle acquiesça, les larmes aux yeux. « Et toi ? »

— Impec. Plutôt agité pendant un moment... et on a subi quelques pertes, mais tout est rentré dans l'ordre à présent.

— L'un des membres du commando... quelqu'un l'a tué et...

— Je sais. Il braquait une arme sur toi et c'est pour ça qu'il s'est fait descendre. » Chavez se rappela qu'il devait une bière au sergent Tomlinson pour ce joli carton — en fait, il lui devait bien plus, mais dans la communauté des guerriers, c'était ainsi qu'on remboursait ses dettes. Pour l'heure toutefois, la seule chose qui comptait était de pouvoir tenir Patsy dans ses bras. Les larmes lui montèrent aux yeux. Ding les chassa d'un plissement de paupières. Elles ne collaient pas avec son image de macho. Il se demanda quels traumatismes les événements de la journée avaient pu entraîner chez sa femme. Elle dont le métier était de soigner les gens, elle avait vu de près la mort violente. Ces salopards de l'IRA ! Ils avaient envahi sa vie à lui, s'en prenant à des civils et tuant un des membres de son équipe. Quelqu'un avait dû les renseigner sur la manière d'opérer. Il y avait eu quelque part une fuite, une méchante fuite, et la trouver était sa priorité.

« Comment va le petit ? demanda Chavez à son épouse.

— Ça va, Ding. Vraiment. Je me sens bien, lui assura Patsy.

— OK, chérie, il faut que j'aille régler un certain nombre de trucs à présent. Toi, tu rentres à la maison. » Il fit signe à un soldat du SAS d'approcher. « Ramenez-la à la base, d'accord ?

— Bien, mon commandant », répondit le sergent. Ensemble, ils la raccompagnèrent jusqu'au parking. Sandy Clark s'y trouvait déjà avec John. Eux aussi s'étreignaient en se tenant les mains, et l'attitude la plus raisonnable semblait être de ramener les deux femmes chez son beau-père. Un officier du SAS se porta volontaire, de même qu'un sergent, pour leur servir d'escorte armée. Comme toujours en pareilles circonstances, on se réveillait avec trois métros de retard. Mais c'était propre à la nature humaine et toujours est-il qu'une minute plus tard, les deux femmes regagnaient la base, flanquées en prime d'une escorte policière.

« Notre destination, monsieur C. ? demanda Chavez.

— Nos amis ont été conduits à l'hôpital de la base. Paul s'y trouve déjà. Il désire interroger Grady — le chef — dès sa sortie du bloc. Je crois que j'ai bien envie d'y assister.

— Affirmatif, John. On y va. »

Popov avait presque rejoint Londres lorsqu'il apprit la nouvelle sur son autoradio. Comme toujours, le commentateur était un monsieur je-sais-tout horriblement bavard. Et puis, il entendit que le chef du commando de l'IRA avait été capturé, et aussitôt le sang de Dimitri se figea dans ses veines. S'ils tenaient Grady, alors ils tenaient l'homme qui savait son identité, savait son nom d'emprunt, savait l'existence du transfert de fonds, bref, qui en savait bougrement trop. Ce n'était sûrement pas le moment de paniquer, mais bien celui de passer à l'action.

Popov regarda sa montre. Les banques étaient encore ouvertes. Il saisit son téléphone mobile et appela Berne. En une minute, il avait en ligne le bon interlocuteur auquel il donna le numéro de compte. Celui-ci le tapa sur son ordinateur. Puis Popov lui indiqua son code d'autorisation avant de lui ordonner le virement des fonds sur un autre compte. L'employé ne manifesta même pas son dépit de voir une telle somme d'argent retirée de sa banque. Il faut dire que l'établissement avait d'amples réserves. Le Russe s'était désormais enrichi de plus de cinq millions de dollars, mais dans le même temps appauvri, car l'ennemi risquait d'avoir sous peu son signalement et son nom d'emprunt. Popov devait absolument quitter le pays. Il prit la bretelle vers Heathrow et se gara au terminal numéro quatre. Dix minutes plus tard, après avoir restitué sa voiture de location, il prenait le dernier billet de première classe sur le vol British Airways à destination de Chicago. Il dut se dépêcher pour embarquer mais réussit à monter à bord où une jolie hôtesse le conduisit à son siège. Bientôt, le 747 rejoignait la piste.

« Un sacré beau gâchis », observa John Brightling, après avoir coupé le son de la télé du bureau. Hereford allait faire la une de tous les journaux télévisés de la planète.

« Ils ont joué de malchance, répondit Henriksen. Mais ces commandos sont sacrément bons, et si on leur laisse une ouverture, ils fonceront dedans. N'empêche, ils ont quand même perdu quatre ou cinq hommes. Personne n'avait encore réussi un tel score en face d'une opposition pareille. »

Brightling savait que le cœur de Bill était partagé sur la mission. Il devait manifester un minimum de sympathie pour ceux qu'il avait contribué à faire attaquer. « Les retombées ?

— Ma foi, s'ils détiennent leur leader vivant, ils vont sans doute le cuisiner, mais ces gars de l'IRA ne sont pas du genre à parler. Vraiment pas. Le seul lien qu'ils pourraient établir avec nous passe par Dimitri ; or c'est un pro. À l'heure qu'il est, il a déjà dû quitter le pays en avion, si je connais mon bonhomme. Il a toute une panoplie de faux papiers, passeports, cartes de crédit, cartes d'identité. Donc, il est sans doute en sûreté quelque part. John, le KGB sait former ses hommes, tu peux me faire confiance.

305

« — Si jamais ils devaient le capturer, parlerait-il ?

— C'est un risque. Effectivement, il pourrait cracher le morceau, dut convenir Henriksen. S'il revient, je le mettrai au parfum des risques encourus...

— Est-ce que ça ne serait pas une bonne idée de... comment dire... l'éliminer ? »

La question embarrassait son patron, Henriksen le sentait bien, aussi prépara-t-il une réponse aussi prudente que franche : « Pour tout dire, oui, mais il y a des risques, John. Je te le répète, c'est un pro. Il a sans doute prévu une boîte aux lettres quelque part. » Voyant la confusion de Brightling, il s'expliqua : « Tu te prémunis contre la possibilité d'être tué en rédigeant un message que tu déposes en lieu sûr. Si tu n'y as pas accès, mettons, tous les mois, l'information contenue dans le message est rendue publique, selon un plan prévu à l'avance, par exemple avec un notaire ou un avocat. Ça, c'est un gros risque pour nous, d'accord ? Mort ou vif, il peut nous couler, et dans ce cas précis, c'est encore plus dangereux s'il est mort. » Henriksen marqua un temps. « Non, mieux vaut le garder en vie... et sous notre contrôle, John.

— D'accord, tu t'en occupes, Bill. » Brightling se cala contre son dossier et ferma les yeux. Ils étaient trop près du but désormais pour courir des risques inutiles. On allait donc s'occuper du Russe, le mettre sous cloche. Ça pourrait même lui sauver la vie — merde, ça la lui sauverait sûrement, non ? Il espérait juste que l'autre saurait apprécier le cadeau à sa juste valeur. Mais Brightling devait lui aussi savoir apprécier la situation. Cette bande dénommée Rainbow était sinon HS, du moins sérieusement handicapée. Forcément. Popov avait rempli deux missions : contribuer à sensibiliser l'opinion internationale sur la menace terroriste, et ainsi permettre à Global Security de décrocher le contrat avec le comité d'organisation des JO de Sydney, et par ailleurs, contribuer à neutraliser cette nouvelle unité antiterroriste, suffisamment, fallait-il espérer, pour la mettre hors jeu. Tous les éléments du plan étaient désormais en place et n'attendaient plus que le moment propice pour être activés.

Le but était si proche, songea Brightling. En des moments pareils, il était sans doute normal d'avoir le trac. Confiance rimait avec distance : plus on était loin, plus on avait tendance à se croire invincible, alors que plus on approchait de l'échéance, plus les dangers s'accroissaient. Mais cela ne changeait rien, en fin de compte. Non, rien. Le plan était parfait. Aucun doute là-dessus. Il ne leur restait plus qu'à l'exécuter.

Sean Grady sortit du bloc opératoire à vingt heures environ, après avoir passé près de trois heures et demie sur le billard. Le chirurgien orthopédiste qui l'avait opéré était un as, constata Bellow. L'humérus avait été consolidé à l'aide d'une broche en acier au cobalt destinée à rester à demeure ; sa taille était suffisamment imposante pour que, dans l'hypothèse improbable où Grady pénétrerait à l'avenir dans une aérogare internationale, il déclenche le portique détecteur de métaux, même en passant tout nu. Par chance pour lui, les deux projectiles n'avaient pas touché le plexus brachial et il ne perdrait donc pas définitivement l'usage de son membre. L'autre blessure au torse était moins grave. Il allait se remettre intégralement, conclut le chirurgien militaire de l'armée britannique, et pourrait donc jouir d'une excellente santé tout au long du séjour en détention à perpétuité qui l'attendait à coup sûr.

L'opération avait été pratiquée sous anesthésie générale, bien entendu. Comme dans les hôpitaux américains, on avait recouru au protoxyde d'azote, après une préparation aux barbituriques pour commencer la sédation. Assis près du lit dans la salle de réveil, Bellow surveillait les moniteurs en attendant que l'opéré reprenne conscience. Un processus progressif et sans doute lent.

Des policiers, en civil et en uniforme, étaient arrivés également. Clark et Chavez étaient là, eux aussi, dévisageant celui qui avait eu le front de s'attaquer à leurs hommes — et leurs épouses, se rappela Bellow. Chavez, en particulier, avait un regard de pierre, sombre, glacé, même s'il semblait en apparence impassible. C'était de toute évidence des professionnels et, dans le cas de Clark et Chavez, des gens qui vivaient dans la clandestinité et qui accomplissaient souvent des trucs ultra-confidentiels, que Bellow ignorait en grande partie et qu'il préférait d'ailleurs ne pas savoir. Ce qu'il savait en revanche, c'est que l'un et l'autre étaient des hommes d'ordre, à bien des égards semblables à des agents de police, des gardiens de la loi. Peut-être l'enfreignaient-ils parfois, mais ce n'était que pour mieux la préserver. C'étaient des romantiques, à l'instar des terroristes qu'ils combattaient ; la seule différence était dans le choix de la cause. Leur objectif était de protéger ; celui de Grady, de bouleverser, et cette différence dans les missions déteignait sur les individus. Pour eux, ce n'était pas plus compliqué que cela.

Aussi à présent, quels que puissent être leurs griefs contre l'homme endormi devant eux, ils ne lui feraient aucun mal. Ils laisseraient son châtiment à cette société que Grady avait si vicieusement attaquée et dont ils avaient juré de protéger les règles, même s'ils ne les soutenaient pas toujours.

« Ça ne devrait plus tarder », nota Bellow. Tout indiquait que le réveil de Grady était proche. Le corps eut de faibles mouvements, une suite de contractions spasmodiques, à mesure que le cerveau reprenait conscience. Celui-ci allait découvrir que certaines parties ne réagissaient pas comme elles le devraient, puis il se concentrerait dessus pour en tester les limitations, guettant des signes de douleur mais n'en trouvant pas encore. Et puis, la tête pivota lentement, à gauche, à droite, et bientôt...

Un battement de paupières, lent, lui aussi. Bellow consulta la liste de noms que les autres avaient établie, en espérant que la police et le renseignement britannique ne se soient pas plantés dans leurs informations.

« Sean ? hasarda-t-il. Sean, est-ce que tu m'entends ?

— Que... qui ?

— C'est moi, Jimmy Carr, Sean. T'es revenu auprès de nous... Sean ?

— Où... où suis-je ? coassa la voix.

— À l'hôpital universitaire de Dublin, Sean. Le Dr McCaskey vient tout juste de t'opérer. T'es en salle de réveil. T'es tiré d'affaire, Sean. Mais bon Dieu, ça n'a pas été de la tarte de t'amener ici. Ton épaule ne te fait pas trop souffrir ?

« — Non, je sens rien pour le moment, Jimmy. Combien... ?

— Combien des nôtres ? Dix. Dix s'en sont tirés. Ils ont tous filé se réfugier dans nos diverses planques, vieux.

— Bien. » Les yeux s'ouvrirent et découvrirent un visage coiffé d'un bonnet et portant un masque chirurgical, mais ils avaient du mal à accommoder et l'image était floue. Une chambre... oui, c'était bien un hôpital... le plafond, les dalles rectangulaires posées sur un cadre métallique... les tubes fluorescents. Il avait la gorge sèche et un peu douloureuse, à cause de l'intubation, mais ce n'était pas grave. Il vivait dans un rêve et rien de tout ceci n'était vrai. Il flottait sur un drôle de petit nuage blanc, mais au moins Jimmy Carr était là.

« Roddy ? Où est Roddy ?

— Roddy est mort, Sean, répondit Bellow. Désolé, mais il ne s'en est pas sorti.

— Oh, merde... pas Roddy...

— Sean, on a besoin de certaines informations, et le plus vite possible.

— Que... quelles informations ?

— Le gars qui nous a tuyautés... on a besoin de le contacter, mais on ne sait pas où le trouver.

— Iossif, tu veux dire ? »

Gagné ! songea Paul Bellow. « Oui, Sean, Iossif, on doit absolument entrer en rapport avec lui...

— Pour l'argent ? J'ai les coordonnées dans mon portefeuille, vieux. »

Oh, songea Clark en se retournant. Bill Tawney avait fait déposer toutes les affaires personnelles de Grady sur une desserte. Dans le portefeuille, il découvrit deux cent dix livres britanniques, cent soixante-dix livres irlandaises et plusieurs bouts de papier. Sur un Post-it jaune étaient inscrits deux numéros à six chiffres, sans autre indication. Un compte numéroté en Suisse ou ailleurs ?

« Comment peut-on y accéder, Sean ? On en a besoin tout de suite, vois-tu, mon ami...

— Banque Commerciale de Berne... appelle-les... le numéro de compte et le... code d'accès sont dans... dans mon portefeuille.

— Bien, merci, Sean... et Iossif, comment s'appelle-t-il déjà... comment peut-on entrer en rapport avec lui, Sean ? Je t'en prie, c'est extrêmement pressé... » L'imitation d'accent irlandais de Bellow aurait tout juste fait illusion avec un ivrogne mais Grady était dans un état bien au-delà de celui que pouvait induire l'ivresse alcoolique...

« J'en... sais rien. C'est lui qui nous contacte, souviens-toi. Iossif Andreïevitch passe toujours par Robert... via le réseau... il ne m'a jamais indiqué comment... entrer en rapport... avec lui.

— Son nom de famille, Sean, c'est comment ? Tu ne me l'as jamais dit.

— Serov. Iossif Andreïevitch Serov... Un Russe... un vieux copain du KGB... la vallée de la Bekaa... il y a des années.

— Ma foi, il nous a refilé de sacrés bons tuyaux sur ces gars de Rainbow, pas vrai, Sean ?

— Combien de... combien a-t-on réussi à... ?

— Dix, Sean, on en a tué dix, et on a filé, mais t'as été blessé durant la fuite dans ta Jaguar, tu te souviens ? Enfin, on leur a quand même donné une bonne leçon, Sean, une méchante leçon...

— Bien... bien... leur donner une leçon... les tuer... les tuer tous..., marmonna Grady.

— Pas tout à fait, connard, observa Chavez d'une voix tranquille, à quelques mètres de là.

— Est-ce qu'on a eu les deux bonnes femmes ?... Jimmy, on les a eues ?

— Oh oui, Sean, je les ai abattues moi-même... À présent, Sean, revenons à ce Russe. J'ai besoin d'en savoir plus sur lui.

— Iossif ? Un gars bien, un ancien du KGB. C'est lui qui nous a fourni l'argent et la drogue. Des masses d'argent... six millions... six... et la cocaïne », ajouta Grady, tandis que le caméscope posé sur un trépied à côté de son lit continuait de tout enregistrer. « Il est venu nous porter le tout à Shannon, tu te souviens ? Avec son petit jet privé, directement d'Amérique... enfin, je crois que c'était d'Amérique... obligé... à l'entendre parler aujourd'hui... avec cet accent comme dans les séries télévisées... marrant, pour un Russe, hein, Jimmy...

— Iossif Andreïevitch Serov ? »

L'homme sur le lit essaya d'acquiescer. « C'est ça, oui. Joseph, fils d'André.

— À quoi ressemble-t-il, Sean ?

— Ma taille... brun... les yeux noisette... visage arrondi... il parle plein de langues... la vallée de la Bekaa, en 86... un type bien, il nous a beaucoup aidés...

— Bon, et on fait comment, maintenant, Bill ? murmura Clark à l'oreille de Tawney.

— Ma foi, rien de tout ceci n'est utilisable devant un tribunal, mais...

— Au diable, les tribunaux, Bill ! Qu'est-ce qu'on peut en tirer ? Est-ce que ça corrobore nos renseignements ?

— Le nom de Serov ne me dit rien, mais je peux toujours vérifier dans nos dossiers. On va tâcher de corréler ces numéros, et il doit bien y avoir une trace écrite quelque part, mais... (il consulta sa montre), il faudra que ça attende jusqu'à demain. »

Clark hocha la tête. « Sacrée méthode d'interrogatoire.

— Ouaip. Jamais vue auparavant. Tout à fait. »

À cet instant précis, les yeux de Grady s'ouvrirent un peu plus. Il vit les autres rassemblés autour du lit et les considéra avec un rictus interrogatif. « Qui êtes-vous ? demanda-t-il d'une voix pâteuse, découvrant dans son rêve un visage inconnu.

— Je m'appelle Clark, Sean. John Clark. »

Les yeux s'agrandirent une seconde. « Mais vous êtes...

— Tout juste, l'ami. C'est bien ce que je suis. Et merci d'avoir craché le morceau. On a coincé toute ta bande, Sean. Les quinze, tués ou capturés. J'espère que tu te plais ici en Angleterre. Parce que tu vas y séjourner un très, très long moment. Alors, si tu retournais faire un gros dodo, vieux ? » termina-t-il avec une sollicitude grossièrement feinte. *J'en ai tué qui valaient mieux que toi, pauvre type*, pensa-t-il avec une mine impassible qui cachait mal ses sentiments.

Le Dr Bellow empocha son magnétophone et ses notes. Ça réussissait presque à tout coup. L'état crépusculaire consécutif à une anesthésie générale rendait l'esprit vulnérable à la suggestion. Raison pour laquelle, en cas d'hospitalisation, les personnes habilitées à traiter des affaires de haute sécurité étaient toujours chaperonnées par un collègue. Dans ce cas précis, Bellow avait eu une dizaine de minutes pour plonger dans le subconscient du patient et en revenir avec des informations. La méthode ne pouvait pas servir devant un tribunal mais, cela dit, Rainbow n'était pas composé de flics.

« C'est Malloy qui l'a eu, hein ? lança Clark en se dirigeant vers la porte.

— En fait, c'était le sergent Nance, répondit Chavez.

— Faudra qu'on lui offre quelque chose de sympa, observa Rainbow Six. On lui doit bien ça. Désormais, on a un nom, Domingo. Un nom russe.

— Sans doute pas le bon. Ce doit être un pseudo.

— Oh ?

— Ouais, John. Tu n'as pas percuté ? Serov... l'ancien patron du KGB, dans les années soixante, si je ne me trompe, viré il y a déjà un bout de temps parce qu'il avait fait une boulette. »

Clark acquiesça. Ce ne serait pas son véritable patronyme inscrit sur son vrai passeport, mais enfin, c'était toujours un nom, et un nom, on pouvait en retrouver la trace. Ils sortirent de l'hôpital dans la fraîcheur d'une soirée britannique. La voiture de John les attendait, avec un caporal Mole qui avait l'air assez content de lui. Il aurait droit à une jolie médaille pour son boulot de la journée et sans doute à une lettre de congratulations de ce pseudo-général américain. John et Ding montèrent et la voiture les conduisit vers la prison militaire de la base, où les autres étaient détenus provisoirement, parce que celle du comté n'était pas assez sûre. Une fois arrivés, on les mena vers une salle d'interrogatoire. Timothy O'Neil les y attendait, menotté à une chaise.

« Salut, fit John. Mon nom est Clark. Et voici Domingo Chavez. »

Le prisonnier se contenta de les regarder.

« On vous a envoyés ici pour assassiner nos épouses », poursuivit John. L'autre ne cilla même pas. « Mais vous vous êtes bien plantés. Vous étiez quinze au départ. Vous n'êtes plus que six. Les autres ne vont plus faire grand-chose. Tu sais, les types dans ton genre me donnent honte de mes origines irlandaises. Bon Dieu, gamin, tu n'es même pas un criminel efficace. Au fait, Clark, ce n'est que mon nom professionnel. Auparavant, je m'appelais John Kelly [1] et le nom de jeune fille de ma femme est O'Toole. Alors, comme ça, les connards de l'IRA dans ton genre se mettent à flinguer des catholiques irlandais américains, hein ? Ça va faire tache dans les journaux, connard.

— Sans parler du trafic de coke, toute cette coke apportée par le Russe, ajouta Chavez.

— De la drogue ? Mais on ne...

— Ben tiens... Sean Grady vient de tout nous balancer, un vrai récital. On a le numéro du compte en Suisse, et ce Russe...

— Serov, s'empressa d'enchaînèr Chavez. Iossif Andreïevitch Serov, le vieux pote de Grady, au temps de la vallée de la Bekaa...

— Je n'ai rien à dire. » Ce qui était déjà plus que ce qu'il avait envisagé. Sean Grady avait parlé... Sean ? Impossible... oui mais où auraient-ils pu recueillir une telle information ? Ça ne tenait pas debout.

Ding prit le relais : « 'Mano, c'est ma femme, à moi, que tu voulais tuer, et elle a mon bébé, à moi, dans son ventre. Tu crois que tu vas conti-

---

1. Cf. *Sans aucun remords*, Albin Michel, 1994, Le Livre de Poche n° 7682.

nuer longtemps à frimer ? John, ce gars a une chance de sortir un jour de taule ?

— Pas de sitôt, Domingo.

— Eh bien, Timmy, je vais te dire une bonne chose. Là d'où je viens, quand on touche à la nana d'un mec, faut accepter d'en payer le prix. Et c'est pas donné. Et là d'où je viens, on ne touche jamais, mais alors jamais, aux gosses d'un mec. Parce que le prix est encore plus élevé, pauvre petit branleur. Petit branleur ? » Chavez fit mine de réfléchir. « Non, je crois qu'on peut arranger ça, John. Je peux m'arranger pour qu'il ait plus jamais de tentation de ce côté. » Et Ding sortit de l'étui de ceinture son couteau de combat. Un K-Bar des Marines. La lame était noire, à l'exception des six millimètres de fil à l'éclat argenté.

« Je suis pas sûr que ce soit une bonne idée, Ding, objecta Clark, sans conviction.

— Pourquoi ça ? Moi, elle m'a l'air excellente, mec. » Chavez quitta sa chaise pour s'approcher du prisonnier. Puis sa main armée descendit. « C'est pas bien difficile, mec, juste un petit coup, et on peut s'attaquer à ton opération de changement de sexe. D'accord, j'suis pas toubib, mais enfin, je connais la première partie de la procédure, tu vois ce que je veux dire ? » Ding vint coller son nez contre celui du jeune Irlandais. « Mec, on touche jamais, je dis bien jamais, à la femme d'un Latino ! T'entends ? »

Timothy O'Neil avait déjà eu une rude journée. Il regarda dans les yeux de ce drôle d'hidalgo, entendit l'accent, comprit que ce n'était pas un Américain comme ceux qu'il croyait connaître.

« J'l'ai déjà fait, mec. Le plus souvent, je descends les types par balle, mais ça m'est déjà arrivé une ou deux fois de liquider des salopards au couteau. C'est toujours marrant de les voir gigoter... mais je vais pas te tuer, mon gars. J'vais juste de transformer en fille. » Le poignard remonta contre le pli de l'aine de l'homme menotté à la chaise.

« Arrête ça, Domingo ! ordonna Clark.

— Fais pas chier, John ! C'est ma femme qu'il voulait toucher, mec. Eh bien, je vais arranger ce petit connard pour qu'il ne touche plus jamais d'autres filles, 'mano. » Chavez se retourna vers le prisonnier. « Et je vais te regarder droit dans les yeux pendant que je te les coupe, Timmy. Je veux mater ta tronche quand tu vas sentir que tu deviens une gonzesse. »

O'Neil plissa les paupières, tandis qu'il plongeait son regard dans les yeux noirs de cet Hispanique. Il y vit de la rage, une rage brûlante, passionnée... mais si dure soit-elle, elle avait ses raisons. Lui et ses compagnons avaient fomenté l'enlèvement et peut-être l'assassinat d'une femme enceinte, et ça, c'était une infamie, et pour cette raison, la fureur qu'il lisait sur ce visage était justifiée.

« C'était pas prévu comme ça ! haleta O'Neil. On n'a pas... on n'a pas...

— Pas eu l'occasion de la violer, c'est ça, hein ? Merde, la belle affaire ! observa Chavez.

— Non, non, pas la violer... jamais... jamais personne dans l'unité n'a fait une chose pareille. On n'est pas des...

— T'es qu'un pauvre enculé de merdeux, Timmy... et ça risque pas de s'améliorer à l'avenir... » Le couteau avança encore. « Je sens qu'on va se poiler, John. Comme avec le mec qu'on a arrangé en Libye, il y a deux ans, tu te souviens ?

— Seigneur, Ding, j'en ai encore des cauche-mars, s'écria Clark en détournant la tête. Je te le répète, Domingo, fais pas ça !

— Va te faire foutre, John. » De sa main libre, il dégrafa la ceinture du jeune Irlandais, avant de défaire le premier bouton du pantalon. Puis il glissa la main dans la braguette. « Ben merde, y aura pas grand-chose à couper. L'a une toute petite quéquette.

— O'Neil, si tu as quelque chose à nous dire, tu ferais mieux de te dépêcher. Je ne peux pas contrôler ce gars. Je l'ai déjà vu dans cet état et...

— Tu causes de trop, John. Merde, Grady est déjà passé à table, de toute façon. Qu'est-ce qu'il peut savoir de plus ? Je m'en vais lui couper les roustons et les donner à bouffer aux chiens de garde. Ils aiment bien la viande fraîche.

— Domingo, nous sommes des êtres civilisés et nous ne...

— *Civilisés ?* Mon cul, John, il voulait tuer ma femme et mon bébé ! »

O'Neil écarquilla de nouveau les yeux. « Non, non, on n'a jamais eu l'intention de...

— C'est ça, connard ! Vous aviez pris ces putains de flingues parce que vous comptiez leur jouer la sérénade, c'est ça ? Tueur de femmes, tueur de mômes !

— J'ai tué personne, j'ai même pas tiré un coup de feu... Je...

— Parfait. En plus, t'es incompétent. Tu crois que tu mérites d'avoir une bistouquette avec un tel palmarès ?

— Qui est ce Russe ? intervint Clark.

— L'ami de Sean. Serov, Iossif Serov. Il a fourni l'argent et la drogue...

— De la drogue ? Bon Dieu, John, en plus c'est tous des camés !

— Où est l'argent ? persista John.

— Dans une banque suisse. Sur un compte numéroté. Iossif l'a ouvert... six millions de dollars... et... et Sean lui a demandé de nous livrer cinq kilos de cocaïne destinée à la revente pour financer nos opérations...

— Où est la came, Tim ? demanda ensuite Clark.

— Dans une ferme... » O'Neil leur indiqua une ville, et un itinéraire qu'enregistra le dictaphone placé dans la poche de Chavez.

« Ce Serov, à quoi il ressemble ? » Ça aussi, ils l'obtinrent.

Chavez recula et fit mine de se calmer. Puis il sourit. « OK, John, allons causer aux autres. Merci, Timmy. Tu peux garder ta queue, *'mano.* »

C'était la fin de l'après-midi au-dessus de la province du Québec. Le soleil miroitait sur les centaines de lacs, dont certains étaient encore pris par les glaces. Popov n'avait pas fermé l'œil de tout le vol, le seul dans ce cas en première classe. C'est qu'il n'arrêtait pas de ressasser les mêmes éléments. Si les Britanniques avaient capturé Grady, alors ils avaient désormais son nom d'emprunt, qui était celui sous lequel il voyageait. Bon, il se débarrasserait dès aujourd'hui de ces papiers compromettants. Ils avaient un signalement, mais il n'était guère remarquable. Grady possédait le numéro du compte que Dimitri avait ouvert en Suisse, mais il avait déjà viré les fonds sur un autre, à partir duquel il était impossible de remonter jusqu'à lui. Il était théoriquement envisageable que ses adversaires parviennent à creuser les informations que Grady n'allait pas manquer de leur refiler... Popov ne se faisait pas d'illusions là-dessus... peut-être même réussiraient-ils à récupérer un jeu d'empreintes à partir de... non, c'était trop improbable pour constituer un danger, et aucun service de renseignements occidental n'aurait d'éléments pour corréler les données. Aucun service à l'Ouest n'avait le moindre dossier sur lui... sinon, ils l'auraient arrêté depuis longtemps.

Alors, que restait-il ? Un nom qui ne tarderait pas à s'évaporer, un signalement qui correspondait à un million de bonshommes, et le numéro d'un compte vidé dans l'intervalle. En bref, bien peu. Il faudrait toutefois qu'il s'informe au plus vite des procédures utilisées par les banques suisses pour effectuer les virements et qu'il s'assure, d'un point de vue juridique, que ces transactions étaient couvertes par le même anonymat qui protégeait les comptes proprement dits. Et quand bien même... les Suisses n'étaient pas non plus des modèles d'intégrité... Non, il risquait d'y avoir un accord entre les banques et la police. Forcément, même si le seul but était de permettre à la police helvétique d'embobiner plus efficacement ses homologues à l'étranger. En revanche, le second compte était tout ce qu'il y avait d'anonyme. Il l'avait ouvert par le truchement d'un avocat qui n'était pas en mesure de le trahir, puisque leur seul contact avait été téléphonique. Donc, il n'y avait aucun moyen de le localiser à partir des informations fournies par Grady, et c'était tant mieux. Il allait devoir réfléchir pour de bon au moyen d'accéder un jour aux cinq millions sept cent mille dollars restant sur ce deuxième compte, mais il devait bien exister un biais. Via un autre avocat, peut-être au Liechtenstein, où les lois bancaires étaient encore plus strictes qu'en Suisse ? Il faudrait qu'il étudie la question. Un spécialiste du droit international pourrait le conseiller judicieusement, toujours sous couvert d'anonymat.

T'es en sûreté, Dimitri Arkadeïevitch, se répéta Popov. En sûreté et riche. Mais l'heure était venue de cesser de prendre des risques. Plus question d'organiser des opérations pour John Brightling. Sitôt posé à O'Hare, il prendrait le premier vol en correspondance pour New York, retournerait à son appartement, rendrait compte à Brightling, puis chercherait une voie de sortie élégante. Mais Brightling le laisserait-il partir ?

Il faudrait bien, se convainquit Popov. Henriksen et lui étaient les seuls hommes sur la planète à pouvoir lier le chef d'entreprise à un projet de génocide. Même s'il envisageait de le tuer, Henriksen l'en dissuaderait sûrement : c'était un professionnel et il connaissait les règles du jeu. Popov avait tenu un journal qui était planqué dans un endroit sûr, le coffre d'un cabinet d'avocats newyorkais, avec des instructions manuscrites précises. Donc, non, il n'y avait pas de réel danger, aussi longtemps que ses « amis » suivraient les règles — que Popov ne se priverait pas de leur rappeler, au cas où...

Pourquoi même retourner à New York ? Pourquoi ne pas tout bonnement disparaître ? C'était tentant... mais non, ne serait-ce que pour avertir Brightling et Henriksen de le laisser tranquille dorénavant, en leur expliquant pourquoi ils y avaient tout intérêt. Par ailleurs, Brightling avait un informateur idéalement placé au sein du gouvernement américain, et Popov pouvait en tirer parti pour jouir d'une protection supplémentaire. On n'était jamais trop prudent.

Ces décisions prises, Popov se laissa enfin aller à se relaxer. Encore une heure et demie de vol jusqu'à Chicago. Sous lui défilait le vaste monde qui ne manquait pas d'endroits où disparaître, surtout maintenant qu'il en avait les moyens. Finalement, le jeu en avait valu la chandelle.

« Bien, vous avez quoi, en définitive ? demanda John à ses supérieurs.

— Ce nom, Iossif Serov. Il n'est pas dans notre ordinateur à Londres, répondit Cyril Holt du Service de sécurité. Et du côté de la CIA ? »

Chavez hocha la tête. « On a deux gars du nom de Serov dans nos fichiers. Le premier est mort. L'autre a près de soixante-dix ans et coule une paisible retraite à Moscou. Quel est le signalement ?

— Eh bien, il correspond à ce bonhomme. » Holt leur passa un cliché.

« J'ai déjà vu cette bobine quelque part...

— C'est le gars qui a rencontré Ivan Kirilenko à Londres, il y a quelques semaines. Ça colle avec le reste du puzzle, John. Nous croyons qu'il est impliqué dans la fuite concernant votre organisation, si vous vous souvenez. Auquel cas, le retrouver acoquiné avec Grady ne pourrait être que logique... trop logique, même, en fait.

— On a un moyen de confirmer ?

— On peut toujours contacter le RVS... tout comme la CIA, on entretient de relativement bonnes relations avec Golovko, et peut-être qu'il pourra nous aider. En tout cas, je vais pousser à la roue, promit Holt.

— Quoi d'autre ?

— Ces numéros, intervint Bill Tawney. Le premier correspond sans doute à un compte bancaire et le second au code d'accès à ce compte. On a demandé à la police d'enquêter. Ça nous fournira déjà une indication... on saura si cet argent a été blanchi, bien sûr, mais surtout si le compte est toujours ouvert, ce qui devrait être le cas.

— Les armes, leur indiqua le commissaire de police, à en juger par leurs numéros de série, sont d'origine soviétique, sorties d'une usine de Kazan. Elles sont relativement anciennes, au moins dix ans, mais aucune n'avait servi avant aujourd'hui. Quant à l'affaire de drogue, j'ai transmis l'information à Dennis Maguire — c'est le chef de la Garda, la police nationale irlandaise. La nouvelle sera annoncée à la télé dans la matinée. Ils ont saisi cinq kilos de cocaïne pure — par "pure", j'entends de qualité médicale, presque comme si elle avait été achetée à un labo pharmaceutique. La valeur à la revente est énorme. Plusieurs millions... On a retrouvé le stock dans une ferme à moitié abandonnée, sur la côte ouest de l'Irlande.

— Nous avons identifié trois des six prisonniers. L'un n'a pas encore pu nous parler à cause de ses blessures. Oh, et puis, en guise de talkies-walkies, ils communiquaient par téléphones mobiles. Au fait, votre gars, Noonan, s'est débrouillé comme un chef pour bloquer le réseau de leur opérateur. Dieu sait combien de vies cette manip aura sauvées... », leur avoua Holt.

À l'autre bout de la table, Chavez hocha la tête

en éprouvant un frisson rétrospectif. Si leurs adversaires avaient pu coordonner leur action... Seigneur, les défenseurs de l'ordre auraient passé une sale journée. Pire encore que celle qu'ils avaient connue. Il allait y avoir les obsèques de leurs compagnons. Les hommes allaient devoir revêtir leur tenue d'apparat, se mettre en rang et tirer des salves... et puis il faudrait remplacer les disparus. Il n'y a pas si longtemps, Mike Chin était dans un lit, la jambe dans le plâtre à cause d'une fracture. Le groupe Un était indisponible pour au moins un mois, tellement il s'était bien battu. Noonan avait fait un sacré numéro, tuant trois terroristes avec son pistolet, tout comme Franklin qui en avait quasiment décapité un avec son gros MacMillan 50, avant de se servir de son calibre monstrueux pour neutraliser la camionnette marron et empêcher ses occupants de s'échapper. Chavez parcourait du regard la table de conférence en hochant la tête, quand son bip se manifesta. Il vit affiché sur l'écran son numéro personnel. Il quitta aussitôt son siège pour l'appeler d'un téléphone mural.

« Ouais, chérie ?

— Ding. Il faut que tu viennes. Ça a commencé », lui annonça Patsy d'une voix calme. Le cœur de Ding se mit à battre plus fort.

« J'arrive, bébé. » Il raccrocha. « John, je dois rentrer. Patsy dit que ça a commencé.

— OK, Domingo. » Clark parvint à esquisser un sourire. « Embrasse-la pour moi.

— Bien reçu, monsieur C. » Et Chavez se dirigea vers la porte.

« Ça tombe jamais au bon moment, pas vrai ? observa Tawney.

— Enfin, on aura au moins vu quelque chose de bien arriver aujourd'hui. » John se massa les yeux. Il acceptait même la perspective de devenir grand-père. C'était bougrement mieux que d'avoir perdu des gars, une idée qui avait encore à cheminer dans sa conscience. Ses gars. Deux qui étaient morts. Plusieurs autres, blessés. Ses gars.

« Bien, reprit Clark. Et cette fuite, on a du nouveau ? Les enfants, on nous a piégés. Qu'est-ce qu'on compte faire ? »

« Bonjour, Ed, c'est Carol, fit la conseillère scientifique du président.

— Bonjour, Dr Brightling. Que puis-je pour vous ?

— Vous pouvez m'expliquer ce qui s'est passé en Angleterre aujourd'hui ? C'étaient nos gars... enfin, ceux de Rainbow, je veux dire ?

— Oui, Carol, c'était eux.

— Comment ont-ils fait ça ? À la télé, ce n'était pas clair et...

— Ils ont eu deux morts, quatre ou cinq blessés, répondit le directeur du renseignement. Neuf terroristes ont été tués et six capturés, dont le chef du commando.

— Les radios qu'on leur a fournies, elles ont marché ?

— Aucune idée. Je n'ai pas encore vu le rapport final, mais ce que je sais, c'est ce qu'ils vont vouloir savoir.

— Quoi donc, Ed ?

— Qui a craché le morceau. Les autres connaissaient le nom de John, ils connaissaient les noms, le signalement et le lieu de travail de sa femme et de sa fille. Ils sont excellemment renseignés et John n'apprécie pas trop.

— Les membres de la famille, pas de bobo ?

— Non, aucun civil n'a été blessé, Dieu merci. Merde, Carol, je connais personnellement Sandy et Patricia. Je ne vous dis pas les retombées que va déclencher cette affaire.

— Je peux vous être utile en quoi que ce soit ?

— Impossible de dire pour l'instant, mais c'est noté.

— Bien, enfin, je voulais surtout savoir si ces gadgets électroniques avaient bien fonctionné. J'avais dit aux gars de chez E-Systems de les sortir fissa, parce que ces types étaient importants. J'espère qu'ils leur auront servi.

— Je tâche de me renseigner, Carol, promit le directeur.

— Entendu, vous savez où me joindre.

— D'accord, merci encore d'avoir appelé. »

30

Perspectives

C'était tout ce qu'il avait espéré — sans trop savoir quoi — et plus encore, et finalement, Domingo Chavez se retrouva tenant son fils entre ses bras.

« Eh bien... », fit-il en contemplant cette nouvelle vie qu'il allait devoir protéger, éduquer et, le jour venu, faire entrer dans le monde. Après une seconde qui lui parut durer des semaines, il rendit à son épouse le nouveau-né.

Le visage de Patsy était trempé de sueur, épuisé par les cinq heures d'épreuve de l'accouchement, mais déjà la souffrance était oubliée. Le but était atteint, elle tenait son enfant. Le colis était rose, chauve, bruyant, d'autant plus qu'il sentait la proximité du sein gauche de Patsy : c'est que John Conor Chavez s'apprêtait à prendre son premier repas. Mais Patsy était épuisée et bien vite une infirmière lui ôta l'enfant pour le conduire à la pouponnière. Alors Ding embrassa son épouse puis la raccompagna, tandis qu'on la ramenait sur son lit dans la chambre. Elle dormait déjà quand ils y arrivèrent. Il lui donna un dernier baiser et ressortit. Il rentra en voiture à la base, puis gagna la résidence de Rainbow Six.

« Alors ? » fit John en ouvrant la porte.

Chavez se contenta de lui tendre un cigare orné d'une bague bleue. « John Conor Chavez, trois kilos sept. La mère et le fils se portent bien, papy », conclut Ding avec un petit sourire. Après tout, Patsy avait fait le plus dur.

Il est des moments où les plus endurcis versent une larme, et c'en était un. Les deux hommes s'étreignirent. « Eh bien, soupira John après une bonne minute, glissant la main dans la poche de son peignoir pour sortir un mouchoir avec lequel il se tamponna les yeux. Il ressemble à qui ?

— À Winston Churchill, répondit Domingo avec un rire. Bon sang, John, faut pas me demander pourquoi, mais enfin, John Conor Chavez, c'est déjà assez déroutant comme nom, tu ne trouves pas ? Le petit salopiot a un sacré héritage derrière lui. Je compte bien le mettre au karaté et au tir vers cinq-six ans...

— Vaudrait peut-être mieux commencer par le golf et le base-ball, mais enfin, c'est ton môme, Domingo. Allez, viens...

— Alors ? » demanda Sandy à son tour, et Chavez lui répéta la nouvelle tandis que son patron et beau-père allumait son havane. Il avait horreur de fumer et Sandy, en bonne infirmière, appréciait modérément ce vice, mais en une telle occasion, on pouvait fermer les yeux. Mme Clark serra Ding dans ses bras. « John Conor ?

— T'étais au courant ? » s'étonna John Terence Clark.

Son épouse acquiesça. « Patsy me l'a dit la semaine dernière.

— C'était censé rester un secret, objecta le nouveau papa.

— Enfin, je suis sa mère, Ding ! expliqua Sandy. Petit déjeuner pour tout le monde ? »

Les hommes regardèrent leur montre. Il était à peine plus de quatre heures du matin et ce n'était pas de refus.

« Tu sais, John, c'est une expérience drôlement profonde », avoua Chavez. Son beau-père avait noté que Domingo avait un accent plus ou moins marqué selon la nature de la conversation. La veille, lors de l'interrogatoire des prisonniers de l'IRA provisoire, on aurait cru entendre un pur produit des gangs de Los Angeles, accent chicano et tournures empruntées à la rue. Mais dans ses moments de réflexion, il redevenait le titulaire d'une maîtrise universitaire, sans le moindre accent. « Tu te rends compte : je suis papa. J'ai un fils. » Suivit un lent sourire de contentement, presque intimidé. « Waouh...

— La grande aventure, Domingo », reconnut

John, tandis que son épouse mettait le bacon à frire. Il se versa du café.

« Hein ?

— Bâtir entièrement une personne. C'est la grande aventure, fiston, et si tu ne sais pas t'y prendre, qu'est-ce que tu vaux réellement ?

— Ma foi, vous vous êtes plutôt bien débrouillés.

— Merci, Domingo, dit Sandy, aux fourneaux. On s'est donné du mal.

— Elle, surtout, renchérit John. Merde, j'étais si souvent absent, à courir jouer les espions. J'ai manqué trois Noëls, bordel. C'est des trucs qu'on ne se pardonne jamais. Ce matin magique, où on est censé être là.

— Et t'étais où ?

— Deux fois en Russie, en Iran la troisième... à chaque fois pour procéder à des exfiltrations. Deux ont marché... mais la troisième a échoué, on a perdu le gars, et il n'a pas réussi à s'en tirer. Les Russes n'ont jamais rigolé avec la trahison d'État. Il a tiré sa révérence quatre mois plus tard, le pauvre bougre. Non, vraiment pas un bon Noël », conclut Clark qui n'avait pas oublié ce souvenir lugubre : le KGB avait intercepté le type à moins de quinze mètres de l'endroit où il se trouvait ; il revoyait encore, comme si c'était hier, le désespoir qui se lisait sur le visage tourné vers lui, tandis que lui devait filer seul par l'itinéraire prévu pour deux, tout en sachant qu'il n'avait pas le choix, même si c'était une piètre consolation. Puis il avait fallu expliquer à Ed Foley ce qui s'était passé, pour n'apprendre que par la suite que l'agent avait été brûlé — « balancé » pour reprendre un euphémisme — par une taupe du

KGB infiltrée au siège même de la CIA. Et le salopard était toujours en vie dans une prison fédérale, avec chauffage central et télé câblée.

« C'est du passé, John », lui dit Chavez, lisant dans son regard. Ils s'étaient déployés sur des missions similaires, mais l'équipe Clark-Chavez n'avait jamais échoué, même si parfois ç'avait été plus que tangent. « Et tu sais le plus drôle ?

— Non, mais tu vas me le dire...

— J'ai compris maintenant que j'étais mortel. Enfin, un jour, je veux dire. Mais ce petit bonhomme, il va me survivre. Sinon, c'est que j'aurai merdé. Et ça, je peux pas le laisser faire, pas vrai ? J.C. est sous ma responsabilité. À mesure qu'il grandira, je vieillirai, et quand il aura mon âge actuel, bon sang, moi, je serai sexagénaire... Merde, je n'avais jamais envisagé de vieillir, tu te rends compte ? »

Clark rigola. « Ouais, eh bien moi non plus. Allez, relax, petit. Moi aussi maintenant, je suis devenu un p... (il avait failli dire *putain* mais Sandy était là)... un sacré bon Dieu de grand-père ! Ça non plus, je ne l'avais pas envisagé.

— C'est pas si catastrophique, John, observa son épouse en décalottant les œufs à la coque. On aura tout le temps de le gâter avant de le lui rendre. Et on ne s'en privera pas... »

Ça ne s'était pas passé de cette façon avec leurs enfants, du moins du côté de John. Sa mère était morte depuis longtemps d'un cancer et son père d'un infarctus pendant son travail de pompier, alors qu'il sauvait des gamins d'un immeuble en feu à Indianapolis, à la fin des années soixante. John se demanda s'ils savaient que leur fils avait grandi, puis vieilli, pour se retrouver finalement grand-père. Qui pouvait le dire ? Les questions philosophiques sur la vie et la mort étaient sans doute normales en des instants pareils. La grande continuité de la vie. Quel serait le destin de John Conor Chavez ? Riche, pauvre, mendiant, voleur, docteur, avocat, chef indien ? C'était avant tout la tâche de Patsy et Domingo, et de ce côté, il leur faisait confiance. Il connaissait sa fille, et son gendre presque aussi bien. Dès le premier instant où il avait vu ce gamin dans les montagnes du Colorado, il avait su qu'il avait quelque chose de spécial, et le jeune homme s'était effectivement épanoui en grandissant, telle une fleur dans un jardin truffé de ronces. Domingo Chavez était son double plus jeune, un homme d'honneur et de courage, et par conséquent, il serait un père digne, tout comme il s'était montré un mari digne. Oui, la grande continuité de la vie, songea Clark en buvant une gorgée de café avant de tirer sur son cigare, et si cela devait signifier un pas de plus vers la mort, eh bien, tant pis. Il avait eu une vie intéressante, une vie qui avait eu du prix pour les autres, comme en avait celle de Domingo, comme en aurait, ils l'espéraient tous, celle de John Conor. Et puis merde, s'avisa Clark, sa vie à lui était loin d'être terminée, pas vrai ?

Trouver un billet pour New York s'était révélé plus difficile que prévu. Tous les vols étaient complets, mais finalement Popov avait réussi à dénicher une place en classe affaires à l'arrière d'un vieux 727 d'United. Il détestait l'inconfort du siège étroit, mais le vol était bref. À La Guardia, il se dirigea vers la station de taxis. En chemin, il tâta ses poches intérieures et trouva les divers documents qui lui avaient permis de traverser l'Atlantique. Ils lui avaient bien servi mais il devait à présent s'en débarrasser. Émergeant de l'aérogare dans l'air du soir, il les jeta discrètement dans une poubelle avant de héler un taxi. Il se sentait las. Sa journée avait commencé à minuit, heure locale, il n'avait presque pas dormi de tout le vol et il avait l'impression... comment disait-on ici... de tourner à vide. Ce qui expliquait sans doute l'imprudence de ce geste inconsidéré.

Trente minutes plus tard, Popov était à quelques rues de son appartement en centre-ville quand l'équipe d'entretien passa devant le terminal d'United Airlines pour ramasser les sacs-poubelle. Une routine machinale et pas trop foulante pour ces ouvriers en majorité d'origine portoricaine : soulever l'arceau métallique, plonger la main pour empoigner le sac en plastique renforcé, puis se retourner pour le jeter dans le conteneur à roulettes qui serait ultérieurement déversé dans la benne à destination d'une décharge de Staten Island. Ça leur faisait un excellent exercice de musculation du torse, et la plupart des hommes étaient coiffés d'un baladeur pour échapper à l'ennui de cette tâche répétitive.

Une poubelle, à cinquante mètres de la station de taxis, avait été mal arrimée sur son support. Quand l'éboueur souleva le sac, il se coinça contre le rebord de l'arceau et se déchira, répandant son contenu sur le trottoir. L'éboueur étouffa un juron et dut s'accroupir pour ramasser tout un tas de détritus épars avec ses mains gantées. Il en avait récupéré la moitié quand il avisa un livret à couverture cartonnée rouge, apparemment un passeport britannique. Ce n'était pas le genre d'article dont on a coutume de se débarrasser. Il l'ouvrit et découvrit à l'intérieur deux cartes de crédit, portant le même nom que le passeport. Serov... un nom peu commun. Il glissa le tout dans la vaste poche de sa combinaison. Il irait le déposer aux objets trouvés. Ce ne serait pas la première fois qu'il découvrait des trucs de valeur dans les poubelles. Un jour, il avait même récupéré un pistolet 9 mm chargé !

Entre-temps, Popov avait rejoint son appartement. Trop crevé pour défaire ses bagages, il se déshabilla simplement et se laissa tomber sur le lit, sans même une vodka pour faire venir le sommeil. Machinalement, il alluma la télé et tomba encore une fois sur un reportage sur la fusillade d'Hereford. La télé... c'était de la merde. Il vit le car de reportage dont le journaliste s'était approché de lui pour tenter de l'interviewer. Ils n'avaient pas utilisé la séquence mais on le distinguait parfaitement à l'image, de profil, à quelques mètres du reporter en train de jacter. Encore une bonne raison pour lui de disparaître, songea-t-il en sombrant dans l'inconscience. Il n'eut même pas l'énergie d'éteindre la télé et s'endormit, bercé par ces reportages qui, à force, imprégnèrent son esprit, hantant sa nuit de rêves confus et désagréables.

Le passeport, les cartes de crédit et plusieurs autres articles apparemment de valeur arrivèrent au siège de l'entreprise de collecte des ordures, à Staten Island — en fait une remorque installée sur place — après l'heure de fermeture des bureaux. L'éboueur déposa le tout sur le bureau adéquat avant de pointer et de ressortir prendre sa voiture pour rentrer chez lui dans le Queens, prendre son habituel dîner tardif.

Tom Sullivan avait travaillé tard et il se retrouvait maintenant dans le bar fréquenté par les agents du FBI, à une rue du bâtiment fédéral, dans le bas de Manhattan. Son partenaire Frank Chatham était avec lui et les deux agents, assis dans une stalle, sirotaient leur bière Sam Adams.

« Du nouveau de ton côté ? » s'enquit Sullivan. Il avait passé sa journée à poireauter au tribunal ; il devait témoigner dans une affaire de fraude, mais n'avait jamais eu l'occasion d'approcher la barre des témoins, à cause des lenteurs de procédure.

« J'ai parlé à deux filles aujourd'hui. Toutes les deux disent connaître Kirk Maclean, mais aucune n'est en fait sortie avec lui, répondit Chatham. Encore une fausse piste, on dirait... merde, il s'était pourtant montré coopératif, non ?

— Pas d'autre nom associé aux disparues ?

— Pas un. Les deux affirment l'avoir vu parler à la fille et la raccompagner une fois, comme il nous l'a lui-même avoué, mais sans rien noter de particulier. Une scène somme toute banale dans un bar pour célibataires. Rien ne vient contredire sa déposition. Aucune ne semblait trop apprécier Maclean. D'après elles, il vient pour draguer les filles, pose quelques questions puis en général repart seul.

— Quel genre de questions ?

334

— Le truc habituel... le nom, l'adresse, le travail, les liens de famille... En gros les mêmes que les nôtres, Tom.

— Les deux filles à qui tu as parlé aujourd'hui, reprit Sullivan, songeur, d'où viennent-elles ?

— La première est de New York, la seconde de la rive opposée, à Jersey.

— Bannister et Pretloe ne sont pas d'ici, observa Sullivan.

— Ouais, je sais. Et alors ?

— Alors, si tu es un tueur psychopathe, il est plus simple de s'en prendre à des victimes qui n'ont pas de famille proche, non ?

— Ça ferait partie du processus de sélection ? Un peu tiré par les cheveux, Tom.

— Peut-être, mais qu'est-ce qu'on a d'autre ? » La réponse était : pas grand-chose. Les tracts distribués par la police municipale avaient suscité quinze témoignages d'individus qui affirmaient avoir reconnu les visages, mais sans pouvoir fournir la moindre information exploitable. « Je suis d'accord avec toi, Maclean s'est montré coopératif, mais s'il approche les filles, élimine celles qui sont nées ou qui ont de la famille ici, et qu'ensuite seulement, il raccompagne chez elles nos victimes... merde, c'est déjà pas mal comme élément concret.

— Tu veux qu'on retourne lui causer ? »

Sullivan opina. « Ouais. » C'était une simple procédure de routine. Kirk Maclean ne leur avait pas fait vraiment l'effet d'un tueur en série potentiel... mais c'était le genre de criminel qui savait le mieux se déguiser, comme l'un et l'autre l'avaient appris à l'académie du FBI à Quantico. Ils savaient également que les banales enquêtes de routine permettaient d'élucider plus d'affaires que les miracles tant appréciés des auteurs de romans policiers. Le vrai travail de police était ennuyeux, répétitif à en être abrutissant, et c'était ceux qui s'y tenaient qui gagnaient. En général...

Un bien étrange matin à Hereford. D'un côté, le groupe Deux se sentait comme assommé par ce qui s'était passé la veille. Un effet normal dans toute unité après la perte de camarades. Mais d'un autre côté, leur chef était désormais père, et c'était ce qui pouvait arriver de mieux à un homme. En route pour l'entraînement matinal, c'est un leader quelque peu éreinté après une nuit blanche qui eut droit à la poignée de main de tous les membres de l'équipe, immanquablement assortie d'un petit mot de congratulations et d'un sourire entendu, puisque tous, même ses cadets, étaient déjà pères. La séance d'exercices fut abrégée pour tenir compte de sa condition physique, et après la course, Eddie Price suggéra à Chavez de rentrer chez lui prendre quelques heures de sommeil, vu qu'il ne serait guère utile à quiconque dans son actuel état d'épuisement. Ce que fit Chavez, lequel dormit comme une souche jusqu'à midi, pour se réveiller avec une migraine tenace.

Tout comme Dimitri Popov. Ça semblait vraiment injuste, alors qu'il n'avait presque rien bu la veille. Il supposa que c'était son organisme qui se vengeait de toutes ces heures de voyage venant couronner une longue et épuisante journée à l'ouest de Londres. Il s'éveilla au son de CNN sur la télé de la chambre, se traîna jusqu'à la salle de bains pour ses ablutions matinales et avala deux cachets d'aspirine, avant de gagner la cuisine pour se préparer du café. En deux heures, il s'était douché, habillé, avait défait ses bagages et suspendu les vêtements qu'il avait emmenés en Europe. Les faux plis auraient sans doute disparu d'ici un jour ou deux. Puis il fut temps pour lui de prendre un taxi pour gagner le centre-ville.

Sur Staten Island, la responsable des objets trouvés était une secrétaire qui s'en chargeait à ses heures perdues, et qui détestait ça. Les articles déposés sur son bureau empestaient toujours, parfois au point de lui flanquer la nausée. Ceux d'aujourd'hui ne faisaient pas exception et elle en venait à se demander pourquoi il fallait que les gens jettent de telles horreurs dans les poubelles au lieu de... au lieu de quoi ? Elle n'avait jamais pris la peine d'y réfléchir. Les garder dans leur poche ? Le passeport rouge ne dérogeait pas à la règle. Joseph A. Serov. La photo révélait un quinquagénaire, à peu près aussi agréable à regarder qu'un hamburger. Mais c'était malgré tout un passeport, assorti de deux cartes de crédit, et ces objets appartenaient à quelqu'un. Elle prit l'annuaire sur son bureau et chercha le numéro du consulat britannique à Manhattan. Elle appela, indiqua à la standardiste de quoi il retournait, et obtint le responsable des visas. Ce qu'elle ignorait, c'est que le service des visas servait depuis des générations de couverture semi-secrète aux agents du SIS, le service secret de Sa Majesté. Après une brève conversation, un des camions de l'entreprise, qui de toute façon se dirigeait sur Manhattan, fit un détour par le consulat pour déposer l'enveloppe. Là, le portier prévint par interphone le service adéquat, et une secrétaire descendit la récupérer et vint la déposer sur le bureau de son chef, Peter Williams.

Williams était pour ainsi dire un espion. C'était la première affectation du jeune homme en dehors de son pays. Son poste, dans une grande métropole d'un pays allié, était une vraie sinécure ; il donnait un coup de main à plusieurs agents, tous diplomates travaillant aux Nations unies, et se chargeait de leur chercher (et parfois de trouver) des informations mineures qui étaient transmises à Whitehall afin d'être examinées et évaluées par des fonctionnaires tout aussi mineurs du ministère des Affaires étrangères.

Ce passeport... odorant était inhabituel. Même si sa tâche officielle était de régler les problèmes de cet ordre, en fait, il se chargeait le plus souvent de procurer des papiers de remplacement à ceux qui se débrouillaient pour les perdre à New York, ce qui n'était pas si rare, même si c'était toujours une gêne pour les victimes de ce genre de mésaventure. La procédure était de télécopier à Londres le numéro du document afin d'identifier son légitime propriétaire, puis de l'appeler chez lui, avec l'espoir de tomber sur un proche susceptible d'indiquer où on pourrait le retrouver.

Mais dans ce cas, Williams reçut un coup de fil de Whitehall une demi-heure à peine après avoir envoyé l'information.

« Peter ?

— Oui, Burt ?

— Ce passeport, au nom de Joseph Serov... on vient de découvrir un truc bizarre.

— Quoi donc ?

— L'adresse indiquée pour son domicile est celle d'un salon mortuaire, idem pour le numéro de téléphone. Et personne n'y a jamais entendu parler d'un Joseph Serov, vivant ou mort.

— Oh ? Un faux passeport ? » Williams récupéra le document posé sur le buvard du bureau. Si c'était un faux, il était diablement bien imité. Alors, il se passerait enfin quelque chose d'intéressant, pour changer ?

« Non, l'ordinateur a bien en référence le numéro avec le nom correspondant, mais ce Serov n'habite pas là où il prétend habiter. Le fichier indique qu'il s'agit d'un sujet naturalisé. Tu veux qu'on creuse la question ? »

Williams s'interrogea. Il avait déjà vu des faux papiers, et on lui avait même enseigné à l'académie les moyens de s'en procurer. Enfin, pourquoi pas ? Peut-être avait-il démasqué un espion... « D'accord, Burt, tu peux faire ça pour moi ?

— Rappelle-moi demain », promit le fonctionnaire des Affaires étrangères.

De son côté, Peter Williams alluma son ordinateur et envoya un courrier électronique à Londres... Encore une journée de routine pour un jeune agent débutant assurant son premier poste à l'étranger. Par bien des côtés, New York ressemblait à Londres, une métropole impersonnelle, friquée, cultivée, mais tristement dépourvue des bonnes manières de sa ville natale.

Il réfléchit. Serov était un nom russe, mais des Russes, on en trouvait partout. Il y en avait pas mal à Londres. Encore plus à New York, où bon nombre de chauffeurs de taxi étaient des émigrés fraîchement débarqués de l'avion ou du bateau et qui ne savaient pas plus parler anglais que se diriger dans la ville. Un passeport britannique perdu, un nom russe...

À cinq mille quatre cents kilomètres de là, le nom « Serov » venait d'être introduit dans le système informatique du SIS. On avait déjà effectué une recherche de corrélations, sans rien trouver de notable, mais la banque de données contenait quantité de noms et de phrases, et la machine les épluchait tous. Le nom suffisait — on l'avait même entré avec les graphies Seroff et Serof — et dès que l'e-mail de New York arriva, l'ordinateur le récupéra et dirigea le message vers l'officier de permanence. Sachant que Iossif était la version russe de Joseph, et comme le signalement du passeport donnait un âge qui entrait dans la bonne tranche, il l'indexa et le fit suivre vers le terminal de la personne qui avait lancé l'enquête sur un dénommé Serov, Iossif Andreïevitch.

En temps opportun, ce message arriva dans la corbeille réception de la machine de Bill Tawney. Sacrément utiles, ces ordinateurs, songea l'intéressé tout en sortant le document sur imprimante. New York... intéressant. Il appela le consulat et obtint Peter Williams.

« Ce passeport au nom d'un certain Serov, vous pouvez m'en dire plus ? demanda-t-il après s'être présenté.

— Ma foi, oui, il y a deux cartes de crédit à l'intérieur, une Mastercard et une Visa, toutes les deux Premier. » Il n'eut pas besoin d'ajouter qu'une telle catégorie autorisait un plafond d'achat passablement élevé.

« Très bien, Je veux que vous me transmettiez immédiatement la photo du passeport et les numéros des cartes par la ligne cryptée. » Et Tawney lui donna le numéro à composer.

« Bien, monsieur. Je m'en occupe tout de suite », répondit docilement Williams, en se demandant de quoi il retournait. Et qui diable était ce William Tawney ? En tout cas, il bossait tard, vu le décalage horaire entre l'Angleterre et New York... et aussitôt, Peter Williams se demanda ce qu'il allait bien pouvoir manger pour dîner.

« John ?

— Oui, Bill ? » répondit Clark d'une voix lasse, quittant des yeux son bureau et se demandant s'il aurait une minute pour voir son petit-fils aujourd'hui.

« Notre ami Serov s'est manifesté », lui dit aussitôt l'agent du SIS. Réaction immédiate de Clark qui plissa les paupières.

« Oh ? Où ça ?

— New York. On a trouvé un passeport britannique dans une poubelle devant l'aérogare de La Guardia, en même temps que deux cartes de crédit. Or... passeport et cartes étaient au nom d'un certain Joseph A. Serov.

— Fais vérifier la validité des cartes, voir si...

— J'ai déjà appelé l'attaché juridique de votre ambassade à Londres pour faire vérifier les comptes. On devrait avoir les résultats d'ici une heure. Ça pourrait être la percée qu'on attendait, John, ajouta Tawney, une note d'espoir dans la voix.

— Qui est sur le coup aux États-Unis ?

— Gus Werner, directeur adjoint, section terrorisme. Tu l'as déjà rencontré ? »

Clark hocha la tête. « Non, mais le nom me dit quelque chose.

— Je connais Gus. C'est un type bien. »

Le FBI entretenait des relations cordiales avec toutes sortes d'entreprises et de services. Visa et Mastercard étaient du nombre. Un agent du FBI appela le siège des deux sociétés depuis son bureau de l'immeuble Hoover, en donnant les numéros des cartes aux responsables de la sécurité des deux compagnies. L'un et l'autre étaient des anciens du FBI (le service plaçait souvent à de tels postes ses agents à la retraite, ce qui permettait de créer un vaste réseau d'influences) et ils firent une recherche sur leur ordinateur qui leur fournit des informations sur le compte, avec le nom, l'adresse, un historique bancaire du titulaire, et détail essentiel, le récapitulatif de ses dernières opérations. La télécopie de la transaction pour un vol British Airways entre Londres-Heathrow et Chicago-O'Hare apparut sur le bureau de l'agent du FBI à Washington.

« Ouais ? fit Gus Werner quand celui-ci entra dans son bureau.

— Il a pris un vol entre Londres et Chicago, hier dans la soirée, puis un autre en correspondance pour New York, quasiment le dernier de la soirée... il a réussi à avoir une place sur liste d'attente. Il a dû se débarrasser des papiers à son arrivée. Tenez... » L'agent lui tendit la quittance de débit et la copie des réservations de vol. Werner étudia les documents faxés.

« Pas à dire, observa tranquillement l'ancien responsable de la cellule de récupération d'otages. On dirait bien qu'on a levé un sacré lièvre, Jimmy.

— Effectivement, monsieur, répondit le jeune agent, frais débarqué de la section locale d'Oklahoma City. Mais ça laisse malgré tout une question pendante... comment a-t-il fait pour se rendre en Europe cette fois-ci ? On a des documents pour tout le reste du trajet et il y a bien trace de son transit entre Dublin et Londres, mais rien en revanche d'ici en Irlande, fit remarquer à son chef l'agent James Washington.

— Peut-être qu'il a réglé son billet par American Express. Appelle-les pour vérifier, ordonna Werner.

— Je m'en occupe, promit Washington.

— Qui dois-je prévenir, là-bas ? s'enquit Werner.

— C'est marqué ici. » Washington indiqua le nom et le numéro inscrits sur la couverture de la chemise.

« Oh, parfait. Je le connais. Merci encore, Jimmy. » Werner décrocha son téléphone et composa l'indicatif international. « M. Tawney, je vous prie. De la part de Gus Werner, au siège du FBI, à Washington. »

« Salut, Gus ! Dis donc, t'as fait sacrément vite, s'exclama Tawney qui avait à moitié enfilé son pardessus et comptait bien rentrer chez lui.

— Les miracles de la technologie, Bill. Il se pourrait qu'on ait repéré ce fameux Serov. Il a pris un avion d'Heathrow à Chicago, hier soir. Environ trois heures après votre accrochage à Hereford. J'ai un relevé de location de voiture, une facture d'hôtel et un billet d'avion de Chicago à New York après son arrivée ici.

— Une adresse ?

— Il ne faut pas en demander trop. Juste une boîte postale dans le bas de Manhattan. Bill, c'est sérieux, comme affaire ?

— Tout ce qu'il y a de plus sérieux. Sean Grady nous a donné le nom, et un des autres prisonniers l'a confirmé. Ce Serov a livré une grosse somme d'argent et cinq kilos de cocaïne peu avant l'attaque du commando. Nous travaillons en ce moment même avec les Suisses pour localiser les fonds. Et voilà que tu m'apprends que ce type agirait depuis l'Amérique. Très intéressant.

— Sacrebleu ! Il va falloir qu'on se dépêche d'alpaguer ce corniaud si on y arrive », observa Werner, réfléchissant tout haut. Il avait en main tous les éléments justificatifs pour ouvrir une enquête. Les lois américaines sur le terrorisme avaient déteint sur le reste du monde et les peines encourues étaient draconiennes. Tout comme les lois sur le trafic de drogue.

« Tu vas tenter le coup ? demanda Tawney.

— Un peu, tu peux compter là-dessus, Bill, répondit Werner. Je vais moi-même ouvrir le dossier. La chasse au Serov est ouverte.

— Excellent. Merci, Gus. »

Werner consulta son ordinateur pour trouver un nom de code. Pour une affaire aussi importante et confidentielle, le nom de code devait... non, pas celui-ci. Il demanda à la machine d'en sélectionner un autre. Oui, PRÉFET, un terme qui lui rappelait ses études chez les jésuites, à Saint Louis.

« Monsieur Werner ? l'appela sa secrétaire. Vous avez M. Henriksen sur la trois.

— Eh, Bill ? » fit Werner en prenant la communication.

« L'est-y pas mignon ? » fit Chavez.

John Conor Chavez dormait paisiblement dans sa couveuse en plastique. Le carton glissé dans la fente sur le devant précisait son identité — et pour qui aurait encore des doutes, un policier en arme à l'entrée de la pouponnière se chargerait de les dissiper. Il devait y en avoir un autre au rez-de-chaussée de la maternité, sans compter trois soldats du SAS patrouillant dans l'enceinte de l'hôpital. Ceux-là étaient plus difficiles à repérer, car ils n'avaient pas la coupe militaire. Encore une fois, on retrouvait ce syndrome du chat échaudé, mais Chavez n'avait rien contre des dispositions visant à protéger sa femme et son enfant.

« Ouais, presque toujours, à cet âge », lui fit remarquer John Clark qui se souvenait de Patsy et Maggie à l'époque — comme souvent, il lui semblait que c'était seulement la veille. À l'instar de bien des hommes, John considérait toujours ses enfants comme s'ils étaient encore des bébés, incapable qu'il était d'oublier la première fois qu'il les avait tenus enveloppés dans leur couverture à l'hôpital. Et voilà pourquoi il se sentait en parfaite connivence avec les sentiments de Ding, fier et légèrement intimidé par la perspective des responsabilités attachées au statut de père. Enfin, c'était la vie. Il tient de sa mère, nota ensuite John, autant dire de *lui*, ce qui, à la réflexion, n'était pas pour lui déplaire. Mais John se demanda tout de suite après, avec un sourire ironique, si le petit bonhomme rêvait en espagnol, et s'il apprendrait la langue en grandissant... mais, après tout, ça ne faisait de mal à personne d'être bilingue. Et puis son bip se manifesta. En grommelant, John le décrocha de sa ceinture. C'était le numéro de Bill Tawney. Il sortit de sa poche de pantalon son mobile, le déplia, composa le numéro. Il fallut cinq secondes aux systèmes de cryptage pour se synchroniser.

« Ouais, Bill ?

— Bonne nouvelle, John, votre FBI a décidé de coincer ce Serov. J'ai parlé avec Gus Werner il y a moins d'une demi-heure. Ils ont pu établir qu'il avait pris un avion entre Heathrow et Chicago hier soir, puis un autre pour New York. C'est l'adresse correspondant à ses cartes de crédit. Apparemment, le FBI a décidé de se démener. »

L'étape suivante consistait à vérifier le permis de conduire : chou blanc. Ce qui signifiait qu'ils n'avaient pas d'autre photo à comparer avec celle du passeport. Les agents du FBI qui enquêtaient à Albany se montrèrent déçus mais pas vraiment surpris.

Venait ensuite (ce serait pour le lendemain) l'interrogatoire des employés du bureau où avait été ouverte la boîte postale.

« Alors comme ça, Dimitri, vous êtes revenu ici en vitesse, observa Brightling.

— Ça m'a paru une bonne idée, répondit Popov. Cette mission était une erreur. Les soldats de Rainbow sont trop bons pour subir une telle attaque. Les hommes de Sean n'ont rien à se

346

reprocher : leur plan m'avait paru excellent mais ils avaient affaire à bien trop forte partie. Ces types ont des capacités vraiment remarquables, comme ils l'ont déjà prouvé.

— Enfin, l'attaque aura quand même dû les ébranler, observa son employeur.

— Peut-être. » Popov était dubitatif. Sur ces entrefaites, Henriksen entra dans la pièce.

« Mauvaise nouvelle, annonça-t-il aussitôt.

— Quoi donc ?

— Dimitri, fils, il semblerait que vous ayez fait une boulette...

— Oh, et comment cela ? demanda le Russe, avec une certaine ironie.

— Faudra voir, mais toujours est-il qu'ils savent qu'un Russe est impliqué dans l'organisation de l'attaque contre Rainbow, et que le FBI a décidé d'ouvrir une enquête. Il se peut qu'ils soient déjà au courant de votre présence ici...

— C'est impossible », objecta Popov. Puis : « Enfin... oui, c'est vrai, ils ont Grady, et il est toujours possible qu'il ait parlé... et c'est exact, il savait effectivement que j'étais venu en avion d'Amérique, en tout cas, il aurait pu le déduire sans peine... et il connaît le nom d'emprunt que j'ai utilisé, mais cette identité a disparu, j'ai détruit les preuves...

— Peut-être, il n'empêche que j'étais à l'instant au téléphone avec Gus Werner. Je l'ai interrogé sur l'incident d'Hereford, pour voir s'il y avait du nouveau. Il m'a annoncé qu'ils venaient d'ouvrir une enquête sur un suspect, à partir d'un nom russe. Qu'ils avaient de bonnes raisons de croire qu'un Russe, sans doute installé en Amérique, avait été en contact avec l'IRA provisoire.

Cela veut dire qu'ils connaissent le nom de Dimitri, et qu'ils vont se mettre à le rechercher sur les listes de passagers aériens. Ne jamais sous-estimer le FBI, mon gars, avertit Henriksen.

— Sûrement pas », rétorqua Popov, un rien inquiet désormais, mais sans plus. Il ne serait pas si facile de vérifier un par un tous les vols transatlantiques, même à l'ère de l'électronique. Il décida en outre que son prochain jeu de papiers d'identité serait au nom de Jones, Smith, Brown ou Johnson, et plus à celui d'un patron du KGB des années cinquante tombé en disgrâce. Il l'avait choisi par ironie. Ironie décidément mal venue. Joseph Andrew Brown, tel serait son prochain pseudonyme, décida Dimitri Arkadeïevitch Popov.

« Y a-t-il un danger pour nous ? s'inquiéta Brightling.

— S'ils retrouvent notre ami ici présent », répondit Henriksen.

Brightling hocha la tête et réfléchit rapidement. « Dimitri, êtes-vous déjà allé au Kansas ? »

« Bonjour, monsieur Maclean, dit Tom Sullivan.

— Oh, c'est vous ? Vous avez encore des questions à me poser ?

— Oui, si ça ne vous dérange pas, enchaîna Frank Chatham.

— Je vous en prie, entrez donc. » Maclean ouvrit grande la porte et retourna dans son séjour tout en se répétant d'être calme. Il s'assit, coupa le son de la télé. « Eh bien, que voulez-vous savoir ?

— Pas souvenance d'une autre personne qui aurait pu être proche de Mary Bannister ? » Les deux enquêteurs virent Maclean plisser le front, puis hocher la tête.

« Personne sur qui je pourrais mettre un nom... je veux dire, vous comprenez, c'est un bar pour célibataires, des tas de gens se rencontrent et discutent, se lient d'amitié, tout ça... vous voyez le topo ? » Il réfléchit encore une seconde. « Peut-être un homme, éventuellement, mais j'ignore son nom... un type grand, à peu près mon âge, blond filasse, corpulent... baraqué, même, genre athlète... Mary a dansé et dû boire quelques verres avec lui, mais en dehors de ça, vous comprenez, il fait trop sombre et il y a trop de monde...

— Quant à vous, vous ne l'avez raccompagnée que cette fois-là ?

— J'en ai bien peur. On a causé et plaisanté un peu, mais ça n'est jamais allé plus loin. Je ne lui ai jamais... euh... comment dire... fait des avances, si vous voyez ce que je veux dire. Je ne suis jamais allé aussi loin. Ouais, bien sûr, je l'ai raccompagnée, mais je ne suis même pas entré dans l'immeuble. On ne s'est même pas embrassé pour se dire au revoir, on s'est juste serré la main. » Il vit Chatham prendre des notes. Était-ce ce qu'il lui avait raconté la fois précédente ? Il en avait l'impression, mais il n'était pas évident de se souvenir avec deux fédéraux dans votre salon. Le plus beau, c'est qu'effectivement il ne se rappelait plus grand-chose d'elle. Il l'avait sélectionnée, l'avait chargée dans le fourgon, point final. Il n'avait aucune idée de l'endroit où elle se trouvait désormais, même si elle était sans doute déjà morte. Maclean connaissait au moins cette partie du Projet et cela faisait de lui un ravisseur et le complice d'un meurtre, deux éléments qu'il n'avait pas précisément l'intention de révéler à ces deux gars du FBI. L'État de New York avait rétabli la peine de mort... Machinalement, il s'humecta les lèvres et s'essuya les mains sur son pantalon en se calant contre le dossier du canapé. Puis il se releva et se tourna vers la cuisine. « Je peux vous servir quelque chose ?

— Non merci, mais je vous en prie, faites... », répondit Sullivan. Il venait de noter un détail qu'il n'avait pas remarqué lors de leur premier entretien. De la tension. Était-ce dû à la réaction qu'ont parfois les témoins confrontés aux inspecteurs du FBI, ou bien ce type essayait-il de leur cacher quelque chose ? Ils regardèrent Maclean se préparer à boire et revenir dans le séjour.

« Comment décririez-vous Mary Bannister ? demanda Sullivan.

— Mignonne, mais pas canon. Sympa, ouverte... je veux dire : agréable, pleine d'humour et de joie de vivre. Une petite provinciale débarquant pour la première fois dans la grande ville... Enfin, une fille décontractée, vous voyez ?

— Mais sans vraiment de relation proche, avez-vous dit ?

— Pas que je sache, non, mais je ne la connaissais pas assez bien. Qu'en disent les autres personnes que vous avez interrogées ?

— Ma foi, les clients du bar indiquent que vous étiez assez ami avec elle.

— Ouais, peut-être, mais quand même pas tant que ça... Je veux dire : ça n'a pas débouché. Je ne l'ai même pas embrassée. » Là, voilà qu'il se répétait, tout en sirotant son bourbon à l'eau. Puis il ajouta : « J'aurais bien voulu, mais ça ne s'est pas fait.

— Avec qui d'autre êtes-vous vraiment proche ? demanda Chatham.

— Eh, c'est un peu intime comme question, non ? objecta Kirk.

— Allons, vous savez comment ça se passe. On essaie de saisir l'ambiance générale, le contexte, que sais-je...

— Eh bien, je vous l'ai dit, je ne suis pas du genre à me vanter de mes conquêtes, d'accord ? C'est pas mon truc.

— Ça, je ne vous le reproche pas, observa Sullivan avec un sourire. Mais reconnaissez que c'est pour le moins inhabituel chez un client de ce type d'établissement.

— Oh, évidemment, il y a des tas de gars qui aiment exhiber leur tableau de chasse, mais ce n'est pas mon style.

— Donc, Mary Bannister a disparu et vous n'avez rien remarqué ?

— Peut-être, mais je ne me suis pas appesanti dessus. Ça va, ça vient, vous voyez ? C'est une clientèle de passage... il y en a qu'on ne revoit jamais. Qui disparaissent pour de bon.

— Jamais songé à l'appeler ? »

Maclean fronça les sourcils. « Non, je n'ai même pas souvenance qu'elle m'ait donné son numéro. Je suppose qu'elle était dans l'annuaire mais non, l'idée ne m'est pas venue.

— Vous l'avez raccompagnée chez elle uniquement cette fois-là ?

— Tout à fait, rien que cette fois », confirma Maclean, en buvant une autre gorgée de bourbon. Il aurait voulu voir déguerpir vite fait ces deux fouille-merde. Savaient-ils... pouvaient-ils savoir quelque chose ? Pourquoi étaient-ils revenus ?

Cela dit, rien dans son appartement ne pouvait confirmer un éventuel rapport avec l'une ou l'autre habituée de ce bar. Juste des numéros de téléphone, pas un indice comme un bas oublié par une des femmes qu'il avait pu amener ici. « Je veux dire... vous avez déjà jeté un œil lors de votre première visite, ajouta Maclean.

— Il ne faut pas vous en formaliser : simple procédure de routine, rétorqua Sullivan, comme pour rassurer leur suspect. Enfin... nous n'allons pas nous attarder, on a un autre rendez-vous dans le quartier. Merci encore pour votre accueil. Vous avez toujours ma carte ?

— Ouais. Dans la cuisine. Collée sur le frigo.

— Parfait. Voyez-vous, cette enquête s'avère assez difficile. Essayez de bien y réfléchir et si jamais quelque chose vous revient... n'importe quoi, n'hésitez pas à m'appeler, d'accord ?

— Je n'y manquerai pas. » Maclean se leva et les reconduisit à la porte avant de revenir terminer son verre.

« Il est nerveux, nota Chatham dès qu'ils furent dans la rue.

— Sacrément, oui. Je crois que ça vaudrait le coup de faire une petite enquête de moralité.

— Pas de problème.

— On voit ça demain ? »

C'était son second départ par Teterboro, l'aéroport situé dans le New Jersey, sur l'autre rive de l'East River, mais cette fois à bord d'un autre appareil, avec le logo d'Horizon Corporation peint

352

sur la dérive. Dimitri avait décidé de jouer le jeu, persuadé qu'il pourrait toujours s'éclipser, où qu'il soit aux États-Unis et sachant qu'Henriksen mettrait Brightling en garde contre toute tentative de représailles. Popov éprouvait certes une légère inquiétude mais guère supérieure à sa curiosité, alors qu'il s'installait dans son fauteuil sur la rangée de gauche et attendait que l'appareil lance ses moteurs et gagne la piste d'envol. Ils avaient même prévu une hôtesse, plutôt jolie, pour lui servir un verre de vodka finlandaise, qu'il dégusta tandis que le Gulfstream-V commençait à rouler. Il se mit à songer au Kansas... ses champs de blé, ses tornades... dans moins de trois heures.

« Monsieur Henriksen ?

— Ouais, qui est à l'appareil ?

— Kirk Maclean.

— Un problème ? » demanda Henriksen, soudain alerté par le ton de son interlocuteur.

31

Mouvement

L'obscurité cachait le paysage. Popov descendit de l'avion et découvrit un imposant véhicule de type militaire qui l'attendait au pied de la passerelle. Puis il avisa les marquages au sol et se demanda s'il avait atterri sur une piste d'aéroport ou sur une route de campagne. Mais non, il remarqua au loin un vaste édifice partiellement éclairé. La curiosité en éveil, Dimitri monta dans le véhicule qui se dirigea vers le bâtiment. Ses yeux s'accoutumèrent peu à peu à l'obscurité. Le paysage alentour semblait très plat, avec juste quelques molles ondulations. En se retournant, il vit qu'un camion-citerne s'était arrêté près de l'avion d'affaires, sans doute pour le ravitailler avant qu'il ne regagne le New Jersey. Vu leur coût d'entretien, l'entreprise de Brightling avait en effet intérêt à rentabiliser de tels appareils. Popov ignorait qu'Horizon Corporation en possédait déjà toute une flotte ; trois nouvelles commandes venaient de sortir de l'usine du constructeur installée dans les faubourgs de Savannah, Georgie.

En pénétrant dans le bâtiment, il s'aperçut qu'il n'avait pas encore récupéré des effets du décalage horaire. Un vigile en uniforme le conduisit à l'ascenseur, puis le mena au troisième étage où se trouvait sa chambre. Guère différente de celle d'un hôtel de bon confort, elle était équipée d'une mini-cuisine avec réfrigérateur. Il y avait également une télé avec magnétoscope et toutes les cassettes rangées dans le buffet adjacent étaient... des documentaires consacrés à la nature : lions, ours, élans, saumons... Pas un seul film. De même, tous les magazines posés sur la table de chevet étaient sur le même thème. Bizarre. Mais il y avait aussi un bar bien fourni, avec de la vodka Absolut, qui était presque aussi bonne que la marque russe qu'il affectionnait. Il s'en servit un verre et mit CNN.

Henriksen faisait preuve d'un excès de prudence. Que pouvait avoir sur lui le FBI ? Un nom ? D'accord, ça leur faisait éventuellement un point de départ... mais vers quoi ? Les cartes de crédit, s'ils avaient beaucoup de chance, et partant de là, le récapitulatif de ses déplacements, mais rien de tout cela n'aurait valeur de preuve devant un tribunal. Non, à moins que Sean Grady ne l'ait formellement identifié comme leur informateur et leur financier, il ne craignait strictement rien. Et Popov estimait qu'il pouvait compter sur Grady pour ne pas coopérer avec les Britanniques. Il les détestait trop. Non, il n'avait qu'à retourner se planquer et faire le gros dos en attendant que ça se passe. L'argent mis de côté sur le deuxième compte suisse pouvait certes être découvert, mais il y avait des moyens de contourner l'obstacle — s'il avait appris une chose, c'est que les avocats avaient leur utilité. S'assurer leur collaboration surpassait de loin toutes les méthodes de terrain qu'on enseignait au KGB.

Non, s'il devait y avoir un danger, il résidait du côté de son employeur qui avait tendance à faire fi de la règle du jeu — mais même dans cette hypothèse, il y avait Henriksen pour rectifier le tir, aussi Dimitri se détendit-il en sirotant sa vodka. Demain, il explorerait les lieux, et selon la façon dont il serait traité, il serait fixé sur...

... Non, il y avait un moyen plus facile d'en avoir le cœur net. Il décrocha le téléphone, fit le neuf pour avoir l'extérieur, puis composa le numéro de son appartement à New York. L'appel aboutit ; il entendit sonner quatre fois avant que son répondeur ne décroche. Donc, il avait accès par téléphone à l'extérieur. Ça voulait dire qu'il était en sécurité, mais il n'était pas plus avancé que lors de son premier entretien, en France, quand il avait discuté avec l'homme d'affaires américain en lui narrant ses exploits d'ex-agent du KGB. Voilà qu'il se retrouvait au fin fond du Kansas, à boire de la vodka en regardant la télé, avec plus de six millions de dollars sur deux comptes numérotés en Suisse. Il avait atteint un premier objectif. L'autre était de résoudre l'énigme suivante : à quoi rimait toute cette aventure ? Trouverait-il ici la réponse ? Il fallait l'espérer.

Les avions étaient bondés. Tous se dirigeaient vers l'aéroport international Kingsford Smith, dans la banlieue de Sydney, pour se poser à la file sur la piste qui avançait comme un doigt dans Botany Bay. Cette baie avait été célèbre en son temps pour avoir été le point de débarquement des criminels et autres relégués que la Couronne britannique expédiait aux antipodes sur des vaisseaux de bois pour y édifier un nouveau monde, entreprise dont, à la grande surprise des Anglais, ils s'étaient remarquablement acquittés. Une partie des passagers arrivant sur le sol australien était composée de jeunes athlètes en parfaite forme physique, l'élite et la fierté des pays qui les avaient envoyés. D'autres étaient des touristes, qui avaient payé le prix fort leur séjour auprès d'une agence de voyages ou se l'étaient vu offrir par le truchement d'une relation politique. Beaucoup brandissaient de petits fanions. Les rares passagers d'affaires avaient dû subir toutes sortes de pronostics enthousiastes sur les performances nationales lors des épreuves olympiques qui allaient commencer dans les tout prochains jours.

Dès leur arrivée, les athlètes étaient traités comme des visiteurs de marque et conduits par cars jusqu'au village olympique construit par le gouvernement australien pour les abriter. De là, ils pouvaient contempler les installations sportives en se demandant s'ils auraient la joie d'y connaître la gloire.

« Eh bien, colonel, qu'en pensez-vous ?

— Pas à dire, c'est une sacrée réalisation, répondit le colonel Wilson Gearing, retraité du corps des armements chimiques de l'armée américaine, en admirant le stade.

— Mais sûr qu'on y crève de chaud en cette saison, l'ami.

— Toujours ce phénomène El Niño. La circulation des courants océaniques dans le Pacifique sud s'est encore inversée et cela se traduit ici par des températures inhabituellement élevées. On s'attend à une moyenne de trente-cinq degrés Celsius — ça doit faire quatre-vingt-dix de vos degrés Fahrenheit — pour toute la durée des Jeux.

— Eh bien, j'espère pour vous que ce système de brumisation marche bien, sinon vous allez vous retrouver avec une flopée de coups de chaleur sur les bras...

— Il marche, lui assura le flic australien. On l'a testé en grandeur réelle.

— Je peux y jeter un coup d'œil ? Bill Henriksen veut que je m'assure qu'il ne risque pas d'être détourné par des terroristes pour répandre un gaz toxique.

— Certainement. Par ici. » En cinq minutes, ils étaient à pied d'œuvre. Le local technique était fermé à clé. Le flic y fit entrer le colonel.

« Ah, je vois que vous avez une installation de

chloration, nota Gearing, légèrement surpris. L'alimentation se fait pourtant par le réseau urbain d'eau potable, n'est-ce pas ?

— Oui, mais deux précautions valent mieux qu'une, non ?

— Certes », admit le colonel Gearing, en examinant le bidon en plastique relié aux tuyauteries, à la sortie des pompes. L'eau était filtrée avant d'alimenter le réseau de diffuseurs fixés au plafond de toutes les coursives et rampes d'accès au stade olympique. Le système devrait être purgé à l'eau non chlorée préalablement à leur intervention, mais ce ne serait pas un problème et le faux bidon de chlore qui se trouvait dans sa chambre d'hôtel était la réplique parfaite de celui installé ici. Son contenu était de couleur quasiment identique, même si le liquide était en fait une suspension de nanocapsules contenant un virus nommé Shiva, songea Gearing, le regard indéchiffrable. Toute sa vie professionnelle, il avait été un expert en armes chimiques, il avait travaillé à l'arsenal d'Edgewood dans le Maryland et au centre d'essais de Dugway dans l'Utah — mais enfin, ce n'était pas vraiment de la guerre chimique. C'était de la guerre biologique, cousine de celle qu'il avait étudiée pendant plus de vingt ans en uniforme. « La porte est-elle gardée ?

— Non, mais elle est protégée par une alarme et il faut plusieurs minutes pour maîtriser le système, comme vous pouvez le constater. L'alarme est reliée au PC et nous avons largement de quoi faire face à la situation.

— Largement ?

— Vingt membres du SAS, plus vingt policiers, qui sont là en permanence, plus dix autres

SAS qui patrouillent par deux autour du stade. Les hommes du PC sont dotés d'armes automatiques. Les autres ont des pistolets et des radios. Il y a également des renforts à un kilomètre de distance, équipés de blindés légers et d'armes lourdes, l'équivalent d'un peloton. Au-delà, un bataillon d'infanterie est posté à vingt kilomètres, avec des hélicoptères et du matériel de renfort.

— Ça me paraît bien pensé, commenta le colonel Gearing. Vous pouvez me fournir le code de l'alarme protégeant cette installation ? »

Les Australiens n'hésitèrent même pas. Après tout c'était un ancien haut gradé, et l'un des responsables du cabinet de consultants chargé d'assurer la sécurité des jeux Olympiques. « 00-33-66 », répondit le responsable de la police. Gearing recopia le numéro, puis composa la suite de chiffres sur le clavier, armant puis désarmant le système. Il pourrait opérer très vite la substitution des bidons de chlore. On avait tout prévu pour une opération rapide. Tout se passerait comme prévu, selon le modèle mis au point au Kansas et qu'il avait passé plusieurs jours à répéter avec ses hommes. Pour effectuer la manœuvre, ils étaient parvenus à descendre à quatorze secondes. De toute façon, en dessous de vingt, personne ne remarquerait la moindre coupure dans le réseau de climatisation car la pression résiduelle suffirait à maintenir le débit dans les buses de diffusion.

Pour la première fois, Gearing contemplait le lieu où il allait opérer et cela lui glaça légèrement le sang. Planifier une opération était une chose, voir l'endroit où elle allait se dérouler en grandeur réelle en était une autre. C'est de là qu'allait se répandre un fléau planétaire dont le bilan en pertes humaines serait trop vaste pour être chiffré, et qui ne laisserait au bout du compte survivre que les élus. La planète serait sauvée — à un prix terrifiant, certes, mais il s'était dévoué à cette mission depuis des années. Il avait vu ce dont l'homme était capable pour nuire. Il était jeune lieutenant au centre d'essais de Dugway quand s'était produit le trop fameux accident avec le gaz GB, un agent neurotoxique qui avait explosé trop loin, massacrant plusieurs centaines de moutons — et la mort par neurotoxique, ça n'était pas une belle mort, même pour des moutons. La presse n'avait même pas pris la peine de s'appesantir sur le sort des bêtes sauvages qui avaient connu une mort identique, tout aussi horrible — des rongeurs aux antilopes. Il s'était senti ébranlé de voir que le corps auquel il appartenait, l'armée des États-Unis, était capable de commettre une telle erreur, d'occasionner de telles souffrances. Et ce qu'il avait appris par la suite était bien pire. Les agents binaires sur lesquels il avait travaillé pendant des années — un prétendu effort pour fabriquer des gaz « sûrs » pour usage exclusif sur le champ de bataille... le plus dingue c'était qu'à l'origine, il s'agissait de recherches allemandes sur les insecticides effectuées dans les années vingt et trente. La plupart des substances chimiques utilisées pour éliminer les insectes étaient des agents neurotoxiques, des molécules simples qui attaquaient et détruisaient le système nerveux rudimentaire des scarabées et des fourmis, mais ces chimistes allemands étaient tombés sur quelques-uns des composés les plus meurtriers jamais élaborés... Tant et si bien qu'une bonne partie de la carrière de Gearing s'était passée dans le milieu du renseignement, à évaluer les données sur l'existence d'usines éventuellement destinées à la guerre chimique dans des pays où leur présence constituait un risque potentiel.

Mais le problème avec les armes chimiques avait toujours été leur distribution : comment les répandre de manière régulière sur le champ de bataille, afin d'y exposer efficacement les personnels ennemis. Que les mêmes substances soient emportées par les vents et tuent des civils innocents était demeuré le sale secret que les organisations et les gouvernements placés au-dessus d'elles avaient toujours préféré taire. Et ils s'inquiétaient encore moins du sort de la faune sauvage qui serait également exterminée en grand nombre... et pis encore, des dégâts génétiques que ces agents provoquaient. En effet, même à des doses limitées, bien en dessous du seuil létal, le gaz innervant altérait l'ADN de la victime, entraînant des mutations qui se répercuteraient sur les générations suivantes. Gearing avait passé sa vie à s'informer là-dessus, et il supposa que ça l'avait blindé contre la perspective d'un nettoyage à grande échelle.

Ce n'était toutefois pas tout à fait la même chose. Il n'allait pas répandre des poisons organophosphorés, mais plutôt d'infimes particules virales. Et les gens qui passeraient sous les buses de diffusion dans les galeries et les rampes du stade les respireraient, leur métabolisme briserait les nanocapsules, libérant les particules de Shiva qui commenceraient leur œuvre... lentement, bien sûr... ils auraient ainsi le temps de rentrer chez eux et de continuer ainsi à répandre le virus. Quatre à six semaines après la clôture des Jeux de Sydney, la pandémie aurait touché toute la planète et déclenché une panique mondiale. C'est à ce moment qu'Horizon Corporation annoncerait détenir un vaccin expérimental qui avait fait ses preuves sur les animaux et les primates, qui plus est sans effets secondaires chez l'homme, et qu'elle était prête à le produire en masse. Et c'est ce qui se passerait, le vaccin A serait distribué dans le monde entier, et quatre à six semaines après l'injection, les receveurs présenteraient à leur tour les symptômes de Shiva ; avec un peu de chance, la population mondiale serait réduite à un pourcentage infime de son chiffre actuel. Des troubles éclateraient, finissant d'éliminer une bonne partie de ceux que la nature avait dotés d'un système immunitaire résistant ; en l'espace de six ou sept mois, il ne resterait que quelques survivants, parfaitement organisés et équipés, bien à l'abri au Kansas et au Brésil ; encore six mois et ils auraient hérité d'un monde en train de retourner enfin à son état naturel. Aucun rapport avec Dugway, un accident involontaire. Là, il s'agirait de l'acte réfléchi d'un homme qui avait travaillé sur la pratique du génocide durant toute sa vie professionnelle, mais n'avait somme toute réussi qu'à massacrer des bêtes innocentes... Il se tourna pour regarder ses hôtes.

« Quelles sont les prévisions météo à long terme ?

— Temps chaud et sec, mon vieux. J'espère que les athlètes sont en forme. Ils en auront besoin.

— Eh bien, on dirait que ce système de brumisation s'annonce comme une véritable planche de salut, observa Gearing. Alors, mieux vaut qu'il ne tombe pas entre de mauvaises mains. Avec votre permission, je vais demander à mon personnel d'avoir l'œil dessus.

— Parfait », rétorqua le commissaire. Il nota que l'Américain faisait une vraie fixation sur ce système, mais quand il servait dans l'armée, l'homme avait travaillé sur les gaz, alors ceci expliquait sans doute cela.

Popov n'avait pas fermé les rideaux la veille au soir, et le petit jour l'éveilla sans ménagement. Il ouvrit les yeux pour les cligner aussitôt, aveuglé par le soleil qui se levait sur les plaines du Kansas. L'armoire à pharmacie de la salle de bains contenait de l'aspirine et du paracétamol, et il trouva dans le coin-cuisine du café moulu pour la machine. Rien d'intéressant en revanche dans le frigo. Il prit donc sa douche et but son café, puis sortit pour se mettre quelque chose sous la dent. Il trouva une cafétéria — gigantesque — presque entièrement déserte, même s'il y avait quelques clients attablés à proximité des plateaux. Il alla se servir et retourna s'asseoir seul dans un coin, examinant les rares occupants de cette salle immense. En majorité des gens entre trente et quarante ans, l'air professionnel, certains en blouse blanche de laboratoire.

« Monsieur Popov ? » dit une voix. Dimitri se retourna.

« Oui ?

— Je suis David Dawson, chef de la sécurité sur ce site. J'ai un badge à vous donner (il lui tendit un rectangle de plastique blanc à épingler à sa chemise) et je suis censé vous faire faire le tour du propriétaire. Bienvenue au Kansas.

— Merci. » Popov épingla le badge en notant qu'il portait même déjà sa photo.

« Vous aurez intérêt à le mettre tout le temps, pour que les gens sachent que vous êtes autorisé à circuler ici, expliqua Dawson, serviable.

— Oui, je comprends. » Donc, l'endroit était soumis à un contrôle d'accès, et il y avait un directeur de la sécurité sur le site. De plus en plus intéressant.

« Comment s'est passé votre vol, hier soir ?

— Agréable et sans histoires, répondit Popov en dégustant son second café de la matinée. Alors dites-moi, c'est quoi, cet endroit ?

— Eh bien, Horizon en a fait un site de recherches. Vous êtes au courant des activités de la compagnie, n'est-ce pas ?

— Oui. Recherche médicale et biologique. Un leader mondial dans ce domaine.

— Eh bien, ceci est notre nouveau complexe de recherche et développement. Les travaux s'achèvent tout juste. Le personnel est en train d'emménager. Le site est appelé à devenir le principal centre d'activité de l'entreprise.

— Pourquoi ici, au milieu de nulle part ? s'étonna Popov, en parcourant du regard la vaste cafétéria presque déserte.

— Ma foi, l'endroit est central : vous pouvez être n'importe où dans le pays en moins de trois heures. Et on n'a pas de voisins pour nous embêter. C'est qu'il s'agit d'une installation sensible. Horizon effectue pas mal de travaux qui exigent un certain niveau de protection, voyez-vous.

— L'espionnage industriel ? »

Dawson acquiesça. « Tout juste. C'est une question qui nous préoccupe.

364

« — Aurai-je la possibilité de me balader, de visiter l'ensemble du site ?

— Je me ferai un plaisir de vous conduire. M. Henriksen m'a dit de vous faire faire le tour du propriétaire. Mais, je vous en prie, finissez d'abord votre petit déjeuner. J'ai deux ou trois choses à régler auparavant. Je serai de retour d'ici un quart d'heure.

— Parfait, merci. » Popov le regarda sortir. Voilà qui ne serait pas inutile. Il y avait quelque chose d'étrange, de guindé dans l'atmosphère de ce lieu, un peu comme s'il se trouvait sur un site gouvernemental secret... un site russe, par exemple... L'endroit semblait dépourvu d'âme, froid, impersonnel. Même au KGB, on aurait accroché des portraits de Lénine sur ces vastes murs nus et blancs, pour donner à ces lieux un minimum de chaleur humaine. Toute une paroi en verre fumée lui permettait de contempler ce qui ressemblait à des champs de blé traversés par une route, mais c'était tout. Presque comme s'il se retrouvait sur un navire perdu au milieu de l'océan... une expérience déroutante pour lui. L'ancien agent du KGB termina son petit déjeuner, tous ses instincts en alerte, avec le ferme espoir d'en savoir plus, et le plus vite possible.

« Domingo, je veux que tu t'en occupes, ce coup-ci.

— C'est à l'autre bout du monde, John, et je viens juste d'être papa, objecta Chavez.

— Désolé, petit, mais Covington est indisponible. Idem pour Chin. Je vais t'expédier là-bas avec quatre hommes. C'est une sinécure, Ding.

Les Kangourous connaissent leur boulot, mais ils nous ont demandé malgré tout de descendre jeter un coup d'œil sur leur dispositif — et la raison première, c'est la maestria avec laquelle tu as effectué tes missions sur le terrain, vu ?

— Je pars quand ?

— Ce soir. Sur un 747 au départ d'Heathrow. » Clark lui tendit l'enveloppe contenant le billet.

« Super, grommela Chavez.

— Eh, au moins, t'as été là pour l'accouchement, fiston.

— Ouais, je suppose. Et si jamais un problème surgit pendant notre absence ? hasarda Chavez, sans grande conviction.

— On pourra toujours rafistoler une équipe, mais franchement, tu crois qu'on va revenir nous titiller de sitôt ? Après la raclée qu'on a passée à ces connards de l'IRA ? Moi, pas, conclut Clark.

— Et ce Russe, Serov ?

— Le FBI s'en occupe, ils essaient de le traquer à New York. Ils ont mis un paquet d'agents sur le coup. »

L'un d'eux était Tom Sullivan. Il se trouvait en ce moment même à la poste. La BP 1453 de ce bureau avait été ouverte au nom du mystérieux M. Serov. Elle contenait du courrier publicitaire, un relevé de carte bleue Visa, mais personne n'avait ouvert la boîte depuis au moins neuf jours, à en juger par les tampons sur les enveloppes, et aucun des employés du bureau de poste ne s'estimait capable de donner le signalement du titulaire de la boîte postale 1453, même si l'un d'eux avait l'impression qu'il ne relevait pas très souvent son courrier. Pour obtenir son ouverture, l'homme avait fourni l'adresse d'un domicile, mais il s'avéra que celle-ci correspondait à une boulangerie italienne à quelques rues de là. Quant au numéro de téléphone, c'était un faux.

« Pas de doute, ce gars-là est un espion », observa Sullivan en se demandant pourquoi l'affaire n'avait pas été déjà reprise par le contre-espionnage.

« Sûr que ça en a toutes les apparences », renchérit Chatham. Et leur mission s'achevait là : ils n'avaient aucun indice pour incriminer le sujet, et pas d'effectifs suffisants pour assigner un agent à la surveillance continue de la boîte postale.

La sécurité ici était excellente, estima Popov, en parcourant le site à bord d'un Hummer, cette version civile de la nouvelle jeep américaine. L'élément essentiel pour la sécurité était la profondeur défensive. Ça, ils l'avaient. Leur premier voisin ne devait pas se trouver à moins de dix kilomètres.

« Il y avait ici dans le temps plusieurs grandes exploitations agricoles, expliqua Dawson, mais Horizon les a toutes rachetées il y a quelques années avant d'entreprendre l'édification du labo de recherche. Cela a pris du temps, mais les travaux sont désormais achevés.

— Vous continuez à cultiver des céréales ?

— Ouais, les bâtiments ne couvrent qu'une toute petite partie de la superficie, et on a essayé de maintenir le reste en l'état. Mine de rien, on produit presque assez de blé pour nourrir l'ensemble du personnel... On a nos silos et toute la chaîne de minoterie de ce côté... » Il indiqua la direction du nord.

Popov se tourna et vit en effet les hautes tours en béton, à quelques kilomètres. Il était toujours ébahi de constater à quel point l'Amérique semblait vaste. Et cette région paraissait si plate, un peu comme les steppes russes. Il y avait bien quelques ondulations de terrain mais qui ne faisaient que souligner l'absence de relief. Le Hummer se dirigea vers le nord et finit par croiser une voie ferrée qui devait desservir les silos à grain. Plus loin encore, on entendait vaguement un bruit de circulation sur une autoroute.

« Voici la limite nord du domaine, expliqua Dawson, alors qu'ils pénétraient dans une zone non cultivée.

— Qu'est-ce que c'est ?

— Oh, ça, c'est notre petit troupeau d'antilopes à longues cornes. » Dawson braqua pour s'en rapprocher. Le Hummer cahota sur la prairie.

« Jolies bêtes.

— Certes, et très rapides. On les appelle des chèvres vives. En fait, ce ne sont pas du tout des antilopes. Génétiquement parlant, elles sont plus proches des chèvres. Ces petites bêtes sont capables de filer à soixante à l'heure, et cela pendant plusieurs dizaines de minutes. Elles ont en outre une vue perçante.

— Pas évidentes à chasser, je suppose. Vous êtes chasseur ?

— Les autres, oui. Pas moi. Je suis végétalien.

— Vous êtes quoi ?

— Végétalien. Je ne consomme ni viande ni sous-produits animaux », expliqua Dawson avec une certaine fierté. Même sa ceinture était en raphia et pas en cuir.

« Pour quelle raison, David ? » demanda Popov.

C'était la première fois qu'il tombait sur ce genre d'individu.

« Oh, simple choix personnel. Je n'approuve pas le massacre d'animaux pour se nourrir ou pour toute autre raison. » Il se tourna vers son passager. « Tout le monde ne partage pas mon opinion, même ici au Projet, mais je ne suis pas le seul à penser ainsi. La nature doit être respectée, pas exploitée.

— Donc, vous n'achèteriez pas de fourrure à votre épouse », sourit Popov. Il avait déjà entendu parler de ces fanatiques.

« Certainement pas ! rit Dawson.

— Je n'ai jamais chassé, observa ensuite Popov, en se demandant quelle réaction il allait obtenir. Je n'en ai jamais vu l'intérêt et puis, en Russie, ils ont exterminé presque tout le gibier.

— C'est ce que j'ai cru comprendre. C'est bien triste, mais il reviendra un jour, décréta Dawson.

— Comment voulez-vous, quand les chasseurs d'État s'acharnent à le massacrer ? » L'institution avait survécu à la chute du régime communiste.

Les traits de Dawson prirent une curieuse expression, bien connue de Popov quand il officiait au KGB. L'homme savait une chose qu'il répugnait à révéler encore, mais ce devait être d'une importance fondamentale. « Oh, il y a des moyens, mon vieux. Il y a des moyens. »

La visite guidée prit quatre-vingt-dix minutes, à l'issue desquelles Popov se montra fortement impressionné par la taille du complexe. La route d'accès aux bâtiments tenait lieu de piste d'aviation. Elle était dotée de toute l'instrumentation électronique servant à guider les appareils et de feux de circulation pour immobiliser les véhicules routiers pendant les opérations de trafic aérien. Il s'en ouvrit à Dawson.

« Ouais, c'est assez évident, non ? On peut faire décoller ou atterrir un G sans problème. Il paraît même qu'on peut faire s'y poser des appareils commerciaux... quand même pas des gros-porteurs... mais ça, je ne l'ai pas encore vu.

— Le Dr Brightling a investi pas mal d'argent dans ces installations.

— C'est peu de le dire, admit Dawson. Mais ça vaut le coup, faites-moi confiance. » Il remonta la route/piste pour venir se garer devant le labo. « Suivez-moi. »

Popov obéit sans poser de questions. Il n'avait jamais apprécié le pouvoir de ces grands trusts américains. Une installation de cette taille, avec tous ces terrains et ces bâtiments, aurait pu et dû appartenir à l'État. L'hôtel dans lequel il avait passé la nuit pouvait sans doute loger des milliers de personnes — mais pourquoi construire un tel bâtiment dans un endroit pareil ? Brightling envisageait-il de transférer ici l'ensemble de son entreprise, avec tout son personnel ? Si loin des métropoles, des aéroports, de tout le confort de la civilisation ? Pourquoi, sinon bien sûr pour des raisons de sécurité... L'endroit était également éloigné des structures politiques, des médias et des journalistes. Du strict point de vue de la sécurité, ce complexe aurait aussi bien pu être installé sur la lune.

Le bâtiment du laboratoire était également plus vaste qu'il n'était nécessaire, estima Dimitri, mais au contraire des autres installations, il semblait déjà en activité. À l'entrée, il y avait un comptoir d'accueil avec un réceptionniste qui connaissait

David Dawson. Il laissa passer les deux hommes qui empruntèrent l'ascenseur pour se rendre au troisième étage et accéder directement à un bureau.

« Salut, toubib, dit Dawson, je vous présente Dimitri. Le Dr Brightling nous l'a envoyé hier soir. Il doit rester ici quelque temps, précisa le chef de la sécurité.

— J'ai reçu le fax. » Le médecin se leva et tendit la main à Popov. « Bonjour, je suis John Killgore. Suivez-moi. » Et tous deux franchirent une porte latérale donnant sur une salle d'examen, tandis que Dawson attendait à l'extérieur. Killgore demanda à Popov de se mettre en sous-vêtements, et entreprit de l'ausculter. Tension artérielle, examen des yeux et des oreilles, contrôle des réflexes, palpation abdominale pour vérifier le bon état du foie, et enfin, prise de sang, avec collecte de quatre tubes à essai pour analyse. Popov se soumit à tous ces examens sans discuter, un rien surpris par toute la procédure et, comme bien des gens, quelque peu intimidé par le médecin. Finalement, Killgore sortit d'une armoire à pharmacie un flacon dans le bouchon duquel il planta une seringue jetable.

« C'est quoi, ça ? demanda Dimitri Arkadeïevitch.

— Juste une injection de rappel », expliqua Killgore en reposant le flacon.

Popov le récupéra, examina l'étiquette qui portait pour seule inscription : B-2100 21-11-00. Une simple date de fabrication... Puis il grimaça en sentant l'aiguille pénétrer dans son bras. Il n'avait jamais aimé les piqûres.

« Voilà, c'est terminé. Je vous parlerai demain

du résultat de vos examens de sang. » Sur quoi, Killgore lui indiqua le cintre où il avait accroché ses vêtements. Quel dommage, songea le médecin, que ce patient ne puisse le remercier de lui avoir sauvé la vie.

« Il pourrait aussi bien ne pas exister, dit à son patron l'agent Sullivan. Peut-être que quelqu'un vient relever son courrier, mais en tout cas, pas dans les neuf ou dix derniers jours.

— T'as une idée ?

— Si vous voulez, on peut installer une caméra équipée d'un détecteur de mouvement à l'intérieur de la boîte, comme le font les gars de l'inspection des télécoms pour surveiller les boîtes aux lettres mortes. C'est faisable, mais ça coûte de l'argent et ça mobilise du personnel pour garder à proximité un ou deux inspecteurs au cas où l'alarme se déclencherait. Est-ce que l'affaire en vaut la peine ?

— Oui, dorénavant, oui, indiqua à son subordonné l'inspecteur adjoint responsable de la section new-yorkaise. Gus Werner a ouvert le dossier et il le supervise personnellement. Alors, tu vas aller voir les gars de l'inspection des télécoms et leur demander de t'aider à surveiller cette boîte postale. »

Sullivan acquiesça en cachant sa surprise. « D'accord, sans problème.

— Bien. Et quoi de neuf, à présent, sur l'affaire Bannister ?

— Toujours rien de concret. Le seul élément notable jusqu'ici, c'est la nervosité de ce Kirk Maclean lors de notre second interrogatoire. Ce n'est peut-être rien, mais ça pourrait être un indice — on n'a rien sur ses relations éventuelles avec la disparue, sinon qu'ils ont bu et discuté ensemble dans un bar du centre. On a fait sur lui une enquête de moralité. Pas grand-chose à relever. Il gagne bien sa vie chez Horizon Corporation — c'est un biochimiste de profession, diplômé de l'université de Delaware, niveau maîtrise, inscrit en doctorat à Columbia. Appartient à plusieurs mouvements écologistes, dont les Amis de la Terre et le Sierra Club. Il est abonné à leurs publications. Son loisir principal est la randonnée pédestre. Il a vingt-deux mille dollars sur son compte en banque et paie régulièrement ses quittances. Ses voisins le décrivent comme un individu calme et discret, il n'a pas beaucoup de relations dans l'immeuble. Pas de petite amie connue. Il affirme avoir rencontré Mary Bannister par hasard, l'avoir raccompagnée une seule fois chez elle, n'avoir pas eu de relations sexuelles, point final. Enfin, c'est ce qu'il dit.

— Rien d'autre ?

— La distribution de tracts par la police de New York n'a toujours rien donné. Je ne peux pas dire que j'aie grand espoir de ce côté.

— Alors, quel est le programme ? »

Sullivan haussa les épaules. « D'ici quelques jours, on va retourner cuisiner ce Maclean. Comme je vous l'ai dit, il avait l'air un tantinet crispé, mais pas suffisamment pour justifier une surveillance permanente.

— J'en ai parlé à l'inspecteur d'Alessandro. Il pense qu'il pourrait y avoir un tueur psychopathe à l'œuvre dans ce quartier.

— C'est possible. Il y a une autre nana qui a disparu, une certaine Anne Pretloe, mais là non plus, aucun indice. Rien à se mettre sous la dent. On va continuer de creuser, promit Sullivan. Si un tueur officie dans le coin, tôt ou tard, il va finir par commettre une erreur. » Mais en attendant, d'autres jeunes femmes risquaient de continuer à disparaître dans ce trou noir bien particulier, et les forces combinées de la police new-yorkaise et du FBI ne pourraient pas faire grand-chose pour l'empêcher. « Je n'ai jamais encore bossé sur une affaire pareille.

— Moi, si, répondit son patron. Le tueur de Green River, à Seattle. On y a mis le paquet, mais on n'est jamais arrivés à le pincer, et puis, les crimes ont cessé. Peut-être qu'il s'est fait pincer pour cambriolage ou braquage d'un magasin de vins et spiritueux, peut-être qu'à l'heure qu'il est, il moisit dans une prison de l'État de Washington, attendant sa libération conditionnelle pour se remettre à dézinguer les putes. On a un excellent profil psychologique du bonhomme, mais c'est à peu près tout, et on ne sait pas à quel individu il correspond. Ce genre d'affaires, c'est un vrai casse-tête. »

Kirk Maclean était au même moment en train de déjeuner, installé chez un des innombrables traiteurs new-yorkais, devant une salade mixte et un soda.

« Alors ? demanda Henriksen.

— Alors, ils sont revenus m'interroger, me reposer les mêmes putains de questions encore et encore, comme s'ils s'attendaient à me voir changer de version.

— Tu l'as fait ? demanda l'ancien agent du FBI.

— Non. Je ne m'en tiendrai qu'à une seule histoire, celle que j'ai préparée à l'avance. Mais comment avez-vous deviné qu'ils pouvaient me tomber dessus ?

— J'ai bossé au FBI. J'ai enquêté. Je sais comment ils procèdent. On a trop facilement tendance à les sous-estimer et puis un beau jour ils se pointent — ou plutôt non, c'est toi qui te pointes dans leur viseur — et dès lors, ils se mettent à fouiner, et le plus souvent, ils n'arrêtent qu'après avoir trouvé quelque chose, ajouta Henriksen, en guise d'avertissement supplémentaire.

— Alors, où sont-elles à présent ? demanda Maclean. Je parle des filles.

— Ça, t'as pas besoin de savoir, Kirk. Tâche de t'en souvenir. T'as pas besoin de le savoir.

— D'accord, acquiesça Maclean, docile. Et maintenant ?

— Ils vont revenir te voir. Ils ont sans doute fait une enquête de moralité et...

— Qu'est-ce que ça veut dire ?

— Interroger tes voisins, tes collègues, vérifier ton compte en banque, l'assurance et la carte grise de ta voiture, voir si tu es fiché à la préfecture, si t'as un casier judiciaire, bref, traquer tout ce qui pourrait suggérer que tu es un mauvais garçon, expliqua Henriksen.

— J'ai rien de tout ça.

— Je sais. » Henriksen avait lui-même effectué une enquête similaire. Il eût été absurde d'engager sur le Projet un individu au passé chargé. La seule ombre dans la biographie de Maclean était son appartenance aux Amis de la Terre, un mouvement que le FBI assimilait quasiment à une organisation terroriste — à tout le moins, extrémiste.

Mais son seul rapport avec eux était la lecture de leur bulletin mensuel. Ces types avaient un tas de bonnes idées, et au sein du Projet, on avait envisagé d'administrer à certains le vaccin B, mais il y en avait trop pour qui la protection de la planète se limitait à planter des clous dans les arbres pour faire sauter la chaîne des tronçonneuses. Ce genre d'initiative avait pour unique résultat de mutiler les ouvriers des scieries et de susciter la colère de l'opinion sans rien lui enseigner d'utile. C'était le problème avec les terroristes — Henriksen avait été payé pour le savoir : leurs actes n'étaient jamais à la hauteur de leurs aspirations. Enfin, ils n'avaient pas non plus l'intelligence nécessaire pour développer les moyens matériels indispensables pour être efficaces. Pour y parvenir, il fallait être intégré à la structure économique, et sur ce terrain-là, ils ne faisaient pas le poids. À elle seule, l'idéologie ne suffisait pas. Il fallait en plus avoir le cerveau et les facultés d'adaptation. Pour être un des élus, il convenait d'en être digne. Ce n'était pas franchement le cas de Kirk Maclean, mais il faisait partie de l'équipe. Or, voilà qu'il semblait déstabilisé par cette soudaine attention du FBI. Tout ce qu'il avait à faire, c'était de s'en tenir à son histoire. Mais il était trop ébranlé, ce qui voulait dire qu'on ne pouvait plus lui faire confiance. Donc, ils allaient devoir aviser.

« Fais tes bagages. On te transfère ce soir sur le Projet. » Tant pis, de toute façon, la phase finale allait démarrer d'un moment à l'autre. Très bientôt, en fait.

« Bien », répondit Maclean, finissant sa salade aux œufs mimosa. Il nota qu'Henriksen mangeait du pastrami. Il n'était pas végétalien. Enfin, peut-être un jour...

Ils avaient fini par accrocher des tableaux à certains murs vierges. Finalement, nota Popov, le complexe ne serait pas entièrement dépourvu d'âme. C'étaient des paysages : montagnes, forêts, animaux... Certaines des toiles étaient plutôt pas mal, mais la plupart étaient tout ce qu'il y a d'ordinaire, du genre de celles qui décorent les motels bas de gamme. Comme c'était étrange, constata le Russe, qu'avec les fortunes consacrées à bâtir ces installations gigantesques au milieu de nulle part, le choix des œuvres soit aussi médiocre. Enfin, des goûts et des couleurs... Et puis, Brightling était un technocrate, sans aucun doute ignare en matière d'art. Dans l'Antiquité, il aurait été druide, un type barbu en longue robe blanche vénérant les arbres et les animaux, et sacrifiant de jeunes vierges sur des autels de pierre au nom de ses croyances païennes. Il y avait des trucs plus agréables à faire avec les vierges... Quel étrange mélange d'archaïsme et de modernité chez cet homme — et dans son entreprise. Le directeur de la sécurité était « végétalien »... Quelles conneries ! Horizon Corporation était un leader mondial dans plusieurs branches clés des nouvelles technologies, mais parmi son personnel, on trouvait quantité de zozos aux croyances archaïques. Il supposa que c'était un trait caractéristique des Américains ; dans un pays immense comme celui-ci, le génie cohabitait avec la folie. Brightling était un génie, mais il avait engagé Popov pour déclencher des attentats terroristes...

... avant de le faire venir ici. Dimitri Arkadeïevitch réfléchit à ce paradoxe en mastiquant son dîner. Pourquoi ici ? Qu'avait de particulier cet endroit ?

Il comprenait à présent pourquoi Brightling n'avait pas sourcillé devant le montant des fonds versés aux terroristes. Ce qu'avait dépensé Horizon Corporation rien que pour revêtir les voies d'accès à ce complexe dépassait de loin tout ce que Popov avait pu détourner sur son compte.

Il n'empêche que cet endroit était bel et bien important. C'était visible au moindre détail, jusqu'aux portes à tambour qui empêchaient l'air intérieur de sortir... chaque accès était équipé de ce type de sas qui évoquait un vaisseau spatial. On n'avait pas lésiné sur les dollars pour bâtir des installations parfaites. Mais dans quel but ?

Popov hocha la tête en dégustant son thé. La qualité de la nourriture était excellente. Comme tout le reste, à l'exception des croûtes accrochées aux murs. Bref, pas une seule erreur de conception. Brightling n'était pas homme à se satisfaire de compromis. Par conséquent, poursuivit Dimitri Arkadeïevitch, tout ici avait été soigneusement pensé, tout répondait à un plan précis, à partir duquel il pouvait commencer à discerner le but de l'édifice et de l'homme qui l'avait fait bâtir. Il avouait s'être laissé bluffer par cette visite guidée... sans parler de cet étrange examen médical. Bon sang, à quoi tout cela rimait-il ? Le toubib lui avait fait une piqûre. De « rappel », avait-il précisé. Mais de quel vaccin ? Contre quelle maladie ?

À l'extérieur de cet écrin technologique, il y avait une banale exploitation agricole, et plus loin encore, des bêtes en liberté, que son chauffeur d'un jour avait semblé vénérer.

Oui, des druides. Lorsqu'il était basé au Royaume-Uni, il avait pris le temps de bouquiner et d'étudier la culture britannique, jouant les touristes, se fendant même d'une visite à Stonehenge comme à d'autres sites célèbres, dans l'espoir de mieux connaître ce peuple. Mais au bout du compte, il avait découvert que l'histoire n'était jamais que du passé, et si passionnante fût-elle, on n'y trouvait pas plus de logique qu'en Union soviétique — où cette discipline n'était pour l'essentiel à l'époque qu'un tissu de mensonges élaborés pour coller au schéma idéologique du marxisme-léninisme.

Les druides étaient des païens, leur culture se fondait sur des divinités censées vivre dans les bois ou les rochers, et réclamer des sacrifices humains. Nul doute qu'il s'était agi à l'époque de mesures décidées par le clergé druidique pour maintenir son emprise sur les paysans... mais aussi la noblesse, en fait, comme dans toutes les religions du monde. En échange d'un certain espoir et de quelques certitudes sur les grandes questions existentielles — ce qu'il advenait après la mort, pourquoi la pluie tombait et comment le monde était devenu ce qu'il était —, ils s'assuraient leur part de pouvoir matériel. Cela avait été sans doute le moyen, pour des individus intelligents mais dépourvus d'ascendance noble, de partager l'autorité avec la noblesse. Cela dit, il s'agissait encore et toujours de questions de pouvoir, de pouvoir matériel. Et comme naguère les membres du parti communiste d'Union soviétique, le clergé druidique avait sans doute cru à ce qu'il disait et faisait appliquer parce que... parce qu'il n'avait pas le choix. C'était le fondement de leur pouvoir, et ils étaient bien obligés d'y croire.

Toutefois, ces gens autour de lui étaient tout

sauf des primitifs. C'était en majorité des scientifiques, certains même des ténors internationaux dans leur domaine. On disait bien qu'Horizon Corporation était une pépinière de génies. Sinon, comment Brightling aurait-il pu amasser une telle fortune ?

Popov fronça les sourcils, tout en remettant assiette et tasse sur le plateau, avant d'aller déposer celui-ci sur la desserte prévue à cet effet. Étrange comme cette cafétéria pouvait ressembler à la cantine au siège du KGB. Bonne nourriture et anonymat. Puis il remonta dans sa chambre, toujours plongé dans le même brouillard vis-à-vis des mystères qui avaient émaillé son existence au cours des derniers mois. Des druides ? Comment des scientifiques pouvaient-ils être ainsi ? Des végétaliens ? Comment des individus sensés pouvaient-ils s'abstenir de manger de la viande ? Qu'avaient de spécial les antilopes brunes vivant en lisière du domaine ? Et ce type, qui était le directeur de la sécurité, et donc censé être un homme parfaitement équilibré ? Un végétalien dans un pays qui produisait du bœuf en quantités propres à faire rêver le reste de la planète...

Il alluma la télévision. Et cette piqûre, ce « rappel », cet examen médical ? Pour quelle raison ? Plus il creusait, plus il trouvait d'informations, et plus le mystère s'épaississait.

Mais quoi que ce soit, ce devait être en rapport avec les sommes investies par Brightling et sa société... et ces sommes étaient gigantesques ! Quelles que puissent être leurs intentions, elles les avaient froidement conduits à provoquer la mort de tout un tas de gens... apparemment sans faire ciller John Brightling. À quelle forme de plan tout cela pouvait-il correspondre ?

Une fois encore, Popov dut admettre qu'il n'en avait pas la moindre idée. S'il avait rapporté cette aventure à ses supérieurs du KGB, ils l'auraient sans doute trouvé légèrement timbré mais lui auraient néanmoins ordonné de poursuivre ses investigations jusqu'à ce qu'il ait une conclusion quelconque à présenter, et comme il avait été formé au KGB, il n'était pas plus capable de s'empêcher de traquer les faits jusqu'à leur conclusion qu'il n'était capable de s'empêcher de respirer.

Enfin, les sièges de première étaient confortables, se consola Chavez. Le vol allait être long... quasiment le maximum possible, puisque sa destination était presque aux antipodes, à trente-six mille kilomètres des îles Britanniques. Le vol 9 British Airways devait décoller à vingt-deux heures quinze, onze heures trois quarts plus tard se poser à Bangkok pour une escale d'une heure et demie, puis redécoller pour une seconde étape de huit heures cinquante avant de rallier Sydney, et à ce moment, Ding était convaincu qu'il serait prêt à dégainer son arme et abattre l'équipage. Tout ça, plus la privation de sa petite famille, parce que ces putains de Kangourous voulaient qu'il leur tienne la main pendant les épreuves d'athlétisme. Il devait arriver à cinq heures vingt du matin — le surlendemain, à cause des caprices des fuseaux horaires et de la ligne de changement de date, et débarquer avec une horloge interne encore plus brouillée que les œufs qu'il avait pris au petit déjeuner. Mais il n'y pouvait rien, et au moins, British Airways avait interdit de fumer à bord — les accros du tabac allaient sans doute devenir complètement fous, mais ce n'était pas son problème... Il avait quatre bouquins et six magazines pour passer le temps, plus un écran à cristaux liquides pour regarder des films, alors il décida de faire contre mauvaise fortune bon cœur. Les hôtesses fermèrent les portes, les réacteurs démarrèrent et par l'interphone le commandant de bord leur souhaita la bienvenue dans leur nouveau logis pour le jour... ou les deux jours à venir, selon comment on envisageait les choses.

32

Bilan sanguin

« Était-ce une bonne idée ? demanda Brightling.
— Je pense, oui. Kirk était de toute façon inscrit sur la liste. On pourra toujours demander à ses collègues de dire, si on les interroge, qu'il a été appelé en province pour affaires, suggéra Henriksen.
— Et si les agents du FBI retournent chez lui ?
— Eh bien, il n'y sera pas, et ils n'auront plus qu'à patienter, répondit Henriksen. Ce genre d'enquête se prolonge des mois mais ils n'auront pas des mois devant eux, n'est-ce pas ? »
Brightling acquiesça. « J'imagine. Comment s'intègre notre ami Dimitri ?
— Dave Dawson dit qu'il n'y a pas de problème, il pose tout un tas de questions touristiques, mais c'est tout. Joseph Killgore lui a fait subir un

examen médical et il a reçu son injection de vaccin B.

— J'espère qu'il aime la vie. D'après les idées qu'il a exprimées, il semblerait bien qu'il puisse être des nôtres, tu vois...

— Je n'en suis pas si sûr, mais de toute façon, il ne sait toujours rien, et le jour où il le découvrira, il sera trop tard. Will Gearing est arrivé sur place et il indique que tout se déroule selon le plan. Encore trois semaines, et l'opération sera lancée. Aussi, John, je pense le moment venu de commencer à transférer nos gens au Kansas.

— Tant pis... Le projet Longévité s'annonçait si bien.

— Oh ?

— Certes, il est toujours délicat de prévoir des percées, mais toutes les voies de recherche paraissent extrêmement intéressantes, Bill.

— Alors comme ça, on aurait pu vivre éternellement ?... » demanda Henriksen, avec un petit sourire désabusé. Bien qu'associé depuis longtemps à Brightling et Horizon, il avait toujours du mal à croire à de telles prédictions. Sa société avait certes à son actif de véritables miracles en matière de recherche médicale, mais là, c'était un peu gros à avaler.

« On peut imaginer pire. Je m'en vais m'assurer que toute l'équipe de recherche reçoit bien son injection de vaccin B, sourit Brightling.

— Ouais, et t'as intérêt à les transférer là-bas et à les remettre au boulot tout de suite, suggéra Bill. Et pour le reste du personnel ? »

Brightling n'aimait pas cette question, il n'aimait pas l'idée que plus de la moitié des employés d'Horizon soient traités comme le reste de l'humanité... dans le meilleur des cas, condamnés à mourir, ou dans le pire, à être assassinés par la variante A du vaccin. Le médecin en John Brightling avait quelques restes de scrupules moraux, pour partie par fidélité envers ses collaborateurs — raison pour laquelle Dimitri Popov se retrouvait au Kansas avec des anticorps B dans son organisme. Donc, même le grand patron semblait gêné aux entournures, nota Henriksen. Ouais, eh bien, il y avait un mot pour cela : le mot conscience. Le sujet avait beaucoup inspiré Shakespeare.

« C'est déjà décidé », conclut Brightling après une seconde d'inconfort. Il comptait sauver ceux qui faisaient partie intégrante du Projet et tous ceux dont les connaissances scientifiques pourraient s'avérer utiles à l'avenir. En revanche, comptables, avocats et secrétaires ne feraient pas partie des élus. C'était déjà bien beau qu'il sauve près de cinq mille personnes — la capacité maximale des installations du Kansas et du Brésil —, compte tenu surtout qu'une faible proportion d'entre elles connaissaient les objectifs du Projet. S'il avait été marxiste, Brightling aurait pensé ou même dit tout haut que la société avait besoin d'une élite intellectuelle pour forger ce monde nouveau, mais il ne pensait pas en ces termes. Il croyait sincèrement sauver la planète, et si le coût en était criminellement élevé, c'était un objectif digne d'être atteint, même si quelque part il espérait réussir à survivre à la période transitoire sans mettre fin à ses jours, terrassé par la culpabilité qui ne manquerait pas de l'assaillir.

C'était plus facile pour Henriksen. Ce que les gens faisaient subir au monde était un crime. Ceux qui le faisaient, ceux qui le soutenaient ou ne faisaient rien pour l'empêcher étaient des criminels. Sa tâche était d'y mettre un terme. Et c'était le seul moyen. Au bout du compte, les innocents seraient sauvés, tout comme la nature. De toute façon, les hommes et les instruments du Projet étaient désormais en place. Will Gearing était certain de réussir sa mission, tant Global Security avait su s'introduire habilement dans le dispositif de sécurité des JO de Sydney, grâce au coup de main de Popov et à ses machinations terroristes en Europe. Donc, le Projet était bien lancé, point final, et d'ici un an, la planète serait transformée. La seule préoccupation d'Henriksen était de savoir combien d'individus parviendraient à survivre au fléau. Les scientifiques du Projet en débattaient à l'infini. Une bonne partie des survivants mourraient de faim ou d'autres causes ; quant aux autres, bien peu auraient des capacités d'organisation suffisantes pour être à même de déterminer pourquoi les membres du Projet avaient survécu eux aussi et pour décider de s'en prendre à eux. La plupart des survivants naturels se verraient invités à bénéficier de la protection des élus et les plus malins s'empresseraient de l'accepter. Quant aux autres... quelle importance ? Henriksen était également à l'origine des dispositifs de sécurité protégeant le complexe du Kansas. Ils étaient dotés d'armes lourdes en nombre suffisant pour tenir tête à d'éventuelles émeutes de paysans affligés des symptômes de Shiva.

Le résultat le plus probable de la pandémie serait un rapide effondrement de la société. L'armée n'y échapperait pas non plus, mais le complexe du Kansas était à bonne distance de la base militaire la plus proche et les soldats de Fort

Riley seraient d'abord dépêchés vers les villes pour assurer le maintien de l'ordre jusqu'à ce qu'ils soient à leur tour atteints par les symptômes. Ils seraient alors traités par des médecins militaires — ça leur ferait une belle jambe — et le temps que disparaisse la cohésion de leur unité, il serait alors bien trop tard pour que les survivants, même en uniforme, soient en mesure d'organiser une action quelconque. En résumé, ce serait une période délicate, mais brève, et tant que les membres du Projet réfugiés au Kansas se feraient discrets, ils ne devraient pas subir d'attaque structurée... Bon sang, il leur suffirait de laisser entendre au reste de la planète que les gens mouraient là-bas aussi, quitte à creuser quelques tombes et y jeter des sacs devant les caméras — non, encore mieux, les brûler à ciel ouvert : ce serait le moyen de dissuader les gens, par la peur, de s'approcher d'un autre foyer d'infection. Non, ils avaient mûrement réfléchi ce plan durant des années. Le Projet devait réussir. Obligé. Qui d'autre, sinon, sauverait la planète ?

Le thème du jour à la cafétéria était l'Italie et Popov fut ravi de constater que les cuistots n'étaient pas végétaliens. La farce des lasagnes contenait de la viande. Alors qu'il allait s'asseoir avec son plateau et son verre de chianti, il avisa le Dr Killgore, installé seul, et décida de partager sa table.

« Ah, bonjour, monsieur Popov.

— Bonjour, docteur. Alors, que donne mon bilan sanguin ?

— Excellent. Votre taux de cholestérol est

légèrement élevé et le rapport HDL/LDL[1] n'est pas idéal, mais il n'y a pas vraiment de quoi s'inquiéter. Un peu d'exercice devrait y mettre bon ordre. Le taux de PSA est dans les normes...

— C'est quoi, ça ?

— *Prostate-Specific Antibody*, ce taux d'anticorps est un marqueur du cancer de la prostate. Tous les hommes devraient le vérifier à intervalles réguliers à partir de la cinquantaine. Pour vous, pas de problème. J'aurais dû vous le dire hier, mais avec tout ce travail qui s'accumule. Désolé... mais enfin, comme on dit, monsieur Popov, pas de nouvelles, bonnes nouvelles.

— Appelez-moi Dimitri, fit le Russe en tendant la main.

— Et moi John, répondit le toubib. Dimitri pour vous, je crois...

— Et je note que vous n'êtes pas végétalien, observa Dimitri Arkadeïevitch en indiquant l'assiette de Killgore.

— Oh, comment ? Moi ? Non, Dimitri, je ne fais pas partie de cette clique. L'Homo sapiens est un omnivore. Nos dents ne sont pas des dents d'herbivore : leur émail n'est pas assez épais. Ces végétaliens forment une sorte de mouvement politique. Certains vont jusqu'à refuser de chausser des souliers de cuir sous prétexte que c'est un sous-produit animal. » Killgore avala la moitié de sa boulette de viande pour montrer ce qu'il en pensait. « Personnellement, j'aime même chasser.

---

1. *High/Low Density Lipoproteins* : rapport dans le sang entre les lipoprotéines de faible et de haute densité, vulgairement appelées « bon » et « mauvais » cholestérol, les premières contribuant à la dégradation des plaques d'athérome, les secondes favorisant au contraire leur dépôt sur les parois artérielles *(N.d.T.)*.

— Oh ? Et où chasse-t-on, par ici ?

— Pas sur les terrains du Projet. Nous avons des règles strictes à cet égard, mais le moment venu, je pourrai chasser le daim, l'élan, le bison, tout le gibier à plumes ou à poil que je voudrai, affirma Killgore en laissant son regard errer par-delà les grandes baies vitrées.

— Le bison ? Je croyais l'espèce éteinte, s'étonna Popov, qui pensait avoir lu ou vu un reportage à ce sujet.

— Pas vraiment. Elle a bien failli disparaître au siècle dernier, mais un nombre de spécimens suffisant a survécu pour qu'elle prospère dans le parc national de Yellowstone et dans des zoos privés. Certains les élèvent même avec du bétail domestique. La viande est d'ailleurs excellente. On en trouve dans certaines boucheries de la région.

— On peut croiser bisons et bovidés domestiques ?

— Bien sûr. Les deux espèces sont très proches, génétiquement parlant, et le croisement est en vérité très facile. Le seul problème, poursuivit Killgore avec un sourire, c'est qu'en général un taureau ordinaire est intimidé par une femelle de bison et qu'il a dû mal à s'acquitter de sa tâche. La solution est de les élever ensemble ; ainsi, lorsqu'ils sont en âge de se reproduire, le taureau est suffisamment accoutumé à leur gabarit.

— Au fait, je ne vois pas de chevaux ? Je me serais attendu à en trouver dans un endroit pareil.

— Oh, mais nous en avons. En majorité des *quarter horses* et quelques Appaloosas. Les écuries sont situées un peu à l'écart, au sud-ouest du domaine. Vous montez, Dimitri ?

— Non, mais j'ai vu quantité de westerns. Quand Dawson m'a fait faire un tour en voiture, je m'attendais à tout moment à voir surgir des cow-boys gardant des troupeaux, le Colt à la ceinture. »

Killgore se mit à rigoler. « Je parie que vous êtes un citadin. Enfin, je l'ai été moi aussi, mais j'ai fini par m'habituer à la vie au grand air, surtout sur la croupe d'un cheval. Ça vous dirait une balade avec moi ?

— Je n'ai jamais fait de cheval », avoua Popov, intrigué par cette invitation. Ce médecin lui semblait un type ouvert, et peut-être de confiance. Il devrait pouvoir lui soutirer des informations.

« Eh bien, nous avons une gentille petite jument — croyez-le ou non, elle s'appelle Petit-Lait... » Killgore se tut un instant. « Bon sang, c'est quand même chouette d'être ici.

— Vous êtes arrivé depuis longtemps ?

— Tout juste une semaine. Je travaillais au labo de Binghamton, au nord-ouest de New York.

— Quel genre de travail ?

— Je suis médecin — épidémiologiste, en fait. Je suis censé être un expert en modes de dissémination des maladies parmi les populations. Mais je continue d'effectuer pas mal de travail clinique, ce qui m'a tout désigné pour devenir l'un des généralistes du complexe. Comme les médecins de famille d'antan. Je sais un petit peu de tout sur tout et je ne suis pas vraiment un expert en quelque domaine que ce soit — hormis, bien sûr l'épidémiologie, mais en l'occurrence, il s'agit plus de statistiques que de médecine.

— J'ai également une sœur médecin, hasarda Popov.

— Oh ? Où ça ?

— À Moscou. Elle est pédiatre. Elle est sortie de la faculté de médecine d'État dans les années soixante-dix. Elle s'appelle Maria Arkadeïevna. Notre père s'appelait Arkadi...

— Il était médecin, lui aussi ?

— Non. Il faisait le même métier que moi : espion. Agent de renseignements pour la sécurité d'État. » Popov avait lâché ça pour voir la réaction de Killgore. Il estimait inutile de garder un tel secret en ces murs — et ça pourrait se révéler utile. On n'avait jamais rien sans rien...

« Vous avez appartenu au KGB ? Sans blague ! » Le toubib avait l'air impressionné.

« Oui, j'y ai appartenu, mais avec les changements dans mon pays, il y a eu une sérieuse compression de personnel et je me suis retrouvé, comment dites-vous... licencié ?

— Que faisiez-vous au KGB ? Vous pouvez le dire ? »

C'était comme s'il venait d'avouer être athlète de haut niveau. « J'étais agent de renseignements. Je recueillais de l'information et je servais de canal pour les gens auxquels s'intéressait le KGB.

— Comment cela ?

— Eh bien, je devais rencontrer certaines personnes, m'intégrer à certains groupes pour discuter... de questions d'intérêt mutuel, répondit-il avec une timidité feinte.

— Par exemple ?

— Je ne suis pas censé le révéler. Votre Dr Brightling est au courant. C'est du reste la raison pour laquelle il m'a engagé.

— Mais vous faites désormais partie du Projet, n'est-ce pas ?

— J'ignore ce que cela recouvre... John m'a envoyé ici, mais sans me dire pourquoi.

— Oh, je vois. Eh bien, vous êtes ici pour un bout de temps, Dimitri », observa le médecin. Du reste, cela lui avait paru évident dès la lecture du fax reçu de New York. Ce Popov faisait dorénavant partie intégrante du Projet, qu'il le veuille ou non. Il avait reçu son vaccin B, après tout.

Le Russe essaya de reprendre les rênes de la conversation : « J'ai déjà entendu ce mot... projet... mais quel projet ? Que fait-on ici, au juste ? »

Pour la première fois, Killgore parut mal à l'aise. « Ma foi, John vous en dira plus dès qu'il arrivera ici, Dimitri. Alors comment avez-vous trouvé ce dîner ?

— Excellent pour une cantine », rétorqua Popov, en se demandant sur quelle mine il venait de poser le pied. Il avait frôlé une révélation. Son instinct ne le trompait pas. Il avait posé une question directe sur un sujet qu'il était censé connaître, et cet aveu d'ignorance avait visiblement désarçonné son interlocuteur.

« Ouais, j'avoue qu'on a d'excellents professionnels de la restauration. » Killgore finit son morceau de pain. « Eh bien, ça vous dit toujours de faire une virée à cheval ?

— Plus que jamais.

— Rendez-vous ici demain matin, disons vers sept heures, et je vous ferai faire une visite en bonne et due forme. »

Killgore s'éloigna en se demandant ce que ce Russe faisait ici. Enfin, si John l'avait recruté personnellement, c'est qu'il devait être important pour le Projet — mais si tel était le cas, comment diable pouvait-il ignorer sur quoi il portait ? Ne devrait-il pas s'en ouvrir à quelqu'un ? Et si oui, à qui ?

Ils frappèrent à la porte mais sans obtenir de réponse. Sullivan et Chatham patientèrent quelques minutes — le gars pouvait être aux toilettes ou sous sa douche — mais toujours aucune réaction. Ils redescendirent par l'ascenseur, trouvèrent le concierge, se présentèrent.

« Vous ne sauriez pas par hasard où se trouve M. Maclean ?

— Il est parti tôt hier, avec quelques sacs, comme s'il partait en voyage, mais il ne m'a pas dit où.

— Il a pris un taxi pour l'aéroport ?

— Non, une voiture est venue le chercher et ils sont repartis en direction de l'ouest. » Il tendit le doigt, au cas où ils ne sauraient pas s'orienter.

« A-t-il laissé des instructions pour son courrier ?

— Non.

— OK, merci », dit Sullivan en s'éloignant déjà vers l'endroit où était garée leur voiture, puis, s'adressant à son collègue : « Voyage d'affaires ? Vacances ?

— On peut toujours téléphoner à son bureau demain matin pour être fixés. Ce n'est pas comme s'il était déjà réellement suspect, n'est-ce pas, Tom ?

— Je suppose que non, admit Sullivan. On va retourner au bar et montrer les photos à d'autres clients.

— D'accord », fit Chatham à contrecœur. Avec toute cette histoire, il n'avait même plus le temps de regarder la télé, ce qui était déjà pénible. Mais le pire, c'est que c'était pour rien.

Le bruit réveilla Clark et il s'écoula quelques secondes avant qu'il ne se remémore que Patsy avait emménagé chez eux pour ne pas être seule et avoir l'aide de sa mère pour s'occuper de J.C., comme ils l'appelaient désormais. Ce coup-ci, il décida de se lever lui aussi, malgré l'heure matinale. Sandy était déjà debout : son instinct maternel avait réagi aux pleurs du nourrisson. John arriva juste à temps pour voir son épouse rendre à sa fille le bébé après l'avoir changé. L'œil un tantinet vitreux, Patsy était installée dans une chaise à bascule achetée tout exprès pour elle ; sa chemise de nuit ouverte dévoilait un sein. John se détourna, légèrement gêné, pour regarder plutôt sa femme, en chemise de nuit elle aussi, qui souriait béatement à ce spectacle.

C'est vrai qu'il était craquant, ce bout de chou. Clark se retourna fugitivement. La bouche de J.C. s'était refermée sur le mamelon offert et s'était mise à téter — peut-être le seul instinct inné chez les nourrissons, ce lien mère-enfant... que les hommes seraient bien en peine de concurrencer à cette période de l'enfance. Quel bien précieux que la vie... John Clark avait dû tuer, rarement, certes, mais déjà trop à son gré. En ces instants, il se disait que ceux dont il ôtait la vie avaient mérité leur sort, par les actes qu'ils avaient commis ou dont ils étaient complices. Et puis, à l'époque, il se considérait pour l'essentiel comme un simple bras armé au service de son pays : il lui était donc aisé de se décharger d'une éventuelle culpabilité sur une entité plus vaste. Mais aujourd'hui, quand il voyait J.C., il ne pouvait oublier que chaque vie qu'il avait ôtée avait débuté de la sorte : une créature sans défense, entièrement dépendante des soins maternels, pour devenir plus tard un être humain déterminé à la fois par ses actes et par l'influence des autres, et se muer alors en une force au service du bien ou du mal. Comment s'effectuait un tel choix ? Qu'est-ce qui pouvait faire dévier un individu vers le mal ? Le libre arbitre ? Le destin ? La chance, bonne ou mauvaise ? Qu'est-ce qui avait fait dévier sa propre vie vers le bien ?... D'ailleurs, avait-elle servi le bien ? Toujours ces mêmes bougres d'idées stupides qui vous venaient en tête aux petites heures de la nuit. Enfin, s'il était certain d'une chose, c'est qu'il n'avait jamais maltraité un bébé, si violents qu'aient pu être certains épisodes de son existence. Et ça n'arriverait pas de sitôt. Non, il ne s'en était pris qu'à des gens qui avaient déjà fait souffrir leurs semblables ou qui avaient menacé de le faire, et qu'il fallait empêcher de nuire parce que ceux qu'il avait pour mission de protéger de près ou de loin avaient eux aussi des droits. Ces dernières considérations mirent provisoirement un terme à ses réflexions.

Il fit un pas vers la mère et le fils, se pencha pour caresser ces petits petons, sans obtenir la moindre réaction, parce que J.C. avait pour l'heure, et ce à juste titre, un seul souci : se nourrir, et ainsi stocker les anticorps du lait maternel qui le protégeraient des infections. Bientôt, ses yeux reconnaîtraient les visages et cette petite frimousse sourirait, puis J.C. apprendrait à s'asseoir, à ramper, à marcher et aussi à parler, commençant enfin à se joindre au monde des hommes. Clark était sûr que Ding serait un bon père et un bon modèle pour son petit-fils, surtout avec Patsy à ses côtés pour équilibrer les tendances contraires de son époux. Tout sourires, Clark retourna au lit, cherchant à se remémorer où Chavez père pouvait bien se trouver en ce moment précis, et laissant les tâches féminines aux femmes de la maisonnée.

Un certain nombre d'heures plus tard, le petit matin réveillait de nouveau Popov dans sa chambre évoquant celle d'un motel. Il avait vite pris ses marques : mettre en route la machine à café, se rendre dans la salle de bains pour se doucher et se raser, puis ressortir dix minutes plus tard et allumer la télé sur CNN. Le titre d'ouverture était sur les JO. Le monde était devenu d'un tel ennui. Il repensa à sa première mission à Londres quand, dans sa chambre d'hôtel, il regardait sur CNN les reportages sur les différends Est-Ouest, les mouvements de troupes et la méfiance croissante entre les factions politiques qui avaient défini le monde de sa jeunesse. Il gardait surtout le souvenir vivace des problèmes stratégiques si souvent mal interprétés par les journalistes de la presse écrite ou télévisée : les missiles à tête simple ou multiple, les charges utiles et les systèmes antibalistiques censés avoir bouleversé l'équilibre des forces. Tout cela, c'était désormais du passé. Pour lui, c'était comme si une chaîne de montagnes avait soudain disparu. La forme du monde avait changé du jour au lendemain, tout ce qu'il avait toujours cru immuable s'était transformé d'une façon qu'il n'aurait même pas crue possible. En même temps que disparaissaient son employeur et sa patrie, la guerre totale qu'il redoutait était devenue aussi improbable qu'un météore de l'apocalypse tombé du ciel.

Il était temps d'en savoir plus. Popov s'habilla et descendit à la cafétéria où il retrouva, comme promis, le Dr Killgore attablé devant son petit déjeuner.

« Bonjour, John, dit le Russe en prenant un siège en face de l'épidémiologiste.

— Salut, Dimitri. Alors, prêt pour votre chevauchée ?

— Oui, je pense. Vous avez bien dit que la bête était docile ?

— C'est bien pour cela qu'elle a été baptisée Petit-Lait. C'est une jument *quarter horse* de huit ans. Vous n'avez rien à craindre.

— *Quarter horse ?* Qu'est-ce que cela veut dire ?

— Cela veut dire que ces bêtes ne courent que le quart de mile — quatre cents mètres — mais vous savez, l'une des courses les mieux dotées au monde se court sur cette distance, là-bas au Texas. J'ai oublié le nom de ce grand prix, mais la bourse est conséquente. Enfin, encore une institution qu'on ne verra plus guère, ajouta Killgore en beurrant sa tartine.

— Pardon ? s'étonna le Russe.

— Hmmph ? Oh, c'est sans importance, Dimitri. » Et c'était vrai. La plupart des chevaux survivraient, revenant à l'état sauvage... on verrait bien s'ils réussiraient à résister après des siècles d'adaptation à la vie avec l'homme. Il supposait que leurs instincts codés dans leur patrimoine génétique en sauveraient le plus grand nombre.

Alors, un beau jour, des membres du Projet ou bien leurs descendants les captureraient à nouveau, les dresseraient, les chevaucheraient pour profiter eux aussi de la nature et de ses bienfaits. Les chevaux de trait, les *quarters* et les Appaloosas, devraient faire merveille. Pour les pur-sang, il était moins sûr, tant ils étaient suradaptés à une seule fonction : courir en rond aussi vite que le permettait leur physiologie, et guère plus. Enfin, dommage pour eux que les lois darwiniennes soient cruelles, quoique justes, à leur façon. Killgore termina son petit déjeuner et se leva : « Prêt ?

— Oui, John. » Popov sortit derrière lui. Dehors, Killgore avait son Hummer personnel. Il monta et prit la direction du sud-ouest dans le matin ensoleillé. Dix minutes plus tard, ils étaient aux écuries. Il prit une selle et se dirigea vers une stalle sur la porte de laquelle le nom Petit-Lait était gravé dans le bois de pin. Il ouvrit le battant et pénétra à l'intérieur, harnacha rapidement la bête et tendit les rênes à Popov.

« Vous n'avez qu'à la guider dehors. Elle ne risque pas de vous mordre ou de ruer. Elle est très docile, Dimitri.

— Si vous le dites, John », observa le Russe, dubitatif. Il avait chaussé des baskets, pas des bottes, et se demanda si cela avait de l'importance. La jument le regarda de ses grands yeux bruns qui ne révélaient rien de ce qu'elle pensait (si elle pensait quoi que ce soit) de ce nouvel humain qui la menait dehors. Docile, elle suivit Dimitri jusqu'à la porte des écuries. Quelques minutes plus tard, Killgore apparut à son tour dans l'air frais du matin. Il chevauchait un hongre.

« Vous savez comment l'enfourcher ? » demanda le médecin.

Popov estimait avoir vu suffisamment de westerns. Il introduisit le pied gauche dans les étriers et se hissa, passant la jambe droite de l'autre côté de la croupe et trouvant à tâtons l'étrier opposé.

« Bien. À présent, vous n'avez plus qu'à tenir les rênes, comme ceci, et faire claquer la langue, comme ça. » Killgore lui montra l'exemple. Popov l'imita et la bête s'ébranla aussitôt. Ce comportement devait être en partie instinctif : elle obéissait apparemment de façon mécanique. N'était-ce pas remarquable ?

« Et hop, c'est parti, Dimitri ! Voilà ce que j'appelle la vraie vie : une matinée radieuse, un cheval entre les jambes, et des kilomètres de campagne à parcourir...

— Mais pas de pistolet », gloussa Popov.

Killgore rit à son tour. « Ma foi, l'ami, c'est qu'on n'a ni Indiens ni voleurs de bétail à descendre. Allez, suivez-moi. » Killgore serra les cuisses, faisant accélérer sa monture, et Petit-Lait suivit le mouvement. Popov s'habitua vite à onduler au même rythme que la jument.

C'était magnifique. Il comprenait à présent l'éthique sous-jacente à tous ces films de série B qu'il avait pu voir. Il y avait effectivement quelque chose de fondamental, de viril dans tout cela, même s'il n'avait pas le Stetson et le six-coups. Il sortit de sa poche ses lunettes noires, les chaussa, contempla alentour ce paysage aux molles ondulations. Quelque part, il avait l'impression d'en faire partie intégrante désormais.

« John, il faut que je vous remercie. Je n'avais encore jamais fait ça. C'est merveilleux. » Et il était sincère.

« C'est la nature, vieux. C'est comme ça qu'elle

doit être. Allez, hue, Mystique », lança-t-il à sa monture, pressant encore l'allure, avant de se retourner pour voir si Popov arrivait toujours à suivre.

Il n'était pas aisé de synchroniser les mouvements du corps avec l'allure de la bête, mais peu à peu, Popov trouva le rythme et, bientôt, il chevauchait à la hauteur de l'autre cheval.

« Alors, c'est comme ça que les Américains ont conquis le Far West ?

— Ouaip, acquiesça Killgore. Autrefois, ces plaines étaient couvertes de bisons, d'immenses troupeaux à perte de vue... Et puis les chasseurs les ont décimés en l'espace de dix ans, rien qu'avec leurs fusils Sharp à un coup. Ils les tuaient pour faire des couvertures avec leur cuir, pour manger leur viande... parfois juste la langue. Ils les ont massacrés comme Hitler a massacré les juifs. » Killgore hocha la tête. « Un des plus grands crimes jamais commis par l'Amérique, Dimitri : tuer ces bêtes simplement parce qu'elles étaient là. Mais elles vont revenir », ajouta-t-il en se demandant combien de temps cela prendrait. Cinquante ans — dans ce cas, il aurait de bonnes chances de le voir. Un siècle, peut-être ? Ils allaient également laisser se reconstituer les populations de loups et de grizzlis, mais ce serait plus lent : les prédateurs ne se reproduisaient pas aussi vite que leurs proies. Il avait envie de revoir la prairie telle qu'elle était jadis. Et il n'était pas le seul, au sein du Projet. Certains étaient même prêts à vivre dans des tipis comme les Indiens. Mais ça, il trouvait que c'était un rien excessif... l'idéologie reprenait le pas sur le bon sens.

« Eh, John ! » lança une voix, quelques centaines de mètres derrière eux. Les deux hommes se retournèrent et virent une silhouette qui galopait à leur rencontre. Au bout d'une minute, ils la reconnurent.

« Kirk ! T'es arrivé quand ?

— Hier soir », répondit Maclean. Il arrêta son cheval pour serrer la main de Killgore. « Et toi ?

— La semaine dernière, avec le personnel de Binghamton. On a fermé boutique après avoir jugé le moment venu de tirer un trait.

— Sur l'ensemble ? » s'étonna Maclean, sur un ton qui amena Popov à dresser l'oreille. *L'ensemble ? Quel ensemble ?*

« Ouaip, confirma Killgore, sans en dire plus.

— Et comment s'est déroulé le programme ? s'enquit ensuite Maclean, apparemment remis de ses inquiétudes initiales.

— Les projections ont été suivies quasiment à la lettre. Il a juste fallu... comment dire... donner un coup de main aux derniers.

— Oh. » Maclean baissa fugitivement les yeux en songeant, un peu mal à l'aise, aux femmes qu'il avait recrutées. Mais cela ne dura qu'un instant. « Donc, on passe à la phase suivante ?

— Oui, Kirk, absolument. Les JO commencent après-demain et alors...

— Alors, ce sera parti pour de bon.

— Ahem... », fit Popov au bout d'une seconde. Il avait l'impression que Killgore avait oublié sa présence.

« Oh, pardon, Dimitri. Kirk Maclean... Dimitri Popov. John nous l'a envoyé avant-hier.

— Comment va, Dimitri ? » Échange de poignées de main. « Russe ?

— Oui, acquiesça l'intéressé. Je travaille sous les ordres directs du Dr Brightling. Et vous ?

— Oh, je ne suis qu'un rouage du Projet, répondit Maclean.

— Kirk est biochimiste et ingénieur écologue, expliqua Killgore. Il est également si beau garçon qu'on lui a également demandé de nous donner un petit coup de main à ses heures perdues, ajouta-t-il, badin. Mais c'est terminé, désormais. Mais dis donc, qu'est-ce qui t'amène si tôt parmi nous, Kirk ?

— Tu te souviens de Mary Bannister ?

— Ouais. Quel rapport ?

— Eh bien, le FBI m'a demandé si je la connaissais. J'en ai discuté avec Henriksen et il a aussitôt décidé de m'envoyer ici un peu plus tôt que prévu. J'ai cru comprendre qu'elle... »

Killgore hocha la tête, l'air très détaché. « Effectivement. La semaine dernière.

— Donc, le A marche ?

— Tout à fait. De même que le B.

— Parfait. J'ai déjà eu mon injection de B. »

Popov repensa à la piqûre que le Dr Killgore lui avait faite. L'étiquette du flacon portait effectivement un B majuscule. Et quelle était cette histoire de FBI ? Ces deux-là discutaient librement, mais pour lui, c'était de l'hébreu... non, plutôt un langage d'initiés, utilisant leur vocabulaire professionnel, leurs tournures spécifiques, comme le feraient des ingénieurs, des physiciens... ou des espions. Dans sa branche, on était habitué à se souvenir de chaque phrase entendue, si sibylline fût-elle, et Popov mémorisa l'ensemble de ce dialogue, malgré son ébahissement.

Killgore fit repartir son cheval. « Ta première sortie, Kirk ?

— La première depuis des mois, confirma l'intéressé. Je m'étais bien inscrit à un manège, dans la banlieue de New York, mais je n'ai jamais vraiment eu le temps de monter. Je sens que, demain, je vais avoir le cul en compote et des guiboles en plomb ! rit l'ingénieur.

— Ouais, mais c'est un mal qui fait du bien. » Killgore rit à son tour. Il avait également laissé un cheval, là-bas à Binghamton, et il espérait que le couple qui l'avait en garde le libérerait le moment venu, pour qu'Orageux soit capable de se nourrir tout seul... mais d'un autre côté, c'était un hongre, donc une créature biologiquement inapte, tout juste bonne à consommer de l'herbe. Tant pis, songea le médecin. Ç'avait été une belle bête.

Maclean se dressa sur ses étriers pour regarder alentour. En se retournant, il pouvait apercevoir les bâtiments du Projet, mais droit devant, de même que sur les côtés, on ne voyait que la plaine immense. Un jour, il faudrait qu'ils se décident à brûler toutes ces fermes et ces hangars. Ils ne faisaient que boucher la vue.

« Gaffe, John ! » dit-il, semblant aviser un danger devant eux. Il indiquait des trous dans l'herbe.

« C'est quoi ? demanda Popov.

— Des chiens-de-prairie, expliqua Killgore, ramenant sa bête au petit pas. Des rongeurs sauvages. Ils creusent des terriers et bâtissent de véritables cités souterraines. Si un cheval y met le pied... eh bien, il est mal. Mais s'il avance au pas, il arrive à les éviter.

— Des rongeurs ? Pourquoi ne pas vous en débarrasser ? Au fusil ? Avec du poison ? Si avec leurs terriers, ils risquent de blesser un cheval, alors...

— Dimitri, ils font partie de la nature, d'accord ? Ils sont chez eux, ici, encore plus que nous, expliqua Maclean.

— Certes, mais un cheval, ça... » *Ça coûte cher*, allait-il dire avant que le docteur ne le coupe. « ... Ça ne fait pas vraiment partie de la nature, enchaîna le médecin. J'aime les chevaux, moi aussi, mais à strictement parler, ils n'ont pas non plus leur place ici.

— Les faucons et les autres rapaces reviendront et réguleront les populations de chiens-de-prairie, poursuivit Maclean. Ils n'auront plus rien à craindre des éleveurs de poulets. Bon sang, j'adore les voir à l'œuvre.

— C'est vrai que c'est beau... De vraies bombes intelligentes dessinées par la nature, renchérit Killgore. C'était le vrai sport des rois, dresser un faucon à chasser au poing. Il se pourrait que je m'y mette, d'ici quelques années. J'ai toujours eu un faible pour le gerfaut.

— Ouais, un noble animal, avec sa robe toute blanche », observa Maclean.

À les entendre, s'étonna le Russe, on dirait que cette région va changer radicalement d'ici quelques années. Mais qu'est-ce qui pourrait bien provoquer un tel bouleversement ?

« Eh bien, dites-moi, intervint-il, comment voyez-vous le coin, dans cinq ans ?

— En net progrès, répondit Killgore. Une partie des bisons seront revenus. On risque même de devoir les tenir à l'écart de nos cultures.

— Faudra les chasser en 4x4, spécula Maclean.

— Voire en hélicoptère, rétorqua le médecin. On en aura quelques-uns pour mesurer les populations... Mark Holtz envisage de faire un saut à Yellowstone pour capturer quelques spécimens de bisons et les réimplanter ici. Tu connais Mark ? »

Signe de dénégation de Maclean. « Non, je ne l'ai jamais rencontré.

— C'est un grand théoricien de l'écologie globale, mais il n'est pas très chaud pour interférer avec la nature. Juste lui donner un petit coup de main.

— Qu'est-ce qu'on va faire des chiens ? » demanda Kirk. Cette fois, il parlait des animaux domestiques soudain lâchés dans la nature, redevenus sauvages et tueurs de gibier.

« Il faudra voir, dit Killgore. La plupart ne seront pas de taille à blesser des bêtes adultes, en outre, une bonne partie étant coupés, ils ne se reproduiront pas. Peut-être qu'on sera obligés d'en abattre. Ce ne devrait pas être bien difficile.

— J'en connais qui ne vont pas apprécier. Tu connais la chanson : on n'est pas censés faire plus qu'observer. Pas d'accord. Puisqu'on a foutu en l'air l'écosystème, on devrait pouvoir réparer ce qu'on a cassé, en partie du moins.

— Je suis d'accord. Mais il faudra malgré tout passer au vote. Merde, j'ai envie de chasser, et ça aussi, ils vont vouloir le mettre aux voix. » Killgore fit une grimace dégoûtée.

« Sans blague ? Ils ont oublié Jim Bridger ? À part piéger des castors, qu'est-ce qu'il a fait de si mal, merde ?

— Ces végétaliens, ce sont de véritables extrémistes, Kirk. À les entendre, ils sont les seuls à détenir la vérité.

— Oh, qu'ils aillent se faire foutre. Bon Dieu, va donc leur expliquer qu'on n'a jamais été conçus pour être des herbivores ! C'est une simple vérité scientifique. » En arrivant sur place, ils constatèrent que les chiens-de-prairie avaient creusé peu de terriers, et ils purent les contourner sans peine.

« Et que vont en penser vos voisins ? »
demanda Popov, avec un grand sourire candide.
Bon sang, mais de quoi parlaient-ils donc ?

« Les voisins, quels voisins ? » remarqua
Killgore.

Allons bon. Voilà autre chose. Mais ce n'était
pas cela qui inquiétait le plus Popov. C'était surtout la nature purement rhétorique de la réponse.
Le docteur s'empressa toutefois de changer de
sujet : « Pas à dire, rudement belle matinée pour
une balade à cheval. »

Quels voisins ? s'étonna de nouveau Popov. Ils
pouvaient apercevoir les toits des fermes et des
hangars à quelques kilomètres de là, éclairés par
le soleil matinal. Ces types évoquaient un avenir
radieux grouillant de bêtes sauvages, mais sans un
seul être humain... Avaient-ils l'intention de
racheter toutes les fermes alentour ? Même une
société comme Horizon Corporation n'avait pas
les fonds suffisants. Ils se trouvaient au beau
milieu d'une région cultivée, prospère, occupée
par de vastes exploitations appartenant à des fermiers aux revenus confortables. Où iraient-ils si
on les expropriait ? Et d'ailleurs, pourquoi parti-
raient-ils ? Une fois encore, la question surgit à
l'esprit de Popov : à quoi tout cela rimait-il ?

33

L'ouverture des Jeux

Chavez essaya de descendre la passerelle sans tituber. Il était assez impressionné par l'allant du personnel de cabine. Il faut dire qu'ils avaient de l'entraînement, eux, et puis, ils étaient peut-être moins sensibles que lui au décalage horaire. À l'instar de tous les autres civils à bord, il avait lui aussi mastiqué pour tenter de chasser ce goût pâteux de sa bouche, puis louché, un peu éberlué, avant de se lever pour se diriger vers la porte, aussi soulagé qu'un prisonnier libéré du mitard. Peut-être que les voyages en paquebot n'avaient pas que des inconvénients.

« Commandant Chavez ? lança une voix à l'accent australien.

— Ouais ? réussit à articuler Ding, en avisant le type en civil.

— B'jour. Je suis le lieutenant-colonel Frank Wilkerson, du SAS australien. » Il tendit la main.

« Salut ! » Chavez réussit à prendre la main tendue pour la serrer. « Et voici mes hommes, les sergents Johnston, Pierce et Tomlinson, ainsi que l'inspecteur Tim Noonan, du FBI — il assure notre soutien logistique. » Nouvel échange de poignées de main.

« Bienvenue en Australie, messieurs. Suivez-moi, je vous prie. »

Il leur fallut un quart d'heure pour récupérer leur barda. Dont une demi-douzaine de gros conteneurs en plastique de qualité militaire qui furent aussitôt chargés dans un minibus. Dix minutes plus tard, ils quittaient l'aéroport et prenaient l'autoroute 64 pour rejoindre Sydney.

« Alors, c'était comment, ce voyage ? s'enquit le colonel Wilkerson, en se retournant vers ses hôtes.

— Long », répondit simplement Chavez. Il contempla le paysage. Le soleil se levait — il était six heures à peine —, même si les hommes de Rainbow avaient du mal à le croire tellement ça ne cadrait pas avec leur horloge biologique. Mais tous espéraient qu'une bonne douche et un bon café leur remettraient les yeux en face des trous.

« C'est que ça fait une sacrée trotte depuis Londres, compatit le colonel.

— Je ne vous le fais pas dire.

— Quand les Jeux doivent-ils débuter ? s'enquit Mike Pierce.

— Demain, répondit Wilkerson. Les athlètes sont déjà installés au village olympique et toutes nos équipes de sécurité sont au complet et parfaitement entraînées. Nous n'envisageons pas de difficultés particulières. La menace terroriste semble exclue. Les hommes que nous avons placés aux aéroports n'ont rien signalé de particulier. Nous avons les photos et le signalement de tous les terroristes internationaux identifiés, mais il faut dire qu'ils sont nettement moins nombreux que naguère, en grande partie grâce à votre unité, ajouta le colonel australien, avec un sourire professionnel amical.

— Ouais, enfin, on tâche de faire notre boulot, colonel, observa George Tomlinson en se massant le visage.

— Les gars qui s'en sont pris directement à vous, ils appartenaient bien à l'IRA, comme l'a dit la presse ?

— Ouais, confirma Chavez. Un groupe dissident. Mais ils étaient parfaitement informés. Quelqu'un leur a fourni des renseignements de première bourre. Ils avaient identifié leurs cibles civiles, avec leur nom, leur activité professionnelle... et dans le lot, il y avait ma femme et ma belle-mère, ce qui...

— Merde, ça, je l'ignorais, nota l'Australien, en écarquillant les yeux.

— Ouais, et ça n'a pas rigolé. On a eu deux tués, quatre blessés, dont Peter Covington. C'est mon homologue, à la tête du groupe Un, expliqua Ding. Non, ça n'a pas rigolé. Il se trouve que c'est l'ami Tim, ici présent, qui nous a sauvé la mise, poursuivit-il en désignant Noonan.

— Comment cela ? demanda Wilkerson en se tournant vers un agent du FBI légèrement embarrassé.

— J'ai un système qui permet de bloquer les communications par téléphone mobile. Il se trouve que nos adversaires s'en servaient pour coordonner leur action, expliqua l'agent du FBI. On les en a empêchés, ce qui a bouleversé leurs plans. Ensuite, Ding et ses hommes n'ont plus eu qu'à terminer de foutre le bordel. On a eu un sacré bol, colonel, un sacré bol.

— Donc, vous êtes du FBI. Alors, j'imagine que vous devez connaître Gus Werner ?

— Oh, ouais. Gus et moi, ça remonte à un bail. C'est le nouveau directeur adjoint chargé du terrorisme... la division est créée depuis peu. Vous avez dû vous rendre à Quantico, j'imagine ?

— Il y a quelques mois, en fait, pour m'entraîner avec votre cellule de récupération d'otages et avec le groupe Delta du colonel Byron. Tous des gars vraiment super. »

Leur chauffeur quitta l'autoroute pour s'engager sur une bretelle menant vers le centre-ville. Le trafic était clairsemé. Il était encore tôt pour la ruée matinale : seuls roulaient les laitiers et les livreurs de journaux. Le minibus s'arrêta bientôt devant un hôtel de luxe dont les chasseurs étaient déjà debout, malgré l'heure matinale.

« On a un accord avec cet établissement, expliqua Wilkerson. Les gars de Global Security y sont descendus eux aussi.

— Qui ça ?

— Global Security, c'est l'entreprise qui a décroché le contrat pour la sécurité des JO. Monsieur Noonan, vous devez connaître leur patron... Bill Henriksen.

— Bill, l'écolo de choc ? » Noonan eut un rire étranglé. « Oh, ça oui, je le connais.

— Un écolo de choc ?

— Colonel, Bill était un des piliers de la cellule de récupération d'otages, il y a quelques années. Un type compétent, mais un de ces maniaques de l'écologie. Genre défense des arbres et des bébés phoques... Il s'inquiète aussi pour la couche d'ozone, toutes ces conneries, expliqua Noonan.

— Vous me l'apprenez, nota le colonel. Vous savez, cette histoire d'ozone nous préoccupe, nous aussi. Sur la plage, on est obligés de se mettre de l'écran total, tout ça... Le problème pourrait devenir sérieux d'ici quelques années, en fait ; enfin, c'est ce qu'on dit.

— Mouais, peut-être, concéda Tim avec un bâillement. Moi, je fais pas de surf. »

La portière du minibus fut ouverte par un employé et les hommes descendirent en titubant. Le colonel Wilkerson avait dû prévenir de leur arrivée, nota Ding une minute plus tard, parce qu'on les conduisit aussitôt à leurs chambres — des chambres superbes — pour qu'ils puissent prendre une douche, suivie d'un gigantesque petit déjeuner arrosé de litres de café. Si pénible que puisse être le décalage horaire, le meilleur moyen de régler la question était de s'efforcer de tenir le coup le premier jour, de tâcher d'enchaîner sur une bonne nuit de sommeil, et ainsi de se resynchroniser en l'espace de seulement vingt-quatre heures. Enfin, c'était la théorie, songea Ding en s'essuyant devant la glace de la salle de bains pour constater qu'il n'avait effectivement pas l'air frais. Quelques instants plus tard, vêtu d'une tenue sport, il entrait dans la cafétéria.

« Vous savez, colonel, si quelqu'un mettait au point un médicament qui supprime les effets du décalage horaire, il mourrait riche comme Crésus.

— Sans aucun doute. J'y ai eu droit, moi aussi, commandant.

— Appelez-moi Ding. Sur mes papiers, c'est Domingo, mais tout le monde m'appelle Ding.

— Racontez-m'en un peu plus sur vous...

— J'ai commencé comme fantassin, mais je suis assez vite passé à la CIA, avant d'être muté dans cette unité. Je suis pas trop branché sur cette histoire de commandant bidon. Pour moi, je suis le chef du groupe Deux de Rainbow, point final.

— En tout cas, vous avez eu du pain sur la planche.

— Ça, vous l'avez dit, colonel », reconnut Ding avec un hochement de tête, alors qu'un garçon arrivait avec un pot de café. Il se demanda si l'on trouvait quelque part le café servi à l'armée, la version avec triple dose de caféine. Il en aurait eu bien besoin. Ça, plus un petit entraînement matinal sympa. Outre l'épuisement, son corps se rebellait contre cette journée entière qu'il avait passée confiné dans un 747. Ce satané zinc était assez vaste pour s'y dégourdir les jambes, mais apparemment, ses concepteurs avaient oublié la piste de course à pied... Et puis, il eut une pensée compatissante pour tous ces pauvres bougres qui avaient voyagé avec eux en classe touristes. Sûr qu'ils devaient déguster, à l'heure qu'il était. Cela dit, ils n'avaient pas traîné. En paquebot, ça aurait pris un bon mois — mais un mois de confort princier, avec toute la place voulue pour s'entraîner, sans compter une table de choix. Enfin, la vie n'était qu'une suite de compromis.

« Vous avez participé à l'intervention sur Worldpark ?

— Ouais. C'est mon groupe qui s'est chargé de l'assaut contre le donjon. J'étais à moins de cent mètres du salaud qui a flingué la petite. Franchement pas drôle, colonel.

— Frank.

— Merci. Ouais, Frank, c'était vraiment moche. Mais on a fini par l'avoir, ce fils de pute... enfin, c'est Homer Johnston qui l'a eu. Un de mes tireurs d'élite.

— D'après ce qu'on a pu voir à la télé, il semble qu'il ait un peu manqué son coup...

— Homer a voulu faire un petit exemple, expliqua Chavez avec un haussement de sourcils éloquent. Il ne le refera plus. »

Wilkerson l'avait compris à demi-mot. « Ah, bien sûr, dans ce cas... Vous avez des enfants, Ding ?

— Je suis père depuis quelques jours à peine. Un fils.

— Félicitations. Faudra qu'on arrose ça avec une bonne bière, un peu plus tard dans la journée, si vous voulez...

— Frank, un seul demi, et je crois que je suis bon pour que vous traîniez ma carcasse jusqu'à l'hôtel. » Ding se mit à bâiller, gêné de se sentir aussi minable. « Cela dit, pourquoi teniez-vous tant à nous avoir ici ? Chacun s'entend à dire que vous êtes des cracks.

— Ça ne fait jamais de mal d'avoir plusieurs opinions, Ding. Mes gars sont certes parfaitement entraînés, mais on n'a pas des masses d'expérience pratique. Et puis, il faut aussi qu'on renouvelle notre équipement. Ces nouvelles radios fabriquées par E-Systems que Global Security nous a permis d'avoir, ce sont de vrais petits bijoux. Alors, je n'ose imaginer tous les bidules incroyables dont vous devez disposer...

— Noonan a effectivement un gadget qui va vous mettre sur le cul. Moi-même, j'ai du mal à y croire ; cela dit, je doute qu'il soit d'une quelconque utilité ici. Il y a bien trop de monde. Malgré tout, vous le trouverez intéressant, ça, je vous le promets.

— C'est quoi ?

— Tim l'a surnommé le "Tricorder" — vous savez, comme le machin qu'ils ont tout le temps dans *Star Trek*. C'est un truc qui localise les gens comme un radar les avions.

— Comment ça fonctionne ?

— Il vous expliquera. C'est en rapport avec le champ électrique entourant le muscle cardiaque.

— Jamais entendu parler.

— C'est tout nouveau, expliqua Chavez. Produit par une petite boîte américaine appelée DKL, je crois. Ce bidule est magique. Little Willie à Fort Bragg a craqué dessus.

— Le colonel Byron ?

— Lui-même. Vous disiez que vous avez travaillé avec lui, récemment ?

— Oui, oui, un type extra. »

Chavez étouffa un rire. « Il n'apprécie pas trop Rainbow. On lui a piqué certains de ses meilleurs éléments, voyez-vous.

— En leur donnant des travaux pratiques à faire.

— Ça, c'est vrai », reconnut Chavez en goûtant son café. Sur ces entrefaites, le reste de l'équipe était apparu. Tous s'étaient habillés comme leur commandant, en tenue sport. Débouchant d'un pas traînant dans la cafétéria, ils avisèrent leur chef et s'approchèrent de sa table.

Il était seize heures environ dans le Kansas. La chevauchée de Popov l'avait laissé perclus. Ses hanches, surtout, protestaient contre le traitement infligé durant toute cette matinée passée les cuisses écartées. Mais à part ça, le souvenir demeurait agréable.

Il n'avait rien de spécial à faire, pas de mission spécifique, et dès midi, il avait fait le tour des endroits à visiter. Il ne lui restait plus que la télé comme distraction, mais il n'en était pas accro. L'esprit vif, il avait vite tendance à s'ennuyer devant le petit écran, et il détestait s'ennuyer. CNN repassait toujours les mêmes reportages sur les jeux Olympiques, et les compétitions sportives internationales qu'il aimait bien regarder n'avaient pas encore commencé. Alors il déambulait dans les couloirs de l'hôtel en contemplant le paysage derrière les vastes baies vitrées. Déjà, il envisageait la perspective d'une autre balade à cheval le lendemain — au moins, ça lui faisait prendre l'air... Au bout d'une heure, il redescendit à la cafétéria.

« Oh, Dimitri », lança Kirk Maclean, qui le précédait dans la file. Maclean n'était pas non plus végétalien, nota le Russe. Il y avait sur son plateau une belle tranche de jambon. Popov entama la conversation là-dessus.

« Comme je disais ce matin, on n'est pas faits pour être végétaliens, nota Maclean avec un grand sourire.

— Qu'est-ce qui le prouve ?

— La denture, pour l'essentiel, expliqua Maclean. Les herbivores mastiquent des végétaux qui sont toujours incrustés de poussière, de sable et toutes sortes de fragments abrasifs qui vous usent les dents comme du papier de verre. C'est pourquoi il leur faut des dents à l'émail épais pour ne pas les perdre en quelques années. L'émail de la dent humaine est bien plus mince. Alors, soit nous sommes naturellement adaptés à essorer la salade avant de la manger, soit la nature nous a conçus pour tirer de la viande l'essentiel de nos ressources en protéines. Comme je ne pense pas que l'espèce humaine ait pu s'adapter aussi vite à l'eau courante dans les cuisines, la conclusion me paraît évidente... », conclut Kirk avec un sourire. Les deux hommes se dirigèrent vers la même table. « Qu'est-ce que vous faites pour John ? demanda-t-il dès qu'ils se furent assis.

— Vous parlez du Dr Brightling ?

— Ouais. Vous avez dit ce matin que vous travailliez pour lui.

414

— Je suis un ancien du KGB. » Autant tenter le coup pour le sonder, lui aussi.

« Oh, alors vous nous espionnez ? » demanda Maclean en attaquant sa tranche de jambon.

Popov hocha la tête. « Pas exactement. J'ai établi le contact avec des personnes auxquelles s'intéressait le Dr Brightling, pour leur demander d'accomplir certaines tâches qu'il souhaitait leur voir faire.

— Oh ? Et qui ça ?

— Je ne suis pas sûr d'être autorisé à le dévoiler.

— Des plans secrets, hein ? Ma foi, ce n'est pas ce qui manque, ici. On vous a déjà briefé sur le Projet ?

— Pas franchement. J'en fais peut-être partie mais sans qu'on m'en ait expliqué la teneur au juste. Vous en savez plus, vous ?

— Oh, bien sûr. J'y participe quasiment depuis le début. C'est réellement quelque chose, vous savez. Il y a certes deux ou trois éléments pas très agréables, mais enfin... ». Et il ajouta, l'œil glacial : « Comme on dit, on ne fait pas d'omelettes sans casser d'œufs ! »

Lénine avait dit la même chose, se souvint Popov. Dans les années vingt, quand on l'interrogeait sur les violences destructrices perpétrées au nom de la révolution soviétique. La remarque était devenue célèbre, au KGB surtout, dès qu'un agent trouvait à redire à la cruauté de certaines opérations — celles que Popov avait effectuées, par exemple, en recourant à des terroristes au comportement particulièrement inhumain et... tout récemment encore, sous ses ordres. Mais quel genre d'omelette ce type s'apprêtait-il à concocter ?

« Nous allons changer le monde, Dimitri, dit Maclean.

— Comment cela, Kirk ?

— Attendez voir. Vous vous souvenez de notre balade à cheval de ce matin ?

— Oui, bien sûr, c'était très agréable.

— Imaginez un peu toute la planète comme ça... » Maclean n'en dit pas plus.

« Mais comment voulez-vous réaliser une chose pareille... où mettriez-vous les paysans ? rétorqua Popov, de plus en plus perplexe.

— Disons que ce sont les œufs... », répondit Maclean avec un sourire, et Dimitri sentit soudain son sang se glacer dans ses veines, sans vraiment comprendre pourquoi. Malgré son désir, son esprit se refusait à faire le saut. C'était comme s'il se retrouvait en service actif, cherchant à discerner les intentions ennemies lors d'une mission périlleuse en ne détenant qu'une partie de l'information nécessaire, sans doute importante mais pas suffisante pour s'en former une image mentale complète.

Mais le plus terrifiant était que les participants à ce Projet parlaient de la vie humaine comme l'avaient fait jadis les nazis. *Mais enfin, ce ne sont que des juifs*. Un bruit lui fit lever la tête et il vit un autre avion se poser sur la route d'accès convertie en piste d'atterrissage. Derrière, au loin, une file de voitures était immobilisée, attendant la voie libre pour gagner les bâtiments. Il nota qu'il y avait plus de monde dans la cafétéria, presque deux fois plus que la veille. Donc, Horizon Corporation amenait ici tout son personnel. Pour quelle raison ? Cela faisait-il partie du Projet ? Était-ce simplement la montée en puissance de ce coûteux centre de recherches ? Il savait que toutes les pièces du puzzle s'étalaient désormais devant lui, mais leur agencement demeurait toujours aussi mystérieux.

« Eh, Dimitri ! lança Killgore en les rejoignant. Pas trop courbaturé ?

— Un peu, avoua le Russe, mais je ne regrette rien. On pourra recommencer ?

— Bien sûr. C'est une de mes habitudes matinales, ici. Ça vous dit ?

— Volontiers, c'est fort aimable.

— Eh bien, sept heures du matin, ici même, vieux, répondit Killgore avec un sourire. Toi aussi, Kirk ?

— Un peu, oui. Demain, d'ailleurs, il faut que je prenne la voiture pour aller m'acheter des bottes neuves. Tu connais une bonne boutique de randonnée, dans le secteur ?

— À une demi-heure d'ici. Un surplus US Cavalry. Tu prends l'autoroute, direction est, deuxième sortie, indiqua le Dr Killgore.

— Super. Je veux les avoir avant que les nouveaux arrivants ne dévalisent tous les fournisseurs du coin.

— Très judicieux, nota Killgore avant de se retourner vers le Russe. Alors, Dimitri, c'est comment d'être espion ?

— C'est souvent un boulot frustrant », répondit Popov avec sincérité.

« Waouh, sacrés équipements », commenta Ding. Le stade était immense, assez grand pour accueillir sans problème cent mille spectateurs. Mais il allait régner une chaleur torride dans cette enceinte, une vraie cocotte en béton. Enfin, il y avait quantité de stands de boisson dans les galeries, plus sans aucun doute des tas de vendeurs ambulants de sodas et de boissons fraîches. Et, à deux pas du stade, il y avait abondance de pubs pour ceux qui préféraient la bière. La pelouse du stade était à peu près déserte à cette heure-ci, avec juste deux ou trois jardiniers en train de la peaufiner dans un coin. L'essentiel des compétitions d'athlétisme devait se dérouler ici. On distinguait parfaitement sur la piste en synthétique les marquages des couloirs, des plots de départ et des haies pour les diverses épreuves de course à pied, ainsi que, entre piste et pelouse, les fosses réservées aux compétitions de saut. Un immense tableau d'affichage flanqué d'un écran électronique Jumbotron trônait à l'extrémité du stade, pour permettre aux spectateurs de revoir au ralenti les phases importantes. En découvrant tout cela, Ding sentit monter en lui une légère excitation. Il n'avait jamais assisté en vrai à une compétition olympique, et il était lui-même suffisamment athlète pour mesurer le talent et l'abnégation indispensables à ce genre d'épreuve. Le plus incroyable était de penser que si bons que puissent être ses hommes, ils n'arrivaient pas à la cheville du dernier des athlètes — pour la plupart, de simples gamins, aux yeux de Ding — qui allaient défiler ici le lendemain. Même ses tireurs d'élite n'auraient pu sans doute rivaliser dans les concours de tir. Ses hommes étaient des généralistes, formés à accomplir toute une série de tâches, alors que les athlètes olympiques étaient les spécialistes ultimes, entraînés à faire une seule chose, mais excellemment. Tout cela était à cent lieues de la vie réelle, mais néanmoins superbe à regarder.

« Oui, reconnut Frank Wilkerson, nous avons dépensé beaucoup d'argent pour aboutir à ce résultat.

— Où tenez-vous postées vos forces d'intervention ? » demanda Chavez. Son hôte se retourna pour lui montrer.

« Par ici...

— Eh, drôlement agréable, constata Chavez en pénétrant sous le fin brouillard liquide.

— Oui, n'est-ce pas ? Ce système réduit la température apparente d'une quinzaine de degrés. J'ai dans l'idée que bon nombre de spectateurs viendront se réfugier ici pour prendre le frais durant les compétitions et, comme vous pouvez le constater, nous y avons installé des téléviseurs pour qu'ils ne perdent rien du spectacle.

— Bien vu, Frank. Mais vous avez pensé aux athlètes ?

— Nous avons un dispositif similaire dans leurs tunnels d'accès, ainsi que dans le tunnel principal par où ils vont entrer pour le défilé — ainsi que pour l'arrivée du marathon. En revanche, rien sur le stade, là, ils seront obligés de transpirer.

— Je plains déjà les marathoniens...

— Certes. Mais des équipes médicales seront en place en divers points du parcours. D'autant que les prévisions météo à long terme nous annoncent une canicule et un ciel dégagé. Et nous avons une multitude de postes de premiers secours répartis sur l'ensemble du site olympique. Le vélodrome devrait d'ailleurs être un autre point chaud...

— Je sens qu'il va se consommer des litres de Gatorade...

— Effectivement. Tout un tas de boissons énergétiques ont été prévues. Sans oublier les tablettes de sel. En quantités astronomiques. »

Quelques minutes plus tard, ils étaient au PC sécurité. Chavez vit les troupes du SAS australien se prélasser dans le confort climatisé — là aussi, des téléviseurs leur permettaient de regarder les compétitions, sans oublier des moniteurs pour surveiller tous les points sensibles. Wilkerson se chargea des présentations, après quoi la plupart des hommes se levèrent pour venir saluer les nouveaux venus et leur serrer la main avec cette jovialité que semblaient partager tous les Australiens. Les sergents de Rainbow se mirent à causer boutique avec leurs homologues, tout cela dans une ambiance de grand respect mutuel : chacun avait reconnu chez l'autre un vrai professionnel, et cette fraternité internationale était celle d'une élite.

Les bâtiments se remplissaient rapidement. Le jour de son arrivée, Popov avait été le seul occupant du troisième étage, mais plus aujourd'hui. Au moins six des chambres voisines étaient désormais occupées, et il lui suffisait de jeter un œil dehors pour constater que le parking se remplissait de voitures qui n'avaient cessé d'affluer depuis le début de la journée. Il devait bien y avoir deux ou trois jours de route pour venir de New York, donc l'ordre de transfert avait dû être donné depuis peu... mais où étaient les camions de déménagement ? Certes, l'hôtel était confortable — pour un hôtel... — mais ce n'était pas la même chose qu'une résidence permanente. Au bout d'un moment, tous ces couples accompagnés d'enfants en bas âge risquaient d'avoir du mal à les tenir dans une telle promiscuité. Il avisa deux jeunes couples en grande discussion et tendit l'oreille en passant à proximité. Ils semblaient manifestement tout excités par le spectacle des bêtes sauvages qu'ils avaient pu apercevoir en arrivant. D'accord, les daims et les cerfs étaient très jolis, reconnut Popov, mais de là à justifier un tel enthousiasme... S'agissait-il de zoologistes qui travaillaient pour Horizon ? À les entendre, on aurait plutôt cru de jeunes Pionniers s'aventurant hors de Moscou pour la première fois de leur vie et découvrant, les yeux ronds, les merveilles d'un sovkhoze. Comme s'ils découvraient la beauté de la salle de l'Opéra de Vienne ou de Paris, s'étonna l'ancien agent du KGB en regagnant sa chambre. Et puis, une autre réflexion lui vint. Ces gens étaient tous des amoureux de la nature. Peut-être avait-il intérêt à se faire sa propre opinion sur le sujet. Il lui semblait bien avoir remarqué quelques cassettes traitant de ce thème, à son arrivée... Effectivement, il les retrouva et en introduisit une au hasard dans le magnétoscope. Il pressa la touche lecture et mit en route la télé.

Ah... la couche d'ozone... un sujet qui semblait visiblement tarabuster les Occidentaux. Popov estimait qu'il commencerait à s'inquiéter le jour où les manchots qui vivaient pile sous ce fameux trou d'ozone se mettraient à mourir de coups de soleil. Mais il regarda malgré tout la cassette. Il nota qu'elle avait été produite par un groupe appelé les Amis de la Terre et découvrit bien vite que son contenu était aussi polémique que celui des films réalisés jadis par le cinéma de propagande de l'ex-URSS. Ces gens connaissaient certes leur sujet, appelant au boycott de divers composés chimiques... mais comment voulaient-ils faire marcher les frigos et les climatiseurs ? Renoncer à la clim pour sauver les manchots d'un excès de rayons ultraviolets ? Si ce n'était pas un tissu de conneries...

Et il y en avait comme ça cinquante-deux minutes, montre en main. La cassette suivante, produite par le même groupe, traitait des barrages. Elle s'ouvrait par une philippique contre les « criminels de l'environnement » qui avaient, dans les années trente, fait construire le barrage Hoover sur le Colorado. Mais bon sang, c'était un barrage hydro-électrique ! Pouvait-on se passer d'électricité ? Et cette forme de production n'était-elle pas la plus propre qui soit ? Et pour diffuser cette cassette produite à Hollywood, n'utilisait-on pas l'électricité produite justement par ce barrage ? Qui donc étaient ces illuminés...

... et surtout, que faisait dans cette chambre d'hôtel leur propagande vidéo ? Des druides ? L'idée s'imposait à lui de nouveau. Ceux d'autre-fois sacrifiaient des vierges, vénéraient les arbres... de ce côté, si c'était toujours le cas, alors ils étaient plutôt mal tombés. Il n'y avait pas des masses d'arbres à contempler sur ces vastes terres à blé de l'ouest du Kansas.

Des druides ? Des adorateurs de la nature ? Pendant que la cassette se rembobinait, il feuilleta les périodiques mis à sa disposition et en trouva un publié par ce fameux groupe.

Vous parlez d'une dénomination... *Les Amis de la Terre*... Et quoi, ensuite ? Tous les articles n'étaient que diatribes enflammées contre les divers outrages faits à la planète. Bon, d'accord, les mines à ciel ouvert, ce n'était pas joli-joli, il était le premier à l'admettre : la planète était censée conserver sa beauté intacte. Comme tout un chacun, il était sensible à la splendeur d'une forêt verdoyante aussi bien qu'à celle des roches pourpres d'une montagne dénudée... S'il existait un Dieu, c'était assurément un artiste, malgré tout... à quoi rimait tout ceci ?

L'humanité, expliquait le second article, était une espèce parasite à la surface de la planète, qui détruisait plus qu'elle n'entretenait. Les hommes avaient massacré d'innombrables espèces animales et végétales et, ce faisant, ils s'étaient dénié tout droit de vivre... Il poursuivit sa lecture.

Ce n'était qu'un tissu d'absurdités. La gazelle qui se retrouvait devant un lion appelait-elle la police ou un avocat pour défendre son droit à la vie ? Le saumon qui remontait une rivière pour se reproduire protestait-il contre les mâchoires de l'ours qui l'arrachait de l'eau et le déchiquetait pour assouvir ses besoins nutritifs ? Une vache était-elle l'égale d'un homme ? Et aux yeux de qui ?

C'était quasiment devenu un article de foi en Union soviétique que, malgré leur puissance et leur formidable richesse, les Américains étaient fous, incultes et totalement imprévisibles. Ils étaient cupides, ils volaient aux autres peuples leurs richesses et les exploitaient pour assouvir leurs besoins égoïstes. Il avait pu constater le caractère mensonger de cette propagande dès sa première mission à l'étranger, mais il y avait appris également que les Européens de l'Ouest jugeaient eux aussi les Américains légèrement timbrés — et si ce groupe des Amis de la Terre était représentatif de l'Amérique, on ne pouvait sûrement pas leur donner tort. Mais en Angleterre également, on voyait des gens qui bombaient les manteaux de fourrure. Les visons ont le droit de vivre, qu'ils disaient. Les visons ? Un vulgaire rongeur, un rat allongé au joli poil luisant... Ce rongeur avait un droit de vivre imprescriptible ? Au nom de quelle loi ?

Le matin même, ils s'étaient opposés à sa suggestion de tuer ces... chiens-de-prairie, encore une espèce de rat dont les terriers risquaient pourtant de briser les jambes de leurs chevaux... et qu'avaient-ils dit ? Que leur place était ici, contrairement aux hommes et aux équidés ! Pourquoi une telle sollicitude pour un vulgaire rat ? Les faucons et les ours, les daims et les antilopes, passe encore, mais des rats ? Il avait eu des discussions similaires avec Brightling et Henriksen, qui semblaient eux aussi vouer un amour déplacé pour tout ce qui grouillait et rampait dans la nature. Il se demanda ce qu'ils pensaient des moustiques et des fourmis rouges.

Ces délires druidiques étaient-ils la clé de tout ce mystère ? Popov y réfléchit et décida qu'il avait besoin d'une confirmation, ne serait-ce que pour s'assurer qu'il n'était pas entré au service d'un fou... voire d'un fou criminel, préparant un génocide... L'idée n'avait rien de rassurant.

« Alors, comment s'est passé le vol ?

— Comme tu peux l'imaginer : toute une journée cloîtré dans la carlingue d'un 747, grommela Ding au téléphone.

— Enfin, au moins, c'était en première, observa Clark.

— D'accord, eh bien, la prochaine fois, je te cède volontiers la place, John », bougonna Chavez, puis, passant aux choses sérieuses : « Comment vont Patsy et J.C. ?

— Tout le monde va bien. Le métier de grand-père n'est pas si terrible. » Clark omit de préciser qu'il n'avait pas encore changé une seule couche. Sandy avait accaparé toutes les tâches domestiques avec un manque total de pitié, ne laissant à son malheureux époux que le droit de tenir dans ses bras le chérubin. Supposant qu'il devait s'agir d'un instinct inné chez les femmes, il préférait ne pas aller contre la nature. « Tu sais, c'est vraiment un mignon bout de chou, Domingo. T'as fait du bon boulot, gamin.

— Bon sang, merci du compliment, papy », fut la réponse de son gendre, un brin ironique, à quinze mille kilomètres de là. « Et Patsy ?

— Elle va bien, elle aussi, mais elle ne dort pas beaucoup. Pour l'instant, J.C. ne roupille jamais plus de trois heures d'affilée. Mais ça aura changé, le temps que tu reviennes. Tu veux lui parler ?

— À votre avis, monsieur C. ?

— D'accord, ne quitte pas. Patsy ! C'est ton homme ! »

« Eh, chérie !

— Comment vas-tu, Ding ? Le vol s'est bien passé ?

— Un peu long, mais ce n'est pas bien grave », mentit-il. On ne montrait pas ses faiblesses devant sa propre épouse. « Ici, on est traités comme des coqs en pâte, mais il fait une chaleur d'enfer. J'avais oublié ce que c'était que la vraie canicule.

— Tu vas assister à la cérémonie d'ouverture ?

— Oui, oui, Patsy. Sympas, les Australiens, ils nous ont refilé des invitations. Comment se porte J.C. ?

— À merveille. Il est superbe. Il ne pleure pas trop. C'est vraiment merveilleux de l'avoir, tu ne trouves pas ?

— Et toi, ma chérie, t'arrives à dormir ?

— Ma foi, je tâche de grappiller quelques heures de sommeil par-ci par-là. C'est pas bien grave. L'internat, c'était pire.

— Enfin, t'as ta maman pour t'aider, pas vrai ?

— Tout à fait, lui assura Patsy.

— Bien. Tu peux me repasser ton père ? Faut que je lui cause boutique. Je t'aime, bébé.

— Moi aussi, je t'aime, Ding.

— Domingo, je pense que tu vas faire un excellent gendre, annonça une voix masculine, trois secondes plus tard. Je n'ai jamais vu Patricia sourire autant, et j'imagine que c'est grâce à toi.

— Encore merci, papy », répondit Chavez en jetant un coup d'œil à sa montre. Il l'avait laissée à l'heure anglaise. Il était un peu plus de sept heures du matin là-bas, alors qu'à Sydney, il était quatre heures d'un après-midi torride.

« Bien, alors, comment ça se présente, là-bas ? demanda Rainbow Six.

— Très bien, répondit Chavez. Notre contact est un petit colonel du nom de Frank Wilkerson. Ses gars m'ont l'air sérieux. Solides, bien entraînés, confiants, détendus. Ils entretiennent d'excellentes relations avec la police. Leur plan m'a l'air bien torché — pour faire court, John, ils n'ont pas plus besoin de nous ici que de renforts en Kangourous comme ceux qu'on a survolés ce matin avant d'atterrir.

— Eh bien, à la bonne heure, profite des Jeux. » Chavez avait beau râler, lui et ses hommes allaient, mine de rien, se taper pour dix mille dollars de vacances gratuites, se dit Clark, et on ne pouvait pas dire que c'était le bagne.

« J'ai l'impression qu'on perd notre temps, John, nota Chavez.

— Ouais, enfin, on ne sait jamais, pas vrai, Domingo ?

— J'imagine », fut bien forcé d'admettre Ding. Ils venaient de passer les derniers mois à prouver qu'effectivement on ne savait jamais.

« Tes gars vont bien ?

— Ouais, les Australiens nous traitent comme des rois. Un bon hôtel, à deux pas du stade, mais on a même des voitures de service pour nous y amener. Bref, on n'a plus qu'à jouer les touristes tous frais payés, je suppose ?

— Ouaip, comme j'ai dit, profites-en.

— Comment va Peter ?

— Il est de nouveau sur pied, mais il en a encore pour un bon mois avant d'être opérationnel. Je dirais plutôt six semaines. Les toubibs ici sont extra. Pour Chin, en revanche, ses jambes risquent de le handicaper plus longtemps. Disons deux mois et demi avant qu'il puisse reprendre le harnais.

— Ça doit le faire chier un max.

— Ça, tu l'as dit.

— Et nos prisonniers ?

— La police les interroge en ce moment, répondit Clark. On en sait un peu plus sur ce mystérieux Russe, mais rien de vraiment exploitable jusqu'ici. Les flics irlandais essaient d'identifier la coke à partir de son fabricant — la drogue est de qualité médicale, elle provient d'un labo pharmaceutique industriel. Cinq kilos de cocaïne pure. À la revente, il y aurait eu de quoi se payer un avion de ligne. La Garda craint qu'il s'agisse d'une nouvelle tendance : les groupes dissidents de l'IRA se lanceraient à fond dans le trafic de drogue, mais enfin, ce n'est pas notre problème.

— Ce Russe — Serov, c'est ça ? —, c'est le gars qui leur a refilé des tuyaux sur nous ?

— Affirmatif, Domingo, mais nul ne sait où il a filé, et nos amis irlandais ne veulent — ou ne peuvent — pas nous en dire plus que ce qu'on sait déjà tous. Grady refuse de parler. Et ses avocats ont protesté contre nos méthodes d'interrogatoire en salle de réanimation...

— Mouais, ça fait pas un peu baroud d'honneur ?

— Cent pour cent affirmatif, Ding », rigola Clark. Ce n'était pas comme s'ils avaient utilisé l'information pour un procès. Ils avaient même une vidéo de Grady quittant les lieux, extraite du reportage tourné par l'équipe de la BBC dépêchée à Hereford. Sean Grady allait écoper d'une peine de prison à vie, sauf éventuel recours au niveau des instances européennes. Quant à Timothy O'Neil et ses copains qui s'étaient rendus avec lui, ils pourraient, à la rigueur, retrouver la liberté aux alentours de la soixantaine, c'était du moins ce que Bill Tawney lui avait expliqué la veille. « Autre chose ?

— Négatif. Tout baigne, John. Prochain rapport, demain même heure.

— Bien compris, Domingo.

— Embrasse Patsy pour moi.

— Je veux bien même la serrer dans mes bras, si tu veux.

— Ouais, merci, papy, sourit Ding.

— R'voir ! entendit-il avant le déclic.

— Z'avez plutôt bien choisi le moment pour vous tirer, chef, observa Mike Pierce. Les deux premières semaines, ça peut être l'enfer. Alors que comme ça, d'ici que vous rentriez, le petit bonhomme fera ses quatre, cinq heures par nuit. Voire plus, avec du bol », prédit cet habitué : il était père de trois enfants.

« À part ça, Mike, t'as noté des problèmes ?

— Comme vous l'avez dit au Six, les Kangourous maîtrisent la situation. Ils m'ont l'air d'être tout bons. Notre présence ici est une perte de temps. Mais enfin merde, après tout, ça nous permettra d'assister aux Jeux...

— J'imagine. D'autres questions ?

— Est-ce qu'on se balade armés ?

— Pistolets, uniquement, et tenue civile. On aura des badges d'accès. On va travailler par paires, toi et moi, George avec Homer. On prend sur nous les radios de campagne, mais c'est tout.

— Bien, chef. Impec pour moi. Vous vous sentez comment, rapport au décalage horaire ?

— Et toi, Mike ?

— J'ai l'impression qu'on m'a foutu dans un sac et tabassé à coups de batte de base-ball, rigola Pierce. Mais ça ira mieux demain. Enfin, j'espère. Dites donc, demain matin, on pourrait aller s'entraîner avec les Kangourous, inaugurer avec eux la piste olympique. Sympa, non ?

— Je ne dis pas non.

— Ouais, ça serait chouette surtout de se confronter à ces athlètes de mes deux, voir s'ils peuvent courir aussi vite que nous, avec nos armes et tout le barda. » Au mieux de sa forme et complètement équipé, Pierce était capable de descendre sous les quatre minutes trente au mile, mais il n'avait jamais réussi à passer sous la barre des quatre minutes, même en short et chaussures de course. Louis Loiselle prétendait y être arrivé une fois, et Chavez voulait bien le croire. Le petit Français avait le gabarit d'un coureur de fond. Pierce était trop grand et trop large d'épaules : plus un danois qu'un lévrier.

« Calme, Mike... Notre devoir est de les protéger des méchants. Ça t'indique déjà qui sont les meilleurs, observa Chavez.

— Bien compris, chef. » Pierce n'oublierait pas la leçon.

Popov s'éveilla, sans raison particulière, excepté que... oui, un autre Gulfstream venait de se poser. Il imaginait qu'il devait amener les vrais pontes de ce fameux projet. Les sous-fifres, ou ceux qui avaient une famille, arrivaient en voiture ou par des vols commerciaux. L'avion d'affaires s'était immobilisé sous les projecteurs, escalier déployé, et plusieurs passagers descendirent pour gagner les voitures qui les emmenèrent prestement vers le bâtiment de l'hôtel. Popov se demanda de qui il s'agissait, mais il était trop loin pour reconnaître des visages. Il les verrait sans doute à la cafétéria dans la matinée. Dimitri Arkadeïevitch alla boire un verre d'eau à la salle de bains et retourna se coucher. Le complexe se remplissait rapidement, alors qu'il ne savait toujours pas pourquoi.

Le colonel Wilson Gearing était dans sa chambre d'hôtel, à quelques étages seulement au-dessus des troupes de Rainbow. Ses bagages étaient dans la penderie, ses vêtements accrochés à des cintres. Les femmes de chambre n'avaient touché à rien, elles avaient juste fait le lit et nettoyé la salle de bains. Personne n'avait fouillé ses sacs — Gearing avait placé des marqueurs pour s'en assurer. Dans l'un d'eux se trouvait un bidon de plastique portant l'étiquette « chlore ». Extérieurement, il était identique à celui de l'équipement de climatisation du stade olympique — il avait du reste été acheté à l'entreprise qui avait procédé à l'installation, avant d'être vidé et rempli de nanocapsules. Gearing avait également apporté les outils nécessaires pour procéder à l'échange ; il s'était entraîné à la manœuvre au Kansas, où l'on avait monté une installation identique. Il était capable d'effectuer l'opération les yeux fermés. Il se revoyait la répétant encore et encore, pour réduire au maximum le temps d'immobilisation du système. Il songea au contenu du bidon. Jamais une telle capacité de mort n'avait été concentrée dans un si petit volume. Bien plus qu'avec un engin nucléaire, car, à l'inverse des bombes atomiques, le danger pouvait s'autorépliquer presque à l'infini, au lieu d'être circonscrit à une seule détonation. Tel qu'il était conçu, le dispositif de brumisation devait assurer une dispersion de l'ensemble des nanocapsules en une trentaine de minutes. Simulations informatiques et tests en grandeur réelle démontraient que les capsules s'introduiraient dans l'ensemble de la tuyauterie pour se répandre par les buses de diffusion, indécelables dans le brouillard rafraîchissant. Athlètes et spectateurs empruntant les tunnels d'accès et les galeries devraient respirer une moyenne de deux cents nanocapsules en l'espace de quatre minutes, soit largement plus que la dose létale moyenne calculée. Les capsules pénétreraient par les poumons, seraient transportées par le sang où elles se dissoudraient, libérant le virus Shiva. Véhiculées par le système sanguin, les particules virales génétiquement manipulées gagneraient bientôt le foie et les reins, organes pour lesquels elles avaient la plus grande affinité. Là, elles entameraient leur lent processus de multiplication. Tout ceci avait été bien établi au laboratoire de Binghamton, sur des sujets dits « normaux ». Ensuite, ce serait l'affaire de quelques semaines pour que Shiva se soit suffisamment multiplié pour accomplir son œuvre. Dans l'intervalle, les porteurs sains transmettraient le virus par les baisers, les contacts sexuels, la toux et les éternuements. La preuve, là aussi, avait été établie aux labos de Binghamton. Quatre semaines après l'exposition, les victimes commenceraient à se sentir patraques. Certains iraient consulter leur médecin de famille, qui diagnostiquerait une grippe, leur conseillerait de prendre de l'aspirine, de boire beaucoup et de se reposer devant la télé. C'est ce qu'ils feraient, constatant un léger mieux (c'est en général ce qui se passe après qu'on a vu un médecin) pendant un jour ou deux. Mais l'amélioration ne serait qu'apparente. Tôt ou tard, ces patients allaient souffrir d'hémorragies internes, stade ultime de l'infection, et à ce moment, cinq semaines environ après la libération des nanocapsules, les médecins qui pratiqueraient des tests d'anticorps découvriraient, atterrés, qu'une affection évoquant la tristement célèbre fièvre Ébola venait à nouveau de se manifester. Un bon programme de recherche épidémiologique pourrait localiser le foyer primaire sur le site des jeux Olympiques de Sydney, mais des centaines de milliers de personnes l'auraient visité. L'endroit était idéal pour diffuser le virus : les instigateurs du Projet s'en étaient rendu compte depuis plusieurs années — avant même l'échec de la tentative de déclenchement d'une épidémie lancée par l'Iran contre l'Amérique, échec prévisible parce que le virus n'était pas le bon, et la méthode de diffusion par trop aléatoire[1]. Ce plan, en revanche, était la perfection même. Chaque nation de la planète envoyait des athlètes et des officiels aux jeux Olympiques, et tous ces gens allaient passer sous les buses de climatisation du stade surchauffé, s'y attardant pour prendre le frais, respirant profondément et se détendant dans cette fraîcheur bienvenue. Puis tous s'en retourneraient dans leur pays, des États-Unis à l'Argentine, de la Russie au Rwanda, pour y répandre Shiva et déclencher la panique initiale.

Viendrait alors la phase deux. Horizon Corporation fabriquerait et mettrait sur le marché le vaccin A. Il serait aussitôt distribué par milliers de doses, livrées par avion dans le monde entier vers des pays où l'ensemble des personnels de santé publique se mobiliserait pour l'injecter au maximum de gens. La phase deux terminerait la tâche entamée par la panique générale que n'aurait pas manqué de déclencher la phase un. Quatre à six semaines après l'injection du vaccin A, les receveurs commenceraient à tomber malades. Soit,

---

1. Cf. *Sur ordre, op. cit.*

calcula Gearing, trois semaines à partir de maintenant, plus six, plus deux, plus encore six, et enfin deux. En dix-neuf semaines en tout, cinq mois à peine, même pas une saison de base-ball, plus de quatre-vingt-dix-neuf pour cent de la population mondiale aurait disparu. Et la planète serait sauvée. Plus de moutons décimés à cause des armes chimiques. Plus d'extinctions d'espèces dues à la négligence de l'homme. Le trou dans la couche d'ozone ne tarderait pas à se refermer. La nature serait à nouveau florissante. Et il serait là pour le voir, pour goûter et apprécier le spectacle, avec tous ses amis et collègues du Projet. Ils auraient sauvé la planète et pourraient apprendre à leurs enfants à la respecter, l'aimer, la chérir. Le monde serait à nouveau beau et verdoyant.

Ses sentiments n'étaient pas entièrement dénués d'ambiguïté. Quand il regardait par la fenêtre, il pouvait voir les gens arpenter les rues de Sydney, et cela lui faisait mal de songer à leur sort inéluctable. Mais il avait vu tant de souffrances. Les moutons à Dugway. Les singes, les porcs et autres animaux de laboratoire à l'arsenal d'Edgewood. Eux aussi avaient souffert. Eux aussi avaient le droit de vivre, mais l'homme avait fait fi de ces deux évidences. Tous ces gens, en bas dans la rue, n'employaient pas de shampooing qui n'ait été auparavant testé sur les yeux de lapins de laboratoire, parqués dans des cages minuscules, où ils souffraient en silence, sans émouvoir grand monde, la plupart des individus n'ayant aucune empathie pour les animaux et s'en souciant moins que de la cuisson de leur hamburger au MacDo du coin. C'étaient eux qui contribuaient à détruire la terre parce qu'ils s'en fichaient. Raison pour laquelle ils ne cherchaient même pas à discerner ce qui était important, et raison pour laquelle ils allaient mourir. Ils formaient une espèce qui s'était mise elle-même en danger et qui ne tarderait pas à récolter les fruits amers de sa propre ignorance. Ils n'étaient pas comme lui, songea Gearing. Eux ne voyaient pas. Et au terme des lois cruelles mais justes de Charles Darwin, cela les mettait en position de faiblesse. Et voilà pourquoi, de même qu'une espèce en remplace une autre, lui et les siens s'apprêtaient à remplacer la leur. Il n'était somme toute que l'instrument de la sélection naturelle.

Les effets du décalage horaire avaient pratiquement disparu, estima Chavez. La bonne suée et la poussée d'endorphine du décrassage matinal avaient été bénéfiques, en particulier la course sur la piste olympique. Mike Pierce et lui s'y étaient donnés à fond, sans chrono, mais avec ardeur ; tout en courant, ils avaient levé les yeux vers les gradins vides et imaginé les acclamations qu'ils auraient reçues s'ils avaient été des athlètes de haut niveau. Puis était venu le moment des douches et des sourires satisfaits entre soldats, après cette mise en train, avant de se rhabiller en civil, le pistolet planqué sous la chemise, la radio dans la poche de pantalon, le passe accroché autour du cou.

Plus tard, les trompettes avaient retenti et l'équipe de la première nation du défilé, la Grèce, était sortie du tunnel à l'autre bout du stade, sous les tonnerres d'applaudissements des spectateurs assis dans les gradins : les jeux Olympiques de Sydney avaient commencé.

Chavez avait beau se dire que son titre d'agent de sécurité lui imposait d'observer la foule, il avait du mal à s'en convaincre, ne voyant aucun danger précis à surveiller. Les athlètes jeunes et fiers marchaient presque aussi bien que des soldats, suivant leur drapeau et leur délégation officielle sur la piste ovale. Ce devait être pour eux un moment de grande fierté, de représenter ainsi leur pays natal devant toutes les nations du monde. Chacun d'eux s'était entraîné durant des mois et des années en vue de cet instant, avec l'espoir d'être digne de recevoir ces vivats. Ouais, ce n'était pas le genre de gratification qu'on pouvait espérer quand on était agent de la CIA ou commandant du groupe Deux de Rainbow... Il s'agissait ici de sport, de compétition pure, et même si cela n'avait pas grand rapport avec la vie réelle, où était le mal, après tout ? Chaque épreuve serait une forme d'activité portée à sa quintessence — la plupart avaient même quelque chose de martial : la course... le plus fondamental des arts martiaux, pour se précipiter au combat ou le fuir. Le javelot... une lance à projeter sur ses ennemis. Le poids et le disque... encore des armes de jet. La perche... pour franchir le mur du camp opposé. Le saut en longueur... pour passer le fossé creusé par l'adversaire sur le champ de bataille. Toutes ces disciplines étaient héritées de l'art de la guerre dans l'Antiquité. D'ailleurs, les nouveaux Jeux avaient introduit les sports de tir, pistolet et fusil. Le pentathlon moderne se fondait sur les aptitudes indispensables à une estafette du XIXe siècle : monter à cheval, courir et tirer pour se frayer un chemin afin d'apporter à son supérieur les informations indispensables au commandement efficace de ses troupes.

Quelque part, ces hommes et ces femmes étaient des guerriers, venus conquérir la gloire pour eux et pour leur drapeau, vaincre des adversaires sans effusion de sang, remporter une pure victoire sur le plus pur des champs d'honneur. Chavez comprenait qu'on puisse briguer un tel objectif, même si personnellement il se sentait trop vieux et pas au niveau pour concourir. Pas au niveau ? Voire... peut-être pas pour son âge, mais il était sans doute plus affûté que pas mal d'athlètes défilant sur la piste, quoique pas suffisamment pour remporter une épreuve. Il sentit le poids du Beretta sous sa chemise. Cela, plus sa capacité à l'utiliser, le rendait apte à défendre tous ces jeunes contre quiconque s'aviserait de leur nuire et, au bout du compte, il devrait s'en contenter.

« Sympa, chef, observa Mike en regardant la délégation grecque passer devant eux.

— Ça, tu l'as dit », répondit Chavez.

34

Les Jeux continuent

Comme de bien entendu, le train-train s'instaura bientôt. Chavez et ses gars passaient l'essentiel de leur temps avec les hommes du colonel Wilkerson, soit à observer les Jeux à la télé au PC d'intervention, soit à déambuler sur les divers sites, en théorie pour s'assurer *de visu* des mesures de sécurité, en réalité pour pouvoir assister de plus près aux compétitions. Parfois, usant de leur passe-droit, ils allaient jusqu'à s'aventurer sur le terrain. Ding avait constaté qu'en plus d'être formidablement hospitaliers, les Australiens étaient de fervents adeptes du sport. Durant ses périodes d'inactivité, il avait pris l'habitude de traîner dans un pub du voisinage où la bière était bonne et l'atmosphère sympathique. Plus d'une fois, il suffisait que ses voisins apprennent ses origines américaines pour lui payer une tournée et l'interroger, sans pour autant perdre une miette des compétitions diffusées par les téléviseurs accrochés au plafond. Une seule chose peut-être le faisait tiquer, c'était la fumée de cigarette : la culture australienne n'avait en effet pas encore condamné ce vice, mais enfin, nul endroit au monde n'était parfait.

Chaque matin, ils s'entraînaient avec le colonel Wilkerson et ses hommes, et ils purent constater que dans le cadre de leur compétition olympique personnelle, en tout cas, il y avait peu de différences entre commandos australiens et américains.

Un jour, ils se rendirent au stand de tir olympique et empruntèrent les armes utilisées pour les compétitions, des .22 automatiques qui ressemblaient à des jouets comparés à leurs calibres 45 habituels. Mais ils constatèrent bien vite que les cibles et le système de décompte des points étaient bougrement difficiles, même s'ils n'avaient pas de relation directe avec une situation de combat réel. Malgré l'entraînement de Chavez et sa technique, au vu de ses résultats, il aurait pu s'estimer heureux d'être admis dans l'équipe du Mali. Et sûrement pas dans l'équipe américaine ou russe, dont les tireurs avaient une capacité proprement surhumaine à transpercer les silhouettes malingres qui surgissaient de face ou de profil, commandées par ordinateur. Il se consola en se disant que les cibles de carton ne ripostaient pas et ça, ça faisait une sacrée différence. Car la réussite pour lui consistait à transformer en cadavre un individu bien vivant, pas à aligner des trous dans un bout de carton peint en noir. Et là aussi, ça faisait une sacrée différence, confièrent Ding et Mike Pierce à leurs homologues australiens. Jamais leur activité ne pourrait devenir discipline olympique, sauf à réintroduire les jeux du stade des Romains, et ça n'était pas pour demain. Du reste, ce qu'ils faisaient pour gagner leur vie n'avait rien d'un sport. Ce n'était pas non plus un loisir de masse dans un monde plus aimable et policé que celui qui avait connu jadis les combats de gladiateurs. Chavez l'admettait en secret, il se demandait parfois à quoi avaient pu ressembler les jeux dans l'amphithéâtre flavien de la Rome antique, mais ce n'était pas le genre de chose qu'on criait sur les toits, à moins de vouloir passer pour un vrai barbare. *Ave Caesar ! Morituri te salutant !* Salut, César ! Ceux qui vont mourir te saluent ! Ce n'était pas exactement le Super Bowl, la finale du championnat de foot américain. Et c'était d'ailleurs pour ça que le « commandant » Domingo Chavez, comme les sergents Mike Pierce, Homer Johnston, George Tomlinson et l'agent Tim Noonan avaient l'occasion d'assister gratis aux jeux Olympiques, parfois même vêtus du blazer des officiels, sous le couvert de l'anonymat.

Il en allait de même, quoique de plus loin, pour Dimitri Popov, qui restait dans sa chambre à regarder les retransmissions télévisées. Ça le distrayait de toutes ces questions qui, comme les athlètes sur la piste, tournaient en rond dans sa tête. L'équipe nationale russe, naturellement sa favorite, se comportait bien, même si l'Australie, nation invitante, faisait plutôt bonne figure, surtout en natation, apparemment le sport national. Le seul problème était l'énorme décalage horaire : quand Popov regardait les épreuves en direct, c'était forcément à des heures indues au Kansas, tant et si bien qu'il n'avait pas vraiment les yeux en face des trous pour les sorties à cheval avec Maclean et Killgore, des balades qui constituaient pour lui une agréable diversion matinale.

Ce matin était pareil aux dix matins précédents, avec une douce brise, un soleil orangé qui jetait une lumière étrange mais superbe sur le moutonnement infini des prairies et des champs de blé. Petit-Lait le reconnaissait désormais et le gratifiait de gentils signes d'affection ; en retour, la jument se voyait récompensée par des morceaux de sucre ou, comme aujourd'hui, par une pomme prise au buffet du petit déjeuner, qu'elle s'empressa de croquer dans sa main. Popov avait appris à la seller lui-même, ce qu'il fit prestement avant de la mener dehors pour rejoindre les autres dans le corral.

« Salut, Dimitri ! dit Maclean.

— Bonjour, Kirk ! », répondit Popov. Quelques minutes plus tard, ils s'éloignaient, vers le sud cette fois-ci, et l'un des champs de blé, à un rythme relativement plus rapide que lors de sa toute première sortie.

« Alors, quel effet ça fait d'être agent de renseignements ? demanda Killgore, quand ils furent à huit cents mètres de l'écurie.

— Le terme exact est en réalité officier de renseignements, précisa le Russe, tenant à rectifier cette erreur répandue par Hollywood. À vrai dire, c'est une tâche assez assommante : en gros, on passe le plus clair de son temps à attendre des réunions et remplir des fiches pour ses supérieurs ou pour la *rezidentura*. Et s'il y a un minimum de danger, c'est seulement de se faire arrêter, pas de se faire descendre. C'est devenu une affaire de gens civilisés. Les officiers de renseignements capturés sont échangés, en général après une brève période d'incarcération. Cela ne m'est bien sûr jamais arrivé : j'ai eu une bonne formation. » Et surtout du bol, s'abstint-il d'ajouter.

« Bref, pas d'histoires à la James Bond, vous n'avez jamais tué personne, rien de tout ça ? ajouta Kirk Maclean.

— Dieu du ciel ! non, rit Popov. C'en est d'autres qui se chargent de ce genre de besogne, des substituts, en quelque sorte, si le besoin s'en fait sentir. Et c'est plutôt rare.

— Rare à quel point ?

— Aujourd'hui ? Je dirais presque inexistant. Au KGB, notre boulot était de collecter les données et de les faire remonter aux dirigeants — un travail en fait très proche de celui d'un journaliste d'agence, comme votre Associated Press... Au demeurant, l'essentiel provenait de sources publiques : journaux, magazines, télévision... Votre chaîne CNN est sans doute la meilleure source d'information de la planète, en tout cas, c'est la plus exploitée.

— Mais quel genre d'information au juste recueilliez-vous ?

— Pour l'essentiel, des renseignements diplo-

441

matiques ou politiques... pour chercher à discerner des intentions. D'autres collègues étaient chargés de questions plus proprement techniques — du genre vitesse d'un avion ou cadence de tir d'un canon —, mais ça n'a jamais été ma spécialité, vous voyez. J'étais ce qu'on appellerait plutôt un agent de contact. Je rencontrais diverses personnes, je transmettais des messages, puis je faisais parvenir les réponses à mes supérieurs.

— Quel genre de personnes ? »

Popov se demanda un instant comment il devait répondre et choisit de dire la vérité : « Des terroristes, diriez-vous.

— Oh ? Lesquels, par exemple ?

— Surtout des Européens, mais également quelques individus au Moyen-Orient. Je suis assez doué pour les langues, ce qui m'a toujours facilité les contacts à l'étranger.

— C'était difficile ? s'enquit le Dr Killgore.

— Pas vraiment. Nous avions des convictions politiques identiques et mon pays leur procurait armes, entraînement, accès à certains camps dans le bloc de l'Est. J'étais avant tout une sorte d'agent de voyages et, à l'occasion, il m'arrivait de leur suggérer des cibles à attaquer — en contrepartie de notre assistance, si vous voulez.

— Vous leur donniez de l'argent ? » La question cette fois venait de Maclean.

« Oui, mais pas grand-chose : l'Union soviétique n'avait que peu de liquidités en devises fortes, et n'a jamais eu l'habitude de trop bien payer ses agents. Moi, en tout cas, ajouta Popov.

— Donc, vous avez commandité des terroristes pour tuer des individus ? » reprit Killgore.

Popov acquiesça. « Oui. C'était souvent mon

boulot. » Avant d'ajouter : « C'est la raison pour laquelle le Dr Brightling m'a engagé.

— Oh ? » s'étonna Maclean.

Cette fois, Dimitri se demanda jusqu'où il allait pouvoir aller. « Oui, il m'a demandé de faire ce genre de travail pour Horizon Corporation.

— Alors, c'est vous qui avez foutu le bazar en Europe ?

— J'ai contacté diverses personnes et fait des suggestions qu'ils ont mises en œuvre, effectivement, de sorte que oui, j'imagine qu'on peut dire que j'ai un peu de sang sur les mains... par procuration, mais il ne faut jamais trop attacher d'importance à ce genre d'affaires, n'est-ce pas ? C'est le business, et ce business, c'est le mien depuis un certain temps.

— Ma foi, tant mieux pour vous, Dimitri. C'est la raison de votre présence ici, conclut Maclean. John est un type loyal avec ses employés. Vous avez dû faire du bon boulot. »

Popov haussa les épaules. « C'est possible. Il ne m'en a jamais expliqué la raison mais j'imagine que c'était pour aider son copain Henriksen à décrocher le contrat de consultant pour la sécurité des JO de Sydney... je les regarde tous les jours à la télé...

— C'est exact, confirma l'épidémiologiste. C'était très important pour nous. » *Et autant que t'en profites, ce seront les derniers.*

« Mais pourquoi ? »

La franchise de la question les fit hésiter. Le médecin et l'ingénieur se dévisagèrent. Puis Killgore se décida à parler :

« Dimitri, que pensez-vous de l'environnement ?

— Comment ça ? Vous parlez d'ici ? C'est superbe. Grâce à vous, mes amis, j'ai découvert tant de choses au cours de ces promenades matinales, répondit le Russe en pesant ses mots avec soin. Le ciel et l'air, les prés et les champs magnifiques... Je n'avais jamais pu goûter à ce point la nature dans toute sa beauté. Je suppose que c'est parce que j'ai grandi à Moscou... » Laquelle était à l'époque une ville d'une saleté répugnante, mais ils n'en savaient rien.

« Ouais, enfin, ce n'est pas partout comme ça...

— Oh, je le sais, John. C'est qu'en Russie, on ne se préoccupe pas autant de l'environnement que dans votre pays... Là-bas, ils ont quasiment détruit toute vie dans la Caspienne à cause de la pollution chimique. Et juste à l'est de l'Oural, le site de nos premières recherches sur l'arme nucléaire n'est plus qu'un désert stérile. Je ne l'ai pas vu, mais j'en ai entendu parler. Il y a des panneaux au bord de la route qui vous invitent à accélérer pour franchir le plus vite possible la zone radioactive.

— Ouais, eh bien, si nous n'y faisons pas attention, nous serions bien capables d'anéantir toute la planète, observa Maclean.

— Ce serait un crime aussi grand que celui des nazis, répondit Popov, l'œuvre de barbares. Les revues et les cassettes qui sont dans ma chambre le démontrent à l'évidence.

— L'idée de tuer des gens, ça vous fait quel effet, Dimitri ? poursuivit Killgore.

— Ça dépend qui. Il y a des tas de gens qui méritent de mourir pour l'une ou l'autre raison. Mais la culture occidentale entretient cette idée bizarre qu'ôter la vie est presque toujours mal...

Vous autres Américains, vous n'arrivez même pas à tuer vos criminels et vos assassins sans vous sentir obligés d'emprunter tout un tas de voies détournées... je trouve ça vraiment curieux.

— Et les crimes contre la nature ? lança Killgore, en laissant son regard se perdre au loin.

— Je ne saisis pas...

— Je parle des actions qui nuisent à la planète, qui détruisent des espèces entières, qui polluent le sol et l'océan. Qu'en pensez-vous ?

— Kirk, ça aussi, ce sont des actes barbares qui mériteraient un châtiment sévère. Mais comment identifier les criminels ? Est-ce l'industriel qui a donné l'ordre et qui en tire bénéfice ? Ou bien le travailleur qui touche sa paye en faisant ce qu'on lui ordonné ?

— Quelle était l'opinion qui a prévalu à Nuremberg ?

— Au procès des crimes de guerre, vous voulez dire ? On y a décrété qu'obéir aux ordres ne constituait pas un argument. » Pas le genre de concept qu'on vous enseignait à l'académie du KGB, où il avait au contraire appris que l'État avait toujours raison.

« Certes, admit l'épidémiologiste. Mais vous savez, personne n'est allé poursuivre Harry Truman après Hiroshima. »

Parce qu'il était le vainqueur, pauvre andouille, s'abstint de répondre Popov. « Vous me demandez si c'était un crime ? Non, parce que ainsi, il a mis fin à un mal bien plus grand et que le sacrifice de ces gens était nécessaire pour restaurer la paix.

— Mais s'il devait s'agir de sauver la planète ?

— Je ne saisis pas.

— Si la planète était mourante, qu'aurait-on à

faire, qu'aurait-on le droit et le devoir de faire pour la sauver ? »

Ce dialogue avait toute la pureté idéologique et politique d'un cours de dialectique à l'université d'État de Moscou — et à peu près le même rapport avec le monde réel. Tuer toute la planète ? C'était impossible. Peut-être qu'une guerre nucléaire totale aurait pu avoir un tel effet, mais cette hypothèse était désormais exclue. Le monde avait changé et l'Amérique avait été à l'origine de ce changement. Ces deux druides ne voyaient-ils même pas l'ironie d'un tel prodige ? Plus d'une fois, la planète avait été au bord de l'apocalypse nucléaire mais aujourd'hui, c'était du passé.

« Mes amis, je n'avais jamais envisagé la question.

— Nous, si, répondit Maclean. Dimitri, il y a autour de nous des gens et des forces qui pourraient sans problème anéantir tout ce qui existe ici. Il faut l'empêcher, mais comment faire ?

— En dehors de la simple action politique, n'est-ce pas ? observa l'ex-espion du KGB.

— Effectivement, il est trop tard pour ça ; du reste, trop peu seraient enclins à y prêter une oreille attentive. » Killgore fit tourner à droite sa monture ; les deux autres le suivirent. « J'ai peur qu'on soit amenés à prendre des mesures plus radicales.

— Lesquelles ? Liquider toute la population mondiale ? » demanda Dimitri Arkadeïevitch, croyant faire de l'humour noir. Mais en réponse à cette question rhétorique, il lut chez ses deux interlocuteurs le même regard qu'auparavant. S'il ne lui glaça pas le sang, il l'amena à reconsidérer son opinion sur ces hommes. Ces types étaient des fascistes. Et des fascistes d'autant plus dangereux qu'ils avaient un système de valeurs auquel ils croyaient dur comme fer. Mais étaient-ils prêts à agir au nom de ces convictions ? Pouvait-on se lancer dans une telle entreprise ? Même les pires des staliniens n'étaient pas des malades mentaux, juste de dangereux idéologues romantiques.

À cet instant, le bruit d'un avion troubla le calme matinal. C'était un des Gulfstream de la compagnie qui décollait avant d'obliquer vers l'est — sans doute pour se rendre à New York, récupérer d'autres membres de ce fameux « projet »... Le complexe était désormais plein à quatre-vingts pour cent, nota Popov. Le rythme avait décru mais des gens continuaient d'arriver, en général à bord de leur véhicule personnel. La cafétéria était presque toujours bondée aux heures des repas, et les lumières restaient allumées tard dans le labo et les ateliers. Mais que pouvaient donc fabriquer tous ces gens ?

Popov récapitula : Horizon Corporation était une entreprise de biotechnologie, spécialisée dans les produits pharmaceutiques et les traitements médicaux. Killgore était médecin, Maclean ingénieur, spécialisé dans l'environnement. Ces deux hommes étaient des druides, des adorateurs de la nature, adeptes de ce paganisme new-age qui avait envahi l'Occident. John Brightling semblait appartenir à la même mouvance, à en juger par la conversation qu'ils avaient eue à New York. Telle était donc l'éthique de ces gens et de leur société. Dimitri songea à la documentation dans sa chambre. L'homme y était décrit comme une espèce parasite (!), plus nuisible qu'utile à la terre ; or ses deux interlocuteurs avaient discuté de la condamnation à mort des nuisibles... avant de laisser entendre fort clairement qu'ils mettaient l'ensemble du genre humain dans le même sac. Qu'est-ce qu'ils comptaient faire ? Liquider tout le monde ? Quelle connerie... La porte donnant sur la réponse s'était entrouverte un peu plus. Ses réflexions progressaient désormais bien plus vite que sa monture, mais pas encore assez.

Ils continuèrent de chevaucher en silence durant plusieurs minutes. Puis une ombre traversa le sol devant eux et Popov leva la tête.

« Qu'est-ce que c'est ?

— Une buse à queue rousse, répondit Maclean après un bref coup d'œil. En quête d'un petit déjeuner. »

Sous leurs yeux, le rapace grimpa à la verticale jusqu'à cent cinquante mètres environ, puis il ouvrit les ailes pour profiter des courants ascendants, la tête baissée, scrutant le sol de son œil incroyablement acéré, traquant quelque rongeur insouciant. Sans s'être concertés, les trois hommes arrêtèrent leurs chevaux pour regarder. Ils attendirent quelques minutes, puis le spectacle fut à la fois superbe et terrible à contempler. La buse replia les ailes, piqua, puis se remit à battre des ailes pour accélérer comme une balle à ailettes, avant de se cabrer, ailes largement déployées, serres projetées en avant...

« Oui ! » s'écria Maclean.

Tel un enfant qui piétine une fourmilière, le rapace se servit de ses serres pour écraser et tuer sa proie, avant de saisir dans ses griffes le long corps inerte du rongeur et reprendre un envol laborieux, vers le nord, où il devait nicher. Le chien-de-prairie n'avait pas eu la moindre chance, nota

Dimitri, mais la nature était ainsi faite, comme les hommes. Nul soldat n'était prêt à laisser la moindre chance à l'ennemi sur le champ de bataille. Ce n'était ni sûr ni malin. On frappait avec le maximum de violence et en attaquant par surprise, afin de lui ôter la vie le plus vite possible, et sans risque... et s'il n'avait pas eu la jugeote de se protéger convenablement, eh bien, c'était son problème, pas le vôtre. Dans le cas de la buse, elle avait piqué de haut, dos au soleil, de sorte que pas même son ombre n'avait averti le rongeur assis à l'entrée de son terrier. Elle l'avait tué sans pitié parce qu'elle devait manger. Peut-être avait-elle également des petits à nourrir. Toujours est-il que le chien-de-prairie pendait, inerte, entre les griffes du rapace comme une vulgaire chaussette, promis à finir déchiqueté puis dévoré par celui-ci.

« Bon sang, j'adore regarder ça, commenta Maclean.

— Spectacle cruel mais magnifique, admit Popov.

— La nature est ainsi, mon vieux : cruelle mais magnifique. » Killgore regarda la buse disparaître au loin. « C'était effectivement quelque chose.

— Il faut que j'en capture une pour la dresser, annonça Maclean. L'entraîner à la chasse au poing.

— Les chiens-de-prairie ne risquent-ils pas de disparaître ?

— Absolument pas. Les prédateurs peuvent en contrôler le nombre mais en aucun cas éliminer l'espèce. La nature sait préserver un équilibre.

— Et comment l'homme s'y intègre-t-il ? demanda Popov.

— Il ne s'y intègre pas, répondit Maclean. Les

gens y ont foutu le bordel, parce qu'ils sont trop cons pour voir ce qui marche et ce qui ne marche pas. Et peu leur importe le mal qu'ils font. C'est bien là le problème.

— Et quelle est la solution ? » demanda Dimitri. Killgore se tourna pour le fixer droit dans les yeux.

« Eh bien, c'est nous. »

« Ed, ce devait être une identité d'emprunt qu'il avait utilisée il y a longtemps, argumenta Clark. Les gars de l'IRA ne l'avaient pas vu depuis des années ; or ils le connaissaient sous ce nom.

— Ça se tient, dut reconnaître Ed Foley à l'autre bout du fil. Bref, vous tenez absolument à lui parler, hein ?

— Ma foi, j'estime que ce n'est pas trop demander, Ed. Je vous signale malgré tout qu'il a envoyé des types pour assassiner ma femme, ma fille et mon petit-fils, au cas où vous auriez oublié. Et ils ont quand même réussi à tuer deux de mes hommes. Alors, est-ce que j'ai la permission de le contacter, oui ou non ? »

Dans son bureau au sixième étage de la CIA, le directeur de l'Agence hésita. Ce n'était pas dans ses habitudes. Mais s'il laissait faire Clark, et si Clark obtenait ce qu'il désirait, les règles de réciprocité s'appliqueraient. Sergueï Nikolaïevitch appellerait un beau jour la CIA pour solliciter telle ou telle information délicate et lui, Edward Foley, serait bien obligé de la fournir, s'il ne voulait pas voir se craqueler le mince vernis d'amitié régnant au sein de la communauté du renseignement international. Restait qu'il ne pouvait pas prévoir ce que lui demanderaient alors les Russes. Or les deux camps continuaient de s'épier mutuellement, de sorte que les règles de courtoisie de l'espionnage new-look s'appliquaient sans s'appliquer vraiment. On faisait semblant de rien, mais on se souvenait et on agissait comme si la règle d'antan n'avait pas changé. Cela dit, de tels contacts demeuraient rares et Golovko s'était montré fort utile à deux reprises lors d'opérations concrètes. Et il n'avait jamais exigé de service en retour — peut-être parce que ces opérations avaient profité directement ou indirectement à sa patrie. Il n'empêche que Sergueï n'était pas homme à oublier une dette et...

« Je sais à quoi vous pensez, Ed, mais j'ai perdu des hommes par la faute de ce type, et je veux sa peau, et Sergueï peut nous aider à identifier ce salopard.

— Et s'il est toujours actif ? temporisa Foley.

— Vous y croyez vraiment ? ricana Clark.

— Ma foi non, je pense qu'on a passé ce stade.

— Moi aussi, Ed. Alors, si c'est un ami, posons-lui donc une question entre amis. Peut-être qu'on aura droit à une réponse amicale. La monnaie d'échange pourrait être de permettre aux gars des commandos russes de venir s'entraîner avec nous durant quelques semaines. C'est un prix que je suis prêt à payer. »

C'était en définitive un exercice bien futile que de vouloir discuter avec John, qui avait été leur officier instructeur — le sien, mais aussi celui de son épouse Mary Pat, aujourd'hui directeur adjoint chargé des opérations. « D'accord, John. Approuvé. Qui se charge du contact ?

— J'ai son numéro.

— Dans ce cas, il faut l'appeler. C'est d'accord, conclut le directeur, non sans une certaine réticence. Autre chose ?

— Non, monsieur, et encore merci », répondit John, avant d'ajouter, plus familier : « Comment vont Mary Pat et les enfants ?

— Tout le monde va bien.

— Et le petit-fils ?

— Pas mal du tout. Patsy se remet bien et Sandy lui donne un coup de main avec J.C.

— J.C. ?

— John Conor Chavez », traduisit Clark.

Un nom bien compliqué, songea Foley mais il n'en dit rien.

« Eh bien, parfait. Allez-y, John. À plus.

— Merci, Ed. Au revoir. » Clark pianota sur son téléphone. « Bill, on a le feu vert.

— Excellent, répondit Tawney. Quand est-ce que t'appelles ?

— Qu'est-ce que tu dirais de tout de suite ?

— Réfléchis bien à ton coup, prévint Tawney.

— Pas de risque. » Clark coupa, pressa une autre touche qui mettait en route un magnétophone à cassette, puis il composa un numéro à Moscou.

« Six six zéro, répondit en russe une voix féminine.

— J'aurais besoin de m'entretenir personnellement avec Sergueï Nikolaïevitch. Dites-lui que c'est de la part d'Ivan Timofeïevitch, annonça Clark dans son russe le plus châtié.

— *Da*, répondit la secrétaire en se demandant où diable cet individu avait obtenu le numéro de ligne directe du directeur.

— Clark ! tonna une voix à l'autre bout du fil. Alors, vous vous plaisez en Angleterre ? » Déjà,

452

le petit jeu avait commencé : le patron des services de renseignements de la nouvelle Russie tenait à lui indiquer qu'il savait où il était et ce qu'il faisait, et il eût été malséant de lui demander comment il l'avait découvert.

« Je trouve le climat agréable, Golovko.

— Cette nouvelle unité que vous dirigez m'a l'air d'avoir eu du pain sur la planche. Cette agression contre votre épouse et votre fille... j'espère que toutes deux se portent bien ?

— L'épreuve a été plutôt désagréable, mais oui, merci, elles vont tout à fait bien. » La conversation se déroulait en russe, langue que Clark maniait comme un natif de Leningrad — Saint-Pétersbourg, rectifia-t-il mentalement. Encore une de ces vieilles habitudes tenaces. « Et je suis désormais grand-père.

— C'est vrai, Vania ? Félicitations ! Splendide ! J'ai été désolé d'apprendre la nouvelle de cette agression », poursuivit Golovko. Il était sincère. Les Russes avaient toujours été sentimentaux, surtout quand il s'agissait de petits enfants.

« Et moi donc, enchaîna Clark. Enfin, on s'en est tirés, comme on dit. J'ai moi-même capturé un de ces salopards.

— Ça, je l'ignorais, Vania. » Mentait-il ? John n'aurait su dire. Le directeur poursuivit : « Alors, quel est le but de votre appel ?

— J'ai besoin de votre aide pour identifier un nom.

— Lequel ?

— C'est une identité d'emprunt : Serov, Iossif Andreïevitch. L'agent en question — ex-agent, j'imagine — collabore avec des "éléments progressistes" à l'Ouest. Nous avons de bonnes raisons de croire qu'il a déclenché des opérations au cours desquelles ont été commis des meurtres — y compris l'attaque contre mes hommes ici même à Hereford.

— Nous n'avons rien à voir avec tout ça, Vania », répondit aussitôt Golovko. La voix était grave.

« Je n'ai aucune raison de le penser, Sergueï, mais un homme portant ce nom, identifié comme un ressortissant russe, a procuré de l'argent et de la drogue à des terroristes irlandais. Il était connu des Irlandais pour sa longue expérience, en particulier dans la vallée de la Bekaa. J'en déduis qu'il a dû faire partie du KGB. J'ai également son signalement, ajouta Clark avant de le donner à son interlocuteur.

— Serov, dites-vous... C'est un drôle de...

— *Da*, je sais.

— C'est important pour vous ?

— Sergueï, non seulement cette action terroriste a occasionné la mort de deux de mes hommes, mais elle a menacé directement mon épouse et ma fille. Oui, mon ami, c'est très important pour moi. »

Golovko réfléchit un instant. Il connaissait Clark : ils s'étaient rencontrés dix-huit mois plus tôt[1]. Agent de renseignements au talent peu commun, doté d'une chance incroyable, John Clark avait été un dangereux ennemi, l'archétype de l'espion professionnel, travaillant en duo avec son cadet, Domingo Estebanovitch Chavez, si sa mémoire était bonne. Et Golovko savait également que sa fille avait épousé ce jeune Chavez — il

---

1. Cf. *Sur ordre, op. cit.*

l'avait découvert récemment, du reste : quelqu'un avait transmis l'information à Kirilenko, à Londres, il ne se rappelait plus qui.

Mais si ce mystérieux agitateur était un Russe, à tout le moins un ancien tchékiste, ce n'était pas une bonne nouvelle pour son pays. Devait-il coopérer ? Le directeur essaya de peser le pour et le contre. S'il acceptait d'emblée, il allait devoir suivre l'affaire jusqu'au bout, de peur que la CIA et les autres services occidentaux ne refusent ensuite de coopérer avec lui. Était-ce dans l'intérêt de son pays ? Dans celui de son institution ?

« Je vais voir ce que je peux faire, Vania, mais je ne vous promets rien. » OK, se dit Clark, ça voulait dire qu'au moins il envisageait l'hypothèse.

« Je vous le demande comme une faveur personnelle, Sergueï Nikolaïevitch.

— Je comprends. Laissez-moi voir ce que je peux trouver pour vous.

— Très bien. Bonne journée, mon ami.

— *Dasvidaniya.* »

Clark éjecta la cassette et la mit dans son tiroir. « OK, vieux, on va voir si tu peux tenir ta promesse. »

L'informatisation du renseignement russe n'était pas aussi avancée qu'à l'Ouest, mais les différences techniques entre les logiciels échappaient en grande partie aux utilisateurs humains dont le cerveau fonctionnait de toute façon plus lentement que le plus antique des ordinateurs. Golovko avait appris à s'en servir parce qu'il n'aimait pas confier ce genre de travail à d'autres personnes ; au bout d'une minute, s'affichait sur son moniteur une liste de données correspondant au nom d'emprunt introduit.

POPOV, DIMITRI ARKADEÏEVITCH, lut-il sur l'écran. Suivaient le matricule, la date de naissance, la période d'activité. L'homme avait pris sa retraite avec le grade de colonel, vers la fin de la première grande vague de licenciements qui avait quasiment réduit d'un tiers les effectifs de l'ancien KGB. Bien noté par ses supérieurs, remarqua Golovko, mais il s'était spécialisé dans un domaine auquel l'agence ne portait plus guère d'intérêt. Presque tout le personnel de la sous-section avait été licencié, mis à la retraite dans un pays où le montant d'une pension vous permettait de vivre à peu près cinq jours par mois. Enfin, se dit Golovko, il n'y pouvait personnellement pas grand-chose. Il avait déjà bien assez de mal à obtenir des crédits de la Douma pour continuer de faire tourner une agence réduite à la portion congrue, en dépit du fait que sa patrie, diminuée elle aussi, en avait peut-être besoin plus que jamais... Par ailleurs, se remémora-t-il, ce Clark avait rendu deux éminents services à son pays... en sus, bien entendu, d'actions antérieures qui, elles, n'avaient pas fait que du bien à l'Union soviétique... mais qui, d'un autre côté, avaient permis à Golovko de s'élever jusqu'à la direction de cette agence.

Oui, il devait l'aider. Cela constituerait une bonne monnaie d'échange pour le jour où il aurait d'autres services à demander aux Américains. Au demeurant, Clark s'était toujours conduit de manière honorable avec lui et, quelque part, Golovko était gêné aux entournures à l'idée qu'un ancien agent du KGB ait pu se rendre complice

d'une agression contre la famille de cet homme...
S'en prendre à des civils était proscrit dans le
métier d'espion. Certes, on avait pu à l'occasion
rudoyer quelque peu l'épouse d'un agent de la
CIA, au bon vieux temps de la guerre froide, mais
une agression franche ? Jamais. Non seulement
une telle attitude eût été *nièkulturny*, mais elle
n'aurait pu que déclencher des vendettas nuisibles
à la bonne conduite des affaires sérieuses, à savoir
la collecte d'informations. Depuis les années cinquante, le travail de renseignement était devenu
civilisé, prévisible. Cette prévisibilité avait toujours été ce que recherchaient en priorité les
Russes à l'Ouest, et ce qui était valable pour les
uns devait l'être pour les autres. Clark était prévisible.

Sa décision prise, Golovko sortit sur imprimante les informations affichées à l'écran.

« Alors ? demanda Clark à Bill Tawney.

— Les Suisses ont été un peu lents à la détente.
Mais il s'avère que le numéro de compte que nous
a fourni Grady existait bien...

— *Existait ?* répéta John, sentant gros comme
une maison arriver le "mais" de mauvais augure.

— Eh bien, en fait, il est toujours en activité.
Il a été ouvert avec un dépôt d'environ six millions de dollars américains, suivi d'un retrait de
plusieurs centaines de milliers — et puis, le jour
précis de l'attaque contre l'hôpital, il a été presque
entièrement soldé par transfert sur un compte dans
un autre établissement.

— Où ça ?

— Ils disent qu'ils ne peuvent pas nous le
révéler.

— Bon, très bien, t'as qu'à dire à leur putain de ministre de la Justice que la prochaine fois qu'il aura besoin de notre aide, on laissera les terroristes tranquillement massacrer leurs citoyens, merde !

— Ils ont des lois, eux aussi, John, remarqua Tawney. Imagine que ce type ait fait effectuer le transfert par un avocat. Le secret s'applique dans ce cas, et aucun pays ne peut lever cette barrière. Les Suisses ont effectivement des lois qui protègent des fonds dont on pense qu'ils ont une origine criminelle, mais on ne peut pas le prouver, pas vrai ? J'imagine qu'on pourrait goupiller un moyen de contourner l'obstacle, mais ça risque de prendre du temps, vieux.

— Merde... » Puis Clark réfléchit une seconde : « Le Russe. »

Tawney acquiesça prudemment. « Oui, ça se tiendrait, n'est-ce pas ? Il leur ouvre un compte numéroté, et une fois qu'ils se sont fait prendre, il a toujours les numéros sous la main !

— Putain... il les embobine et ensuite, il les dépouille...

— Exactement, observa Tawney. À l'hôpital, Grady parlait de six millions de dollars et les Suisses ont confirmé ce chiffre. Il en a consacré quelques centaines de milliers pour acheter les poids lourds et les divers véhicules utilisés lors de l'opération — l'enquête de police l'a confirmé —, en laissant le solde sur le compte, et puis ce Russe a dû décider qu'ils n'avaient plus besoin de ces fonds. Après tout, pourquoi pas ? nota l'agent de renseignements. Les Russes sont connus pour leur cupidité, me semble-t-il.

— Ce qu'il donne d'une main, il le reprend de l'autre. Il leur a balancé en même temps les renseignements sur nous.

— C'est presque certain.

— Bon. Récapitulons : ce mystérieux Russkof apparaît, leur refile des renseignements sur notre compte, trouve un commanditaire pour financer l'opération — certainement pas chez lui parce que, petit a, ils n'ont aucune raison d'entreprendre une telle action et, petit b, ils n'ont pas tant d'argent que ça à dilapider. Première question : d'où est-ce que cet argent peut-il bien sortir ?

— Et la drogue, John. N'oublie pas...

— D'accord, et la drogue...

— Ce sera sans doute plus facile de retrouver la piste de la drogue. La Garda indique que la coke était de qualité médicale, ce qui signifie qu'elle provient d'une société pharmaceutique. Le commerce de la cocaïne est étroitement surveillé dans tous les pays du monde. Cinq kilos, c'est une quantité — l'équivalent d'une grosse valise —, la densité est à peu près celle du tabac. Donc, l'essentiel du transfert équivalait en volume à cinq kilos de cigarettes. Disons une valise de bonne taille. Impossible de cacher une telle disparition d'un entrepôt, quel qu'il soit, s'il est convenablement surveillé et gardé, John.

— Tu penses que la marchandise a dû venir d'Amérique ?

— Au départ, oui. Les plus gros labos pharmaceutiques se trouvent là-bas, et ensuite ici, en Angleterre. Je peux déjà demander à nos gars de commencer à enquêter chez nous sur d'éventuelles disparitions de cocaïne. J'imagine que votre brigade des stups peut tenter de faire la même chose.

— Je vais prévenir le FBI, dit aussitôt Clark. Mais reprenons. Que sait-on au juste, Bill ?

— On va déjà supposer que Grady et O'Neil

ne nous ont pas raconté de bobards sur ce fameux Serov. On trouve donc un ancien agent du KGB à l'origine de l'attaque contre Hereford. Pour faire court, il s'est servi d'eux comme mercenaires, en les payant avec de l'argent et de la came. L'opération ayant échoué, il a tout simplement confisqué les fonds, et je reste convaincu qu'il les a gardés pour lui. Je le vois mal à la tête d'une telle fortune personnelle — d'accord, j'imagine qu'il pourrait s'agir de la mafia russe, avec tous ces anciens du KGB qui découvrent tout soudain les mérites de la libre entreprise, mais je ne vois pas pourquoi ils nous auraient pris pour cible. Franchement, on ne représente pour eux aucune menace.

— En effet, approuva Clark.

— Donc, nous avons une grosse quantité de drogue et six millions de dollars américains, fournis par un Russe. Je suppose pour le moment que l'opération a été lancée d'Amérique, à cause de la drogue et de la masse d'argent.

— Pourquoi ?

— Je ne sais pas. Disons que c'est quelque chose que je renifle...

— Comment s'est-il rendu en Irlande ? enchaîna John, prêt à se fier au flair de son collègue.

— On l'ignore. Il a dû débarquer à Dublin en avion... oui, je sais, vu la quantité de drogue, c'est plutôt risqué. Il faudra qu'on interroge nos amis là-dessus.

— Dis aux flics que c'est important. À partir de là, on peut avoir un numéro de vol et une ville de départ.

— Tout à fait. » Tawney en prit note.

« Qu'est-ce qui nous échappe encore ?

— Je vais demander à mes potes du "Six" de lister les noms des agents du KGB connus pour avoir travaillé avec les groupes terroristes. On a un signalement approximatif qui pourra toujours nous permettre de les trier par élimination. Mais je reste convaincu que notre meilleur espoir réside dans ces cinq kilos de drogue. »

Clark était d'accord. « OK, je préviens le Bureau. »

« Cinq kilos, hein ?

— Exact, Dan, et de qualité médicale. Ça fait un sacré paquet de coke, du genre à laisser un joli trou dans un entrepôt...

— J'appelle les stups, qu'ils voient ça, vite fait, promit le patron du FBI. Autre chose de ton côté ?

— On est en train de secouer le cocotier, Dan. Pour le moment, on est partis sur l'hypothèse que l'opération a été téléguidée d'Amérique. » Clark entreprit d'expliquer pourquoi à Murray.

« Ce Russe, ce Serov, tu dis que c'est un ancien du KGB, qui aurait servi d'intermédiaire avec les groupes terroristes ? Ils n'étaient pas si nombreux à s'être spécialisés dans ce genre de choses, et on a pas mal d'informations là-dessus.

— Bill a également demandé au "Six" de travailler là-dessus, et j'en ai déjà touché un mot à Ed Foley. J'en ai parlé aussi à Serguei Golovko.

— Tu crois vraiment qu'il va nous aider ?

— Le pire qui puisse arriver, c'est qu'il nous dise non, Dan, et pour l'instant, c'est à peu près le point où nous en sommes, lui fit remarquer Rainbow Six.

— Certes, admit Dan. T'as besoin d'autre chose ?

— Si ça me vient, ne t'inquiète pas, vieux, je te le ferai savoir.

— OK, John. T'as eu le temps de regarder les JO ?

— Ouais, j'ai même une équipe sur place.

— Oh ?

— Affirmatif, Ding Chavez et quelques hommes. Les Kangourous voulaient qu'on aille jeter un œil sur leur dispositif de sécurité. D'après lui, ce sont des bons.

— Une invitation gratuite aux JO, c'est pas mal joué, observa le directeur du FBI.

— J'avoue, oui, Dan. En attendant, tu nous préviens dès que t'as quelque chose, d'accord ?

— Plutôt deux fois qu'une, John. À plus tard, vieux.

— Ouais, salut, Dan. »

Clark reposa le téléphone crypté sur sa fourche et se carra dans son fauteuil en se demandant ce qui lui échappait. Il essayait de vérifier tout ce qui lui passait par la tête, jusqu'au moindre élément, toujours dans l'espoir que, quelque part, quelqu'un découvrirait quelque détail infime, insignifiant en apparence, mais susceptible de fournir un début de piste. Jamais il n'avait évalué à quel point le boulot d'enquêteur dans une affaire criminelle pouvait être difficile. La couleur de la voiture conduite par les bandits pouvait avoir son importance, et il ne fallait pas oublier de poser également ce genre de question... Mais c'était une tâche à laquelle il n'avait pas été formé, et il devait compter sur les flics pour faire convenablement leur boulot.

C'était le cas. À Londres, la police installa Timothy O'Neil dans la salle d'interrogatoire habituelle. On lui proposa du thé qu'il accepta.

Ce n'était pas facile pour l'Irlandais. Il avait envie de rester muet, mais après le choc de l'information fournie par la police et qui ne pouvait émaner que de Sean Grady, ses convictions comme sa résolution s'étaient trouvées sérieusement mises à mal. Conséquence, il avait fini par avouer certains trucs et, une fois engagé, c'était un processus sur lequel il était impossible de revenir.

« Ce Russe, ce Serov, c'est le nom que tu nous as indiqué, commença l'inspecteur de police. Il a débarqué en Irlande par avion ?

— La traversée est longue à la nage, mec, plaisanta O'Neil.

— Ouais, et pas évidente non plus en voiture, répondit le flic, sur le même ton. Par quel avion est-il arrivé ? »

Silence. C'était une déception mais pas une surprise.

« Je peux te dire un truc que tu ignores, Tim, proposa l'inspecteur, histoire de relancer la conversation.

— Qu'est-ce que ça pourrait être ?

— Ce brave Serov avait ouvert un compte en Suisse pour tout le fric qu'il avait apporté. Eh bien, on vient juste d'apprendre des autorités helvétiques qu'il l'a liquidé.

— Comment ça ?

— Le jour même de votre action, quelqu'un a appelé la banque et fait transférer quasiment l'intégralité de la somme. Bref, votre petit copain russe vous a repris d'une main ce qu'il vous filait de l'autre. Tiens... » L'inspecteur lui tendit un bout de papier. « Voici le numéro du compte, et le code de validation pour autoriser les transferts. Six millions de dollars, moins ce que vous avez dépensé pour acheter les camions et le reste du matériel. Il a tout viré — sur son compte personnel, je parie. Vous avez pas choisi le bon pote, les gars...

— Le putain d'enfoiré ! » O'Neil était outré.

« Eh oui, Tim, je sais. T'as jamais mangé de ce pain-là. Mais ce brave vieux Serov, si, ça m'en a tout l'air, mon gars. »

O'Neil lança quelques jurons bien peu catholiques. Il avait reconnu le numéro de compte, reconnu sur le papier l'écriture de Sean et il était à peu près sûr que ce flic ne lui racontait pas d'histoires.

« Il est arrivé à Shannon avec un jet d'affaires privé. Je ne sais pas d'où il venait.

— Vraiment ?

— Sans doute à cause du stock de drogue qu'il trimbalait. Ils ne fouillent pas les mecs friqués, pas vrai ? Ces salauds, ils agissent comme des seigneurs.

— Quel genre d'avion était-ce, tu le sais ? »

O'Neil fit un signe de dénégation. « Il avait deux réacteurs et l'empennage était en T, mais non, je sais pas le nom de ce foutu zinc.

— Et comment s'est-il rendu à votre réunion ?

— On avait une voiture qui l'attendait.

— Qui la conduisait ?

— Je vous filerai aucun nom. Je vous l'ai déjà dit.

— Pardonne-moi, Tim, mais je suis obligé de demander. Tu le sais », s'excusa le flic. Il s'était démené pour gagner la confiance du terroriste.

« Sean s'est fié à ce Serov. C'était manifestement une erreur. Le transfert des fonds a eu lieu deux heures après le début de votre opération. On a tendance à penser qu'il devait être tout près, pour en observer le déroulement. Dès qu'il a vu comment tournaient les choses, il vous aura plumés... pas plus compliqué que ça. Les Russes sont de vrais rapiats », compatit le flic, sans montrer à quel point il était content de la tournure que prenait la conversation. La pièce était bien sûr truffée de micros et déjà les policiers britanniques étaient au téléphone avec l'Irlande.

La Garda avait presque toujours coopéré avec son homologue britannique, et cette fois ne fit pas exception à la règle. Le responsable local fila aussitôt à Shannon vérifier les journaux de vol. Pour ce qui le concernait, tout ce qu'il voulait savoir, c'était comment cinq kilos de came étaient entrés illégalement sur son territoire. L'erreur tactique de l'IRA n'avait réussi qu'à mettre en rogne la police locale, alors que certains de ses éléments éprouvaient une sympathie instinctive pour le mouvement révolutionnaire en Irlande du Nord. Mais ils ne seraient jamais allés jusqu'à fermer les yeux sur le trafic de drogue qu'ils considéraient, à l'instar de la plupart des flics de par le monde, comme le plus crapuleux des crimes.

Le contrôle aérien de Shannon tenait des archives imprimées de tous les vols au départ et à l'arrivée de l'aéroport et, grâce à la date, le chef contrôleur adjoint trouva la bonne feuille en moins de trois minutes. Oui, un avion d'affaires Gulfstream-V s'était posé en début de matinée, il avait ravitaillé et redécollé peu après. Le document indiquait son numéro et l'identité de l'équipage. Surtout, il révélait que l'appareil était immatriculé aux États-Unis au nom d'une importante compagnie de vols charter. Le policier irlandais se rendit ensuite au bureau des douanes et de l'immigration, où il apprit qu'un certain Joseph Serov avait effectivement passé le contrôle le matin en question. L'inspecteur de la Garda ramena au poste des photocopies de tous les documents intéressants, où ils furent aussitôt faxés au QG de la Garda à Dublin, et de là à Londres, et de Londres à Washington.

« Bigre, fit Dan Murray, assis à son bureau. C'est bel et bien parti d'ici, hein ?

— Ça m'en a tout l'air, rétorqua Chuck Baker, directeur adjoint responsable des affaires criminelles.

— Vérifie-moi ça, Chuck.

— Tout de suite, Dan. Ça commence à devenir sérieux. »

Une demi-heure plus tard, deux agents du FBI se présentaient aux bureaux de la compagnie, implantée à l'aéroport de Teterboro, New Jersey. Là, ils eurent la confirmation que l'appareil avait été loué par un certain Joseph Serov qui avait payé la location avec un chèque certifié tiré sur un compte Citibank ouvert à son nom. Non, ils n'avaient pas de photo du client. L'équipage, assurant un autre vol, n'était pas disponible, mais dès son retour il serait bien sûr prêt à se mettre à la disposition du FBI.

Munis de quelques photocopies, les agents se rendirent alors à la succursale de la banque où Serov avait ouvert un compte et ils y apprirent qu'aucun employé de l'établissement n'avait rencontré en personne l'individu. Ils découvrirent également que l'adresse indiquée était la même boîte postale qui avait abouti à une impasse lors de la recherche à partir de ses relevés de carte de crédit.

Dans l'intervalle, le FBI avait pu obtenir copie de la photo sur son passeport — mais ce genre de cliché était souvent sans grand intérêt pour une identification. Dan Murray avait la nette impression qu'ils servaient plus à identifier les corps d'une victime de catastrophe aérienne qu'à faciliter les recherches d'un disparu encore en vie.

Néanmoins, le dossier sur l'affaire s'épaississait, et pour la première fois Murray se sentit optimiste. Ils amassaient progressivement des données sur le sujet, et ils finiraient bien tôt ou tard par retrouver où il avait filé parce que — habile espion du KGB ou pas — c'était le sort commun, et une fois que vous apparaissiez sur le radar collectif du FBI, c'étaient neuf mille enquêteurs parfaitement entraînés qui se mettaient en chasse, et ils ne s'arrêtaient que si on le leur ordonnait. Photo, compte bancaire, relevés de cartes de crédit... la prochaine étape consisterait à déterminer comment tout cet argent était arrivé sur ce compte. Il devait avoir un employeur ou un commanditaire, et l'on pourrait toujours cuisiner cet individu pour recueillir un complément d'informations. Ce n'était qu'une question de temps, et Murray estimait qu'ils avaient tout le temps devant eux pour traquer leur bonhomme. Ce n'était pas souvent qu'ils coinçaient un espion bien entraîné. C'était le plus fuyant des gibiers, et donc d'autant plus méritoire à accrocher à son tableau de chasse. Oui, ce serait une affaire juteuse à offrir au ministre de la Justice.

« Salut ! fit Popov.

— Salut ! répondit l'homme. Z'êtes pas d'ici.

— Dimitri Popov, se présenta le Russe en tendant la main.

— Foster Hunnicutt, dit l'Américain. Qu'est-ce que vous faites dans le coin ? »

Popov sourit. « Ici, rien de spécial, sinon apprendre à faire de l'équitation. Je travaille directement pour le Dr Brightling.

— Qui... oh, le grand patron de c'bazar ?

— Oui, c'est exact. Et vous ?

— Moi, je suis chasseur et je fais le guide, répondit l'homme du Montana.

— Bien. Et vous n'êtes pas végétalien ? »

Hunnicutt la trouva bien bonne. « Pas vraiment. Je bouffe de la viande rouge comme tout un chacun. Mais je préfère le wapiti à cette barbaque indéfinissable, précisa-t-il en lorgnant avec un certain dégoût ce qu'il avait dans son assiette.

— Du wapiti ?

— Du wapiti, de l'élan... une bête superbe. Les plus belles pièces vous donnent trois cents kilos de bonne viande... Sans parler des bois.

— Les bois ?

— Les cornes sur la tête. Mais j'ai aussi un faible pour la viande d'ours.

— Ça risque de défriser un certain nombre de clients, ici, observa le Dr Killgore, assis derrière sa salade de pâtes.

468

— Écoutez, mon vieux, la chasse est la première forme d'écologie. Si personne ne s'occupe
des bestioles, y aura rien à chasser. Vous savez,
c'est comme l'histoire de Teddy Roosevelt au parc
national de Yellowstone[1]. Si vous voulez
comprendre le gibier, je veux dire vraiment le
comprendre, z'avez intérêt à être chasseur.

— Rien à redire, concéda l'épidémiologiste.

— Peut-être que je suis pas un adorateur des
lapins. Peut-être que je tue le gibier mais, bordel
de merde, moi, je mange ce que j'abats. Je tue pas
des bêtes pour le seul plaisir de les voir crever...
en tout cas, ajouta-t-il, pas le gibier. Alors qu'il y a
tout un tas de pauvres ignares que je dézinguerais
volontiers.

— D'ailleurs, c'est bien pour ça qu'on est ici,
non ? observa Maclean avec un sourire.

— Je veux, mon neveu. Il y a un peu trop de
connards qui nous polluent le paysage avec leurs
brosses à dents électriques, leurs bagnoles et leurs
bicoques de merde.

— C'est moi qui ai amené Foster sur le Projet », répondit Mark Waterhouse. Il connaissait
Maclean depuis des années.

« Tout le monde est au courant ? demanda
Killgore.

— Affirmatif, chef, et pour moi, pas d'objection. Vous savez, je me suis toujours demandé
quel effet ça faisait d'être Jim Bridger ou Jedediah
Smith. Peut-être que je vais enfin pouvoir le
découvrir, d'ici quelques années.

----

1. En 1917, sur le conseil de gardes-chasses, le président
américain, grand chasseur, épargna des oursons lors d'une
chasse à l'ours dans ce parc national américain. Le *Teddy
Bear* — le « Nounours à Teddy » — était né, et avec lui, la
vogue de l'ours en peluche *(N.d.T.)*.

— Je dirais cinq, répondit Maclean, d'après nos simulations informatiques.

— Bridger ? Smith ? demanda Popov.

— C'étaient des montagnards, expliqua au Russe Hunnicutt. Les premiers Blancs à voir l'Ouest. De véritables légendes : explorateurs, trappeurs, chasseurs de Peaux-Rouges...

— Ouais, une honte, pour les Indiens.

— Peut-être, admit Hunnicutt.

— Quand êtes-vous arrivé ? demanda Maclean en se tournant vers Waterhouse.

— Aujourd'hui, en voiture, répondit Mark. Dites donc, le coin affiche pratiquement complet, n'est-ce pas ? » Il avait horreur de la foule.

« Effectivement », confirma Killgore. Lui non plus n'aimait pas la cohue. « Mais c'est toujours aussi chouette, à l'extérieur. Vous faites du cheval, monsieur Hunnicutt ?

— Comment diable voulez-vous chasser autrement, dans l'Ouest ? Je suis pas du genre à me balader en 4x4.

— Alors comme ça, vous êtes guide de chasse ?

— Ouaip. » Hunnicutt acquiesça. « Dans le temps, j'étais géologue pour les compagnies pétrolières, mais j'ai tiré un trait dessus depuis un bail. Marre d'être complice du massacre de la planète, vous voyez. »

Et encore un druide adorateur des arbres, songea Popov. Ce n'était pas vraiment une surprise, même si ce spécimen lui parut particulièrement loquace et un rien grandiloquent.

« Mais enfin, poursuivit le chasseur, j'ai fini par discerner ce qui était essentiel. » Il continua de raconter sa vie, sa découverte du brouillard de pollution. « Bref, j'ai ramassé mon fric et salut la compagnie ! J'ai toujours aimé la chasse, la vie au grand air, alors je me suis bâti un chalet dans les montagnes, j'ai retapé une vieille grange... et je me suis consacré entièrement à la chasse.

— Oh, vous pouvez ? Chasser tout le temps, je veux dire ? demanda Killgore.

— Ça dépend. Un contrôleur des Eaux et Forêts avait bien essayé de me chercher des crosses... mais on dira qu'il a cessé de me harceler. »

Popov surprit un clin d'œil entre Waterhouse et Killgore au moment où l'autre primitif lançait cette remarque, et aussitôt il comprit que cet individu avait dû tuer impunément un agent de la force publique... Quel genre de barjos recrutait ce fameux projet ?

« Quoi qu'il en soit, on fait des balades à cheval tous les matins. Ça vous dit ?

— Un peu ! C'est pas une offre qui se refuse.

— J'ai appris moi aussi à y prendre goût, intervint Popov.

— Dimitri, je suis sûr que vous devez avoir du sang de cosaque ! rit Killgore. Bref, Foster, pointez-vous ici pour le petit déjeuner, un peu avant sept heures, et on pourra faire une balade ensemble.

— Tope là », confirma Hunnicutt.

Popov se leva. « Avec votre permission, le concours olympique d'équitation commence dans dix minutes.

— Dimitri, n'allez pas vous prendre pour un sauteur d'obstacles ! avertit Maclean. Vous n'avez quand même pas encore le niveau.

— Je peux tout de même regarder faire les autres, non ? répondit le Russe en s'éloignant.

— Bon, alors qu'est-ce qu'il fabrique ici ? s'enquit Hunnicutt, dès que Popov se fut éloigné.

— Il l'a dit lui-même : ici, rien, mais il a pris une part importante dans la mise en œuvre du Projet.

— Oh ! fit le chasseur. Comment cela ?

— Vous vous souvenez de cette série d'attentats en Europe ?

— Ouais, les groupes antiterroristes ont fait du beau boulot pour neutraliser ces salopards. Ils ont de sacrés tireurs dans leurs rangs. Dimitri était sur le coup ?

— C'est lui qui a déclenché toutes les missions sans exception, dit Maclean.

— Bigre, observa Mark Waterhouse. En bref, il a aidé Bill à décrocher le contrat pour les JO ?

— Ouaip, et sans ça, comment diable voudriez-vous qu'on répande Shiva ?

— Brave gars », décida Waterhouse en dégustant son chardonnay californien. Encore un luxe qui allait lui manquer, une fois le Projet en route. Enfin, ce n'étaient pas les débits de boissons qui manquaient dans le pays. Il était sûr qu'il aurait de quoi se ravitailler jusqu'à la fin de ses jours.

35

Marathon

C'était devenu un tel plaisir que Popov se levait désormais de bon matin, pour mieux en profiter.

Ce jour-là, il se réveilla au petit jour et put admirer au ras de l'horizon la lueur rose orangé qui annonçait le lever du soleil. Lui qui n'avait jamais fait de cheval avant son arrivée dans le Kansas, il trouvait qu'il y avait quelque chose de foncièrement agréable et viril à sentir entre ses jambes cette bête puissante qu'il suffisait de commander d'une légère traction sur les rênes, voire d'un simple claquement de langue... C'était autre chose que de se balader à pied... c'était... tout simplement un plaisir d'un ordre presque instinctif.

Et c'est ainsi qu'il se retrouva dans la cafétéria dès potron-minet, prenant son plateau de petit déjeuner — sans oublier une pomme rouge pour Petit-Lait — dès l'ouverture des cuisines. Le temps promettait à nouveau d'être magnifique. Les céréaliers devaient être sans doute aussi ravis que lui par la météo. Les pluies avaient été abondantes à la levée des blés, puis le soleil avait pris le relais pour les faire mûrir. Les céréaliers américains devaient avoir les meilleurs rendements du monde. Avec toutes ces étendues fertiles et cette panoplie d'équipements motorisés, ce n'était guère surprenant, s'avisa-t-il en prenant son plateau pour aller s'installer à sa table habituelle. Il avait fini la moitié de ses œufs brouillés quand Killgore arriva, accompagné du nouveau, Hunnicutt.

« B'jour, Dimitri », lança le grand chasseur.

Popov déglutit avant de répondre. « Bonjour, Foster.

— Qu'est-ce que vous dites des épreuves d'hier ?

— L'Anglais qui a remporté la médaille d'or était superbe, mais c'est surtout son cheval...

— Ils choisissent les meilleurs », observa Hunnicutt, avant de filer chercher son plateau. Il revint au bout de quelques minutes. « Alors, comme ça, vous avez été espion, hein ?

— Agent de renseignements, oui. C'était mon boulot pour l'Union soviétique.

— À collaborer avec les terroristes, m'a expliqué John.

— C'est également exact. J'avais mes missions, et bien entendu je devais les mener à bien.

— Pas de problème pour moi, Dimitri. Personnellement, je n'ai jamais eu à me plaindre de ces gens. Et pourtant, j'ai bossé en Libye pour la Royal Dutch Shell. On leur avait trouvé un joli petit champ pétrolifère, et les Libyens avec qui je collaborais étaient tout à fait réglo. » Comme Popov, Hunnicutt s'était fait une orgie d'œufs au bacon. C'est qu'il lui en fallait pour nourrir cette grande carcasse, imagina Dimitri. « Alors, comment vous trouvez le Kansas ?

— Semblable à la Russie par bien des aspects : vastes horizons, fermes immenses... même si les vôtres sont autrement plus efficaces. Si peu de personnel pour cultiver autant de blé.

— Ouais, on compte là-dessus pour notre approvisionnement en pain, approuva Hunnicutt, tout en s'empiffrant. On a suffisamment de terres dans le coin pour cultiver tout ce qu'il nous faut, et tout l'équipement nécessaire. Il se peut que je m'y mette, d'ailleurs.

— Oh ?

— Ouais, enfin, chacun va se voir assigner une tâche dans le cadre du Projet. Logique : il va tous falloir se serrer les coudes au début, mais j'ai vraiment hâte de me lancer dans la chasse au bison. Je me suis même déjà acheté le fusil pour.

— Comment ça ?

— Il y a une boîte dans le Montana, Shiloh Arms, qui fabrique des répliques d'authentiques fusils à bison. J'en ai acheté un le mois dernier — un Sharps 40-90 —, un sacré calibre...

— Certains ici risquent de ne pas approuver, nota Popov, en songeant aux végétaliens qui constituaient d'évidence la fraction la plus extrémiste de cette horde de druides.

— Ouais, bon, ben s'ils s'imaginent pouvoir se passer de fusils pour vivre en harmonie avec la nature, ils feraient bien de relire le récit de l'expédition de Lewis et Clark[1]. Peu importe pour un grizzli ces histoires d'amour de la nature. Tout ce qu'il sait, c'est ce qu'il peut ou non tuer et manger. Parfois, vous avez intérêt à lui rappeler ce qu'il doit éviter de bouffer. Idem avec les loups.

— Oh, allons donc, Foster, intervint Killgore, venu s'asseoir auprès de ses amis. On n'a jamais eu confirmation que des loups aient réellement tué des gens en Amérique. »

Hunnicutt trouva la remarque particulièrement débile. « Ah, vous croyez ça ? Ma foi, c'est toujours délicat à prouver, une fois qu'il vous a dans l'estomac. Les cadavres ne parlent pas. » Puis il

---

1. Meriwether Lewis et William Clark, les deux célèbres Virginiens qui dirigèrent l'expédition commanditée par le président Jefferson afin de reconnaître et cartographier les vastes territoires situés à l'ouest du Mississippi rachetés par les États-Unis à la France en 1803. En près de deux ans et demi (1804-1806), cette expédition d'une trentaine d'hommes parcourut près de 13 000 kilomètres, reconnut fleuves et massifs montagneux, recensa faune et flore, et noua des contacts pacifiques avec les tribus indiennes *(N.d.T.)*.

se tourna vers Popov : « Et en Russie, Dimitri ? Ça se passe comment avec les loups, là-bas ?

— Les paysans les détestent, ils les ont toujours détestés, mais les chasseurs d'État les traquent à la mitrailleuse en hélicoptère. Ce n'est plus vraiment de la chasse comme vous l'entendez, n'est-ce pas ?

— Fichtre non, admit Hunnicutt. Le gibier, on doit le traiter avec respect. C'est leur terre, pas la nôtre, et il faut savoir jouer le jeu. C'est comme ça qu'on les découvre, qu'on apprend comment ils vivent, comment ils pensent. C'est pour ça qu'on suit les règles de Boone et de Crockett pour chasser le gros gibier. C'est pour ça que je me balade à cheval, et que je les traque à cheval. Il faut savoir jouer franc-jeu avec le gibier. Mais avec les bonshommes, c'est différent, bien sûr, ajouta-t-il avec un clin d'œil.

— Nos amis végétaliens n'entendent rien à la chasse, nota Killgore avec tristesse. J'imagine qu'ils pensent pouvoir se contenter de brouter de l'herbe et de photographier la faune.

— Foutaises, oui, coupa Hunnicutt. La mort fait tout bêtement partie du processus de la vie, et nous sommes les prédateurs au sommet de la pyramide, les autres bestioles le savent parfaitement. De toute façon, moi, je ne connais rien de meilleur qu'un cuissot d'élan grillé au feu de bois. C'est un goût qu'on n'oublie pas, et j'y renoncerais pour rien au monde. Si ces extrémistes ont envie de bouffer comme des lapins, grand bien leur fasse, mais qu'on s'avise pas de m'interdire de manger de la viande... J'ai connu un garde forestier qu'a voulu dans le temps me faire la leçon sur ce que j'avais le droit de chasser ou pas... » Il eut un sourire cruel. « Eh ben, il embête plus personne. Bon Dieu, moi je sais comment le monde est censé tourner, merde ! »

Et t'as tué un policier pour ça ? songea Popov, en silence. *Espèce de barbare inculte.* Il aurait aussi bien pu aller acheter sa viande au supermarché. Un druide armé d'un fusil... un type dangereux, pas de doute. Il termina son petit déjeuner et sortit. Bientôt, les autres le rejoignirent. Hunnicutt sortit un cigare des fontes qu'il portait et l'alluma alors qu'ils se dirigeaient vers le Hummer de Killgore.

« Faut vraiment que vous fumiez en voiture ? se plaignit le toubib, sitôt qu'il avisa le barreau de chaise.

— Merde, je le tiendrai par la vitre ouverte, John. Putain, vous êtes aussi des nazis du tabagisme passif ? » s'énerva le chasseur. Puis, cédant à la logique du moment, il baissa la vitre et tint son cigare à l'extérieur durant le bref trajet jusqu'aux écuries. Popov sella son aimable jument, lui donna sa pomme et la mena dehors, avant de l'enfourcher et de contempler l'océan d'ambre et de verdure qui entourait le complexe. Hunnicutt sortit à son tour avec un cheval que Dimitri n'avait encore jamais vu — un étalon Appaloosa qu'il supposa être sa propriété personnelle. Puis il remarqua un détail...

« C'est un pistolet ?

— Un véritable Colt modèle 1873 de l'armée, confirma Foster en le sortant de son étui Threepersons tout aussi authentique. L'arme qui a vaincu l'Ouest, Dimitri. Je ne pars jamais à cheval sans un ami, ajouta-t-il avec un sourire satisfait.

— Calibre 45 ? » demanda le Russe. Il en avait déjà vu au cinéma, mais jamais en vrai.

« Non. C'est du 44-40. Calibre 44, avec quarante grains [1] de poudre noire. Il y a un siècle, on utilisait les mêmes cartouches pour son fusil et son arme de poing, expliqua-t-il. Question d'économie. Et avec ça, on flingue à peu près tout ce qu'on veut. Enfin, peut-être pas un bison... mais sûrement un chevreuil.

— Ou un homme ?

— Je veux. C'est sans doute la cartouche la plus meurtrière jamais fabriquée, Dimitri. » Hunnicutt replaça le revolver dans son étui de cuir. « Cela dit, l'étui n'est pas vraiment authentique, en fait. Il tient son nom de Billy Threepersons, un US Marshall de l'ancien temps... D'après la légende, c'était un Amérindien, et un sacré policier... Toujours est-il qu'il a inventé ce type d'étui vers la fin du XIXe siècle. La forme permet de dégainer plus facilement, vous voyez ? » dit-il, joignant le geste à la parole. Popov fut impressionné, lui qui l'avait vu faire si souvent au cinéma. L'Américain portait même un chapeau à large bord. Popov se surprit à le trouver sympathique malgré le côté grandiloquent du personnage.

« Hue, Jeremiah », dit Hunnicutt en voyant les deux autres entrer dans le corral. Et il prit la tête de la petite troupe.

« Votre cheval ? demanda Popov.

— Ouaip, je l'ai racheté à un Nez-Percé. Huit ans, la bête idéale pour moi. » Foster sourit quand ils franchirent la barrière. De toute évidence, l'homme baignait dans son élément.

Les promenades à cheval avaient pris un côté

---

1. Environ 2,6 grammes *(N.d.T.)*.

répétitif. Même ici, on finissait par avoir fait le tour des paysages à visiter, mais le plaisir simple de la balade restait le même. Ce matin-là, les quatre hommes partirent vers le nord, traversant avec précaution la zone des terriers de chiens-de-prairie avant de se rapprocher de l'autoroute fréquentée par de nombreux camions.

« Où est la ville la plus proche ? s'enquit Popov.

— Par ici. » Killgore tendit le bras. « À huit kilomètres environ. Tout au plus un gros bourg.

— Il y a un aérodrome ?

— Juste un terrain d'aviation légère, répondit le médecin. Il faut faire encore une trentaine de kilomètres vers l'est pour tomber sur une autre agglomération dotée d'un aéroport régional avec des avions-taxis pour rallier Kansas City. Et de là, on peut se rendre partout.

— Mais on utilise nos propres pistes pour faire atterrir les Gulfstream, n'est-ce pas ?

— Ouaip, confirma Killgore. D'ici, avec leur autonomie, les derniers modèles pourraient rallier Johannesburg d'une traite.

— Sans blague ? s'étonna Hunnicutt. Vous voulez dire qu'on pourrait aller chasser en Afrique, si on voulait ?

— Ouais, Foster, mais ramener un éléphant à dos de cheval, ça risque d'être un tantinet coton, rit l'épidémiologiste.

— Ben, on peut toujours se contenter de l'ivoire, rétorqua le chasseur, sur le même ton. Je pensais plutôt aux lions et aux léopards, John.

— Les Africains adorent manger les testicules de lion. Voyez-vous, le lion est le plus viril des animaux, expliqua Killgore.

— Comment ça ?

— Eh bien, l'équipe de tournage d'un documentaire a eu l'occasion d'observer deux mâles rendre hommage à une femelle en chaleur. À eux deux, ils ont eu en moyenne un rapport toutes les dix minutes pendant une journée et demie. Soit trois fois par heure pour chaque individu pendant trente-six heures d'affilée. J'avoue que ça dépasse mon record personnel. » La remarque fit rire les quatre hommes. « Toujours est-il que certaines tribus africaines persistent à croire que, lorsqu'on mange l'organe d'une créature qu'on a tuée, on en hérite des attributs. Voilà pourquoi ils se délectent de couilles de lion.

— Et ça marche ? demanda Maclean.

— Si ça marchait, il ne resterait plus beaucoup de lions mâles sur la planète, Kirk...

— Bien vu, John ! » Nouvel éclat de rire général.

Popov n'était pas aussi amusé que les autres par cette discussion. Il regarda l'autoroute et vit un car Greyhound passer à près de cent dix à l'heure... mais bientôt, il ralentit pour s'arrêter devant une espèce de refuge cubique.

« C'est quoi, ce truc ?

— Un arrêt pour les cars interurbains, répondit Mark Waterhouse. Ils en ont installé quelques-uns en pleine nature. Il suffit de faire signe au chauffeur pour qu'il s'arrête.

— Ah. » Dimitri nota mentalement l'information puis il fit obliquer sa jument vers l'est. La buse qui vivait dans les parages était en train de décrire des cercles dans les airs, guettant à nouveau un rongeur pour son petit déjeuner. Elle observait, mais visiblement en vain. Les quatre hommes continuèrent de chevaucher pendant une heure avant de faire demi-tour. Popov se retrouva à la hauteur d'Hunnicutt.

« Tu montes depuis longtemps ? demanda ce dernier, adoptant un ton plus familier.

— À peine plus d'une semaine, répondit Dimitri Arkadeïevitch.

— Tu te débrouilles plutôt pas mal, pour un pied-tendre, nota Foster sur un ton amical.

— Je veux encore m'entraîner, pour aller plus vite.

— Eh bien, qu'est-ce que tu dirais de remettre ça ce soir, mettons juste avant le coucher du soleil ?

— Merci, Foster, oui, ça me ferait plaisir. Disons juste après dîner ?

— D'accord. On se retrouve à sept heures et demie au corral.

— Entendu. Et merci encore. » Une balade nocturne, sous les étoiles, ça promettait d'être chouette.

« J'ai eu une idée, lança Chatham dès qu'il revint travailler au siège du FBI.

— Laquelle ?

— Ce Russe, ce Serov. On a bien la photo de son passeport, hein ?

— Ouais, fit Sullivan.

— On va refaire le coup des tracts. Sa banque est à distance de marche de son appartement.

— Normalement, oui. Ouais, ça me paraît une bonne idée, dit l'inspecteur Tom Sullivan, avec un regain d'enthousiasme. On va tâcher d'arranger ça vite fait. »

« Eh, Chuck ! fit la voix au téléphone.

— Bonjour... C'est l'après-midi pour vous, j'imagine, John.

— Ouais, je sors juste de déjeuner, confirma Clark. Du nouveau avec l'enquête sur ce Serov ?

— Toujours rien, répondit le directeur adjoint de la brigade criminelle. Ces trucs-là n'arrivent pas du jour au lendemain, même s'ils finissent toujours par arriver. J'ai mis la brigade de New York sur le coup. S'il est en ville, on le trouvera, promit Baker. Ça peut prendre du temps, mais on le débusquera.

— Le plus tôt sera le mieux.

— Je sais, mais je vous l'ai dit, ces choses-là ne viennent pas toutes seules. » Baker savait qu'on le poussait au cul, par crainte qu'il néglige cette affaire. Ça ne risquait pas de se produire, mais ce Clark appartenait à la CIA et il ne devait pas savoir ce que c'était que d'être flic. « On vous le retrouvera, votre gars, John. Enfin, s'il est dans le secteur. Vous avez mis aussi la police britannique sur le coup ?

— Oui, oui. Le problème, c'est qu'on ignore combien d'identités d'emprunt il a pu utiliser.

— À sa place, vous en auriez combien ?

— Trois ou quatre, sans doute. Et suffisamment ressemblantes pour que je n'aie pas de problèmes pour passer de l'une à l'autre. Ce type est un pro. Alors, il a probablement sous la main un certain nombre de "personnages" dont il peut changer aussi aisément qu'il change de chemise.

— Je sais, John. J'ai déjà travaillé pour le contre-espionnage. Ils jouent au chat et à la souris, mais on connaît la chanson. Vous êtes arrivés à tirer autre chose de vos terroristes ?

— Ils ne sont pas très causants. Question interrogatoire, les flics du coin ne sont pas super-efficaces. »

Parce qu'on est censé les faire rôtir à petit feu, s'abstint de remarquer Baker. Le FBI se conformait aux règles établies par la constitution des États-Unis. Il supposait que la CIA avait souvent tendance à passer outre, et comme la plupart de ses collègues du Bureau, il trouvait ça écœurant. Il n'avait jamais rencontré personnellement Clark, ne le connaissait que de réputation. Murray, le directeur, le respectait, mais il avait des réserves. Clark avait déjà torturé des sujets, avait laissé entendre un jour Murray, et ça, pour un agent du FBI, c'était inadmissible, si efficace que fût la méthode. La constitution disait non, et c'était un non définitif, même pour les ravisseurs d'enfants, quand bien même c'était le genre de criminel qui aurait pu le mériter, de l'avis de n'importe quel inspecteur de la police judiciaire fédérale.

« Faites confiance aux flics britanniques. Ils sont bougrement efficaces, John, et ils ont une sacrée expérience avec les types de l'IRA. Ils savent comment s'y prendre.

— Si vous le dites, Chuck. » La voix était pour le moins dubitative. « OK, si on a du nouveau, on vous le fait savoir.

— Bien. De mon côté, je vous rappelle dès qu'on a une piste, John.

— D'accord. À plus. »

Baker se demanda s'il devait aller aux toilettes pour se laver les mains après une telle conversation. On l'avait informé de l'existence de Rainbow et de ses récentes activités, et s'il admirait leurs méthodes chocs pour traiter les problèmes

— comme bien des agents du FBI, il avait servi dans les Marines : le Bureau l'avait recruté alors qu'il était à la base de Quantico —, ces méthodes différaient des leurs sous plusieurs aspects essentiels. En particulier, le respect des lois. Ce John Clark était du genre baroudeur, un ancien de la CIA avec quelques missions délicates à son actif, lui avait indiqué Murray, d'un ton mi-admiratif, mi-réprobateur. Mais enfin merde, ils étaient dans le même camp, et ce Russe était presque à coup sûr l'instigateur d'un attentat qui avait visé la propre famille de Clark. Cela ajoutait un élément personnel à l'affaire, et Baker devait en tenir compte.

Chavez avait encore passé une longue journée à regarder les athlètes courir. Les deux semaines avaient été intéressantes, et même s'il s'ennuyait de Patsy et de J.C., avec qui il avait à peine eu le temps de faire connaissance, il ne pouvait nier qu'il se plaisait bien ici. Mais les vacances seraient bientôt finies. Les commentateurs sportifs faisaient déjà le bilan des médailles (l'Amérique s'était plutôt bien comportée ; quant aux Australiens, ils avaient fait des étincelles, en particulier dans les sports nautiques), afin d'établir le tableau officieux des vainqueurs des Jeux. Plus que trois jours et ce serait le marathon, l'épreuve reine, couronnement traditionnel de la compétition, avant la cérémonie de clôture et l'extinction de la flamme. Déjà, les concurrents reconnaissaient le parcours. Moins par peur de se perdre — ça ne risquait pas car ils allaient progresser entre deux remparts humains — que pour apprendre à négocier chaque montée, chaque virage. Le reste du temps, ils s'entraînaient sur les pistes du village olympique, sans aller jusqu'au bord de l'épuisement, se contentant d'entretenir leurs muscles et leur souffle en prévision de cette terrible épreuve. Chavez s'estimait en forme, mais il n'avait jamais participé à une course de plus de trente kilomètres. Les soldats devaient savoir courir, mais pas sur une telle distance... et le faire sur une route goudronnée devait mettre les pieds et les chevilles à rude épreuve, malgré les semelles à amortissement renforcé des chaussures de course modernes. Ouais, ces gars-là devaient réellement tenir une forme olympique, songea Ding, étendu sur son lit.

Depuis le jour de la cérémonie d'ouverture, quand on avait allumé la flamme, jusqu'à maintenant, les Jeux s'étaient déroulés sans anicroche, comme si toute l'âme, toutes les forces d'Australie s'étaient mobilisées sur une seule tâche... un peu comme naguère, lorsque l'Amérique avait décidé de conquérir la lune. Tout était organisé à la perfection, démontrant s'il en était besoin que sa présence ici était une totale perte de temps. La sécurité n'avait jamais posé le moindre début de problème. Les flics australiens étaient amicaux, compétents. Ils étaient nombreux, et les SAS australiens qui leur servaient de renforts étaient presque aussi bons que ses propres hommes, et parfaitement encadrés et conseillés par les gens de Global Security. Ceux-ci leur avaient fourni les mêmes radios de campagne qu'utilisaient les membres de Rainbow. La boîte avait l'air de savoir fourguer ce genre de matos. Il faudrait qu'il demande à John de leur en toucher un mot. Ça ne faisait jamais de mal d'avoir une opinion extérieure.

Non, le seul côté pénible venait de la météo, qui avait été torride pendant toute la durée des Jeux. Les services médicaux avaient eu du pain sur la planche. On ne déplorait pas encore de décès, mais près d'une centaine de personnes avaient dû être hospitalisées à la suite de coups de chaleur, et trente fois plus traitées sur place par les pompiers et les secouristes de la protection civile australienne. Sans compter tous ceux qui avaient tout bonnement choisi de s'asseoir au frais sur les trottoirs pour essayer de récupérer sans demander d'aide médicale. Personnellement, Chavez ne craignait pas trop la chaleur — il n'avait jamais eu peur de transpirer —, mais lui aussi, il accusait le coup et, comme tous les autres spectateurs, il avait apprécié le dispositif de brumisation installé dans le stade olympique. Les gars de la télé avaient même réalisé un reportage là-dessus, ce qui faisait une excellente promotion pour la compagnie américaine qui avait conçu et installé le système. On parlait même déjà d'une version adaptée aux terrains de golf du Texas et d'autres régions caniculaires. Passer de trente-cinq degrés à une température apparente de vingt-cinq provoquait une sensation presque aussi rafraîchissante qu'une douche, et les galeries étaient souvent bondées de spectateurs venus échapper aux ardeurs du soleil de l'après-midi.

La dernière pensée de Chavez avant de s'endormir fut pour envier le fournisseur officiel de crème solaire... On voyait partout des affichettes mettant en garde le public contre les dangers du trou dans la couche d'ozone et il savait que mourir d'un cancer dû à l'exposition au soleil n'avait rien d'agréable. C'est pourquoi, chaque matin, comme tout le monde, lui et ses hommes se tartinaient généreusement d'écran total. Enfin, plus que quelques jours et ils regagneraient les îles Britanniques où leur bronzage ferait baver d'envie ces insulaires pâlichons, et où la température serait d'une bonne quinzaine de degrés inférieure... pour les jours que les Rosbifs qualifiaient de « chauds ». Là-bas, dès que le thermomètre dépassait vingt, les gens commençaient à tomber comme des mouches... Ce fut sa dernière pensée consciente avant de sombrer dans le sommeil.

Popov sella Petit-Lait aux alentours de dix-huit heures, ce soir-là. Le soleil n'allait pas tarder à se coucher et son cheval, après une journée passée à manger et se reposer, était plutôt fringant — en outre, il lui avait donné une autre pomme et la jument semblait apprécier cette friandise autant qu'un homme sa première bière après une longue journée de travail.

Jeremiah, l'étalon d'Hunnicutt, était d'un gabarit plus petit que Petit-Lait, mais il paraissait plus puissant. C'était une bête d'aspect étrange, avec sa robe gris clair recouverte, de l'arrière-train à l'encolure, d'une large marque de forme presque rectangulaire, couleur anthracite, d'où sans doute son nom d'« Appaloosa tapis ». Foster Hunnicutt apparut, portant sur l'épaule une large selle de style western, qu'il jeta sur le dos de la bête avant de se pencher pour l'attacher. Puis, nota Popov, il y fixa son Colt. Enfin, il introduisit le pied dans l'étrier gauche et se hissa. L'étalon devait aimer être chevauché. On eût dit que la bête s'était transformée, sitôt qu'elle avait senti ce poids sur sa croupe. Sa tête se releva fièrement, ses oreilles se dressèrent, guettant les ordres du cavalier. Ce dernier fit claquer sa langue et l'étalon sortit du corral, suivi de la jument montée par Popov.

« Une bien belle bête, Foster.

— La meilleure que j'aie eue, acquiesça le chasseur. Les App's sont des chevaux superbes. Ils ont été dressés à l'origine par les Indiens Nez-Percés. Ces chevaux redevenus sauvages descendaient des bêtes qui avaient échappé aux conquistadores espagnols. Les Nez-Percés ont réussi à leur faire retrouver leurs racines de pur-sang arabes d'origine espagnole, et voilà le résultat. » Hunnicutt lui flatta l'encolure d'un geste affectueux un peu rude que la bête parut apprécier. « Si tu veux mon avis, l'Appaloosa est le meilleur cheval qui existe. Intelligent, sain, robuste, pas lunatique comme les arabes, et bougrement élégant, en plus. Peut-être pas le meilleur dans tel ou tel domaine, mais il est bon en tout. Parfait à chevaucher, excellent pour la chasse et la traque... On en a passé du temps dans les collines à courir l'élan. C'est même lui qui m'a trouvé mon or...

— Pardon ? De l'or ? »

Hunnicutt rigola. « J'ai un filon là-haut dans le Montana. Sur un ancien élevage, mais les pentes sont trop escarpées pour les vaches... Bref, il y a un torrent qui descend de la montagne. Un après-midi, j'y mène boire Jeremiah, et qu'est-ce que je vois dans l'eau ? Un truc qui brille... » Hunnicutt s'étira. « C'était de l'or, un beau gros morceau d'or et de quartz... la meilleure formation géologique pour contenir de l'or, Dimitri. En tout cas, j'ai dans l'idée qu'il y a un sacré gisement là-dessous. Quelle taille ? J'en sais rien et d'ailleurs peu importe.

— Peu importe ? » Popov se tourna sur sa selle pour regarder son compagnon. « Foster, cela fait dix mille ans que les hommes s'entre-tuent pour avoir de l'or...

— C'est fini, tout ça, Dimitri. Définitivement, sans doute.

— Mais comment ? Pourquoi ?

— T'es donc pas au courant du Projet ?

— Un peu, si, mais pas suffisamment pour voir le rapport avec ce que tu viens de dire. »

Après tout, tant pis, se dit le chasseur. « Dimitri, la vie humaine sur cette planète est promise à une fin... précipitée, mon vieux.

— Mais...

— Ils t'ont pas raconté ?

— Non, Foster, pas en détail. Tu peux me dire ? »

Après tout, pourquoi pas ? se répéta Foster. Les JO étaient presque terminés. Ce Russkof comprenait la nature, savait monter à cheval, et collaborait sans aucun doute plus qu'efficacement avec John Brightling.

« On l'appelle Shiva... », commença-t-il, et ses explications se poursuivirent durant plusieurs minutes.

Pour Popov, l'heure était venue de retrouver son faciès d'espion professionnel, faisant fi de toute émotion durant l'exposé, réussissant même à sourire pour masquer son effroi.

« Mais comment allez-vous le diffuser ?

— Eh bien, vois-tu, John possède une entreprise qui travaille également pour lui : Global Security... son patron est un type du nom d'Henriksen.

— Ah oui, je le connais. Un ancien du FBI.

— Oh ? Je savais qu'il avait été flic, mais pas agent fédéral. Bref, ils ont décroché le contrat pour la sécurité des Jeux de Sydney, et l'un des employés de Bill va répandre le virus Shiva. Une histoire de diffusion à travers le dispositif de climatisation du stade, m'ont-ils dit. Ils vont le disséminer le dernier jour, vois-tu, lors des cérémonies de clôture. Le lendemain, chacun rentre chez soi et, comme ça, des milliers de gens ramèneront la saloperie avec eux.

— Mais qu'est-ce qui va nous protéger ?

— On t'a fait une piqûre à ton arrivée ici, pas vrai ?

— Oui, Killgore m'a parlé d'une espèce de rappel...

— Eh bien voilà, Dimitri, c'était ton vaccin. Il te protège contre Shiva. On me l'a fait, à moi aussi. C'est la variante B, vieux. Il en existe un autre, qu'ils m'ont dit, le A, mais celui-là, mieux vaut l'éviter. » Et Hunnicutt d'expliquer pourquoi.

« Comment es-tu au courant de tout ça ?

— Eh bien, n'est-ce pas, au cas où certains se douteraient de quelque chose, je suis l'un de ceux qui ont participé à la mise en place du périmètre de sécurité autour de ce complexe. Alors, ils ont bien été forcés de m'expliquer pourquoi le Projet en avait un tel besoin. Merde, c'est que c'est pas de la rigolade, mec. Si jamais quelqu'un découvrait ce qu'on manigance, ils seraient bien capables de nous balancer une bombe atomique sur la tronche, mine de rien ! fit remarquer Foster avec un sourire. Y a pas grand monde qui soit conscient qu'il y a urgence à sauver la planète. Je veux dire : on continue dans la même voie et d'ici vingt ans, tout le monde est mort. Pas seulement les hommes, les animaux aussi. Merde, on peut pas laisser faire une chose pareille !

— Je vois ce que tu veux dire. Effectivement, ça se tient tout à fait », réussit tant bien que mal à articuler Dimitri Arkadeïevitch.

Hunnicutt hocha la tête, plutôt satisfait. « Je me doutais bien que tu pigerais, mec. Alors, tu comprends, tous ces attentats que tu as déclenchés, ils étaient rudement importants. Sans toute cette agitation internationale autour de la recrudescence du terrorisme, Bill Henriksen n'aurait peut-être pas réussi à introduire ses gars dans la place pour faire leur petit boulot. Alors, ajouta Hunnicutt en plongeant la main dans sa poche pour en ressortir un cigare, merci, Dimitri. T'as vraiment joué un rôle essentiel dans le Projet.

— Merci, Foster, répondit Popov en même temps qu'il se demandait si pareil cauchemar était possible. Qu'est-ce qui vous garantit que ça va marcher ?

— C'est obligé. J'ai posé la question, moi aussi. Ils m'ont expliqué en partie leur plan... comme je suis un scientifique — j'étais un sacré bon géologue, dans le temps, tu peux me faire confiance, j'en connais un rayon. Bref, ce virus est une vraie saloperie. Le truc crucial, c'est le travail de génie génétique effectué sur le virus Ébola d'origine. Merde, tu te rappelles la panique d'il y a dix-huit mois ? »

Popov acquiesça. « Ça oui. J'étais en Russie à l'époque ; pas de doute, c'était terrifiant. » Et plus terrifiante encore la réaction du président américain, se souvint-il.

« Eh bien, les scientifiques du Projet en ont tiré la leçon. La clé de l'affaire, c'est le vaccin A. La première manifestation pourra tuer plusieurs millions de personnes, l'impact sera surtout psychologique. En revanche, le vaccin qu'Horizon s'apprête à lancer sur le marché est un vaccin vivant atténué, un peu comme le vaccin Sabin contre la polio. Sauf qu'ils l'ont comme qui dirait bidouillé. Il ne bloque pas Shiva. Au contraire, il le répand. Il faut entre quatre et six semaines pour que les symptômes se manifestent. Les tests en labo l'ont prouvé.

— Mais comment ?

— Ça, ça a été en partie l'affaire de Kirk. Il a fait enlever des gens dans la rue, et ils ont testé sur eux Shiva et les vaccins. Tout a marché à la perfection, y compris le dispositif de dissémination initial qui doit être mis en œuvre à Sydney.

— C'est un truc énorme... changer ainsi la face du monde, songea Popov à haute voix, tout en laissant son regard se perdre vers le nord, dans la direction de l'autoroute.

— Il le faut, mec... Sinon... eh bien, on peut dire adieu à tout ce qui nous entoure. Dimitri, je peux pas laisser faire ça.

— C'est une responsabilité terrible, mais je vois la logique de votre position. Brightling est un génie d'avoir saisi ça, d'avoir trouvé le moyen de résoudre le problème, et puis d'avoir eu le courage d'agir en conséquence. » Popov espérait ne pas avoir adopté un ton par trop condescendant, mais ce type était un technocrate, incapable de comprendre les hommes.

« Ouaip », fit Hunnicutt en mâchonnant son cigare avant de l'allumer avec une allumette de cuisine. Il souffla sur la flamme, puis tint le bâton de bois dans l'air froid avant de le laisser tomber, afin de ne pas déclencher un feu de prairie. « Un scientifique brillant, et qui a tout pigé, lui... Dieu merci, il avait les moyens de concrétiser tout ça. Monter tout ce plan a dû coûter pas loin d'un milliard de dollars... merde, rien que cette installation, sans compter celle au Brésil.

— Au Brésil ?

— Il y a une version réduite de ce complexe, là-bas, un peu à l'ouest de Manaus, je crois. Je n'y suis jamais allé. La forêt équatoriale ne me passionne pas des masses. Moi, je suis plutôt un homme des grands espaces, expliqua Hunnicutt. En revanche, la brousse africaine, les grandes plaines du continent noir, ça c'est autre chose... Ouais, faudra vraiment que j'aille faire un tour là-bas, pour y chasser un peu.

— Oui, j'aimerais bien voir ça, moi aussi, découvrir toute cette nature sauvage, la voir vivre et prospérer au soleil, renchérit Popov qui avait déjà pris sa décision.

— Ouais. Que je me tape un ou deux lions avec mon H&H 375. » Hunnicutt claqua de la langue et Jeremiah pressa le pas, adoptant un petit galop que Popov essaya de suivre.

« Alors, vous allez transformer de nouveau ce pays en Far West, c'est ça ? » L'autoroute était à trois kilomètres environ. On voyait au loin filer les semi-remorques, avec leurs feux de position ambrés. Il devait y avoir également des cars interurbains, enfin, il l'espérait.

« C'est un de nos projets, oui.

— Et tu te trimbaleras partout avec ce pistolet ?

— Revolver, Dimitri, c'est un revolver, rectifia Foster. Mais ouais. Je ferai comme les gars dont j'ai lu les aventures, la vie en plein air en harmonie avec le milieu naturel. Peut-être que je me trouverai une femme qui pense pareil que moi, on se bâtira une chouette cabane dans les montagnes, comme jadis Jeremiah Johnson... sauf que j'aurai plus d'Indiens Crows pour m'emmerder, ajouta-t-il en étouffant un rire.

— Foster ? »

L'autre se retourna. « Ouais ?

— Ton pistolet... je peux le voir de près ? » fit le Russe, espérant entendre la bonne réponse.

Il l'obtint. « Bien sûr. Tiens... » L'autre le dégaina et le lui passa, la crosse en avant, par mesure de sécurité.

Popov soupesa l'arme, en jaugea l'équilibre. « Il est chargé ?

— Rien de plus inutile qu'une arme de poing qui n'est pas chargée. Merde, tu veux tirer ? T'as qu'à relever le chien et le relâcher, mais avant, fais gaffe à bien tenir les rênes de ta monture, d'ac ? Jeremiah est habitué au bruit. Ta jument, peut-être pas.

— Je vois. » Popov saisit les rênes de la main gauche et maîtrisa Petit-Lait. Puis il tendit la main droite et releva le chien du Colt, entendit le triple déclic caractéristique de ce type de revolver, visa un piquet d'arpentage en bois et pressa doucement la détente. Celle-ci réagit aux alentours de deux kilos de pression.

Petit-Lait tressaillit légèrement à cette détonation si proche de ses oreilles sensibles, mais sans réagir outre mesure. Et la balle, nota Popov, avait éraflé le poteau de cinq centimètres d'épaisseur, à six mètres de distance environ. Il n'avait donc pas perdu la main.

« Chouette, hein ? lança Hunnicutt. Si tu veux

494

mon avis, le Colt de l'armée à un coup est certainement l'arme la mieux équilibrée qu'on ait jamais conçue.

— Ouais, admit Popov, très chouette. » Puis il se retourna. Foster Hunnicutt était assis sur son étalon, Jeremiah, à moins de trois mètres de lui. Ça faisait une cible facile. L'ancien agent du KGB rabattit de nouveau le chien, fit pivoter le canon de l'arme et, visant en pleine poitrine, pressa la détente avant même que le chasseur ait eu le temps d'avoir une réaction de surprise. Les yeux de sa cible s'agrandirent : incrédulité ou choc de l'impact de la balle de gros calibre ? Peu importait. Le projectile lui transperça le cœur. Le corps du chasseur demeura debout en selle pendant quelques secondes, les yeux encore agrandis sous le choc, puis il s'effondra sans vie, basculant vers l'arrière pour choir dans l'herbe de la prairie.

Dimitri descendit de cheval et fit trois pas vers le corps pour s'assurer du décès. Puis il dessella Jeremiah qui semblait prendre avec flegme la mort de son propriétaire, il ôta également la bride, surpris que la bête ne le morde pas après ce qu'il venait de faire, mais un cheval n'était pas un chien. Cela fait, il lui donna une bonne tape sur la croupe et l'étalon s'éloigna au trot de quelque cinquante mètres avant de s'arrêter et de se mettre à paître.

Popov enfourcha de nouveau Petit-lait et, d'un claquement de langue, la refit partir vers le nord. Il se retourna, vit à l'horizon les fenêtres éclairées des bâtiments du complexe, et se demanda si on allait remarquer la disparition d'Hunnicutt. Sans doute pas, jugea-t-il, alors que l'autoroute approchait. On lui avait parlé de ce petit village vers l'ouest, mais il décida que sa meilleure chance était d'attendre sous l'abribus, voire de faire du stop. Ensuite, il aviserait, mais ce dont il était sûr, c'est qu'il devait filer d'ici au plus vite et le plus loin possible. Popov n'avait pas la foi. Son éducation ne l'y avait pas porté et pour lui « Dieu » n'était qu'une partie d'un juron. Mais il venait aujourd'hui d'apprendre une leçon d'importance : il ne saurait peut-être jamais si Dieu existait, mais ce qu'il savait désormais, c'est qu'il y avait des diables... et il avait travaillé pour eux, et l'horreur de cette révélation dépassait tout ce qu'il avait pu connaître quand il était un jeune colonel du KGB.

36

Vols par nécessité

La peur était aussi redoutable que l'horreur. Dans toute sa carrière d'espion, jamais encore Popov n'avait connu des moments aussi terrifiants. Il y avait toujours eu de la tension, surtout au début de sa carrière, mais il avait rapidement pris de l'assurance, et le métier était devenu pour lui comme un filet de sécurité, dont les replis douillets lui avaient toujours permis de conserver la paix de l'âme. Mais pas aujourd'hui.

Il se retrouvait en terre étrangère. Pas simplement un pays étranger... car il était pour l'essentiel un citadin. Dans une ville, il savait disparaître en quelques minutes, s'évanouir si complètement qu'aucune force de police au monde n'aurait pu le retrouver. Mais il n'était pas en ville. Il descendit de Petit-Lait à cent mètres de l'abribus et, une fois encore, prit le temps de défaire la salle et la bride, parce qu'un cheval sellé sans cavalier ne manquerait pas d'attirer l'attention, alors qu'une bête vaquant toute seule dans un pré, sans doute pas. Pas ici, où tant de gens élevaient des chevaux. Ensuite, il ne s'agissait plus que de se glisser sous la clôture en barbelés, gagner le talus de l'autoroute et l'abribus qui, découvrit-il en arrivant, était désert. Il n'y avait pas d'horaire affiché sur le mur lisse et blanc. L'édicule était rudimentaire : un cube en béton au toit épais pour résister au blizzard, et peut-être survivre aux tornades dont il avait entendu parler sans jamais encore en voir une. Le banc était également en béton, et il s'y assit quelques minutes, le temps que se dissipent ses tremblements. Jamais encore il n'avait éprouvé une terreur pareille... Si ces gens étaient prêts à tuer des millions, non, des milliards d'êtres humains, ils n'hésiteraient pas une seconde à le supprimer lui. Il fallait qu'il file.

Dix minutes après son arrivée, il regarda sa montre et se demanda s'il passait encore des cars à cette heure. Sinon, eh bien, il y avait toujours des voitures et des camions pour faire du stop.

Il gagna l'accotement et tendit la main. Les voitures filaient à plus de cent trente, ce qui ne leur laissait guère le temps de l'apercevoir dans l'obscurité, et encore moins de freiner. Au bout d'un quart d'heure pourtant, un pick-up Ford couleur crème vint s'arrêter sur le bas-côté.

« Où qu'tu vas, mon gars ? » demanda le chauffeur. Il avait l'air d'un fermier, la soixantaine, le visage et le cou tannés par trop d'après-midi au soleil.

« À l'aérodrome du prochain patelin. Vous pouvez m'y conduire ? » demanda Dimitri en montant. Le chauffeur n'avait pas mis sa ceinture, ce qui était sans doute illégal, mais enfin tuer de sang-froid aussi, et c'était la raison pour laquelle il devait fuir d'ici au plus vite.

« Sans problème. De toute façon, faut que je sorte aussi à cette bretelle. C'est quoi, ton nom ?

— Joe... Joseph, dit Popov.

— Ben moi, c'est Pete. T'es pas du coin, pas vrai ?

— Non, effectivement. Je viens d'Angleterre, en fait, poursuivit Dimitri, en adoptant l'accent.

— Ah ouais, et qu'est-ce qui t'amène ici ?

— Les affaires.

— Quel genre ? insista Pete.

— Je suis consultant... Disons une sorte d'intermédiaire.

— Alors, comment qu't'as fait pour v'nir atterrir dans ce trou, Joe ? » s'entêta le chauffeur.

Quelle mouche avait piqué ce bonhomme ? Il était flic ou quoi ? Il posait autant de questions qu'un fonctionnaire de la direction du KGB. « Mon... euh, mon ami a eu un problème urgent dans sa famille, et il a dû me déposer là, à l'arrêt du car.

— Oh. » Et cela mit fin à l'interrogatoire, nota Popov, ravi du succès de son dernier mensonge. *Vous comprenez, je viens de descendre un type qui voulait vous tuer, vous et tous vos semblables...* C'était un de ces moments où la vérité n'était pas bonne à dire. Son esprit tournait désormais à toute vitesse, infiniment plus vite que ce satané camion que le chauffeur semblait peu enclin à bousculer : tous les automobilistes les dépassaient en trombe. Le fermier était un type âgé et de toute évidence patient. Si Popov avait eu le volant, il aurait eu tôt fait d'appuyer sur le champignon. Mais en définitive, il ne s'écoula que dix minutes avant qu'apparaisse sur le bas-côté un panonceau vert assorti du pictogramme d'un avion. Il essaya de ne pas tambouriner sur l'accoudoir tandis que le chauffeur empruntait avec prudence la bretelle de sortie, puis s'engageait à droite en direction de ce qui ressemblait à un petit aérodrome régional. Une minute plus tard, Pete le déposait devant le terminal d'US Air Express.

« Merci, m'sieur, dit Popov en descendant.

— Bon voyage, Joe », répondit le chauffeur avec un grand sourire amical.

Popov s'engouffra dans la minuscule aérogare et se dirigea vers les guichets, à vingt mètres à peine de l'entrée.

« Je voudrais un avion pour New York, annonça-t-il à l'employé. En première, si possible.

— Eh bien, nous avons un vol pour Kansas City qui décolle dans quinze minutes, et de là, vous pouvez attraper la correspondance US Airways pour La Guardia. Monsieur... ?

— Demetrius, répondit Popov, en se souvenant du nom inscrit sur la dernière carte de crédit qui lui restait. Joseph Demetrius », précisa-t-il en sortant son portefeuille pour lui tendre la carte. Il avait un passeport à ce nom dans une boîte postale à New York et la carte de crédit était valide, avec un plafond élevé et pas un seul débit au cours des trois derniers mois. L'employé devait sûrement estimer qu'il travaillait vite, mais Popov avait une pressante envie de se rendre aux toilettes et il fit de son mieux pour ne rien en laisser paraître. C'est à cet instant qu'il réalisa qu'il avait un revolver chargé dans le sac qu'il transportait, et qu'il devait s'en débarrasser au plus vite.

« Très bien, monsieur Demetrius, voici votre billet, embarquement porte numéro A, et voilà le billet de correspondance pour le vol de New York. Il décollera de la porte A-34 et c'est une place de première, siège 2C. Pas de questions, monsieur ?

— Non, non, merci. » Popov prit les billets et les fourra dans sa poche. Puis il chercha des yeux l'entrée de la salle d'embarquement et y porta ses pas, s'arrêtant au passage devant une poubelle. Après un bref regard alentour, il sortit très délicatement de la sacoche le monstrueux pistolet et s'en débarrassa dans la corbeille. Nouveau coup d'œil circulaire. Non, personne n'avait rien remarqué. Il fouilla les sacoches, mais elles étaient complètement vides. Satisfait, il se dirigea vers le contrôle d'embarquement dont le magnétomètre eut la bonne grâce de ne pas retentir à son passage. Récupérant les sacoches en cuir sur le tapis roulant, il chercha du regard les toilettes et s'y précipita, pour en émerger une minute plus tard, considérablement soulagé.

Cet aéroport régional n'avait peut-être que deux portes d'embarquement, mais il disposait quand même d'un bar, et Popov s'y rendit sans plus tarder. Il avait cinquante dollars en espèces dans son portefeuille et il sortit un billet de cinq pour se payer une double vodka qu'il but d'un trait avant de rejoindre la porte. Il tendit son billet et on le guida vers l'extérieur. L'avion qui l'attendait était à hélices et cela faisait une éternité qu'il n'avait pas emprunté ce genre d'appareil. Mais il aurait été prêt à voler sur un avion à élastique, et c'est sans état d'âme qu'il embarqua à bord du Saab 340B court-courrier. Cinq minutes plus tard, les hélices commençaient à tourner et Popov à se relaxer. Trente-cinq minutes de vol pour rallier Kansas City, une escale de trois quarts d'heure et il embarquerait pour New York à bord d'un 737, en première, où l'alcool était servi à volonté. Mieux encore, il découvrit qu'il était seul dans la travée gauche du petit appareil, sans importun pour engager la conversation. Popov avait besoin de réfléchir, à fond, vite, mais pas trop.

Il ferma les yeux alors que l'appareil entamait son roulage, le claquement des turbopropulseurs couvrant tout autre bruit extérieur. *D'accord, qu'as-tu appris et que devrais-tu faire de ces informations ?* Deux questions toutes simples, peut-être, mais il devait d'abord savoir répondre à la première avant de pouvoir aborder la seconde. Il fallait se mettre à prier ce Dieu en l'existence duquel il ne croyait pas, mais il préféra se tourner vers le hublot, laissant son regard se perdre dans les ténèbres désormais presque complètes tout en ruminant des pensées tout aussi sombres.

Clark se réveilla en sursaut. Il était trois heures du matin à Hereford et il avait eu un rêve dont la teneur échappait à sa conscience comme un nuage de fumée, informe, insaisissable... Il savait juste que c'était un mauvais rêve, déduction qu'il tirait du fait que ça l'avait réveillé, phénomène rare chez lui, même à la veille d'une mission à risque. Il se rendit compte que ses mains tremblaient, sans savoir pourquoi. Il chassa cette idée, se retourna dans son lit, ferma les yeux pour retrouver le sommeil. Il avait une réunion budgétaire aujourd'hui, le fléau de son existence depuis qu'il était devenu patron de Rainbow... devoir jouer les comptables était pour lui un calvaire. Peut-être ne devait-il pas chercher plus loin l'origine de son rêve, se dit-il en enfouissant la tête dans son oreiller. Piégé à tout jamais au milieu d'un troupeau de comptables ergotant à l'infini sur l'origine et la destination des fonds.

L'avion se posa en douceur à Kansas City et le court-courrier roula jusqu'au terminal avant d'arrêter ses moteurs. Un mécano se précipita pour ouvrir la passerelle de débarquement. Popov consulta sa montre. Ils avaient cinq minutes d'avance, nota-t-il en se dirigeant vers l'aérogare. Là, à trois portes de l'A-34, d'où il embarquerait pour son prochain vol (il vérifia sur son billet que c'était bien le bon), il trouva un nouveau bar. Il y était même permis de fumer, ce qui était plutôt inhabituel dans un aéroport américain ; l'odeur du tabac lui rappela sa jeunesse quand il fumait des Trud, et il faillit taper d'une clope un de ses voisins. Mais il se ravisa et se contenta d'écluser sa deuxième double vodka dans une stalle d'angle, tourné vers le mur, préférant se faire le plus discret possible. Au bout d'une demi-heure, on annonça son vol. Il laissa dix dollars sur la table et s'éloigna, toujours lesté de ses sacoches vides, avant de se demander pourquoi il s'en encombrait. Mais on aurait pu remarquer un voyageur dépourvu de tout bagage, aussi les garda-t-il avec lui, les fourrant dans le casier de rangement au-dessus du siège. La meilleure nouvelle était que le siège 2D, près du hublot, était inoccupé : il le prit aussitôt, afin d'être moins aisément identifié par l'hôtesse. Bientôt le Boeing 737 s'éloigna en marche arrière du terminal, rejoignit la piste et décolla dans la nuit. Popov refusa le verre qu'on lui offrait. Il avait assez bu pour le moment, et même si l'alcool l'aidait à mettre de l'ordre dans ses pensées, l'excès risquait de les obscurcir. Il en avait bu assez pour être détendu et c'était tout ce qu'il demandait.

Qu'avait-il appris au juste aujourd'hui ? Comment ses découvertes s'inscrivaient-elles dans le tableau général établi lors de sa visite au complexe du Kansas ? Il était plus aisé de répondre à la seconde question qu'à la première : les indices concrets qu'il avait pu recueillir ne contredisaient en rien ce qu'il savait désormais de la nature et du déroulement du Projet. Qu'il s'agisse des revues dans sa chambre, des cassettes près de la télé ou des conversations surprises dans les couloirs ou à la cafétéria. Ces cinglés s'apprêtaient à provoquer la fin du monde au nom de leurs convictions païennes... mais comment diable Popov allait-il convaincre les autres de la réalité d'un tel délire ? Et quels indices concrets au juste détenait-il pour appuyer ses allégations... et à qui d'ailleurs pouvait-il les confier ? Il fallait trouver quelqu'un qui à la fois le croie et soit en mesure d'agir. Mais qui ? Sans compter qu'il avait assassiné Foster Hunnicutt, même s'il n'avait guère eu le choix en la matière ; il fallait à tout prix qu'il s'évade, et le tuer avait été sa seule chance de le faire avec discrétion. Mais voilà, on pouvait désormais l'accuser de meurtre, et donc la police allait chercher à l'interpeller, auquel cas il ne voyait pas très bien comment il pourrait alerter l'opinion afin d'empêcher cette secte druidique de mettre en œuvre son plan démentiel. Aucun policier au monde ne croirait ce conte à dormir debout. Il était trop délirant pour être admis par un esprit rationnel, d'autant que les participants à ce Projet devaient sans doute avoir soigneusement élaboré une couverture pour couper court à toute enquête officielle à ce sujet. C'était la moindre des précautions et ce Henriksen devait y avoir veillé tout particulièrement.

Carol Brightling était dans son bureau. Elle venait d'imprimer une lettre adressée au secrétaire général de la Maison-Blanche pour lui expliquer qu'elle prenait un congé afin de se consacrer à un projet scientifique bien précis. Elle en avait discuté avec Arnie van Damm un peu plus tôt dans la journée et son départ n'avait soulevé aucune objection de sa part. Personne ne la regretterait, lui avait révélé, sans équivoque, l'attitude de son interlocuteur. Eh bien, songea-t-elle en fixant l'écran de son PC, c'était tout à fait réciproque, somme toute.

Le Dr Brightling glissa la lettre dans une enveloppe, la cacheta et la déposa sur le bureau de son secrétaire, à charge pour lui de la transmettre à la Maison-Blanche dès le lendemain. Elle avait accompli sa mission pour le Projet et pour la planète, et il était temps pour elle désormais de quitter la scène. Cela faisait tellement, tellement longtemps qu'elle n'avait plus senti John la serrer dans ses bras. Leur divorce avait été commenté en long et en large dans les journaux. C'était néces-saire. Elle n'aurait jamais pu décrocher ce poste à la Maison-Blanche en restant mariée à l'une des plus grosses fortunes du pays. Et c'est pour cela qu'elle avait renoncé à lui, dans le même temps qu'il renonçait publiquement au mouvement, aux convictions auxquelles ils s'étaient tenus dix ans plus tôt, lorsqu'ils avaient pour la première fois élaboré l'idée du Projet. Mais il n'avait jamais cessé d'y croire, et elle non plus. Et c'est ainsi qu'elle s'était frayé un chemin dans les rouages du pouvoir, parvenant à obtenir un droit de regard sur quasiment tous les domaines, y compris les plus sensibles, et à obtenir des informations qu'elle s'empressait de transmettre à John lors-qu'il en avait besoin. Plus précisément, elle avait eu accès aux dossiers concernant la guerre biolo-gique, ce qui leur avait permis de connaître les dispositions prises par les services spécialisés de l'armée américaine en vue de protéger le pays. Tout cela leur avait permis de concevoir Shiva de telle sorte qu'il puisse déjouer tous les vaccins dis-ponibles, à l'exception de ceux formulés par Hori-zon Corporation.

Mais tout cela avait eu un prix. John avait été vu en public avec toutes sortes de jeunes femmes, il avait sans aucun doute flirté avec bon nombre d'entre elles car il avait toujours été un homme passionné. C'était un sujet qu'ils n'avaient pas abordé avant leur divorce public, raison pour laquelle, lors de plusieurs soirées officielles aux-quelles ils étaient conviés tous les deux, elle avait eu la désagréable surprise de le voir au bras de quelque jolie femme — chaque fois différente, car il n'avait jamais noué de relation stable avec quiconque en dehors d'elle. Carol Brightling avait eu beau se dire que c'était bien, puisque cela prouvait qu'elle était la seule femme à compter réellement dans la vie de John, que toutes ces jolies filles n'étaient qu'une façon pour lui d'évacuer son trop-plein d'hormones mâles... ce n'était pas toujours facile à supporter, et encore moins quand elle se retrouvait seule chez elle, avec Jiggs pour seul compagnon. Plus d'une fois elle avait versé des larmes dans sa solitude.

Mais que pesaient ces considérations personnelles face au Projet ? Ses fonctions à la Maison-Blanche n'avaient fait que la conforter dans ses convictions. Elle avait toutes les preuves sous les yeux, des caractéristiques des nouvelles armes nucléaires aux rapports sur la guerre biologique. L'attentat iranien visant à déclencher une épidémie dans tout le pays datait d'avant son entrée en fonction, et il l'avait à la fois terrifiée et encouragée. Terrifiée parce qu'il constituait une réelle menace, menace qui avait déclenché un effort massif pour riposter à une attaque ultérieure. Encouragée, parce qu'elle avait eu tôt fait de se rendre compte qu'une défense réellement efficace était des plus difficile, puisque chaque type de virus exigeait son vaccin spécifique. Tout bien considéré, le fléau iranien n'avait somme toute réussi qu'à renforcer la prise de conscience de la menace dans l'opinion... et cela ne pourrait que faciliter par la suite la distribution du vaccin A au public, mais surtout aux autorités du monde entier qui s'empresseraient de sauter sur cette promesse de guérison. Elle comptait même retourner en temps opportun à son bureau au ministère pour encourager l'adoption de cette indispensable mesure de santé publique. Et en cette matière, elle ne doutait pas que, pour une fois, on lui ferait confiance.

Le Dr Brightling quitta son bureau, prit à gauche le large corridor, puis à gauche encore pour descendre l'escalier et récupérer sa voiture. Vingt minutes plus tard, elle ouvrait la porte de son appartement, accueillie par le fidèle Jiggs qui bondit dans ses bras pour frotter, comme à son habitude, son museau contre sa poitrine. Ses dix années d'épreuve s'achevaient et même si le sacrifice avait été dur, la récompense serait une planète à nouveau verdoyante, et une nature restaurée dans toute sa gloire.

Quelque part, il était soulagé de se retrouver à New York. Même s'il n'osait pas regagner son appartement, au moins était-il dans une ville où il pouvait se fondre aussi aisément qu'un rat dans une décharge. Il dit au chauffeur de taxi de le conduire à Essex House, un hôtel chic sur le bord sud de Central Park, où il descendit en s'inscrivant sous le nom de Joseph Demetrius. Détail plaisant, la chambre était dotée d'un mini-bar et il ouvrit aussitôt deux vodkas miniatures pour se préparer un verre. La marque était américaine mais il était trop anxieux pour se formaliser de sa qualité inférieure. Puis, sa décision prise, il téléphona à la compagnie aérienne pour avoir confirmation des horaires, consulta sa montre et appela la réception en demandant qu'on le réveille par téléphone à trois heures trente du matin. Ensuite, il s'effondra sur son lit sans même se dévêtir. Il allait devoir faire quelques emplettes rapides le lendemain, et se rendre à sa banque pour récupérer dans son coffre le passeport au nom de Demetrius. Puis, grâce à sa Mastercard à ce nom, il irait retirer cinq cents dollars à une billetterie, et à ce moment, il serait tranquille... enfin, peut-être pas totalement, mais en tout cas plus qu'à l'heure présente, suffisamment pour avoir à nouveau un minimum de confiance en soi et en son avenir, si du moins le Projet pouvait être stoppé. Sinon, se dit-il avant de clore ses paupières alourdies par l'alcool, il saurait toujours ce qu'il fallait éviter s'il voulait rester en vie. Peut-être.

Clark se réveilla à son heure coutumière. Au bout de quinze jours d'existence, J.C. dormait mieux à présent et, ce matin, il avait enfin réussi à se synchroniser avec le reste de la maisonnée, nota John, émergeant de la salle de bains, rasé de près, pour entendre les premiers gazouillis matinaux dans la chambre où Patsy s'était installée avec son fils. Le bruit avait également réveillé son épouse, alors que la sonnerie du réveil au chevet de John ne l'avait pas fait broncher. De toute évidence, son instinct de mère et de grand-mère était sélectif. Clark entra dans la cuisine mettre en route la machine à café, puis il alla ouvrir la porte d'entrée pour récupérer ses exemplaires matinaux du *Times*, du *Daily Telegraph* et du *Manchester Guardian*. Il devait reconnaître une qualité aux quotidiens britanniques : ils étaient plutôt mieux écrits que leurs équivalents américains, et les articles étaient plus concis.

Le petit bonhomme grandissait, se dit John en voyant Patsy entrer dans la cuisine, J.C. collé à son sein gauche et Sandy sur ses talons. Sa fille ne buvait pas de café, de peur que la caféine n'aille se mêler au lait maternel. À la place elle buvait du lait, tandis que Sandy s'occupait de préparer le petit déjeuner. Quant à John Conor Chavez, il n'avait pas attendu les autres. Et dix minutes plus tard, son grand-père se restaurait à son tour, tout en écoutant les dernières infos de la BBC. Presse écrite et radio semblaient d'accord pour confirmer que le monde était à peu près en paix. L'essentiel de l'actualité demeurait les Jeux, dont les informait également Ding chaque soir (le matin pour lui). Ce dernier terminait en général son compte rendu en demandant qu'on approche le combiné du petit minois de J.C. pour que son père puisse entendre les miaulements que lançait parfois sa progéniture, même si ce n'était pas vraiment sur commande.

Dès six heures trente, John était habillé et se dirigeait vers la porte. Mais ce matin, contrairement aux fois précédentes, il se dirigea vers le terrain de sport pour reprendre ses exercices matinaux. Les gars du groupe Un étaient déjà là, en nombre réduit — suite aux pertes consécutives à l'attaque contre l'hôpital —, mais avec toujours autant de hargne et de détermination. Ce matin, c'était le sergent Fred Franklin qui menait l'entraînement, et Clark suivit ses instructions. Sans vouloir être au niveau de ses cadets, il essayait de tenir le rythme afin de mériter leur respect et faire taire d'éventuels regards méprisants pour ce vieux con qui essayait de se la jouer. Le groupe Deux, lui aussi bien entamé, courait à l'autre bout du terrain, mené par le sergent-chef Eddie Price.

Une demi-heure plus tard, il prenait une nouvelle douche — en prendre deux à quatre-vingt-dix minutes d'écart presque chaque jour lui avait souvent paru une manie bizarre, mais la douche au saut du lit faisait tellement partie de sa vie qu'il ne pouvait s'en dispenser et, après une bonne suée avec ses troupes, il ne pouvait pas non plus se passer d'une seconde. Cela fait, il revêtit ses habits de « patron », rejoignit le bâtiment du QG, où il consulta comme toujours dès son entrée le télécopieur pour y découvrir un message du siège du FBI lui indiquant qu'il n'y avait rien de nouveau sur l'affaire Serov. Un second fax lui annonçait qu'un colis envoyé de Whitehall lui serait amené par porteur dans la matinée, sans autre précision. Eh bien, il serait toujours temps de savoir, songeait-il en mettant en route le distributeur de café.

Al Stanley se pointa un peu avant huit heures, encore marqué par ses blessures, même s'il avait plutôt bien récupéré pour un gars de son âge. Bill Tawney arriva moins de deux minutes plus tard. Désormais, l'état-major de Rainbow était prêt à abattre une nouvelle journée de travail.

Le téléphone le réveilla en sursaut. Popov tâtonna dans le noir avant de le trouver. « Oui ?

— Il est trois heures trente, monsieur Demetrius, dit le standardiste.

— Ah, oui, merci », répondit Dimitri Arkadeïevitch en allumant la lampe de chevet. Il pivota pour poser les pieds sur la moquette. Le billet posé près du téléphone lui rappelait quel numéro composer : neuf... zéro onze, quarante-quatre...

Alice Foorgate entra avec quelques minutes d'avance. Elle glissa son sac à main dans un tiroir du bureau et s'assit, puis entreprit de parcourir son agenda pour voir le planning de la journée. Oh... une réunion budgétaire. M. Clark allait être d'humeur massacrante après déjeuner. Et puis son téléphone sonna.

« Je voudrais parler à M. John Clark, dit la voix.

— Puis-je savoir de la part de qui ?

— Non, répondit la voix. Vous ne pouvez pas. »

La réponse la fit sourciller, perplexe. Elle faillit rétorquer qu'elle pouvait difficilement transmettre un appel en de telles circonstances, mais s'en abstint. Il était trop tôt pour se montrer désagréable. Aussi mit-elle la communication en attente avant de presser une autre touche.

« Un appel pour vous sur la une, monsieur.

— Qui est-ce ? demanda Clark.

— Il a refusé de le dire, monsieur.

— D'accord », grommela John. Il pressa une touche sur la base et dit : « John Clark à l'appareil.

— Bonjour, monsieur Clark, le salua une voix anonyme.

— À qui ai-je l'honneur ?

— Nous avons une relation commune. Son nom est Sean Grady.

— Oui ? » La main de Clark se crispa sur le combiné, tandis que de l'autre il pressait la touche enregistrement du magnétophone raccordé à la ligne.

« Il se peut par conséquent que vous me connaissiez sous le nom de Iossif Andreïevitch Serov. Nous devrions nous rencontrer, monsieur Clark.

« — Oui, répondit John d'un ton égal, ça ne me déplairait pas. Comment procède-t-on ?

— Je vous propose aujourd'hui, à New York... Prenez le vol 1 de British Airways sur Concorde pour JFK ; nous nous retrouverons à onze heures du matin à l'entrée du zoo de Central Park... Devant le bâtiment de brique rouge qui ressemble à un château. J'y serai dès onze heures précises. Des questions ?

— J'imagine que non. D'accord. Onze heures du matin à New York.

— Merci. Au revoir. » On raccrocha et Clark pianota de nouveau sur le clavier du magnétophone.

« Alice, pouvez-vous demander à Bill et Alistair de me rejoindre, je vous prie ? »

Moins de trois minutes plus tard, ils étaient là. « Écoutez plutôt ça, les gars. » John mit l'appareil en lecture.

« Sacré nom de Dieu, observa Bill Tawney, une seconde avant qu'Al Stanley ne l'imite.

— Il veut te rencontrer ? Je me demande pourquoi.

— Il n'y a qu'un moyen de le savoir. Il faut que j'attrape le Concorde pour New York. Al, tu peux me réveiller Malloy pour qu'il me conduise en hélico à Heathrow ?

— Tu y vas ? » s'étonna Stanley. La réponse était évidente.

« Pourquoi pas ? Merde... (John sourit.)... ça m'évitera toujours leur putain de réunion budgétaire.

— Certes. Tout de même, ça pourrait être dangereux.

— Je demanderai au FBI de m'envoyer

quelques chaperons, et puis, j'aurai un ami avec moi. » Clark indiqua son Beretta calibre 45. « On a affaire à un véritable espion, les gars. Il court plus de risques que moi, à moins qu'il ait organisé un coup particulièrement tordu, auquel cas on devrait être en mesure de le repérer. Non, il tient à me rencontrer. C'est un vrai pro, donc il veut absolument me dire quelque chose... ou bien me le demander, mais je pencherais plutôt pour la première hypothèse.

— J'admets que je suis assez d'accord, fit Tawney.

— Des objections ? » Clark s'était tourné vers ses deux principaux subordonnés. Il n'y en avait aucune. Ils étaient aussi curieux que lui, même s'ils tenaient à s'assurer de solides mesures de sécurité à New York pour cette rencontre. Mais ça, ce ne serait pas un problème.

Clark consulta sa montre. « Il n'est même pas quatre heures du mat là-bas... et il veut me rencontrer aujourd'hui. Plutôt précipité, comme décision. Pourquoi une telle hâte ? Des idées ?

— Il pourrait vouloir te convaincre qu'il n'a aucun rapport avec l'incident de l'hôpital. Sinon, je ne vois pas... » Tawney hocha la tête.

« Il y a quand même un problème de chronologie, John, releva Stanley. Ton vol est à dix heures et demie. Il est en ce moment trois heures trente sur la côte Est. Personne n'est encore au boulot à cette heure-ci.

— Eh bien, on n'a qu'à les réveiller. » Clark regarda son téléphone et pressa la touche mémoire pour appeler le siège du FBI.

« FBI, répondit une voix anonyme.

— Je voudrais parler au directeur adjoint Chuck Baker.

— Je ne pense pas que M. Baker soit à son bureau...

— Je sais. Appelez-le chez lui. Dites-lui que c'est de la part de John Clark. » C'est tout juste s'il n'entendit pas le *et merde* à l'autre bout du fil, mais l'ordre avait été émis par une voix qui ne semblait pas plaisanter, et il n'y avait pas à tortiller.

« Allô ? fit une voix un rien pâteuse, une minute plus tard.

— Chuck ? C'est John Clark. On a du nouveau dans l'affaire Serov.

— Quoi donc ? » *Et bon sang, ça ne pouvait donc pas attendre quatre heures !* s'abstint de poursuivre la voix.

John expliqua. Il sentit son interlocuteur se réveiller complètement à l'autre bout du fil.

« OK, dit enfin Baker. J'envoie des gars de New York te cueillir au terminal, John.

— Merci, Chuck. Désolé de t'avoir fait tomber du lit.

— Ouais, ça va, à plus, John. »

Le reste alla tout seul. Malloy rejoignit son bureau après sa propre séance de décrassage matinal et appela aussitôt pour faire apprêter son hélicoptère. Cela ne prit pas longtemps. Le seul souci était de trouver un plan de vol pour s'insinuer dans le trafic autour d'Heathrow, mais l'hélico put se poser au terminal d'aviation générale où une voiture de service de l'aérogare vint prendre John. Il put ainsi rejoindre directement le salon d'embarquement réservé aux personnalités vingt minutes avant le départ. Cela lui permit en plus de court-circuiter la sécurité et d'éviter ainsi d'avoir à justifier le port d'une arme — c'est qu'au Royaume-

Uni, c'était quasiment comme d'annoncer qu'on était pestiféré. L'accueil était somptueux et il dut décliner la coupe de champagne offerte pour patienter. Puis on annonça son vol et il s'engagea sur la passerelle pour embarquer sur le vol 1 à destination de JFK International à bord du long-courrier le plus rapide du monde. Le pilote leur servit le laïus habituel tandis qu'un tracteur écartait le supersonique de sa porte de débarquement. Dans moins de quatre heures, il serait de retour aux States. N'était-ce pas extra ? Mais encore mieux, il avait sur les genoux le paquet tout juste arrivé par coursier. C'était le dossier personnel d'un certain Popov Dimitri Arkadeïevitch. Même s'il avait été sans aucun doute sérieusement caviardé, il était malgré tout d'une lecture intéressante. Et tandis que le Concorde s'élevait dans les airs et mettait le cap à l'ouest vers l'Amérique, John remercia mentalement Sergueï Nikolaïevitch tout en feuilletant les pages. Ce devait être l'authentique dossier du KGB. Certaines des photocopies portaient la marque noire de trous d'épingle à l'angle supérieur gauche de la feuille, ce qui prouvait qu'elles remontaient à l'époque où le service russe utilisait encore des épingles pour relier les feuillets au lieu d'agrafes... une manie copiée du MI6 britannique et qui datait des années vingt. Le genre de détail connu seulement des initiés.

Clark était à peu près au milieu de l'Atlantique quand Popov se réveilla de nouveau, de lui-même, à sept heures et quart. Il demanda qu'on lui monte le petit déjeuner et alla faire sa toilette en prévision d'une journée chargée. À huit heures quinze, il sortait de l'hôtel et se mettait aussitôt en quête d'un tailleur pour hommes déjà ouvert à cette heure matinale. Pas évident — jusqu'à ce qu'il en trouve enfin un qui ouvrait à neuf heures. Une demi-heure plus tard, il avait un complet gris luxueux, quoique pas trop bien ajusté, un lot de chemises et de cravates, et retournait sans plus tarder à l'hôtel se changer. Il allait être bientôt l'heure de rejoindre Central Park.

Le bâtiment à l'entrée du jardin zoologique avait une drôle d'allure, avec ses murs de brique et ses créneaux, comme pour protéger le zoo d'une attaque à main armée, mais à l'inverse d'un château fort ordinaire, ces murs étaient percés de nombreuses fenêtres et l'édifice était bâti dans une dépression plutôt que sur une éminence. Les architectes américains devaient avoir leurs idées à eux, estima Popov. Il se promena aux alentours, cherchant à repérer les agents du FBI (et qui sait, de la CIA) qui ne manqueraient pas d'être là pour surveiller la rencontre, voire tenter de l'arrêter. Enfin, il n'y pouvait pas grand-chose. Il allait enfin savoir si ce John Clark était un véritable agent de renseignements. Le métier avait ses règles, et Clark serait tenu de les suivre, ne serait-ce que par simple courtoisie professionnelle. Popov jouait très gros, et Clark devait à tout le moins respecter cette prise de risque, mais il n'avait à cet égard aucune certitude. Enfin, on ne pouvait plus être sûr de rien de nos jours...

Le Dr Killgore pénétra dans la cafétéria à son heure habituelle et fut surpris de ne pas y retrouver son ami russe, ni d'ailleurs Foster Hunnicutt. Eh bien, peut-être avaient-ils eu une panne d'oreiller. Il traîna encore vingt minutes après avoir fini son petit déjeuner avant de décider, tant pis, de se rendre aux écuries sans les attendre. Là, une autre surprise l'attendait. Petit-Lait et Jeremiah étaient dans le corral, mais sans aucun harnachement. Il ne pouvait pas se douter que les deux bêtes avaient d'elles-mêmes rejoint l'écurie dans la nuit. Intrigué, il les ramena chacune dans sa stalle avant d'aller seller sa propre monture. Il attendit encore un quart d'heure devant le corral en se demandant si ses amis allaient apparaître, mais ce ne fut pas le cas. Alors, accompagné du seul Kirk Maclean, il prit la direction de l'ouest pour entamer leur balade matinale dans la campagne.

Le côté clandestin du boulot pouvait prendre un tour amusant, songea Sullivan. Voilà qu'il se retrouvait au volant d'une fourgonnette censée appartenir à la Consolidated Edison, lui-même déguisé en ouvrier de cette compagnie d'électricité. La combinaison était moche mais assez ample pour lui permettre d'y dissimuler tout un arsenal, mais son avantage était surtout de le rendre parfaitement invisible. Ce genre de tenue était suffisamment répandu dans les rues de New York pour que personne ne remarque sa présence. Cette mission de surveillance discrète avait été organisée en catastrophe, avec pas moins de huit agents tous déjà postés autour du point de rendez-vous et tous munis de la photo de passeport du sujet, au cas où ça leur servirait. Ils n'avaient aucune indication de taille ou de carrure, ce qui voulait dire qu'ils devaient chercher un type normal, blanc, un genre de spécimen dont on comptait au moins trois millions d'exemplaires à New York.

À l'intérieur de l'aérogare, son collègue Frank Chatham attendait devant la rampe de sortie du vol BA1, en costume-cravate. Son bleu de travail était à l'intérieur de la fourgonnette que Sullivan avait garée dehors. Ils ne savaient même pas qui était ce Clark qu'ils devaient accueillir : la seule indication fournie par le directeur adjoint Baker était qu'il s'agissait d'un type vachement important.

Le supersonique atterrit pile à l'heure. Clark quitta son siège et fut le premier à descendre de l'appareil. Au débouché de la passerelle de débarquement, son escorte du FBI était aisément repérable.

« Vous me cherchez ?

— Votre nom, monsieur ?

— John Clark. Chuck Baker aurait dû...

— Il est là. Suivez-moi, monsieur. » Chatham le conduisit rapidement à l'extérieur, évitant l'immigration et la douane — une fois encore, le passeport de John n'aurait pas droit au tampon célébrant son entrée dans un pays souverain. Le fourgon de la Consolidated Edison était aisément reconnaissable. Clark s'y dirigea sans qu'on le lui indique et monta aussitôt à l'avant.

« Salut, je suis John Clark, dit-il au chauffeur.

— Tom Sullivan. Vous avez déjà vu Frank.

— Allons-y, monsieur Sullivan.

— Bien, monsieur. » La fourgonnette démarra aussitôt. Assis à l'arrière, Chatham se décarcassait pour enfiler son bleu de travail.

« Bien, monsieur, qu'est-ce qui se passe au juste ?

518

— Je dois rencontrer un type.

— Serov ? demanda Sullivan en s'engageant sur la bretelle d'accès à l'autoroute.

— Ouais, mais son vrai nom est Popov. Dimitri Arkadeïevitch Popov. Ex-colonel du KGB. J'ai son dossier personnel. Je l'ai lu dans l'avion. C'est un spécialiste du contact avec les terroristes, avec sans doute plus de relations qu'un Bottin mondain.

— Ce gars-là a monté l'opération qui...

— Ouais. L'attaque visant ma femme et ma fille. C'étaient les cibles désignées.

— Merde ! » observa Chatham en remontant la fermeture à glissière de sa combinaison. Ça, on ne le leur avait pas dit. « Et vous voulez rencontrer ce salopard ?

— Le boulot, c'est le boulot, les gars, fit remarquer John, tout en se demandant s'il y croyait vraiment.

— Alors, vous êtes qui, au juste ?

— Je suis de l'Agence. Enfin, j'y ai bossé.

— Comment se fait-il que vous connaissiez M. Baker ?

— J'ai un boulot un peu différent aujourd'hui, et ça nous met en relation avec le Bureau. Surtout avec Gus Werner, mais ces derniers temps, j'ai été également en contact avec Baker.

— Vous faites partie du groupe qui a intercepté les terroristes lors de l'attaque de l'hôpital ?

— Je suis leur patron, confirma Clark. Mais que cela reste entre nous, d'accord ?

— Sans problème, répondit Sullivan.

— Vous enquêtez sur ce Serov ?

— C'est un de ceux qu'on a dans le collimateur, oui.

— Qu'est-ce que vous avez sur lui ? demanda John.

— La photo de son passeport... je pense que vous l'avez aussi.

— J'ai mieux que ça : sa photo d'identité officielle du KGB. Plutôt mieux que celle du passeport, mais elle date de dix ans. Qu'avez-vous d'autre ?

— Ses comptes en banque, ses relevés de carte bancaire, une boîte postale, mais toujours pas d'adresse. On bosse toujours dessus.

— Pour quoi est-il recherché ?

— Complot, répondit Sullivan. Incitation au terrorisme, trafic de stupéfiants... Des qualifications plutôt vagues... c'est ce qu'on utilise dans les cas où l'on manque d'indices précis.

— Est-ce que vous pouvez l'arrêter ?

— Un peu, oui. À vue, répondit Chatham à l'arrière. Vous voulez ?

— Pas sûr... » Calé dans le siège inconfortable de la camionnette, Clark regardait approcher les gratte-ciel de New York, tout en s'interrogeant sur toute cette affaire. Il n'allait pas tarder à avoir le fin mot de l'histoire. Il avait hâte de se retrouver en tête à tête avec le salopard qui avait envoyé une bande armée enlever sa femme et sa fille, songea-t-il avec un rictus que ne remarquèrent pas les deux agents qui l'accompagnaient.

Popov pensait avoir repéré deux types du FBI, en plus d'un couple de policiers en uniforme qui pouvaient ou non faire partie du dispositif de surveillance qu'ils avaient dû établir ici. Mais il n'y pouvait rien. Il devait rencontrer ce Clark, et cela voulait dire qu'il devait le faire dans un lieu public, au risque de se jeter dans la gueule du loup, ce à quoi il ne pouvait se résoudre. Ici encore, il avait une petite chance... il suffisait après tout de descendre vers le sud, en direction de la bouche de métro, puis de filer au pas de course pour attraper une rame. Ça devrait les désarçonner et lui laisser un répit. Se débarrasser de son complet, changer d'apparence, coiffer le béret qu'il avait planqué dans sa poche de pantalon. Il estimait de même avoir une bonne chance d'éviter le contact si nécessaire, et il y avait peu de risques qu'on lui tire dessus, pas ici au cœur de la plus grande ville des États-Unis. Mais sa meilleure chance restait de réussir à communiquer avec Clark. S'il était bien le professionnel qu'il imaginait, alors ils pourraient faire affaire. Dimitri Arkadeïevitch savait qu'ils y étaient forcés. Ils n'avaient pas d'autre choix — l'un comme l'autre.

La camionnette traversa l'East River et poursuivit sa route vers l'ouest au milieu des rues encombrées. John regarda sa montre.

« Pas de problème, monsieur, le rassura Sullivan. On y sera avec environ dix minutes d'avance.

— Bien. » Mais John était tendu. L'échéance était proche, et il devait parfaitement maîtriser ses émotions. Homme passionné, John Terence Clark les avait plus d'une fois laissées s'exprimer en mission, mais cette fois-ci, il ne pouvait pas se le permettre. Qui que soit ce Russe, il l'avait convié à cette rencontre, et cela devait vouloir dire quelque chose... quoi, il ne pouvait pas encore le dire, sinon que cela indiquait qu'il se préparait vraisemblablement quelque chose de peu ordinaire. Par conséquent, il devait laisser de côté toute référence aux dangers encourus récemment par sa famille proche. Il devait aborder froidement cette rencontre, et c'est pourquoi, assis dans la camionnette de la compagnie d'électricité, il se força à respirer à fond pour parvenir à se relaxer. Puis sa curiosité reprit le dessus. Ce Russe devait savoir que Clark était au courant de ses actes ; or il l'avait tout de même convié à cette rencontre et, qui plus est, il avait insisté pour qu'elle se déroule au plus vite. Là aussi, cela devait signifier quelque chose, continua de réfléchir John, alors qu'ils viraient à gauche pour s'engager dans la Cinquième Avenue. Nouveau coup d'œil à sa montre. Quatorze minutes d'avance. Le fourgon ralentit et se rangea sur la droite. Clark descendit et poursuivit vers le sud sur le trottoir encombré, passant devant les camelots et les bouquinistes qui vendaient leurs marchandises dans des sortes de boîtes en bois. Derrière lui, le fourgon redémarra lentement et vint se garer à proximité du point de rendez-vous convenu. Les deux agents en descendirent, des papiers à la main, jouant (un peu trop, au goût de Clark) les employés de la compagnie d'électricité. Puis John prit à droite et descendit les escaliers tout en contemplant l'édifice de brique rouge qui avait dû être le rêve de château fort de quelque architecte du siècle précédent. Il n'eut pas longtemps à attendre.

« Bonjour, John Clark, dit une voix masculine dans son dos.

— Bonjour, Dimitri Arkadeïevitch, répondit John sans se retourner tout de suite.

— Très bien, fit la voix, d'un ton approbateur. Je vous félicite d'avoir découvert un de mes noms.

— Nous avons de bonnes sources, poursuivit John, toujours sans se retourner.

— Le vol a été agréable ?

— Rapide. C'était la première fois que je prenais le Concorde. Ce n'était pas désagréable. Alors, Dimitri, que puis-je faire pour vous ?

— Je dois avant tout vous présenter mes excuses concernant mes contacts avec Grady et sa bande.

— Et les autres attentats ? » lança Clark, histoire de tendre une perche... c'était un peu un jeu, mais il se sentait d'humeur à ça.

« Ils ne vous concernaient pas directement, et il n'y a eu qu'un seul mort...

— Non, deux dont une gamine malade, observa John avec un peu trop de précipitation.

— Je n'avais rien à voir avec l'attaque de Worldpark. La banque à Berne, le financier en Autriche, oui, c'étaient mes missions, mais pas le parc d'attractions en Espagne.

— Donc, vous êtes impliqué dans trois opérations terroristes. C'est réprimé par la loi, je vous signale.

— Oui, j'en suis parfaitement conscient, répondit le Russe d'un ton sec.

— Alors, qu'est-ce que je peux faire pour vous ? répéta John.

— Ce serait plutôt moi qui peux faire quelque chose pour vous, monsieur Clark.

— Et quoi donc ? » Toujours sans se retourner. Mais ils devaient bien être surveillés par une bonne demi-douzaine d'agents du FBI, dont peut-être un muni d'un micro-canon pour enregistrer leur dialogue. Dans sa hâte à se présenter au rendez-vous, Clark n'avait même pas eu le temps de se munir d'un quelconque dispositif enregistreur.

« Clark, je peux vous donner la raison de ses

missions et le nom de leur instigateur... c'est... c'est proprement monstrueux. Je n'ai découvert qu'hier, il y a moins de vingt-quatre heures en fait, l'objectif de toutes ces opérations...

— Eh bien, quel est-il ?

— D'éliminer la presque totalité du genre humain. »

À ces mots, Clark s'arrêta net et se retourna pour regarder l'homme. Il constata que le cliché du trombinoscope du KGB ne datait pas trop. « C'est un scénario de film-catastrophe ?

— Clark, hier, j'étais dans le Kansas. C'est là que j'ai appris le plan de ce qu'ils appellent leur "projet". Pour pouvoir m'échapper, j'ai été forcé d'abattre l'individu qui me l'a révélé. L'homme que j'ai tué s'appelait Foster Hunnicutt, un guide de chasse du Montana. Je l'ai tué d'une balle dans la poitrine à l'aide de son propre Colt calibre 44. Ensuite, j'ai rejoint l'autoroute la plus proche où j'ai réussi à me faire conduire en stop à l'aéroport régional voisin, d'où j'ai rallié Kansas City et, de là, New York. Je vous ai appelé de ma chambre d'hôtel, il y a moins de huit heures. Oui, Clark, je sais que vous avez les moyens de m'interpeller. Vous devez avoir des policiers qui nous observent en ce moment précis, sans doute des agents de votre FBI, poursuivit-il tandis qu'ils se dirigeaient vers la fauverie. Vous n'avez qu'à faire un geste pour que je sois arrêté. Et je viens de vous indiquer le nom de l'homme que j'ai tué et l'endroit où cela s'est produit. Sans oublier que vous avez de quoi m'inculper d'incitation au terrorisme et, j'imagine aussi, de trafic de stupéfiants. Tout cela, je le sais, et malgré tout, je vous ai demandé de me rencontrer. Est-ce que vous supposez que je me moque de vous, John Clark ?

— Peut-être pas, répondit Rainbow Six, en dévisageant son interlocuteur.

— Fort bien, alors dans ce cas, je vous propose de nous faire conduire au bureau du FBI le plus proche ou dans une planque sûre de votre choix, afin que je puisse vous fournir toutes les informations nécessaires sous contrôle officiel. Je vous demande simplement de me donner votre parole que je ne serai ni détenu ni arrêté.

— Vous me croiriez si je vous promettais ça ?

— Oui. Vous êtes de la CIA et vous connaissez la règle du jeu, n'est-ce pas ? »

Clark acquiesça. « D'accord. Vous avez ma parole... si vous ne m'avez pas menti.

— John Clark, j'aurais préféré, avoua Popov. Franchement, *tovaritch*. »

John le scruta du regard et crut lire dans ces yeux de la peur... non, un sentiment encore plus profond. Ce type venait de l'appeler *camarade*. Ce n'était pas pour rien, surtout en de telles circonstances.

« Venez », lui dit John, faisant demi-tour pour regagner la Cinquième Avenue.

« Voilà notre sujet, les gars ! lança par radio une inspectrice du FBI. Le dénommé Serov qui nous tombe tout rôti dans le bec. Attendez un peu... Ils tournent le coin, prennent vers l'est de la Cinquième.

— Non, sans blague ? » répondit Frank Chatham. Puis il les vit effectivement se diriger à grands pas vers l'endroit où était garée la fourgonnette.

« Vous avez une planque dans le quartier ? demanda Clark.

— Ben ouais... enfin, mais...

— Conduisez-nous là-bas, en vitesse ! pressa Clark. Vous pouvez également interrompre l'opération de surveillance. Montez, Dimitri », ajouta-t-il en faisant coulisser la porte latérale.

La planque n'était que dix rues plus loin. Sullivan gara la fourgonnette devant et les quatre hommes s'y rendirent.

37

La flamme s'éteint

La planque était située dans un immeuble en meulière de trois étages, légué au gouvernement quelques dizaines d'années plus tôt par un homme d'affaires reconnaissant, dont le fils avait été enlevé et récupéré sain et sauf par la police judiciaire fédérale. Il servait désormais principalement aux interrogatoires de diplomates de l'ONU qui travaillaient de près ou de loin pour le gouvernement des États-Unis, et il avait également été utilisé par Arkadi Schevtchenko qui restait à ce jour le transfuge soviétique de plus haut rang de tous les temps. De l'extérieur, l'immeuble n'avait rien de remarquable, mais à l'intérieur il était doté d'un système de sécurité élaboré et trois des pièces avaient été dotées de moyens d'enregistrement et munies de glaces sans tain, sans oublier les tables habituelles et des sièges plus confortables que la normale. Le bâtiment était gardé vingt-quatre heures sur vingt-quatre, le plus souvent par un agent stagiaire de la section de New York dont la tâche se résumait pour l'essentiel à celle de concierge.

Chatham les conduisit à la salle d'interrogatoire du dernier étage et fit asseoir Clark et Popov dans un cagibi sans fenêtre. Le micro était branché et le magnéto à bobines prêt à tourner. Derrière l'une des glaces, une caméra de télévision raccordée à un magnétoscope était également prête.

« D'accord, fit Clark, annonçant la date, l'heure et le lieu. J'ai ici avec moi le colonel Dimitri Arkadeïevitch Popov, retraité, ancien agent de l'ex-KGB soviétique. Le sujet de cet entretien est l'action terroriste internationale. Mon nom est John Clark, et je suis officier de l'Agence centrale de renseignement. Sont également présents...

— L'inspecteur Tom Sullivan...

— Et...

— L'inspecteur Frank Chatham...

— De la section new-yorkaise de la police judiciaire fédérale. Dimitri, voulez-vous commencer ? »

Popov était terriblement intimidé, et cela apparut dans les toutes premières minutes de sa déposition. Le visage des deux agents du FBI trahit une parfaite incrédulité durant la première demi-heure de son récit, jusqu'à ce qu'il aborde la partie traitant de ses chevauchées matinales au Kansas.

« Maclean ? Quel était son prénom ? demanda Sullivan.

— Kirk, je crois... peut-être Kurt, mais je pense plutôt que ça se terminait par un k, répondit Popov. Hunnicutt m'a dit qu'il avait enlevé des gens, ici, à New York, pour les utiliser comme cobayes dans leurs expérimentations sur ce virus Shiva.

— Bordel..., souffla Chatham. Quelle tête il a, ce type ? »

Popov leur fournit un signalement très précis, jusqu'à la longueur des cheveux et la couleur des yeux.

« Monsieur Clark, nous connaissons cet homme. Nous l'avons interrogé au sujet de la disparition d'une jeune femme, Mary Bannister. Et une autre femme, Anne Pretloe, a disparu dans des circonstances tout à fait similaires. Sainte Mère de Dieu, vous dites qu'on les a assassinées ?

— Non, j'ai dit qu'elles ont été tuées en servant de cobayes pour cette fièvre Shiva qu'ils comptent disséminer à Sydney.

— Horizon Corporation ! C'est la boîte où travaille ce Maclean. Il n'est pas à New York en ce moment, un de ses collègues nous l'a confirmé.

— Évidemment. Vous le trouverez dans le Kansas, précisa le Russe avec un hochement de tête.

— Vous vous rendez compte de la dimension de cette entreprise ? intervint Sullivan.

— Je sais, c'est une multinationale », dit Clark avant de se retourner vers Popov : « Dimitri, comment selon vous comptent-ils au juste disséminer le virus ?

— Foster m'a dit que ça avait un rapport avec le système de climatisation du stade. C'est tout ce que je sais. »

John songea aux jeux Olympiques. Le marathon se courait aujourd'hui, c'était la dernière épreuve, suivie dans la soirée de la cérémonie de clôture. Ils n'avaient plus le temps de tergiverser. Il se retourna, décrocha le téléphone, appela l'Angleterre. « Passez-moi Stanley, dit-il à Mme Foorgate.

— Alistair Stanley à l'appareil.

— Al, c'est John. Tâche de me retrouver Ding et demande-lui de me rappeler ici. » John lui lut le numéro inscrit sur l'appareil. « Tout de suite, Al. Et quand je dis tout de suite, c'est pas une figure de style.

— Compris, John. »

Au bout de quatre minutes trente à sa montre, le téléphone sonna.

« T'as eu de la veine qu'il m'ait trouvé, John. Je m'habillais pour sortir assister au marath...

— Boucle-la un instant, veux-tu, et écoute-moi, Domingo. »

« Ouais, John, vas-y », répondit Chavez, sortant aussitôt un calepin pour prendre des notes. Puis, étonné, au bout de quelques secondes : « C'est pas de la blague ?

— On a tout lieu de croire que c'est vrai, Ding.

— On dirait un mauvais film d'espionnage. » Était-ce une idée du SPECTRE ? se demanda Chavez. Quel était le profit potentiel pour qui que ce soit ?

« Ding, le gars qui me refile ces tuyaux est un certain Serov, Iossif Andreïevitch. Je l'ai ici à côté de moi.

— D'accord, pigé, monsieur C. Quand l'attentat devrait-il avoir lieu ?

— Aux alentours de la cérémonie de clôture, semble-t-il. Y a-t-il un autre événement de prévu en dehors du marathon ?

— Non, c'est la dernière grande compétition, et on devrait avoir pas mal de pain sur la planche jusqu'à la fin de l'épreuve. On pense que le stade va commencer à se remplir aux alentours de dix-sept heures, pour l'arrivée du marathon, puis la cérémonie de clôture enchaînera, et enfin, rideau pour tout le monde. » *Moi compris*, n'eut-il pas besoin d'ajouter.

« En bref, voilà leur plan, Ding.

— Et tu comptes sur nous pour les arrêter.

— Correct. Mets-toi en route. Garde ce numéro. Je reste là toute la journée sur le STU-4. Dorénavant, toutes nos transmissions seront cryptées. OK ?

— Pas de problème. Bon, j'y vais, John.

— D'accord. Salut. »

Chavez raccrocha, en se demandant comment diable il allait pouvoir s'y prendre. Pour commencer, il fallait réunir son équipe. Ils étaient tous installés au même étage et il fonça dans le corridor, tapant à chaque porte, ordonnant à ses sous-offs de le rejoindre dans sa chambre.

« Bon, les gars, on a du boulot pour aujourd'hui. Voilà l'affaire. » Et il leur expliqua la situation.

« Seigneur... », réussit à articuler Tomlinson. L'histoire était proprement incroyable, mais ils avaient pris l'habitude d'entendre des trucs bizarres et d'agir en conséquence.

« Il va falloir qu'on repère la salle de contrôle du système de climatisation. Ensuite, on poste des hommes devant. On se relaiera. George et Homer, vous commencez, Mike et moi, on vous relèvera. On part sur des tours de garde de deux heures à l'intérieur comme à l'extérieur du stade. Radios ouvertes en permanence. Vous avez le droit de faire usage de vos armes.

« — Ding, toute cette histoire m'a l'air incroyable, observa Noonan.

— Je sais, Tim, mais on fait comme si, malgré tout.

— C'est toi le chef.

— En route, les gars. » Et Ding se leva.

« C'est le grand jour, Carol, dit John Brightling à son ex-femme. Dans moins de dix heures, le Projet démarre. »

Elle lâcha Jiggs pour venir le serrer dans ses bras. « Oh, John.

— Je sais. Ça fait si longtemps. J'aurais pas pu faire ça sans toi. »

Henriksen était là lui aussi. « D'accord, j'ai eu Wil Gearing il y a moins de vingt minutes. Il doit brancher le bidon contenant Shiva juste avant le début de la cérémonie de clôture. En plus, on a la météo avec nous. Ça va encore être la canicule sur Sydney, ils annoncent des pointes à trente-six. Les gens vont sans doute passer la journée à camper sous les buses de clim.

— En respirant à fond », ajouta le Dr Brightling. C'était un autre moyen qu'avait le corps pour évacuer la chaleur en excès.

Chavez était à présent dans le stade et déjà il était en nage. Il se demanda si l'un des coureurs du marathon n'allait pas tomber raide mort avec une telle épreuve... Donc, Global Security, dont il avait déjà rencontré certains membres du personnel, était impliqué dans le complot. Il se demanda s'il pourrait se souvenir des visages entrevus lors des deux brèves conférences organisées en commun, mais pour l'heure, il devait tout d'abord contacter le colonel Wilkerson. Cinq minutes plus tard, il le retrouvait dans le préfabriqué abritant le PC sécurité.

« B'jour, commandant Chavez.

— Salut, Frank. Dites, j'ai une question à vous poser.

— Laquelle, Ding ?

— Le système de climatisation du stade. D'où vient l'alimentation ?

— La salle des pompes est dans le secteur cinq, juste à gauche de la rampe d'accès.

— Comment puis-je y entrer ?

— Vous prenez la clé et je vous file le code pour déconnecter l'alarme. Pourquoi, vieux ?

— Oh, c'était juste pour y jeter un œil.

— Un problème, Ding ? s'inquiéta Wilkerson.

— Ça se pourrait. Il faut que je réfléchisse », poursuivit Chavez, cherchant pour l'heure à élaborer un mensonge convaincant. « Imaginons que quelqu'un cherche à s'en servir pour diffuser, disons, un agent chimique ? Alors, je me suis dit que je pourrais...

— Aller vérifier ? L'un des employés de Global vous a coiffé sur le poteau. Le colonel Gearing. Il a inspecté l'ensemble de l'installation. Il a émis les mêmes inquiétudes que vous, mais un poil plus tôt.

— Merde, je peux aller y faire un tour moi aussi ?

— Pourquoi ?

— Mettons ça sur le compte de la parano.

— Ouais, j'imagine. » Wilkerson quitta son siège et alla décrocher du mur la clé idoine. « Le code d'alarme est 1-1-3-3-6-6. »

Onze, trente-trois, soixante-six, mémorisa Chavez.
« Bien. Merci, colonel.

— À votre service, commandant », répondit le lieutenant-colonel du SAS.

Chavez quitta la salle, rejoignit ses hommes à l'extérieur, et ensemble, ils retournèrent rapidement vers le stade.

« Tu leur as parlé du problème ? demanda Noonan.

— Négatif, répondit Chavez en hochant la tête. Je n'y étais pas autorisé. John compte sur nous pour régler la question.

— Et si nos amis sont armés ?

— Ma foi, Tim, on est en revanche parfaitement autorisés à faire usage de la force si nécessaire, pas vrai ?

— Ça risque de faire du grabuge, avertit l'agent du FBI, déjà inquiet à la perspective de l'imbroglio juridique avec les autorités locales.

— Ouais, je suppose. Enfin, on n'a qu'à se servir de notre cervelle, d'accord ? Ça aussi, on sait faire, non ? »

La tâche de Kirk Maclean dans le Projet était de surveiller l'ensemble des systèmes de contrôle de l'environnement, en particulier la climatisation et le dispositif de surpressurisation, même s'il ne voyait pas l'intérêt de tout ce dispositif : tous les occupants du complexe avaient reçu le vaccin B, et même si Shiva parvenait à s'y introduire, ils n'étaient censés courir aucun danger. Mais sans doute John Brightling préférait-il redoubler de prudence en matière de protection, et pour sa part, il n'y voyait aucun inconvénient.

Sa tâche quotidienne n'avait rien de sorcier : en gros, vérifier sur des cadrans et des enregistreurs que tous les paramètres restaient dans la norme. Aujourd'hui encore, c'était le cas, aussi lui prit-il l'envie de sortir faire un tour. Il se rendit au garage et prit les clés d'un des Hummer pour se rendre aux écuries. Vingt minutes plus tard, il avait sellé son cheval et partait au petit galop vers le nord, traversant les prairies, entre les champs de blé où tournaient déjà les moissonneuses. Il contourna avec précaution une zone de terriers de chiens-de-prairie et repartit dans la direction générale de l'autoroute qui bordait la lisière nord du domaine. Après une quarantaine de minutes de chevauchée, un détail insolite attira son regard.

Comme dans presque toutes les zones rurales de l'Ouest américain, celle-ci avait sa population spécifique de charognards. Ici, on les appelait vautours à tête rouge, même si le nom scientifique était cathartes ou vautours auras. Toujours est-il qu'il s'agissait de gros rapaces qui se nourrissaient de charognes, très caractéristiques par leur gabarit et leur laideur — plumage noir, tête déplumée toute rouge dotée d'un bec puissant pour déchiqueter les carcasses. C'étaient les éboueurs de la nature — ou plutôt ses croque-morts, comme disaient certains. À ce titre, ils jouaient dans l'écosystème un rôle essentiel, même s'il pouvait sembler peu ragoûtant.

Maclean en vit cinq ou six qui tournaient en cercles au-dessus de quelque chose caché dans les hautes herbes vers le nord-est. Six, ça faisait déjà pas mal, puis il se rendit compte qu'il y en avait d'autres en avisant les silhouettes noires et décharnées qui se dandinaient dans l'herbe, à plusieurs centaines de mètres de distance. Manifestement, un gros animal était mort dans les parages et ils s'étaient rassemblés pour la curée. C'étaient des oiseaux d'un naturel méfiant. Ils tournaient autour de leur proie et l'examinaient longuement pour s'assurer que ce qu'ils voyaient et sentaient était bien mort et ne risquait donc plus de bondir et les blesser lorsqu'ils fondraient dessus pour s'en repaître. Les oiseaux étaient des créatures infiniment délicates, leur ossature était presque entièrement remplie d'air, et il leur fallait être dans une condition parfaite pour voler et survivre.

Qu'est-ce qu'ils bouffent ? s'interrogea Maclean, en tournant la bride de son cheval pour obliquer dans cette direction, au pas : il ne voulait pas déranger les oiseaux plus que nécessaire et craignait de les voir effrayés par un cheval et son cavalier. Sans doute pas, mais il n'allait pas tarder à le savoir.

Quoi qu'il en soit, nota-t-il cinq minutes plus tard, ils se régalaient. C'était un spectacle peu appétissant, mais pas plus que lorsque lui-même mangeait un hamburger, du moins si l'on se plaçait du point de vue de la vache. C'était dans l'ordre de la nature. Les vautours mangeaient les cadavres et digéraient les protéines, puis ils excrétaient le tout, restituant au sol les éléments nutritifs pour que la chaîne alimentaire puisse se poursuivre dans son cycle infini de vie et de mort. Même lorsqu'il fut parvenu à cent mètres, il y avait trop d'oiseaux sur la carcasse pour lui permettre de déterminer l'origine de leur festin. Sans doute un chevreuil ou une antilope, à en juger par le nombre de volatiles et leur façon de remuer la tête de haut en bas pour dévorer la créature que la nature avait décidé de se réapproprier. De quoi mouraient les antilopes ? D'infarctus ? D'attaques cérébrales ? Du cancer ? Ça pourrait être intéressant d'étudier ça dans quelques années, voire de demander à l'un des toubibs du Projet d'en disséquer une... — s'ils réussissaient à arriver avant les vautours, qui, nota-t-il avec un sourire, boulottaient les indices... Mais parvenu à cinquante mètres, il arrêta son cheval. Ce qu'ils étaient en train de dévorer portait une chemise à carreaux. Dès lors, il se rapprocha, et lorsqu'il fut à dix mètres, les rapaces remarquèrent sa présence, commençant par dodeliner de leur odieuse tête rouge en le lorgnant avec de petits yeux noirs et cruels, avant de s'écarter de quelques mètres, pour finalement reprendre pesamment leur essor.

« Oh, merde ! » s'exclama Maclean quand il fut tout près. Le cou avait été déchiqueté, dénudant en partie la colonne vertébrale, et, par endroits, l'étoffe avait été lacérée par les becs puissants. Le visage était également ravagé, les yeux arrachés, de même que la peau et la chair, mais les cheveux étaient pratiquement intacts et...

« Bon Dieu... Foster ? Qu'est-ce qui t'est arrivé, mon pauvre vieux ? » Il lui fallut s'approcher encore pour distinguer le petit cercle rouge au centre de la chemise sombre. Maclean ne descendit pas de cheval. Un homme était mort, apparemment tué par balle. Kirk regarda alentour et avisa les traces de sabots d'un ou deux chevaux à proximité... sans doute deux, estima-t-il. Reculant, il décida de retourner au complexe au triple galop. Le trajet lui prit quinze minutes, au terme desquelles la monture était à bout de souffle et le cavalier épuisé. Maclean descendit, monta dans son Hummer et rejoignit le bâtiment du Projet pour retrouver John Killgore.

La salle était parfaitement insignifiante, nota Chavez. Un banal assemblage de tuyauteries d'acier et de plastique, ainsi qu'une pompe qui tournait : la minuterie ayant déclenché le système de brumisation quelques minutes auparavant. Aussitôt, sa première pensée fut : et qu'est-ce que tu fais si cette saloperie est déjà dans le réseau ?... tu viens d'entrer dans ce cagibi, imagine que t'aies respiré cette saleté !

Mais il y était, et si tel était le cas... mais non, John lui avait dit que l'empoisonnement devait commencer beaucoup plus tard dans la journée, ajoutant que ce Russe était censé savoir de quoi il retournait. Il fallait se fier à ses sources de renseignements. Obligé. Dans leur métier, ce genre d'information se payait du prix de la vie ou de la mort.

Noonan se pencha pour examiner le bidon de chlore accroché sous les tuyaux. « Ça m'a tout l'air d'un produit industriel, Ding, dit l'agent du FBI, pour autant que ça voulait dire quelque chose. Ça y est, je vois comment s'effectue le branchement... On coupe ce moteur... (il pointa le doigt), on ferme ce clapet, on dévisse le raccord avec une clé comme celle qui est fixée là au mur, on place le bidon neuf, on resserre le raccord, on rouvre le clapet, puis on remet la pompe en route. En tout, trente secondes maxi. Un jeu d'enfants.

— Imagine que ce soit déjà fait..., observa Chavez.

— Alors, on est foutus, répondit Noonan. J'espère que tes renseignements sont bons, partenaire. »

Le brouillard à l'extérieur sentait légèrement le chlore, nota Chavez, plein d'espoir... comme l'eau du robinet dans toutes les villes d'Amérique. Or, on se servait du chlore pour tuer les germes. C'était un élément aussi oxydant que l'oxygène... Il avait lu ça quelque part.

« Qu'est-ce que t'en penses, Tim ?

— Je pense que l'idée se tient, mais entreprendre un truc pareil, faut avoir un sacré culot, et franchement, qui aurait une idée aussi tordue ? Et surtout, pourquoi, pour l'amour du ciel ?

— J'imagine que ça sera à nous de le découvrir. Mais pour le moment, on surveille ce bidule comme si c'était le bien le plus précieux qui existe sur cette foutue planète. Bon... » Ding se tourna vers ses hommes. « George et Homer, vous ne bougez pas d'ici, vous deux. Et si vous avez envie de pisser, vous le faites par terre. » Ils avaient noté la présence d'un puisard d'évacuation. « Mike et moi, on se charge de l'extérieur. Tim, tu restes dans les parages, toi aussi. On a tous nos radios et c'est comme ça qu'on communiquera. On se relaie toutes les deux heures, mais je ne veux jamais personne à plus de cinquante mètres de ce cagibi. Des questions ?

— Négatif, répondit le sergent Tomlinson, porte-parole des autres. Si quelqu'un s'amène et essaie de bricoler le truc ?

— Vous l'arrêtez, par tous les moyens à votre disposition. Et vous appelez à l'aide par radio.

— Bien compris, chef », dit George.

Homer Johnston acquiesça à son tour.

Chavez ressortit avec les deux autres. Le stade s'était rempli, les spectateurs voulaient assister au départ du marathon... mais ensuite ? Rester planté là à poireauter près de trois heures ? Non, plutôt deux heures et demie. C'était à peu près le temps du record olympique. Un peu plus de quarante-deux kilomètres... Une sacrée trotte pour un homme... ou une femme... même pour lui, la distance était impressionnante, dut-il admettre, plus conforme à un vol en hélico ou à un trajet en camion.

Pierce, Noonan et lui se dirigèrent vers une des rampes pour regarder les téléviseurs accrochés au plafond. Les coureurs s'étaient mis aux ordres du starter. Les favoris étaient connus, certains avaient droit à un encart sur l'écran avec interview, biographie et palmarès. Le reporter de la télé australienne lançait pronostics et commentaires. À l'entendre, c'était un Kenyan qui avait la faveur des spécialistes, même si un Américain avait pulvérisé de près d'une demi-minute le record du marathon de Boston l'année précédente — une marge énorme, vu la distance —, tandis qu'un Néerlandais de trente ans jouait les outsiders. Trente ans et finaliste d'une épreuve olympique, songea Chavez. Chapeau !

« Tomlinson pour le PC, lança Ding dans sa radio.

— Du PC, j'écoute. Rien de spécial, sinon le boucan de cette foutue pompe. Je vous rappelle s'il se passe quoi que ce soit. À vous.

— Bien compris, PC, terminé.

— Bon, alors, on fait quoi, maintenant ? demanda Mike Pierce.

— On attend. On reste là et on attend.

— OK, chef », répondit Pierce. Tous savaient attendre, même si aucun n'appréciait trop d'avoir à le faire.

« Bon Dieu, observa Killgore. T'es sûr ?

— Tu veux prendre la voiture et aller vérifier toi-même ? » s'énerva Maclean. Puis il se rendit compte qu'ils allaient bien être obligés de le faire, pour récupérer le corps et lui offrir une sépulture décente. Maclean comprenait à présent les coutumes funéraires en usage dans l'Ouest américain. C'était déjà bien assez dégueulasse de voir des vautours déchiqueter un cadavre de chevreuil. Les voir faire la même chose avec la dépouille d'un type qu'on avait connu dépassait la limite du tolérable, amour de la nature ou pas.

« Tu dis qu'il a été abattu ?

— Pas de doute de ce côté.

— Super. » Killgore décrocha son téléphone. « Bill, c'est John Killgore. Retrouve-moi tout de suite en bas dans le hall. On a un problème. D'accord ? Parfait. » Le médecin reposa le combiné, se leva et fit signe à Maclean. « Viens. »

Henriksen arriva dans le hall du bâtiment résidentiel deux minutes après eux, et ensemble ils montèrent dans un Hummer et partirent vers le nord, à l'endroit où gisait le cadavre. Une fois de plus, il fallut chasser les vautours et Henriksen, l'ancien agent du FBI, s'approcha pour examiner la dépouille. Il n'avait jamais vu un spectacle aussi peu ragoûtant dans toute sa carrière de policier.

« Effectivement, il a été tué par balle, constata-t-il aussitôt. Du gros calibre, en plein buffet. » L'agression avait pris Hunnicutt par surprise, apparemment, même s'il ne restait plus grand-chose du visage de la victime pour l'affirmer avec certitude. Henriksen nota également que le corps était recouvert de fourmis. Bigre, et lui qui avait compté sur ce type pour assurer la sécurité du périmètre, une fois le Projet lancé. Quelqu'un avait liquidé un des éléments essentiels à leur plan. Mais qui ?

« Qui d'autre s'était baladé avec Foster ? demanda Bill.

— Ce Russe, Popov. On a tous fait une virée ensemble, répondit Maclean.

— Eh, fit Killgore. Leurs chevaux étaient dehors ce matin... J'ai retrouvé Jeremiah et Petit-Lait tous les deux dans le corral. Sans selle ni...

— Tiens, les voilà, la selle et la bride, lança Henriksen, à cinq mètres de là. Vu. Quelqu'un a descendu Hunnicutt puis ôté le harnachement de sa monture... Pigé : pour que personne ne remarque un cheval harnaché sans cavalier... Il s'agit bien d'un meurtre. Tâchons de retrouver ce Popov. Et tout de suite. Je crois qu'il faut que je lui parle. Est-ce que quelqu'un l'a vu dernièrement ?

— Il ne s'est pas pointé au petit déjeuner ce matin, contrairement aux autres jours, révéla Killgore. Cela faisait pourtant une semaine environ qu'on le prenait ensemble, avant de partir à cheval. Ça lui plaisait bien.

— Ouais, confirma Maclean. On formait une petite bande. Tu penses que...

— Pour l'instant, je ne pense rien. OK, chargeons le corps dans le Hummer et rentrons. John, tu peux me filer un coup de main ?

— Ouais, ça devrait pas être trop dur.

— OK, tu prends les pieds », dit Bill qui se pencha en tâchant d'éviter les parties sur lesquelles s'étaient acharnés les vautours. Vingt minutes plus tard, ils étaient de retour au complexe. Henriksen monta dans la chambre de

Popov au troisième et se servit de son passe pour y entrer. Vide. Le lit n'avait même pas été défait. Il tenait son suspect. Popov avait tué Hunnicutt, cela ne faisait pas l'ombre d'un doute. Mais pourquoi ? Et où diable était passé ce salaud de Russe ?

Il fallut une demi-heure pour ratisser l'ensemble du complexe. Le Russe était introuvable. Logique, puisque le Dr Killgore avait retrouvé dans la matinée sa monture divaguant en liberté. OK, réfléchit l'ancien agent du FBI. Popov avait donc tué Hunnicutt puis filé. Mais filé où ? Il avait sans doute rejoint l'autoroute à cheval, puis fait du stop, voire attendu un car dans un abribus. L'aéroport régional n'était qu'à une petite quarantaine de kilomètres, et de là, dut convenir Henriksen, le salaud pouvait fort bien être déjà en Australie à l'heure qu'il était. Mais pourquoi aurait-il fait une chose pareille ? Il se tourna vers Killgore : « John ? Que savait Popov ?

— Comment cela ?

— Que savait-il du Projet ?

— Pas grand-chose. Brightling ne le lui a pas vraiment expliqué en détail, n'est-ce pas ?

— Certes. Bon, et Hunnicutt, que savait-il, lui ?

— Merde, Bill... Foster savait tout.

— Bien, alors on peut penser que Popov et Hunnicutt sont allés faire un tour à cheval hier soir. On retrouve Hunnicutt mort, et Popov est introuvable. Alors, Hunnicutt aurait-il pu révéler à Popov la teneur du Projet ?

— Je suppose que oui, confirma Killgore en hochant la tête.

— Donc, Popov découvre le pot aux roses, pique le revolver d'Hunnicutt, le descend, et se tire vite fait.

— Bon Dieu ! Tu penses qu'il pourrait...

— Oui, il pourrait. Merde, mon vieux, n'importe qui pourrait, comme tu dis...

— Mais on lui a administré le vaccin B. Je lui ai fait moi-même l'injection !

— Eh bien », observa Bill Henriksen. Dans le même temps, il réfléchissait : merde, et Wil Gearing qui doit lancer la phase un aujourd'hui ! Comme s'il avait pu oublier... Il fallait qu'il en discute sans tarder avec Brightling.

Les deux époux Brightling étaient réunis dans le vaste appartement en terrasse du bâtiment résidentiel, dominant la piste sur laquelle quatre Gulfstream-V étaient désormais garés. La nouvelle que vint leur annoncer Henriksen fut loin de les réjouir.

« C'est grave ? s'enquit John.

— Potentiellement, oui, dut reconnaître Bill.

— On en est à combien du...

— Quatre heures, plus ou moins.

— Est-il au courant de cela ?

— C'est possible, mais on n'a aucune certitude.

— Où aurait-il pu se rendre ? demanda Carol Brightling.

— Merde, j'en sais foutre rien... la CIA, le FBI, peut-être. Popov est un espion professionnel. À sa place, je serais allé à l'ambassade de Russie à Washington afin de tout révéler au *rezident*. Là-bas, il est assuré d'être cru ; en revanche, le décalage horaire et la bureaucratie travaillent pour nous. Le KGB ou son successeur est incapable d'agir rapidement, Carol. Ils vont passer des heures à tenter de comprendre ce qu'il leur raconte.

— D'accord. Bref, on continue ? » intervint John Brightling.

Henriksen acquiesça. « Ouais, je pense que c'est le mieux. Je peux toujours appeler Wil Gearing pour le mettre en garde, non ?

— Tu crois qu'on peut lui faire confiance ? s'inquiéta John.

— Je pense que oui... merde, j'en suis sûr. Ça fait quand même quatre ans qu'il bosse avec nous. Il fait partie intégrante du Projet. Si on n'avait pas pu se fier à lui, on serait tous en taule à l'heure qu'il est. Il est au courant des protocoles de test instaurés à Binghamton et personne n'est venu lui chercher noise, n'est-ce pas ? »

John Brightling se carra dans son fauteuil. « Donc, tu penses qu'il n'y a pas de quoi paniquer ?

— Non, décida Henriksen. Écoutez, même si tout foirait, on serait couverts malgré tout. Il nous suffirait alors de distribuer le vaccin B au lieu du A, et on deviendrait aussitôt des héros pour toute la planète. Personne ne peut faire le lien entre les disparus et nous, à moins que quelqu'un lâche le morceau, et on a des moyens de régler ce problème. Non, il n'existe aucune pièce à conviction contre nous — du moins, aucune qu'on ne puisse détruire en quelques minutes, d'accord ? »

Toute cette partie avait été soigneusement pensée. L'ensemble des conteneurs du virus Shiva étaient entreposés à deux minutes à pied des incinérateurs, aussi bien ici qu'à Binghamton. Les corps des cobayes avaient été réduits en cendres. Il existait certes des témoins de ce qui s'était passé, mais que l'un d'eux parle aux autorités, et il s'avouait *ipso facto* complice d'un génocide...

de toute façon, ils auraient des armadas d'avocats pour faire écran durant toute la procédure d'enquête. Ce serait un cap délicat à passer mais ils devraient s'en sortir.

« D'accord », dit John Brightling en se tournant vers sa femme. Ils avaient travaillé trop dur et trop longtemps pour faire machine arrière. Malgré leur amour réciproque, ils avaient l'un et l'autre enduré les affres de la séparation pour servir un amour plus vaste encore, celui de la nature ; consacré du temps et des fonds immenses pour y parvenir. Et quand bien même ce Russe parlerait — à qui, du reste ? —, ses interlocuteurs auraient-ils les moyens matériels d'interrompre à temps le Projet ? Ce n'était guère envisageable. Le médecin échangea un regard avec son épouse, puis tous deux se tournèrent vers leur responsable de la sécurité.

« Dis à Gearing de continuer, Bill.

— D'accord, John. » Henriksen se leva pour regagner son bureau.

« D'accord, Bill, dit le colonel Gearing.

— Rien de bien grave. Tu continues comme convenu et tu me rappelles pour confirmer que le colis a été livré sans problème.

— OK, répondit Wil Gearing. Autre chose pour moi, à part ça ? C'est que j'ai des projets personnels, n'est-ce pas...

— Du genre ? s'enquit Henriksen.

— Eh bien, je compte m'envoler demain pour le nord du pays, histoire d'aller plonger quelques jours du côté de la Grande Barrière de corail.

— Ah ouais ? Eh bien, tâche de pas te faire bouffer par les requins !

— Entendu ! » rit son interlocuteur avant de raccrocher.

Parfait, pensa Bill Henriksen. C'est décidé. Il pouvait compter sur Gearing. Il le savait. L'homme était entré dans le Projet après avoir passé sa vie à répandre des poisons, et il connaissait, lui aussi, le reste de leurs activités. S'il les avait trahis à un moment ou à un autre, jamais ils ne seraient parvenus aussi loin. Mais tout se serait tellement mieux passé si cet enculé de Russe n'avait pas foutu le camp. Que pouvait-il faire ? Signaler le meurtre d'Hunnicutt aux autorités locales en désignant Popov/Serov comme l'assassin présumé ? Est-ce que ça valait le coup ? Quelles étaient les complications envisageables ? Pour commencer, Popov pouvait tout balancer aux flics — quoi qu'il puisse savoir... mais dans ce cas, ils pourraient toujours rétorquer que c'était un ancien espion du KGB qui s'était conduit de manière bizarre, qui avait certes eu une activité de consultant pour Horizon Corporation, mais de là à être l'instigateur d'attentats terroristes en Europe ! Allons donc, il ne fallait pas pousser ! Non, ce type était simplement un tueur à l'imagination fertile, qui avait inventé un conte à dormir debout pour essayer tant bien que mal d'échapper à une accusation de meurtre de sang-froid au cœur de l'Amérique profonde... Est-ce que ça marcherait ? Sans doute, décida Henriksen. Auquel cas ce salopard serait mis hors circuit, point final. Il pourrait bien leur raconter n'importe quoi, mais quel putain d'indice concret aurait-il à leur fournir ? Aucun.

Popov se servit un verre de la bouteille de Sto-lichnaya que le FBI avait eu l'amabilité de descendre acheter au liquoriste du coin. C'était déjà son quatrième. Ça contribuait à lui faire voir les choses sous un jour moins sombre.

« Donc, John Clark, on attend.

— Ouais, on attend, confirma Rainbow Six.

— Vous avez une question à me poser ?

— Pourquoi m'avez-vous appelé ?

— On s'est déjà rencontrés.

— Où ?

— À votre QG, à Hereford. J'étais là, avec votre plombier, sous un de mes déguisements.

— Je me demandais bien comment vous m'aviez reconnu d'emblée, observa Clark en buvant une gorgée de bière. Il n'y en a pas beaucoup qui m'ont vu, de l'autre côté du Rideau de fer.

— Vous n'avez pas l'intention de me tuer, maintenant ?

— L'idée m'a effleuré, répondit Clark en le fixant droit dans les yeux. Mais votre conscience s'est réveillée... et si jamais vous m'avez menti, vous ne tarderez pas à regretter de ne pas être mort.

— Votre femme et votre fille vont bien ?

— Oui, et mon petit-fils aussi.

— C'est bien. Cette mission était écœurante. Vous avez déjà dû accomplir ce genre de mission dans votre carrière, John Clark ? »

Il acquiesça. « Oui, deux ou trois fois.

— Alors, vous devez comprendre ? »

Pas de la manière que tu crois, vieux, songea Rainbow Six avant de répondre : « Ouais, j'imagine, Dimitri Arkadeïevitch.

— Comment avez-vous trouvé mon nom ? Qui vous l'a dit ? »

La réponse le surprit. « Sergueï Nikolaïevitch et moi sommes de vieux amis.

— Ah », réussit à souffler Popov sans défaillir. Ainsi donc, sa propre agence l'avait trahi ? Était-ce possible ? Puis, ce fut comme si Clark avait déchiffré ses pensées.

« Tenez, fit-il en lui tendant la liasse de photocopies. Vous êtes plutôt bien noté par vos supérieurs...

— Pas suffisamment, répondit Popov, qui n'arrivait pas à se remettre du choc en découvrant la teneur d'un dossier qu'il n'avait encore jamais eu sous les yeux.

— Ma foi, le monde a changé, n'est-ce pas ?

— Pas aussi complètement que j'avais espéré...

— J'ai une question à vous poser.

— Oui ?

— L'argent que vous avez donné à Grady. Où est-il ?

— En lieu sûr, John Clark. Les terroristes que je connais ont tous viré capitalistes pour ce qui est de l'argent liquide, mais grâce à vos hommes, ceux que j'ai contactés n'ont plus vraiment besoin de liquidités, n'est-ce pas ? » La question était toute rhétorique.

« Quel goulu, mon salaud ! » observa Clark avec un demi-sourire.

L'épreuve démarra à l'heure. Le public acclama les concurrents du marathon lorsqu'ils firent leur premier tour de piste avant de quitter le stade par le tunnel pour poursuivre leur course dans les rues de Sydney, avant de revenir, environ deux heures et demie plus tard. Dans l'intervalle, leur progression serait suivie sur l'écran géant Jumbotron pour ceux qui auraient préféré garder leur place dans le stade, ou sur l'un des innombrables moniteurs accrochés dans les galeries et les rampes d'accès. Des motos équipées de caméras émettrices précédaient les coureurs. C'était le Kenyan Jomo Nyereiry qui avait pris la tête, talonné par Edward Fulmer, l'Américain, et Willem terHoost, le Néerlandais. Au premier kilomètre, les trois hommes se suivaient dans un mouchoir, devançant d'une bonne dizaine de mètres un petit peloton de coureurs.

Comme beaucoup de gens, Wil Gearing suivait l'épreuve sur la télé de sa chambre d'hôtel tandis qu'il bouclait ses bagages. L'ancien colonel de l'armée se dit qu'il louerait dès le lendemain le matériel de plongée, pour aller s'offrir le plus beau site sous-marin de la planète, tout en sachant que la pollution océanique qui avait détruit cet environnement superbe ne serait bientôt plus qu'un mauvais souvenir. Il répartit toutes ses affaires dans deux valises à roulettes qu'il disposa ensuite près de la porte de la chambre. Il plongerait, alors que les inconscientes victimes du fléau s'en retourneraient chez elles aux quatre coins de la planète, ignorant le mal dont elles étaient atteintes et qu'elles s'apprêtaient à répandre. Il se demanda combien d'entre elles allaient disparaître lors de la phase un du Projet. La fourchette des simulations informatiques oscillait entre six et trente millions, mais Gearing estimait ces chiffres modérés. Plus ils seraient élevés, mieux ce serait, puisque le vaccin A devrait être réclamé par le maximum de gens, ce qui ne ferait que hâter leur mort. La grande habileté du plan, c'était que si les contrôles médicaux effectués sur les personnes vaccinées révélaient des anticorps de Shiva, on les expliquerait par la vaccination... puisque la variante A était un vaccin à base de virus vivant atténué, comme Horizon ne manquerait pas de l'expliquer. Sauf qu'il était un peu moins atténué qu'on l'aurait imaginé, mais il serait alors trop tard...

Les pendules marquaient dix heures de plus à New York et, dans la planque du FBI, Clark, Popov, Chatham et Sullivan regardaient à la télévision la retransmission en direct des jeux Olympiques, comme des millions d'Américains. Ils n'avaient rien d'autre à faire. C'était lassant pour tout le monde, car aucun n'était vraiment fan de marathon, et les athlètes de tête progressaient toujours sur le même rythme.

« Il doit faire une chaleur terrible pour courir par ce temps-là, observa Sullivan.

— Ouais, c'est pas marrant, reconnut Clark.

— Déjà couru ce genre de distance ?

— Non, avoua John. Mais ça m'est déjà arrivé de devoir prendre mes jambes à mon cou... surtout au Viêt-nam. Là-bas non plus il ne faisait pas froid.

— Vous êtes allé là-bas ? s'enquit Popov.

— L'équivalent d'un an et demi. 3e SOG — Groupe d'opérations spéciales.

— Vous y faisiez quoi ?

— En gros, observer et rendre compte. Plus quelques opérations ponctuelles, genre raids, assassinats, élimination de types qui ne nous revenaient pas. » Trente ans déjà, songea John. Trente années [1]. Il avait donné sa jeunesse pour un conflit, et son âge d'homme pour un autre, et maintenant, à l'approche de l'automne de sa vie, qu'allait-il faire ? Était-ce vraiment possible, ce que lui avait raconté Popov ? Ça paraissait tellement irréel, mais la menace Ébola avait été bien concrète, pourtant. Il se souvenait d'avoir dû parcourir le monde en avion à ce moment-là, il se souvenait des reportages qui avaient ébranlé son pays jusqu'à ses fondations... et il se rappelait la terrible vengeance qu'avait alors décidée l'Amérique. Mais, plus que tout, il se rappelait le moment où, allongé avec Ding Chavez sur le toit en terrasse d'une maison de Téhéran, ils avaient guidé deux bombes intelligentes destinées à supprimer le responsable de toute cette histoire, dans le cadre de la première application concrète de la nouvelle doctrine présidentielle [2]. Mais si cette histoire était bien vraie, si ce fameux « projet » dont leur avait parlé Popov était bien ce qu'il en avait dit, alors que pouvait faire son pays ? Cela relevait-il d'une stricte opération de police ou bien d'autre chose ? De tels individus devaient-ils passer devant un tribunal ? Sinon, quoi... ? On n'avait rédigé aucune loi pour des crimes d'une telle ampleur, et un éventuel procès serait un cirque épouvantable qui n'aurait pour résultat que de répandre une nouvelle propre à ébranler les bases mêmes de la civilisation. Qu'une entreprise privée ait le pouvoir d'accomplir un acte pareil...

Clark dut admettre qu'il n'arrivait toujours pas

---

1. Cf. *Sans aucun remords, op. cit.*
2. Cf. *Sur ordre, op. cit.*

à appréhender le phénomène dans toute sa dimension. Il avait agi en conséquence, mais sans vraiment encore l'accepter. C'était trop énorme.

« Dimitri, pourquoi avez-vous dit qu'ils manigançaient un truc pareil ?

— John Clark, ce sont des druides, une secte de types qui vénèrent la nature comme si c'était une divinité. Ils disent que la planète appartient aux animaux mais pas aux hommes. Ils disent qu'ils veulent restaurer l'ordre naturel... et pour y parvenir, ils sont prêts à éliminer la totalité du genre humain. C'est de la folie pure, je sais, mais c'est bien ce qu'ils m'ont raconté. Dans ma chambre au Kansas, il y avait des piles de magazines et de cassettes vidéo remplies de ces idées délirantes. J'ignorais que de tels individus puissent exister. Ils racontent que la nature nous déteste, que la planète elle-même nous déteste pour ce que nous autres humains lui avons fait. Mais la planète n'a pas d'esprit, la nature n'a pas de voix pour parler. Malgré tout, ils y croient dur comme fer. C'est ahurissant, conclut le Russe. C'est comme si je venais de découvrir un nouveau mouvement religieux dont les dieux réclameraient notre mort, des sacrifices humains... » Il agitait vainement les mains dans un geste de frustration et d'incompréhension totale.

« Savons-nous à quoi ressemble ce fameux Gearing ? demanda Noonan.

— Négatif, répondit Chavez. Personne ne m'a rien dit. J'imagine que le colonel Wilkerson le sait, mais je n'ai pas envie de lui poser la question.

— Bon Dieu, Ding, une telle horreur est-elle possible ?

— J'imagine qu'on le saura d'ici quelques heures, vieux. Ce que je sais, c'est qu'un truc du même genre s'est déjà produit, et que John et moi, on a contribué à éliminer le salopard qui l'avait lancé contre nous. Du point de vue technique, il faudrait que je me renseigne auprès de Patsy. Je n'y connais pas grand-chose en biologie. Elle, si.

— Nom de Dieu... », conclut Noonan en contemplant l'entrée de la salle de pompage. Puis les trois hommes se dirigèrent vers un distributeur de soda pour prendre des Coca avant de retourner s'asseoir, les yeux fixés sur la porte métallique peinte en bleu. Des gens passaient devant, mais personne ne s'en approcha vraiment.

« Tim ?

— Ouais, Ding ?

— Est-ce qu'on a la capacité légale de procéder à une arrestation ? »

L'agent du FBI acquiesça. « Je pense que oui : complot criminel, l'origine du délit est aux États-Unis, et le sujet citoyen américain... donc, oui, ça devrait se tenir. Je crois même pouvoir aller plus loin : si on enlève ce tordu et qu'on le ramène en Amérique, les tribunaux ne s'occuperont pas de savoir comment il a atterri là. Une fois qu'il se retrouvera devant un juge d'assises, les circonstances qui l'y auront amené seront le cadet de ses soucis.

— D'accord, mais ensuite, comment va-t-on se démerder pour le faire sortir du pays ? » se demanda aussitôt Chavez. Il prit son téléphone mobile.

Clark décrocha le combiné du STU-4. Il fallut cinq secondes pour que le système de cryptage du mobile de Ding se cale sur le sien. Une voix synthétique finit par annoncer : *Ligne protégée*, suivie de deux bips. « Ouais ?

— John, c'est Ding. J'ai une question.

— Vas-y.

— Si on emballe ce Gearing, on fait quoi ensuite ? Comment on se démerde pour le rapatrier en Amérique ?

— Bonne question. Laisse-moi voir ça.

— D'accord. » Et on raccrocha. L'endroit logique à appeler était Langley, mais il s'avéra que le directeur n'était pas dans son bureau. L'appel fut transféré à son domicile.

« John, bon Dieu, mais dites-moi donc ce qui se passe là-bas ! » demanda Ed Foley, de son lit.

Clark lui expliqua ce qu'il savait. Cela prit cinq bonnes minutes. « J'ai placé Ding en faction devant le seul endroit qu'il est possible de surveiller et...

— Bon Dieu, John, c'est vraiment sérieux, cette histoire ? demanda le patron du renseignement, le souffle court.

— J'imagine qu'on le saura avec certitude si ce Gearing se pointe avec un colis contenant le virus. Et si c'est le cas, comment fait-on pour ramener aux États-Unis Ding, ses hommes et ce fameux Gearing ?

— Je vais examiner la question. Où puis-je vous rappeler ? » John lui donna le numéro et Ed Foley l'inscrivit sur un calepin. « Vous êtes au courant depuis combien de temps ?

— Moins de deux heures. J'ai ce Russe juste devant moi. On est dans une planque du FBI, en plein New York.

— Carol Brightling est-elle impliquée dans tout ça ?

— Je n'en suis pas sûr. Mais son ex-mari, lui, l'est jusqu'au cou », répondit Clark.

Foley ferma les yeux pour réfléchir. « Vous savez, elle m'avait téléphoné à votre sujet, il y a quelque temps, pour me poser deux-trois questions. C'est elle qui vous a décroché la livraison des nouvelles radios fabriquées par E-Systems. Elle m'en avait parlé comme si elle était parfaitement au fait de l'existence de Rainbow.

— Elle n'est pas sur ma liste, Ed », fit remarquer John. C'était lui qui avait personnellement visé les noms des personnes admises à être dans le secret.

« Ouais, je m'en vais vérifier ça également. D'accord, laissez-moi le temps de me retourner et je vous rappelle.

— Parfait. » Clark raccrocha. « On a un gars du FBI dans l'équipe de Sydney, annonça-t-il aux autres.

— Qui ça ? demanda Sullivan.

— Tim Noonan. Tu le connais ?

— Il assurait bien le soutien logistique au sein du groupe de récupération d'otages ?

— C'est lui.

— J'en ai entendu parler. Un type calé.

— Il l'est. Il nous a sauvé la mise à Hereford, et sans doute sauvé en même temps la vie de mon épouse et de ma fille.

— Bref, il serait capable de nous arrêter ce Gearing, légalement et en douceur ?

— Tu sais, les questions de légalité n'ont jamais été mon souci premier. Je m'occupe de faire la police, pas de faire respecter la loi.

— J'imagine que les choses sont toujours un chouia différentes avec la CIA, hein ? » nota Sullivan avec un sourire. Le côté James Bond vous collait toujours à la peau, même chez ceux qui étaient censés ne pas être dupes.

« Ouais, plus ou moins. »

Gearing quitta l'hôtel, lesté d'un sac à dos, comme tant d'autres passants dans la rue. Il héla aussitôt un taxi. On était à une demi-heure de l'arrivée du marathon. Il se surprit à observer la foule qui encombrait les trottoirs. Les Australiens semblaient d'un naturel amical et ce qu'il avait pu voir de leur pays était plutôt agréable. Il se posa la question du sort des Aborigènes... tout comme d'ailleurs de celui des Bochimans du Kalahari, et de tous ces groupes tribaux vivant dans des endroits si isolés qu'ils ne risquaient en aucune manière d'être exposés à Shiva. Eh bien, si le destin leur souriait, il n'y voyait pour sa part aucun inconvénient. Ces populations ne nuisaient en rien à la nature, et elles étaient de toute façon trop peu nombreuses pour avoir le moindre impact négatif — même si elles l'avaient voulu, ce qui n'était pas le cas, vu qu'elles étaient plutôt du genre à vénérer les arbres et le tonnerre, à l'instar des membres du Projet. Étaient-elles en nombre suffisant malgré tout pour engendrer un problème ? Sans doute pas. Les Bochimans pourraient se répandre mais jamais leurs semblables ne les laisseraient modifier par trop leurs traditions tribales, et même si leur nombre devait s'accroître, ce ne pourrait être qu'un accroissement modéré. De même pour les « Abos » d'Australie. Après tout, ils n'étaient déjà guère nombreux avant l'arrivée des Européens, alors qu'ils avaient eu des milliers d'années pour se répandre sur le continent. Donc, le Projet allait finalement épargner un grand nombre d'individus. Pour ce colonel en retraite, c'était une pensée vaguement réconfortante de savoir que Shiva ne tuerait en définitive que ceux dont le mode de vie en faisait des ennemis de la nature. Que ce critère inclue tous les passants qu'il voyait à travers les vitres du taxi ne le troublait guère.

Le taxi s'arrêta à la station située près du stade. Il régla sa course avec un généreux pourboire, descendit, se dirigea vers l'imposante arène de béton. À l'entrée, il présenta son coupe-fil et fut admis d'un signe de la main. Puis vint le frisson attendu. Il s'apprêtait à tester la variante B du vaccin d'une manière fort concrète, d'abord en introduisant le virus dans le système de climatisation, puis en passant dessous et en respirant les mêmes nano-capsules que les centaines de milliers d'autres spectateurs... si jamais le vaccin B ne marchait pas, il se condamnait à une mort affreuse... Mais enfin, on l'avait prévenu de cette éventualité depuis déjà un certain temps.

« Ce Hollandais a l'air sacrément résistant », commenta Noonan. Willem terHoost était actuellement en tête et il avait accéléré l'allure. Il était dans les temps d'un record malgré la chaleur torride. Celle-ci avait sérieusement entamé les forces de ses concurrents. Bon nombre avait ralenti le pas pour se désaltérer ou passer sous les portiques d'arrosage installés tout exprès, même si les reporters sportifs expliquaient qu'ils couraient ainsi un risque de tétanie musculaire, ce qui n'était pas vraiment l'idéal pour un coureur de marathon. Mais beaucoup malgré tout ne pouvaient résister, ou bien ils prenaient les bouteilles d'eau glacée qu'on leur tendait pour s'en arroser le visage.

« Quel masochisme..., commenta Chavez, regardant sa montre avant de saisir le micro de sa radio. Tomlinson pour PC.

— Je suis là, chef, entendit Chavez dans son écouteur.

— J'arrive pour te relever.

— Bien compris, sans problème, chef, répondit le sergent, toujours bouclé dans son cagibi.

— Allez, venez. » En se levant, Ding fit signe à Pierce et Noonan de le suivre. Ils n'étaient qu'à deux-trois mètres de la porte bleue. Ding tourna la poignée et entra.

Tomlinson et Johnston étaient dissimulés dans l'ombre du coin opposé à la porte. Ils en sortirent dès qu'ils eurent reconnu leurs compagnons.

« Parfait. Ne vous éloignez pas et restez aux aguets, dit Chavez aux deux sergents.

— À vos ordres », répondit Homer Johnston en sortant. Il crevait de soif et comptait se trouver quelque chose à boire. Tout en marchant, il plaqua les mains contre ses oreilles, pour tenter de déboucher ses tympans assourdis par la pompe.

Il est vrai que ce bruit était énervant, comme Chavez put le constater bien vite. Pas vraiment fort mais constant, un ronronnement analogue au moteur d'une grosse limousine. Il flottait aux franges de la conscience sans jamais disparaître et, à la réflexion, il lui faisait plutôt penser à une ruche. C'était peut-être ce qui le rendait si désagréable.

« Pourquoi laisse-t-on les lumières ? demanda Noonan.

— Bonne question. » Chavez se leva pour éteindre. Le local se retrouva dans le noir presque complet, avec juste un filet de lumière filtrant sous la porte coupe-feu. Chavez gagna à tâtons le mur opposé, réussit à l'atteindre sans se fracasser le crâne et s'appuya contre la paroi de béton, laissant ses yeux s'accoutumer à l'obscurité.

Gearing était en short et chaussures de randonnée avec des socquettes. C'était, semblait-il, la tenue générale pour supporter la canicule, et c'est vrai qu'il se sentait plutôt bien, sac au dos et bob sur la tête. Les tribunes du stade étaient encombrées de spectateurs qui s'étaient installés à l'avance pour ne pas manquer la cérémonie de clôture, et il vit que bon nombre d'entre eux étaient venus se placer sous les buses de climatisation pour échapper à la chaleur oppressante. Les présentateurs de la météo locale avaient répété à l'envi de quelle manière ce nouvel épisode du phénomène El Niño avait affecté le climat de la planète et occasionné cette vague de chaleur inhabituelle sur le pays, comme s'ils éprouvaient le besoin de s'en excuser. Il trouvait tout cela assez farce. S'excuser d'un phénomène naturel ! C'était d'un ridicule... Mais il était temps pour lui de se diriger vers son objectif. Ce faisant, il passa juste devant Homer Johnston, debout à la buvette en train de déguster son Coca.

« Le type pourrait-il utiliser un autre endroit ? s'inquiéta soudain Chavez dans le noir.

— Non, répondit Noonan. J'ai vérifié le plan du réseau de climatisation avant d'entrer. Tout le dispositif rayonne depuis ce local. S'il doit se passer quelque chose, ce sera ici.

— Si... », répliqua Chavez en espérant bien que ça n'arriverait pas. Sinon, ils retourneraient voir le lieutenant-colonel Wilkerson pour découvrir où était descendu ce fameux Gearing, lui rendre une petite visite et lui causer entre quat'-z-yeux.

Gearing avisa la porte bleue et chercha du regard des vigiles alentour. Les hommes du SAS australien étaient aisément repérables, une fois qu'on savait comment ils s'habillaient. Mais alors qu'il remarqua deux policiers de la ville de Sydney arpentant la galerie, il ne vit aucun militaire. Gearing marqua un temps d'arrêt à une quinzaine de mètres de la porte. Le trac habituel — un trac bien compréhensible avant une opération pour laquelle il était exclu de reculer. Il se demanda pour la millième fois s'il voulait vraiment faire une chose pareille. Il y avait des êtres humains tout autour de lui, des gens en apparence semblables à lui, avec leurs espoirs, leurs rêves et leurs aspirations... mais non, ce qu'ils avaient à l'esprit était sans rapport avec ce qui occupait le sien. Ils n'avaient pas compris ce qui était important et ce qui ne l'était pas. Ils ne voyaient pas la nature pour ce qu'elle était, et par conséquent, le seul résultat de leur existence était de lui nuire, voire de la détruire, qu'ils conduisent des voitures rejetant des particules toxiques dans l'atmosphère, qu'ils utilisent des substances chimiques qui polluaient l'eau, des pesticides qui tuaient les oiseaux ou les empêchaient de se reproduire, ou qu'ils s'aspergent les cheveux de laque dont le gaz propulseur détruisait la couche d'ozone. Mais ils s'en fichaient. Ils ne faisaient même pas l'effort de saisir les conséquences de leurs actes, alors, non, ils n'avaient aucun droit à vivre. Sa mission était de protéger la nature, de nettoyer la planète de ce mildiou, de la sauver en lui rendant sa pureté, et il se devait de l'accomplir. Cette décision prise, Wil Gearing reprit sa progression vers la porte d'acier peinte en bleu, chercha la clé dans sa poche et l'introduisit dans la serrure.

« Chef... ici Johnston, vous avez de la compagnie qui arrive ! Un type blanc, short kaki, polo rouge, sac à dos », annonça Homer sur le circuit radio. Près de lui, le sergent Tomlinson s'était déjà ébranlé.

« Ouvrons l'œil », dit Chavez. Ils avisèrent deux ombres barrant la fente de lumière sous la porte, puis ils entendirent le bruit d'une clé tournant dans la serrure, et une autre fente de lumière apparut, verticale celle-ci, comme la porte s'ouvrait, révélant une silhouette, une silhouette humaine... et à cette seconde précise, Chavez comprit que tout ça, c'était pour de vrai, au bout du compte. La lumière allait-elle révéler un monstre inhumain, quelque créature surgie d'une autre planète...

... mais non, rien qu'un homme, constata-t-il lorsqu'il manœuvra l'interrupteur. La cinquantaine, cheveux poivre et sel taillés ras. Un homme qui savait ce qu'il faisait : il se dirigea vers la clé à molette accrochée au mur, puis se débarrassa de son sac à dos, défit les deux sangles qui en fermaient le rabat. Chavez avait l'impression de regarder un film, il se sentait déconnecté de la réalité tandis qu'il regardait l'homme couper le moteur et mettre fin au ronronnement. Puis il ferma la vanne et prit la clé pour...

« Plus un geste, mon gars, lança Chavez en émergeant de l'ombre.

— Qui êtes-vous ? » demanda l'homme, surpris. Puis son visage le trahit. Il n'avait rien à faire ici. Il le savait, et il n'était pas le seul...

« Je pourrais vous poser la même question, sauf que moi je sais qui vous êtes : votre nom est Wil Gearing. Que comptez-vous faire, monsieur Gearing ?

— Je suis juste venu échanger le bidon de chlore du système de climatisation », répondit l'intéressé, d'autant plus ébranlé que ce Latino-Américain semblait le connaître par son nom. Comment était-ce possible ? Faisait-il partie du Projet ? Et sinon... quoi ? C'était comme si on lui avait flanqué un direct à l'estomac et maintenant tout son corps était sous le choc.

« Oh ! Et si on vérifiait ça, monsieur Gearing. Tim ? » Chavez fit signe à Noonan de ramasser le sac à dos. Le sergent Pierce se tenait en retrait, la main sur la crosse de son pistolet, les yeux rivés sur leur visiteur.

« M'a tout l'air normal, en effet », commenta Noonan. S'il s'agissait d'une contrefaçon, elle était excellente. Il fut tenté de dévisser le bouchon mais il avait de bonnes raisons de s'en abstenir. Chavez s'approcha de la pompe de circulation, prit la clé et retira le bidon en place.

« Celui-ci m'a l'air encore à moitié plein, mec. Le moment n'est pas encore venu de le remplacer, en tout cas, pas avec un truc baptisé Shiva. Tim, tu fais gaffe avec ce truc...

— Y a intérêt, confirma Noonan qui le replaça dans le sac de Gearing, avant de rattacher les sangles du rabat. Nous allons faire analyser ceci. Monsieur Gearing, vous êtes en état d'arrestation, lui dit l'agent du FBI. Vous avez le droit de garder le silence. Vous avez le droit à la présence d'un avocat durant votre interrogatoire. Si vous n'en avez pas les moyens, nous pouvons vous désigner un avocat d'office. Tout ce que vous direz désormais pourra être retenu contre vous devant un tribunal. Avez-vous bien compris ces droits, monsieur ? »

Gearing tremblait maintenant. Il se tourna vers la porte, au cas où...

Impossible. Tomlinson et Johnston avaient choisi ce moment pour entrer. « Vous l'avez eu ? demanda Homer.

— Ouaip », confirma Ding. Il prit son téléphone mobile et appela l'Amérique. Une fois encore, le système de cryptage entama la procédure de synchronisation.

« On le tient, annonça Chavez à Rainbow Six. Et on a récupéré le bidon avec ce que vous savez. Et maintenant, comment on se démerde pour rapatrier tout le monde ?

— Il y a un C-17 de l'Air Force à Alice Springs, si vous pouvez vous y rendre. Il vous attend là-bas.

— OK. Je vais voir si on peut trouver un avion. À plus tard, John. » Chavez pressa la touche fin et se tourna vers son prisonnier. « OK, mec, tu vas nous accompagner. Au moindre geste inconsidéré, le sergent Pierce, ici présent, te loge une balle dans la tête. D'accord, Mike ?

— Oui, mon commandant, compris cinq sur cinq », répondit Pierce d'une voix d'outre-tombe.

Noonan rouvrit la vanne et remit en route la pompe. Puis ils ressortirent dans la galerie sous le stade et rejoignirent la station de taxis. Ils se répartirent dans deux voitures qui gagnèrent aussitôt l'aéroport. Ils durent attendre une heure et demie pour avoir un 737 en direction de la ville du désert, un vol de près de deux heures.

Alice Springs est situé en plein centre du continent australien, près de la chaîne des monts Macdonnell. Un drôle d'endroit pour y trouver des équipements électroniques dernier cri et pourtant c'était là qu'étaient installées les immenses paraboles chargées de récupérer les données émises par les satellites américains de surveillance électronique ou de communications militaires. Les installations étaient gérées par la NSA, l'Agence pour la sécurité nationale, dont le siège principal était à Fort Meade, Maryland, entre Baltimore et Washington.

Le vol Qantas était presque vide, et dès leur arrivée, un minibus de service les conduisit au terminal de l'armée de l'air américaine, dont les installations étaient étonnamment confortables, malgré une chaleur caniculaire, puisque la température redescendait à peine des quarante-neuf degrés atteints dans l'après-midi.

« Vous êtes Chavez ? s'enquit le sergent à l'entrée du salon réservé aux personnalités.

— Affirmatif. Quand l'avion doit-il décoller ?

— Ils n'attendent plus que vous, commandant. Par ici. » Et ils remontèrent dans un autre minibus, qui vint les déposer au pied de la porte avant gauche du gros-porteur militaire. Là, un sergent en tenue de vol leur fit signe de monter à bord.

« Quelle est notre destination, sergent ? demanda Chavez en passant devant lui.

— D'abord Hickam à Hawaï, commandant, puis Travis, en Californie.

— Parfait. Dites au chauffeur qu'il peut démarrer.

— À vos ordres, commandant. » Le chef d'équipage rigola en refermant la porte avant de se diriger vers la cabine.

Ce monstrueux cargo était une véritable caverne mobile, et ils semblaient être les seuls passagers à bord. On n'avait pas cru bon de passer les menottes à Gearing, au grand dam de Ding, mais l'homme se montrait docile, avec Noonan à ses côtés.

« Alors, est-ce que vous désirez nous parler, monsieur Gearing ? demanda l'agent du FBI.

— Qu'est-ce que je risque ? »

Il fallait bien qu'il pose la question, supposa Noonan, même si cela trahissait un signe de faiblesse. C'est exactement ce qu'il avait espéré. La question appelait une réponse simple :

« Ta vie, mon bonhomme. »

38

Villégiature naturelle

Pour Wil Gearing, la coupe était pleine. Personne ne lui avait dit quoi faire en pareille circonstance. Il n'avait jamais envisagé un seul instant qu'on puisse enfreindre la sécurité du Projet. Sa vie était foutue maintenant... comment avait-il pu en arriver là ? Il avait le choix de coopérer ou non. Le contenu du bidon allait être analysé de toute façon, sans doute au Laboratoire central de recherche médicale de Fort Dietrick, dans le Maryland, et il ne faudrait alors que quelques secondes aux experts pour déterminer ce qu'il avait introduit dans le stade olympique... Et quelle explication aurait-il à fournir ? Aucune : sa vie, ses projets d'avenir, il avait tout perdu, et son seul choix désormais était de coopérer en espérant s'en tirer au mieux.

Alors, tandis que le C-17A Globemaster III gagnait son altitude de croisière, il se mit à table. Noonan tenait à la main un magnétophone, en espérant que le bruit des réacteurs pénétrant dans la soute ne rendrait pas l'enregistrement inaudible. Le plus dur pour lui fut de ne pas tiquer durant l'interrogatoire. Il avait pourtant entendu parler de toutes sortes de groupes écolos extrémistes, de ceux pour qui la mort de bébés phoques au Canada équivalait aux crimes commis à Treblinka ou Auschwitz, il savait que le Bureau avait enquêté sur les actions menées par ces groupes : enlever des animaux de certains laboratoires pour les libérer ou truffer de clous les troncs d'arbres pour empêcher les compagnies forestières de les abattre à la tronçonneuse, mais jamais il n'avait eu vent de plans aussi monstrueux. Et la ferveur religieuse qui l'accompagnait lui était totalement étrangère et par conséquent difficile à admettre. Il avait envie de croire que ce bidon de chlore ne contenait rien de plus méchant, mais il savait que ce n'était pas le cas. Ce récipient ainsi que le sac à dos étaient désormais enfermés dans un sac plastique hermétiquement scellé attaché au siège voisin de celui du sergent Mike Pierce.

« Il n'a pas encore appelé », observa John Brightling, en consultant sa montre. La cérémonie de clôture battait son plein. Le président du CIO s'apprêtait à faire son discours, conviant la jeunesse du monde aux prochains jeux. Puis l'orchestre jouerait l'hymne olympique tandis que la flamme s'éteindrait... comme bientôt la majorité de l'humanité. Les deux événements engendraient une tristesse analogue, comme s'ils avaient le même caractère inéluctable. Cette olympiade était la dernière, et la jeunesse du monde ne serait plus là pour célébrer la prochaine...

« John, il doit sans doute regarder la cérémonie comme nous. Laisse-lui un peu de temps, conseilla Bill Henriksen.

— Comme tu voudras. » Brightling passa le bras autour des épaules de sa femme et tenta de se relaxer. En ce moment même, les spectateurs admis dans le stade étaient en train de se faire arroser par les nanocapsules contenant Shiva. Bill avait raison, bien sûr. Tout avait dû se passer comme prévu. Et déjà, il voyait ce qui s'annonçait... les rues et les routes désertes, les fermes abandonnées, les aéroports fermés. Les arbres qui prospéraient sans crainte d'être abattus par les bûcherons. Les bêtes qui s'aventuraient, curieuses, se demandant peut-être où avaient disparu tous ces bruyants bipèdes. Ce serait le festin des rats et des charognards. Chiens et chats retrouveraient leurs instincts primitifs et survivraient ou non, au gré des circonstances. Herbivores et prédateurs ne connaîtraient plus la pression de la chasse. Les pièges dispersés dans la nature continueraient certes à tuer, mais à la longue, ils rouilleraient, leur poison s'épuiserait et ils cesseraient enfin de décimer le gibier tant détesté des paysans et autres ruraux. L'année à venir ne connaîtrait plus de massacre de bébés phoques à l'adorable fourrure immaculée. L'année à venir serait celle de la renaissance... et même s'il fallait pour cela recourir à la violence, cela en valait le prix. Pour Brightling et les siens, c'était comme une religion. Cela en avait à coup sûr tous les aspects. Ils adoraient le vaste écosystème collectif appelé la Nature avec un grand N. Ils luttaient pour la défendre parce qu'ils savaient qu'elle les aimerait et les nourrirait en échange. Ce n'était pas plus compliqué que ça. La Nature était pour eux, sinon une personne, en tout cas une sorte d'immense concept globalisant, qui concevait et entretenait tout ce qu'ils aimaient. Et ils étaient quasiment les premiers à avoir entièrement voué leur existence à cette idée.

« Combien de temps encore d'ici Hickam ?

— Encore dix heures de vol, m'a dit le chef d'équipage, répondit Pierce après un coup d'œil à sa montre. On se croirait de retour au 82ᵉ... Manque plus que mon parachute, Tim, dit-il à Noonan.

— Hein ?

— Le 82ᵉ régiment aéroporté, Fort Bragg. Ma première affectation », expliqua Pierce à l'intention de ce bleu du FBI. Il regrettait de ne plus sauter, mais ce n'était pas une activité qu'on pratiquait dans les commandos. Les débarquements par hélicoptère étaient certes plus faciles à organiser et infiniment plus sûrs, mais il y manquait ce côté excitant qu'il y avait à sauter d'un avion de transport avec ses compagnons d'escouade. « Qu'est-ce que tu penses de ce que s'apprêtait à faire ce type ? demanda Pierce en désignant Gearing.

— On a peine à y croire.

— Ouais, je sais, admit Pierce. J'aimerais pouvoir me dire que personne n'est cinglé à ce point. Franchement, un truc pareil, ça me dépasse.

— Ouais, répondit Noonan. Moi aussi. » Il sentit le contact du microcassette dans sa poche de chemise, et s'interrogea sur les informations qu'il contenait. La confession avait-elle valeur légale ? Il avait bien énoncé ses droits à ce zigue, et Gearing avait répondu qu'il les avait compris, mais n'importe quel avocat de province se démènerait pour jeter tout cela aux orties, au prétexte qu'étant à bord d'un appareil militaire et entouré d'hommes armés, son client était soumis à coercition... et il était bien possible que le juge l'approuve. De même qu'il pourrait considérer son arrestation comme illégale. Mais, estima Noonan, tout cela était moins important que le résultat obtenu : si Gearing avait dit la vérité, cette arrestation pouvait avoir sauvé des millions de vies humaines... Il se dirigea vers l'avant et le compartiment radio, accéda au système de communications cryptées et appela New York.

La sonnerie du téléphone réveilla Clark. Il saisit à tâtons le combiné et bougonna « Ouais ? » alors que le système de désembrouillage n'avait pas fini de s'accorder. Puis la voix synthétique annonça que la ligne était protégée. « Qu'est-ce qui se passe, Ding ?

— C'est Tim Noonan, John. J'ai une question.

— Laquelle ?

— Qu'est-ce que vous comptez faire à notre arrivée ? J'ai sur cassette la confession de Gearing, la totale, exactement ce que tu avais annoncé à Ding il y a quelques heures. Mot pour mot, John. Qu'est-ce qu'on fait à présent ?

— Je n'en sais encore rien. Il va sans doute falloir en parler à Murray, ainsi qu'à Ed Foley à la CIA. Je ne suis pas sûr que la loi ait envisagé un truc de cette ampleur, et je suis encore moins sûr qu'on ait envie de déballer tout ça en public devant un tribunal...

— Ouais, évidemment... » À l'autre bout du monde, le ton de Noonan traduisait son approbation. « OK, c'était juste histoire que quelqu'un y réfléchisse...

— Bon, d'accord, on y réfléchit. Autre chose ?

— Je pense pas.

— Très bien. Alors, j'essaie de me rendormir. » Et la communication fut coupée. Noonan retourna dans la soute. Chavez et Tomlinson gardaient toujours l'œil sur Gearing tandis que le reste du commando essayait tant bien que mal de dormir sur les sièges inconfortables aménagés dans l'espace de chargement, histoire d'occuper ce vol incroyablement ennuyeux. Sauf en ce qui concernait les rêves, découvrit Noonan au bout d'une heure. Ils étaient tout sauf ennuyeux...

« Il n'a toujours pas appelé, remarqua Brightling alors que les chaînes de télé revenaient à présent sur les temps forts des Jeux.

— Je sais, concéda Henriksen. Bon, laisse-moi lui passer un coup de fil. » Il quitta son fauteuil, sortit une carte de son portefeuille et composa le numéro inscrit au dos. C'était celui d'un des cadres de Global Security envoyés en mission à Sydney.

« Tony ? C'est Bill Henriksen. J'aimerais vous demander un petit service, d'accord ?... Bien. Trouvez-moi Wil Gearing et dites-lui de me rappeler immédiatement. Il a le numéro... oui, c'est celui-là. Tout de suite, Tony... Ouais. Merci. » Et Henriksen raccrocha. « Ça ne devrait pas être long. Il ne peut pas être bien loin, à moins qu'il soit déjà en route vers l'aéroport. Relax, John », conseilla encore une fois le chef de la sécurité, toujours aussi imperturbable. La batterie du téléphone mobile de Gearing pouvait être déchargée, il avait pu se retrouver coincé dans la foule, incapable de trouver un taxi pour rejoindre son hôtel, peut-être même qu'il n'y avait plus de taxis disponibles... autant d'explications anodines.

Aux antipodes, à Sydney, Tony Johnson traversa la rue pour entrer dans l'hôtel où était descendu Wil Gearing. Il connaissait déjà le numéro de la chambre, puisqu'ils s'y étaient rencontrés, et il prit l'ascenseur pour s'y rendre directement. Forcer la serrure fut un jeu d'enfant : le temps de glisser une carte de crédit dans l'embrasure, de faire jouer le pêne et il était dans la place...

... de même que les bagages de Gearing, sagement posés près de la penderie aux portes-miroirs coulissantes, et la pochette contenant ses billets d'avion pour la côte nord-ouest de l'Australie, accompagnés d'une carte et de brochures touristiques sur la Grande Barrière de corail. Bizarre. Le vol de Wil — il vérifia dans la pochette — devait décoller dans vingt minutes, et il aurait déjà dû se trouver à bord de l'appareil à l'heure qu'il était... Or, il n'avait pas quitté l'hôtel. Vraiment bizarre. *Où es-tu, Wil ?* se demanda Johnson. Puis il se rappela la raison de sa présence ici et décrocha le téléphone.

« Ouais, Tony. Alors, où est notre bonhomme ? » demanda Henriksen, plein de confiance. Puis son visage se décomposa. « Qu'est-ce que vous dites ? Quoi d'autre ? OK, si vous découvrez autre chose, rappelez-moi ici. Salut. » Henriksen reposa le combiné et se tourna pour regarder les époux Brightling. « Wil Gearing a disparu. Il n'est pas dans sa chambre, mais ses bagages et ses billets y sont toujours. Comme s'il s'était volatilisé.

— Qu'est-ce que ça veut dire ? demanda Carol.

— Je n'en sais trop rien. Merde, peut-être qu'il s'est fait renverser par une voiture.

— ... ou peut-être que Popov aura craché le morceau et se sera fait coffrer, suggéra John Brightling, de plus en plus nerveux.

— Popov ne connaissait même pas son nom...

Hunnicutt n'a pas pu le lui dire, il ne le connaissait pas non plus. » Et puis, Henriksen réfléchit. *Oh, merde, Foster savait en revanche parfaitement comment on était censés répandre Shiva... Putain de merde !*

« Quel est le problème, Bill ? demanda John en voyant sur les traits de son interlocuteur que quelque chose ne tournait pas rond.

— John, il se pourrait qu'on ait un problème, annonça l'ex-agent du FBI.

— Quel problème ? » fit Carol. Henriksen l'expliqua, et le climat dans la pièce changea du tout au tout. « Tu veux dire... ils pourraient savoir... ? »

Henriksen hocha la tête. « C'est bien possible, oui.

— Mon Dieu, s'exclama la conseillère présidentielle. S'ils savent ça, alors... alors...

— Ouais, acquiesça Bill. On est foutus.

— Qu'est-ce qu'on peut faire ?

— Pour commencer, détruire toutes les preuves. Toutes les souches de Shiva, tous les vaccins, toutes les archives... Comme tout est sur ordinateur, il suffit de les effacer. Il ne devrait pas y avoir grand-chose comme indices sur papier, puisqu'on n'a pas arrêté de seriner à tout le monde de ne rien sortir sur imprimante et de toujours détruire systématiquement toutes les notes manuscrites. On peut opérer d'ici. Depuis mon bureau, j'ai accès à tous les ordinateurs de la société et je peux écraser tous les fichiers...

— Tous nos documents sont cryptés, fit remarquer John Brightling.

— Vous êtes prêts à les soumettre aux spécialistes du décryptage de Fort Meade ? Moi pas, les avertit Henriksen. Non, tous ces fichiers doivent disparaître, John. Écoutez, le moyen d'annuler des poursuites judiciaires, c'est de réfuter les preuves présentées contre vous. Faute de preuves matérielles, ils ne peuvent rien contre vous.

— Et les témoins ?

— S'il existe une notion surfaite, c'est bien celle de témoin oculaire. N'importe quel avocat débutant est capable de les ridiculiser. Non, du temps où je travaillais sur les affaires du Bureau, je réclamais toujours des éléments tangibles, des trucs à faire passer aux membres du jury, qu'ils puissent les tâter et les examiner. La déposition d'un témoin oculaire est pratiquement sans valeur devant un tribunal, malgré tout ce qu'on peut voir à la télé. Bon, je file dans mon bureau commencer le nettoyage. » Henriksen sortit aussitôt, abandonnant le couple Brightling à ses inquiétudes.

« Mon Dieu, John, dit Carol, si jamais les gens découvrent tout ça, jamais ils n'arriveront à comprendre...

— Comprendre qu'on s'apprêtait à les tuer, eux et leur famille ? Non, admit son mari d'une voix cassante. Effectivement, je ne crois pas que le blaireau moyen saisisse tout l'intérêt de la chose...

— Alors, qu'est-ce qu'on fait ?

— On quitte le pays en vitesse. On file au Brésil avec tous ceux qui sont au courant du Projet dans ses détails. On a toujours accès aux comptes bancaires — j'ai une bonne douzaine de comptes secrets accessibles électroniquement — et ils n'ont sans doute pas de quoi nous poursuivre si Bill réussit à effacer tous les fichiers informatiques. Bon, d'accord, il se peut qu'ils aient interpellé Wil Gearing, mais ce n'est qu'un type isolé et je ne suis même pas certain qu'ils puissent légalement nous poursuivre à l'étranger sur la déposition d'un seul individu. Il n'y a au total qu'une cinquantaine de personnes à savoir réellement de quoi il retourne — l'intégralité du Projet, je veux dire — et nous avons suffisamment d'avions pour emmener tout le monde à Manaus. »

Sitôt entré dans son bureau, Henriksen alluma son ordinateur personnel et ouvrit un fichier crypté. Il contenait les numéros de modem et les codes d'accès à tous les ordinateurs d'Horizon Corporation, plus les noms des fichiers relatifs au Projet. Il se connecta à toutes les machines, une par une, recherchant les fichiers à supprimer pour procéder à leur effacement total. Une tâche d'envergure : car il ne s'agissait pas simplement de les déplacer d'un clic de souris dans la corbeille où ils risquaient toujours d'être récupérés, mais de faire disparaître jusqu'à leur adresse dans la table d'allocation de chaque disque dur. L'opération lui prit trente-neuf minutes au bout desquelles il s'aperçut qu'il était en nage, mais cela fait, il était à présent certain d'avoir complètement détruit toute trace physique de leur existence. Il revérifia sa liste, chercha dans sa mémoire d'autres noms de fichiers et dossiers litigieux avant d'entreprendre une nouvelle recherche globale, mais non, tous ces documents avaient définitivement disparu. Bien. Par mesure de sécurité supplémentaire, il songea même à lancer une défragmentation de tous les disques sur lesquels il avait opéré : ainsi, même en cas d'examen minutieux de ceux-ci, il ne subsisterait même plus de trous, dans l'organisation des dossiers, susceptibles de révéler aux enquêteurs des effacements intempestifs et trahissant une éventuelle manipulation.

Bien, se dit-il enfin. Que pouvaient-ils avoir d'autre ? Ils pouvaient détenir le bidon confié à Gearing pour répandre Shiva. Là, ce serait plus délicat à nier, mais en définitive, qu'auraient-ils, en fait ? Tout au plus la preuve que Gearing avait transporté une arme de guerre biologique potentielle. Gearing pourrait toujours raconter au procureur que le récipient provenait d'Horizon Corporation, mais aucun des techniciens travaillant sur cette partie du Projet n'avouerait jamais avoir fabriqué un tel produit, de sorte qu'ils n'auraient aucune preuve pour corroborer une telle assertion.

Bon. D'après son décompte, il y avait au total cinquante-trois employés d'Horizon et de Global Security à être au courant du Projet de bout en bout. Les travaux sur les vaccins A et B pouvaient être justifiés par la recherche médicale. Le virus Shiva et les stocks de vaccin seraient incinérés d'ici quelques heures, ne laissant pas la moindre pièce à conviction.

Ça devrait suffire. Enfin presque. Ils tenaient toujours Gearing, et Gearing, s'il parlait (et il parlerait, Henriksen en était sûr : le Bureau savait y faire), risquait de sérieusement compliquer l'existence d'un certain nombre de personnes, dont les Brightling et lui-même. Ils éviteraient sans doute la condamnation, mais pas un procès... et tout ce que pouvaient engendrer des révélations, les remarques faites incidemment par des membres du personnel, tout cela pourrait être mis bout à bout... et puis, il y avait aussi Popov, qui pouvait établir le lien entre John Brightling, lui et les attentats terroristes. D'un autre côté, ils pouvaient coincer

Popov pour le meurtre de Foster Hunnicutt, ce qui ne manquerait pas d'amoindrir la portée de ses allégations... Le mieux, malgré tout, serait d'être hors d'atteinte quand ils tenteraient de les mettre en examen. Cela voulait dire destination Brésil, et Projet bis dans la jungle à l'ouest de Manaus. Là-bas, ils pourraient faire le gros dos, bien à l'abri sous l'excellente protection des lois d'extradition brésiliennes... Ils auraient tout le temps d'étudier la forêt équatoriale... oui, c'était jouable.

Bon, songea-t-il, il avait la liste complète des collaborateurs du Projet, ceux qui savaient tout, ceux qui, s'ils étaient arrêtés et interrogés par le FBI, risquaient de leur valoir à tous la corde. Il sortit sur imprimante sa liste des Vrais Croyants et la glissa dans sa poche de chemise. Cela fait, et après avoir encore une fois envisagé les solutions de rechange, Henriksen remonta au bureau des Brightling, sur la terrasse.

« J'ai déjà dit aux équipages de mettre en chauffe les zincs, lui annonça Brightling à son arrivée.

— Bien. » Henriksen hocha la tête. « Je pense que le Brésil est désormais la meilleure destination. Dans le pire des cas, on pourra toujours réunir tout le personnel et lui faire un topo détaillé sur la conduite à tenir, la façon d'agir si jamais on leur pose des questions. On doit pouvoir s'en tirer, John, mais il s'agit de jouer serré.

— Et le sort de la planète, dans tout ça ? intervint Carol Brightling, d'une voix attristée.

— Carol, répondit Bill, tu t'occupes d'abord de sauver ta peau. Tu ne risques pas de sauver la nature depuis une cellule d'un pénitencier fédéral, mais si on se débrouille bien, on doit pouvoir réfuter toutes les preuves réunies contre nous, auquel cas on est tranquilles... À présent (il sortit la liste de sa poche), voici les seules personnes que nous avons à protéger. Il y en a cinquante-trois, et nous avons quatre Gulfstream garés en bas. On peut tous filer en avion rallier le Projet bis. Pas d'objection ? »

John Brightling secoua la tête. « Non, je suis d'accord avec toi. Est-ce que ça peut nous permettre d'échapper aux poursuites ? »

Henriksen opina avec conviction. « Je le pense. Popov va causer un problème, mais c'est un assassin. Avant qu'on décolle d'ici, je m'en vais signaler le meurtre d'Hunnicutt aux flics du comté. Ça entamera un peu plus sa crédibilité comme témoin... ils croiront qu'il leur balance une histoire à dormir debout pour échapper à la potence... Je peux fournir à la police des dépositions enregistrées de Maclean et Killgore. Même si ça ne suffit pas à faire reconnaître sa culpabilité, ça le mettra malgré tout dans de sales draps. C'est ainsi qu'il faut faire : briser l'enchaînement des preuves de la partie adverse et la crédibilité de ses témoins. D'ici un an, dix-huit mois peut-être, nos avocats auront une discussion en tête à tête avec le procureur local, et on pourra tous rentrer chez nous. En attendant, tout le monde part camper au Brésil. De toute façon, tu peux diriger ta boîte de là-bas via Internet, non ?

— Ma foi, ce n'est pas aussi bien que ce qu'on avait prévu, mais...

— Si, admit Carol. Et c'est foutrement mieux que de finir ses jours dans une prison fédérale.

— Bien, alors tu nous organises tout ça, Bill », ordonna John.

« Alors, qu'est-ce qu'on décide ? demanda Clark dès son réveil.

— Eh bien, répondit Tom Sullivan, pour commencer, on va voir le directeur adjoint chargé du bureau de New York, puis on contacte le procureur fédéral pour qu'il entame une procédure criminelle.

— Je ne suis pas de cet avis », rétorqua Clark en se massant les paupières. Il tendit la main vers sa tasse de café.

« On ne peut pas non plus leur mettre la main dessus et leur filer une dérouillée, vous savez. On est des flics. On ne peut pas enfreindre la loi, fit observer Chatham.

— Pas question que cette histoire soit déballée au grand jour devant un tribunal. Au demeurant, qu'est-ce qui nous prouve qu'on aurait gain de cause ? Est-ce qu'ils n'auraient pas moyen de dissimuler les preuves ?

— Difficile de savoir. On a deux filles disparues, sans doute assassinées... plus d'autres, si notre ami Popov a dit vrai... et tout ça, ce sont des crimes fédéraux et des crimes d'État... par ailleurs, bon Dieu, il y a cet autre complot... c'est pour ça que nous avons des lois, monsieur Clark.

— Peut-être bien, mais d'après vous, combien de temps vous faudra-t-il pour investir cet endroit au Kansas, qu'on n'a pas encore réussi à situer avec précision, munis de mandats pour arrêter l'un des hommes les plus fortunés d'Amérique ?

— Ça va prendre un certain temps, reconnut Sullivan.

— Une bonne quinzaine, au bas mot, rien que pour réunir les pièces, nota l'agent Chatham. On aura besoin de discuter avec des experts, de faire analyser le bidon de chlore par les autorités compétentes, et pendant ce temps, les sujets s'emploieront à détruire tout ce qui pourrait fournir la moindre pièce à conviction. Ce ne sera pas facile, mais c'est ainsi qu'on opère dans le service, voyez-vous.

— Je suppose. » Clark était dubitatif. « Mais côté surprise, c'est plutôt râpé. Ils savent sans doute déjà que nous détenons ce Gearing. Partant de là, ils savent aussi ce qu'il peut nous dire.

— Certes, concéda Sullivan.

— On pourrait tenter une autre approche.

— Laquelle ?

— Je ne sais pas trop », admit Clark.

L'enregistrement vidéo se déroula dans la médiathèque du Projet, dans le studio où ils avaient espéré produire des cassettes pour les survivants du fléau. La fin du Projet au niveau opérationnel avait porté un rude coup à tous les membres. Kirk Maclean en particulier était fort abattu, mais il joua parfaitement son rôle en décrivant les chevauchées matinales qu'avec Serov, Hunnicutt et Killgore ils avaient partagées avec plaisir tous les quatre. Puis le Dr John Killgore narra comment il avait retrouvé les chevaux, puis vint le récit de Maclean sur la découverte du corps, et l'autopsie pratiquée par Killgore lui-même, au cours de laquelle il avait trouvé la balle de calibre 44 qui avait mis fin aux jours de Foster Hunnicutt. L'enregistrement effectué, les hommes rejoignirent les autres dans le hall du bâtiment résidentiel, puis un minibus les transporta vers l'avion qui attendait, moteurs au ralenti.

Il y avait plus de cinq mille kilomètres jusqu'à Manaus, leur annonça-t-on lors de l'embarquement, un vol de près de huit heures, aisément couvert par un appareil comme le Gulfstream-V. Le premier était presque vide : juste le Dr Brightling et sa femme, Bill Henriksen et Steve Berg, le principal responsable scientifique pour la partie Shiva du Projet. L'appareil décolla à neuf heures du matin, heure locale. Prochaine escale : la vallée de l'Amazone au centre du Brésil.

Il s'avéra que le FBI avait localisé avec précision le site du Kansas. Une voiture et deux agents de la section locale s'y présentèrent juste à temps pour voir les derniers avions décoller, ce dont ils rendirent compte à leur base, et de là, le message fut relayé à Washington. Puis ils se garèrent sur le bord de la route, burent leur Coca et mangèrent leur MacDo tout en surveillant les abords de ces bâtiments totalement incongrus au beau milieu des plaines céréalières.

Le C-17 changea d'équipage à la BA d'Hickam à Hawaï, puis ravitailla avant de redécoller pour Travis, Californie du Nord. Chavez et ses hommes ne descendirent même pas de l'appareil, mais regardèrent le nouvel équipage arriver, muni de cantines et de boissons, en prévision des six heures de vol de la nouvelle étape. Wilson Gearing essayait à présent de se justifier, leur parlant des arbres, des poissons et des petits oiseaux, nota Ding d'une oreille distraite. Ce n'était pas le genre d'arguments susceptible de convaincre le père d'un nouveau-né et l'époux d'une femme médecin, mais le type continuait malgré tout de délirer. Noonan écoutait poliment, sans manquer d'enregistrer également toutes ces déclarations.

À bord de tous les appareils, le vol vers le sud se déroulait dans le silence. Ceux qui n'étaient pas encore au courant des récents événements de Sydney se doutaient que quelque chose ne tournait pas rond, mais ils ne pouvaient pas communiquer avec l'appareil de tête sans passer par les membres d'équipage ; or ces derniers n'avaient jamais été informés des objectifs du Projet : comme tant d'autres employés d'Horizon Corporation, on les payait simplement pour faire le boulot pour lequel ils étaient formés. Ils avaient reçu instruction de mettre le cap plein sud, vers une destination située juste sous l'équateur. C'était un trajet qu'ils avaient déjà effectué, lors de la construction du Projet bis, l'année précédente. Ce complexe disposait également d'une piste de taille suffisante pour accueillir les jets d'affaires, mais celle-ci n'était équipée que de VFR pour les atterrissages de jour, faute de disposer des aides à la navigation du Kansas. En cas de pépin, ils devraient se rabattre sur l'aéroport de Manaus, cent quatre-vingts kilomètres à l'est de leur destination ; ce dernier était entièrement équipé, y compris pour l'entretien du matériel. Le Projet bis avait en stock des pièces de rechange et chaque appareil avait à son bord un mécanicien parfaitement formé, mais ils préféraient confier à d'autres les réparations importantes.

D'ici une heure, ils quitteraient terre pour s'engager dans le golfe du Mexique, puis ils oblique-raient vers l'est pour emprunter le couloir de vol international au-dessus de Cuba. Les prévisions météo étaient bonnes jusqu'au Venezuela, où ils devraient éviter quelques formations orageuses, mais rien de bien sérieux.

À bord de l'avion de tête, les responsables du Projet pensaient avoir quitté le pays le plus vite qu'il était possible, pour disparaître de la surface de la planète qu'ils avaient espéré sauver.

« C'est quoi, ça ? » demanda Sullivan. Puis il se retourna. « Quatre appareils à réaction viennent de quitter le site du Kansas, et ils ont mis cap au sud.

— A-t-on moyen de les pister ? »

Sullivan haussa les épaules. « Avec l'armée de l'air, peut-être.

— Bon, on procède comment ? demanda Clark avant de se décider à appeler Langley.

— Je peux essayer, John, mais remuer l'Air Force à si bref délai ne va pas être facile.

— Essayez, voulez-vous, Ed ? Quatre jets d'affaires de type Gulfstream ayant décollé du centre Kansas, cap au sud, destination inconnue.

— OK, je vais appeler le NMCC. »

Ce n'était pas une requête bien compliquée pour le patron de la CIA. L'officier de garde au NMCC, le Centre de commandement militaire national, était un général de division aérienne récemment affecté à ce poste de bureau après avoir commandé ce qui restait de chasse américaine au sein de l'OTAN.

« Bien, et qu'est-ce qu'on est censés faire, monsieur ? s'enquit le général.

— Quatre jets d'affaires de type Gulfstream ont décollé du centre Kansas, il y a environ une heure et demie. On veut que vous les pistiez.

— Avec quoi ? Tous les chasseurs de notre dispositif de défense aérienne sont à la frontière canadienne. Inutile de les rappeler, ils ne seront jamais revenus à temps.

— Et si vous utilisez un AWACS ? demanda Foley.

— Ils dépendent du commandement de combat aérien, à Langley — chez nous, pas chez vous — et, ma foi, il est bien possible qu'il y en ait en mission de surveillance pour les stups ou bien en vol d'entraînement. Je peux toujours vérifier...

— Faites. Je reste en ligne. »

Le général fit encore mieux que cela : il décida d'appeler le NORAD, le commandement de la défense aérienne pour l'Amérique du Nord, au mont Cheyenne ; mettant à profit leur couverture radar de l'ensemble de l'espace aérien du pays, il leur ordonna d'identifier les quatre Gulfstream. Cela prit moins d'une minute, au bout de laquelle ordre fut transmis par ordinateur à la FAA, la Commission fédérale de l'aviation civile, de vérifier leur plan de vol, procédure obligatoire pour tous les vols internationaux. Le NORAD précisa par ailleurs au général qu'il y avait bien deux E-3B AWACS en vol en ce moment, le premier à trois cents nautiques au sud de La Nouvelle-Orléans, en mission pour les stups, et le second juste au sud de la BA d'Eglin. Ce dernier effectuait un exercice de routine avec des chasseurs basés là, contre une escadrille de la Navy partie de la base aéronavale de Pensacola. Ainsi renseigné, le général appela aussitôt la BA de Langley en Virginie, eut en ligne le responsable des opérations et l'informa de la requête du patron du renseignement.

« Quel est le but de la mission, monsieur ? demanda le général à Ed Foley, une fois les liaisons téléphoniques établies.

— Je ne peux pas encore vous le dire, mais c'est bougrement important. »

Le général retransmit tel quel à Langley, en évitant toutefois de rapporter la réponse peu amène au patron de la CIA. C'est qu'il fallait répercuter la requête au général d'armée aérienne à la tête du commandement de combat aérien qui, comme de bien entendu, se trouvait à son bureau, plutôt que dans le poste de pilotage du F-16 fourni avec les galons. Le général donna son accord en bougonnant, estimant que la CIA ne les dérangerait pas ainsi sans une bonne raison.

« Vous pouvez l'avoir si vous voulez. Jusqu'où doit-il aller ?

— Impossible de dire. Quelle est l'autonomie d'un zinc comme le Gulfstream ?

— Bigre, monsieur, le dernier modèle, le G-V, est tout à fait capable de rallier le Japon sans escale. J'ai bien peur de devoir prévoir un ravitailleur en vol.

— D'accord, faites ce que vous pensez utile. Qui dois-je contacter pour m'informer du suivi de l'opération ?

— Le NORAD. » L'officier fournit au patron de la CIA le numéro à appeler.

« D'accord. Merci encore, général. L'Agence vous doit une fière chandelle.

— Je ne l'oublierai pas, directeur Foley », lui promit le général en chef de l'aviation américaine.

« La chance est avec nous, entendit Clark. L'armée de l'air nous prête un AWACS. On va pouvoir les suivre à la trace jusqu'à leur destination », indiqua Ed Foley, exagérant quelque peu, puisqu'il évita de préciser que l'appareil allait devoir ravitailler en vol.

L'appareil en question, un E-3B Sentry vieux de dix ans, reçut l'ordre de mission quinze minutes plus tard. Le pilote relaya l'information à l'officier de plus haut rang à bord, un commandant, qui à son tour rappela le NORAD pour avoir de plus amples informations. Il les obtint alors que le G de tête avait quitté depuis dix minutes l'espace aérien américain. Le guidage depuis le mont Cheyenne rendait la traque à peu près aussi difficile qu'une virée jusqu'au supermarché local. Ils devaient avoir rendez-vous au-dessus de la mer des Antilles avec un ravitailleur parti de Panamá. Bref, ce qui était à l'origine un intéressant exercice de défense aérienne retournait à l'ennui profond. Comme l'E-3B Sentry, basé sur le vénérable Boeing 707-320B[1], volait à la même vitesse que les jets d'affaires fabriqués à Savannah, il se maintenait à distance, cinquante

---

1. Pour tous les détails techniques sur les appareils, sigles et acronymes divers, le lecteur intéressé pourra utilement se reporter aux glossaires parus dans les ouvrages précédents de la série, en particulier *Sans aucun remords*, *op. cit.*, et *Dette d'honneur*, Albin Michel, 1995, Le Livre de Poche nos 17015 et 17016 *(N.d.T.)*.

milles nautiques en retrait. La seule gêne pouvait venir du ravitaillement en vol, et encore serait-elle minime. L'indicatif radar de l'appareil était Aigle Deux-Neuf, et il était doté de capacités de transmission radio par satellite lui permettant de relayer au QG du NORAD, dans le Colorado, tous les signaux, y compris les images radar. La plupart des membres d'équipage d'Aigle Deux-Neuf étaient installés dans des fauteuils confortables ; plusieurs d'ailleurs somnolaient pendant que trois contrôleurs surveillaient les quatre Gulfstream qu'ils étaient censés pister. Il devint assez vite manifeste que les quatre appareils avaient pris une route à peu près rectiligne, en se suivant à cinq minutes d'écart, soit l'équivalent environ de quarante et un nautiques, sans du tout chercher à se dissimuler en volant par exemple au ras des vagues. C'est qu'ils savaient qu'une telle manœuvre aurait eu pour seul résultat de fatiguer inutilement les cellules et d'accroître leur consommation. Peu importait au demeurant pour l'AWACS, qui était capable de repérer un sac-poubelle flottant sur les flots — ce qui leur arrivait du reste régulièrement dans le cadre de la lutte anti-drogue puisque c'était une des méthodes utilisées par les trafiquants pour faire transiter la cocaïne —, de même qu'il aurait pu assurer les contrôles de vitesse sur les autoroutes, puisque tout objet dépassant cent vingt kilomètres-heure était automatiquement indexé par le système de surveillance radar assisté par ordinateur, jusqu'à ce que l'opérateur lui dise de l'ignorer. Mais pour l'heure, tout ce qu'ils avaient à faire était de surveiller le trafic des avions de ligne suivant les couloirs aériens habituels, plus ces quatre jets d'affaires qui avaient l'air de suivre un plan de vol si bêtement rectiligne et régulier que, comme le nota l'un des contrôleurs, même un Marine aurait été capable de les descendre en vol sans avoir besoin d'un système de guidage.

Dans l'intervalle, Clark avait pris la navette pour l'aéroport national Reagan, sur l'autre rive du Potomac, en face de Washington. L'appareil atterrit à l'heure et Clark fut récupéré à l'aérogare par un employé de la CIA dont la « voiture de service » était garée à l'extérieur. Vingt minutes plus tard, ils étaient à Langley, au sixième étage du bâtiment de l'ancien quartier général. Dimitri Popov n'avait jamais imaginé se retrouver un jour à l'intérieur de cet édifice bien précis, et surtout pas muni du badge VISITEUR-ESCORTE OBLIGATOIRE. John se chargea des présentations.

« Bienvenue, lui dit Foley dans un excellent russe. J'imagine que c'est la première fois que vous venez ici.

— De même que vous n'avez sans doute jamais visité le 2, place Dzerjinksi.

— Ah mais si, détrompez-vous, rétorqua Clark. J'y suis allé. Et dans le bureau même de Sergueï Nikolaïevitch.

— Incroyable..., répondit Popov en s'asseyant dans le siège qu'on lui indiquait.

— Très bien, Ed, où diable se trouvent nos bonshommes, à présent ?

— Au-dessus du nord du Venezuela. Ils volent toujours vers le sud, sans doute vers le centre du Brésil. La FAA nous précise qu'ils ont bien rempli un plan de vol — c'est obligatoire — pour Manaus. La capitale du caoutchouc... Au confluent de l'Amazone et du río Negro.

— Ils m'ont dit qu'ils y avaient installé un complexe analogue à celui du Kansas, mais plus petit, indiqua Popov à ses hôtes.

— On cale un satellite dessus ? demanda Clark au patron de la CIA.

— Une fois qu'on a plus de précisions sur le site, bien sûr. L'AWACS a perdu un peu de terrain lors du ravitaillement en vol, mais il n'a jamais que cent cinquante nautiques de retard, ce n'est pas un problème. D'après eux, les quatre jets volent toujours peinardement, comme si de rien n'était.

— Une fois qu'on connaît leur destination... on fait quoi ?

— Je ne sais pas trop, dit Foley. Je n'ai pas encore réfléchi à la question.

— Il n'est pas sûr qu'il y ait matière à ouvrir une enquête criminelle, Ed.

— Oh ?

— Mouais, confirma Clark avec un hochement de tête. S'ils sont malins, et on doit le supposer, ils peuvent sans grand mal faire disparaître toutes les preuves matérielles du crime. Restent les témoins, mais qui, selon vous, se trouve à bord des quatre jets qui filent vers le Brésil ?

— Tous ceux qui sont au courant de ce qui s'est passé. Ils avaient tout intérêt à être en nombre aussi réduit que possible, pour d'évidentes raisons de sécurité, bien sûr... alors, à votre avis, ils sont descendus là-bas pour répéter tranquillement leur petite chanson ?

— Comment ça ? » s'enquit Popov.

Foley s'expliqua : « Ils vont devoir s'inventer une version unique des faits et apprendre à la seriner au FBI quand les interrogatoires commenceront. Donc, il faut qu'ils apprennent tous le même refrain, et qu'ils apprennent à s'y tenir contre vents et marées.

— C'est ce que vous feriez à leur place, Ed ? » questionna Rainbow Six.

Foley hocha la tête. « Certes... Vous avez une idée ? »

Clark fixa le patron du service droit dans les yeux. « Leur rendre une petite visite, par exemple ?

— Avec l'aval de qui ? demanda le directeur de la CIA.

— Allons, je continue d'être appointé par cette agence, Ed. Je suis toujours sous vos ordres...

— Bon Dieu, John.

— Ai-je au moins votre permission de rassembler mes hommes à un point de ralliement convenable ?

— Où ça ?

— Mettons Fort Bragg », proposa Clark. Foley fut bien obligé de céder à la logique du moment. « Permission accordée. »

Sans plus attendre, Clark se leva pour décrocher un téléphone crypté et appeler Hereford.

Alistair Stanley s'était bien remis de ses blessures, suffisamment en tout cas pour être capable de tenir une journée entière au bureau sans être terrassé de fatigue. Le déplacement de Clark aux États-Unis l'avait propulsé à la tête de Rainbow — ou de ce qu'il en restait — et il se retrouvait à présent confronté à des problèmes que Clark n'avait pas encore eu à assumer, comme par exemple le remplacement des deux soldats décédés. Bref, le moral était au plus bas. Pour leurs copains, il s'agissait de deux disparus avec qui ils avaient travaillé intimement, et ce n'était jamais une épreuve facile à surmonter, même si chaque matin ils étaient sur le terrain d'entraînement pour l'exercice quotidien et si chaque après-midi ils se retrouvaient au stand de tir pour se tenir prêts à toute éventualité. Une hypothèse jugée bien peu probable mais d'un autre côté, rétrospectivement, aucune des missions de Rainbow ne l'avait été.

Son téléphone crypté se mit à pépier et Stanley se pencha pour décrocher.

« Oui, Alistair Stanley, j'écoute.

— Salut, Al, c'est John. Je suis à Langley.

— Bon Dieu, merde, qu'est-ce qui se passe, John ? Chavez et ses gars ont disparu sans laisser de traces et...

— Ding et ses hommes sont en ce moment quelque part entre Hawaï et la Californie, Al. Ils ont démantelé un complot d'envergure à Sydney.

— Très bien, et c'était quoi encore, ce bordel ?

— T'es bien assis, Al ?

— Ben, oui, John, bien sûr et...

— Bon, alors, tais-toi. Je te la fais courte. » Et Clark passa dix bonnes minutes à lui exposer les faits.

« Sacré bordel de merde, souffla Stanley quand son chef eut enfin terminé son récit. T'en es sûr ?

— Bougrement sûr, Al. À l'heure qu'il est, on est en train de suivre à la trace les autres avions à bord desquels ont fui les conjurés. Ils semblent se diriger vers le nord du Brésil... Bien, j'ai besoin que tu me rassembles tout ton petit monde et que vous embarquiez illico pour Fort Bragg — la BA de Pope, en Californie du Nord — avec tout votre barda. La totale. Il se pourrait qu'on doive faire une virée en pleine jungle pour... eh bien, pour régler une bonne fois pour toutes le sort de ces types.

— Compris. J'essaie d'organiser tout ça. Vitesse maxi ?

— Affirmatif. Dis à British Airways de nous affréter un zinc, poursuivit Clark.

— Très bien, John. Je m'y mets de ce pas. »

À Langley, Clark continuait de s'interroger sur la tournure des événements, mais avant de prendre sa décision il devait mettre en place tout son dispositif. Donc, Alistair allait essayer d'obtenir de British Airways un appareil de réserve pour transporter directement ses hommes jusqu'à la base de Pope et ensuite... là, il devait encore réfléchir. Et il allait falloir qu'il les rejoigne, lui aussi, pour retrouver le SOC, le commandement des opérations spéciales du colonel Little Willie Byron.

« Cible un en amorce de descente », annonça dans l'interphone un des contrôleurs. Son supérieur quitta des yeux le bouquin qu'il lisait et activa son écran radar qui lui confirma l'information. En ce moment précis, ils étaient en train d'enfreindre les lois internationales. Aigle Deux-Neuf n'avait pas reçu l'autorisation de survoler le Brésil mais, d'après le signal envoyé par son répéteur de bord, leur réseau radar de contrôle aérien l'identifiait comme un banal avion-cargo civil — la ruse habituelle —, et jusqu'ici personne ne s'était enquis de leur plan de vol. S'étant assuré du changement de trajectoire de leur cible, il en informa aussitôt par liaison satellite le NORAD et par conséquent (mais ça, il l'ignorait) la CIA. Cinq minutes plus tard, la cible deux entamait la même manœuvre. Dans le même temps, les deux biréacteurs avaient ralenti, permettant à l'AWACS de combler une partie de son retard. Le chef contrôleur dit à l'équipage de garder le même cap et la même vitesse, s'informa des réserves en kérosène, et apprit qu'ils avaient encore huit heures de vol devant eux, une marge plus que suffisante pour regagner leur base de Tinker, à proximité d'Oklahoma City.

En Angleterre, la carte British Airways donna les résultats escomptés : après dix minutes de vérification, la compagnie attribuait à Rainbow un biréacteur 737-700, tenu à leur disposition sur l'aérodrome de Luton, un petit terrain civil situé au nord de Londres. Ils devraient s'y rendre par camions, lesquels leur furent fournis par les services de transport de l'armée britannique à Hereford.

C'était comme une immense mer verte, nota John Brightling en contemplant le niveau supérieur de la jungle à triple canopée. Dans le soleil couchant on voyait le reflet argenté des cours d'eau, mais presque rien du sol proprement dit. C'était l'écosystème le plus riche de la planète, qu'il n'avait jamais eu l'occasion d'étudier en détail... eh bien, il allait avoir désormais tout le temps de le faire, pendant un an au moins... Le Projet bis était une installation solide et confortable, dotée d'une équipe d'entretien de six personnes. Elle était autonome en énergie, grâce à ses groupes électrogènes, dotée de moyens de communication par satellite et elle possédait des réserves de vivres en abondance. Il se demanda lesquels, parmi les passagers des quatre appareils, pourraient faire de bons cuisiniers. C'est qu'il faudrait envisager une division du travail, comme pour toutes les activités du Projet, avec lui, comme de juste, à leur tête.

À Binghamton, État de New York, le personnel d'entretien était en train de jeter à l'incinérateur des stocks de conteneur portant le symbole de risque biologique. Sacrée chaudière, nota l'un des employés : le foyer était assez vaste pour incinérer deux cadavres en même temps et, à en juger par l'épaisseur des parois isolantes, il devait y régner une chaleur d'enfer. Il rabattit la porte en tôle épaisse de huit centimètres, la verrouilla, et pressa le bouton de mise en route du brûleur. Il perçut le sifflement du gaz, puis le grésillement des électrodes d'allumage, suivi du *voosh* habituel. La procédure n'avait rien d'exceptionnel : Horizon Corporation se débarrassait toujours d'une manière ou d'une autre du matériel biologique. Peut-être s'agissait-il de virus HIV vivants. Il avait lu que son entreprise faisait pas mal de recherches dans ce domaine. Mais pour le moment, il reporta son attention sur les papiers fixés sur sa planchette. Trois feuillets d'une commande spéciale faxée du Kansas. Il vérifia que chaque ligne était bien cochée. Tous les conteneurs spécifiés étaient désormais réduits en cendres. Merde, cet incinérateur arrivait à détruire jusqu'aux couvercles métalliques. Et voilà : toutes les preuves matérielles du Projet étaient parties en fumée. Mais ça, l'ouvrier d'entretien l'ignorait. Pour lui, le conteneur G7-89-98-00A n'était qu'un banal récipient en plastique. Il ignorait jusqu'à l'existence d'un terme comme *Shiva*. Selon les instructions, il se rendit ensuite à son terminal personnel — chaque employé ici en avait un — et tapa qu'il avait éliminé les articles listés sur la demande de travaux. Cette information fila sur le réseau interne de la société et, même s'il ne le savait pas, apparut sur un écran du Kansas. Aucune instruction particulière n'accompagnait le message, aussi le technicien de permanence décrocha-t-il son téléphone pour relayer l'information à un collègue, lequel la retransmit au numéro de téléphone indiqué dans l'en-tête du message électronique.

« Parfait, merci », dit Bill Henriksen dès qu'il eut l'information. Il reposa le téléphone de cabine et rejoignit à l'arrière le couple Brightling.

« OK, c'était Binghamton. Tout ce qui a trait à Shiva, les vaccins, les produits, les réactifs, tout a été incinéré. Il ne subsiste plus désormais le moindre indice matériel de l'existence du Projet.

— Et on devrait sauter de joie ? s'emporta Carol, en regardant par le hublot le sol se rapprocher.

— Non, mais j'espère que vous serez quand même plus heureuse que si vous aviez dû vous retrouver sous le coup d'une inculpation de complot criminel avec préméditation, docteur.

— Il a raison, Carol », observa John avec de la tristesse dans la voix. Si près du but... Enfin, se consola-t-il, il avait encore des ressources, et il gardait toujours un noyau de gens de valeur. Ce revers ne signifiait pas qu'ils devaient renoncer à leurs idéaux. Certainement pas, se répéta le patron d'Horizon. En dessous d'eux, sous l'océan de verdure vers lequel ils descendaient, régnait une vie d'une incroyable diversité... c'était du reste l'argument qu'il avait avancé devant son conseil d'administration pour justifier la construction du Projet bis sur ce site : afin de découvrir de nouveaux composés chimiques dans les arbres et les plantes qui ne croissaient qu'ici... et peut-être, qui sait, découvrir ainsi un remède au cancer. Il entendit les volets s'abaisser et, peu après, le train sortir. Trois minutes plus tard, les roues touchaient avec un bruit sourd la piste-route aménagée le long du laboratoire et des bâtiments résidentiels. Le pilote inversa la poussée des réacteurs et l'appareil ralentit graduellement jusqu'à s'immobiliser.

« OK, cible un au sol. » Le contrôleur nota sa position exacte, puis affina le réglage de l'image sur son écran. Tiens, tiens, il y avait aussi des bâtiments ? Eh bien d'accord. Il demanda à l'ordinateur d'en relever les coordonnées exactes, puis l'ensemble de ces informations fut aussitôt retransmis au mont Cheyenne.

« Merci. » Foley nota les renseignements sur un calepin. « John, j'ai les coordonnées précises en latitude et en longitude de leur position. Je vais programmer un satellite pour qu'il nous prenne des photos. Elles devraient nous arriver d'ici... oh, disons deux ou trois heures, ça dépendra de la météo là-bas.

— Si vite ? demanda Popov, tout en contemplant le parking réservé aux personnalités depuis la fenêtre du sixième étage.

— Il suffit d'envoyer une instruction par ordinateur, expliqua Clark. Et les satellites tournent en permanence. » Bien au contraire, il trouvait ce délai d'attente de trois heures diablement long. Sans doute les satellites devaient-ils être mal positionnés.

L'avion de Rainbow décolla de la piste de Luton bien après minuit, heure locale, décrivant un virage à droite au-dessus de l'usine d'assemblage automobile installée juste à côté du terrain, pour mettre cap à l'ouest, direction l'Amérique. British Airways leur avait fourni trois stewards pour leur procurer boissons et nourriture que les hommes acceptèrent volontiers avant de s'installer de leur mieux pour dormir le restant du vol. Ils n'avaient aucune idée de la raison de ce voyage en Amérique. Stanley ne leur avait encore rien dit, mais ils se demandaient bien pourquoi ils avaient pris cette fois l'intégralité de leur matériel tactique.

Les cieux étaient délicieusement limpides au-dessus de la jungle brésilienne. Le premier satellite-espion KH-11D survola le centre du Brésil à vingt et une heures trente, heure locale. Ses caméras infrarouges prirent un total de trois cent vingt clichés, plus quatre-vingt-dix-sept autres dans le spectre visible. Ces images furent aussitôt basculées sur un satellite de communications qui les transmit à la station de réception de Fort Belvoir en Virginie, près de Washington. De là, elles aboutirent par liaison terrestre au bâtiment du NRO, le Service national de reconnaissance installé non loin de l'aéroport de Washington Dulles et enfin, par une autre ligne à fibre optique, jusqu'au QG de la CIA.

« Ça m'a l'air tout bon », leur expliqua le responsable de l'analyse photogrammétrique. Ils examinaient les clichés dans le bureau de Foley. « Des bâtiments là, là et là. Plus un autre ici. Quatre appareils au sol, m'a tout l'air d'être des Gulfstream. Le modèle V... l'envergure est plus grande. Un aérodrome privé, piste éclairée mais sans équipement ILS[1]. J'ai l'impression que les réservoirs de carburant sont ici. Là, c'est une station électrique. Sans doute un générateur diesel, à en juger au panache de fumée. Ce bâtiment-ci doit être réservé à l'habitation, d'après la disposition des fenêtres. Quelqu'un a construit un village de vacances qui éveille notre curiosité ? lança l'analyste.

— Quelque chose dans le genre, confirma Clark. Il y a autre chose ?

— Quasiment rien dans un rayon de cent cinquante kilomètres. À part à cet endroit, qui devait être dans le temps une plantation d'hévéas... mais les bâtiments n'ont aucune signature infrarouge,

1. *Instrument Landing System* : système de guidage aux instruments, permettant le guidage et l'atterrissage de nuit ou par temps de brouillard *(N.d.T.)*.

j'en déduis donc qu'elle est abandonnée. Quelques feux visibles un peu plus bas (il les indiqua sur l'agrandissement) : sans doute les feux de camp de quelque tribu indigène, des Indiens, j'imagine. Le coin est plutôt désert, monsieur. Ça n'a vraiment pas dû être de la tarte de bâtir une installation pareille, isolée comme elle est.

— Bien. Envoyez-nous également les clichés du satellite Lacrosse, et dès qu'on aura de bonnes images en lumière visible, je veux les voir également, dit Foley.

— On aura un survol à la verticale d'un autre sat aux alentours de sept heures vingt, Lima. » Donc, en heure locale. « La météo s'annonce bonne. Ça devrait nous donner des clichés valables.

— Quelles sont les dimensions de cette piste ? demanda Clark.

— Oh, dans les deux mille cent mètres de long sur quatre-vingt-dix de large... des dimensions classiques, et ils ont abattu les arbres sur une centaine de mètres supplémentaires de chaque côté. On doit pouvoir y poser un zinc de bonne taille, si le béton tient le coup. Il y a également un appontement sur la rivière — le site est en fait au bord du río Negro, pas de l'Amazone —, mais pas de bateau amarré. J'imagine que c'est un reliquat du chantier de construction.

— Je ne vois pas de ligne téléphonique, observa Clark en examinant de plus près le cliché.

— Non, monsieur, il n'y en a pas. Je suppose que toutes leurs communications transitent par cette station radio : on voit des mâts et des antennes de liaison satellite. » Il marqua un temps. « Vous avez besoin d'autre chose ?

— Non, et merci encore, dit Clark au technicien.

— Je vous en prie. » L'analyste ressortit prendre l'ascenseur pour rejoindre son bureau en sous-sol.

« Ça vous a appris quelque chose ? » s'enquit Foley. Lui-même ignorait à peu près tout du baroud dans la jungle, mais il faisait pleine confiance à Clark.

« Ma foi, on sait déjà où ils se trouvent, et combien ils sont.

— Que comptez-vous faire, John ?

— Je ne sais pas encore trop, Ed », avoua ce dernier avec franchise. Clark n'avait pas encore de plan bien défini, mais il se mit à réfléchir.

Le C-17 toucha plutôt rudement la piste de la BA de Travis en Californie. Chavez et ses compagnons se sentaient pour le moins désorientés par ce vol interminable lorsqu'ils descendirent, mais au moins, l'air frais les revigora plaisamment. Ding sortit son téléphone mobile et pressa la touche mémoire d'Hereford pour apprendre que John se trouvait à Langley. Il dut puiser dans ses souvenirs pour se rappeler le numéro de la base, mais au bout d'une vingtaine de secondes, il lui revint.

« Bureau du directeur, annonça la secrétaire de Foley.

— C'est Domingo Chavez, pouvez-vous me passer John Clark ?

— Ne quittez pas, je vous prie.

— Où te trouves-tu en ce moment, Ding ? demanda John dès qu'il fut en ligne.

— Sur la BA de Travis, au nord de San Francisco. Bon, et maintenant, on est censés filer où ?

— Tu devrais avoir un VC-20 de l'Air Force qui vous attend au terminal réservé aux personnalités officielles.

— OK, j'y file. Au fait, John, on n'a pas le moindre équipement avec nous... on a quitté l'Australie un tantinet précipitamment.

— J'ai demandé à quelqu'un de s'en occuper. Bon, tu rentres fissa à Washington, vu ?

— Affirmatif, chef.

— Votre hôte, quel est son nom, déjà... Gearing ?

— C'est ça. Noonan a passé quasiment tout le vol assis à côté de lui. Il nous a balancé la totale, le salaud. Ce truc qu'ils s'apprêtaient à lancer... c'était pour de bon... *Jesucristo, jefe*.

— Je sais, Ding. À propos, ils ont filé à l'anglaise.

— Merde, pour où, on le sait ?

— Le Brésil. On a leur localisation exacte. J'ai demandé à Al de ramener tout le groupe à Fort Bragg. Toi, tu fonces à Andrews, et on s'organise.

— Compris cinq sur cinq, John. Le temps de trouver mon avion. Terminé. » Chavez raccrocha et fit signe à un fourgon bleu de l'armée de l'air qui vint les conduire au salon d'honneur, où les attendait un nouvel équipage. Peu après, ils embarquaient sur un VC-20, version militaire du Gulfstream. Une fois à bord, un sergent leur servit à manger. Un petit déjeuner. Donc, c'était le petit matin. Chavez demanda l'heure exacte au sergent et régla sa montre.

39

Harmonie

Noonan trouva terriblement bizarre de voyager en avion aux côtés de l'auteur avoué d'une tentative de génocide sans que cet homme ait les menottes, une camisole de force ou toute autre forme de contention. Mais qu'aurait-il pu faire en pratique, et où aurait-il pu aller ? Il était certes toujours possible qu'il ouvre la porte et saute, mais Gearing ne lui semblait pas du genre à avoir des tendances suicidaires, et il n'allait sûrement pas non plus détourner leur avion sur Cuba. C'est pourquoi l'agent du FBI ne surveillait que d'un œil son prisonnier, tout en songeant au fait qu'il avait arrêté le zigue sur un autre continent, dans un autre fuseau horaire et aux antipodes, de l'autre côté de la ligne de changement de date... Il avait déjà participé à l'interpellation de Fouad Yunis en Méditerranée orientale, dix ou onze ans plus tôt, mais là, ce devait être le record de distance du FBI pour l'arrestation d'un sujet et son rapatriement... Pas loin de dix-huit mille kilomètres. Une paille. Au prix d'un vol épuisant qui l'avait laissé moulu et pressé de se dégourdir les jambes. Après avoir réglé l'heure à sa montre, il se demanda s'il ne devait pas changer aussi le jour, puis décida que si à la rigueur on pouvait demander l'heure exacte à un sous-off, on passerait pour un parfait crétin si l'on devait en plus s'enquérir du jour. Peut-être aurait-il le renseignement en achetant un exemplaire d'*USA Today* à l'aérogare. Sur quoi, Noonan inclina son dossier et riva ses yeux sur la nuque de Wil Gearing. Puis il se rendit compte d'un nouveau problème : il allait devoir confier son prisonnier à quelqu'un dès leur arrivée à Washington. Oui mais à qui, et sous quel chef d'inculpation ?

« D'accord, dit Clark. Ils doivent se poser à Andrews dans deux heures, ensuite on les transfère en navette jusqu'à Pope et là, on avisera.

— Vous, vous avez déjà un plan, John », observa Foley. Il connaissait Clark depuis assez longtemps pour le deviner à son regard.

« Ed, vous me confiez l'affaire, oui ou non ?

— Dans certaines limites, John. Tâchons de ne pas déclencher un conflit nucléaire ou je ne sais quelle bêtise, voulez-vous ?

— Ed, est-il envisageable que cette affaire vienne en justice ? Imaginez que Brightling ait ordonné la destruction de toutes les preuves ? Ça n'a rien de sorcier, n'est-ce pas ? Merde, de quoi s'agit-il, en définitive ? De quelques éprouvettes de mixture biologique, d'un certain nombre de données informatiques... On trouve dans le commerce des programmes capables de détruire intégralement des fichiers sans qu'il soit possible de les récupérer, n'est-ce pas ?

— Certes, mais quelqu'un a bien dû imprimer des documents et une fouille minutieuse...

— Et alors, qu'est-ce que ça nous donnera ? Une panique générale quand les gens se rendront compte qu'une entreprise de biotechnologie est capable de faire ce qu'elle veut. On y aura gagné quoi ?

— On se sera débarrassé d'un important

conseiller présidentiel qui en prenait à ses aises avec la sécurité. Bon Dieu, ça va faire une belle jambe à ce pauvre Jack, n'est-ce pas ? » Foley réfléchit un instant. « Mais enfin, on ne peut quand même pas assassiner ces gens, John ! Ce sont des citoyens des États-Unis, avec des droits constitutionnels, tu l'aurais oublié ?

— Je sais, Ed. Mais on ne peut pas les laisser filer, et on ne pourra sans doute pas non plus les poursuivre. Ça nous laisse quel choix ? » Clark marqua un temps. « Non, je vais tenter un truc un peu plus créatif.

— Quoi donc ? »

John Clark exposa son idée. « S'ils ont la mauvaise idée de riposter, eh bien, ça nous facilitera la tâche, pas vrai ?

— Vingt hommes contre peut-être une bonne cinquantaine ?

— Mes vingt gars, en fait, plutôt quinze, contre ces zozos ? Ne me faites pas rire, Ed. D'un point de vue moral, ce sera peut-être l'équivalent d'un meurtre... mais pas aux yeux de la loi. »

Le directeur de la CIA plissa le front, soucieux, inquiet des remous éventuels si jamais l'opération parvenait aux oreilles des médias, mais il n'y avait pas de raison particulière que cela se produise. La petite communauté des opérations spéciales savait garder toutes sortes de secrets, dont bon nombre auraient fait très mauvaise impression dans la grande presse. Il parut se résigner : « John...

— Ouais, Ed ?

— Tâchez surtout de ne pas vous faire prendre.

— Ça ne s'est encore jamais produit, Ed, lui rappela Rainbow Six.

— D'accord, opération approuvée, conclut le

patron du renseignement, en se demandant comment diable il allait expliquer un coup pareil au président des États-Unis.

— D'accord, je peux utiliser mon ancien bureau ? » Clark avait un certain nombre de coups de fil à passer.

— Fais comme chez toi. »

« Et avec ça, ce sera tout ? ? ? demanda, bluffé, le général Sam Wilson.

— Oui, mon général, ça devrait suffire.

— Puis-je vous demander ce que vous comptez en faire ?

— Mission secrète, mon général.

— C'est tout ce que vous voulez me dire ?

— Désolé, Sam. Vous pouvez voir ça avec Ed Foley, si vous voulez.

— Croyez bien que je ne vais pas m'en priver, bougonna le général.

— Mais c'est tout naturel, mon général », crut bon d'ajouter Clark, espérant ainsi apaiser son amour-propre blessé.

Il n'y réussit pas mais Wilson était un pro, et il connaissait les règles. « Bien. Laissez-moi le temps de passer quelques coups de fil. »

Le premier était adressé à Fort Campbell, Kentucky, où était basé le 160e régiment aérien d'opérations spéciales. Le colonel à sa tête émit, comme de juste, des objections qui furent, comme de juste, balayées. Ce même colonel décrocha à son tour son téléphone pour ordonner qu'un hélicoptère MH-60K Night Hawk soit immédiatement transféré à la base aérienne de Pope, avec une équipe d'entretien, en vue d'une mission d'intervention sur zone dont il ignorait les coordonnées. L'appel suivant fut pour un officier d'aviation qui prit note de ses ordres, en les ponctuant d'un « À vos ordres, colonel », comme tout bon aviateur qui se respecte. Disposer les éléments du puzzle se résumait à un enchaînement de manipulations électroniques : décrocher des téléphones à lignes cryptées et donner des instructions bizarres à des subalternes qui, par chance, y étaient habitués.

Chavez s'avisa qu'il avait parcouru les trois quarts du tour de la terre, pour l'essentiel au cours des dernières vingt-deux heures, pour se retrouver sur un aérodrome qu'il n'avait utilisé qu'une seule fois auparavant. C'est là qu'était basé l'Air Force One, l'appareil présidentiel, version VC-25A du 747 dont la décoration était connue sur toute la planète. Et voilà qu'il débarquait, accompagné d'un type qui s'était apprêté à liquider froidement la presque totalité de l'humanité. Il avait appris depuis belle lurette à ne plus se poser de questions sur ce qu'on lui demandait de faire pour son pays en échange des quatre-vingt-deux mille quatre cent cinquante dollars qu'il touchait désormais annuellement au titre de cadre moyen de la CIA. Il avait une maîtrise en relations internationales, qu'il définissait plaisamment comme « l'art pour un pays de savoir baiser son voisin », mais ce coup-ci, il ne s'agissait plus d'un pays mais d'une compagnie privée... Depuis quand s'étaient-elles mis dans l'idée qu'elles pouvaient jouer dans la cour des grands ? Peut-être était-ce là ce fameux Nouvel Ordre mondial dont avait jadis parlé le président Bush. Si tel était le cas, cela dépassait l'entendement du chef du groupe Deux de Rainbow. Les gouvernements étaient choisis, en gros, par les citoyens, et c'est devant eux qu'ils devaient rendre des comptes. Les entreprises, si tant est qu'elles en rendaient, le faisaient devant leurs actionnaires. Et ce n'était pas tout à fait la même chose. Les entreprises étaient censées être surveillées par les gouvernements des pays où elles étaient domiciliées, mais tout changeait désormais. Désormais, c'était le secteur privé qui définissait et développait les outils employés par une majorité de gens dans le monde. Les bouleversements technologiques avaient donné un pouvoir immense à des groupes de taille relativement réduite, et il commençait à se demander si c'était si bien que ça. D'un autre côté, si les gens avaient dû compter sur les seuls pouvoirs politiques pour progresser, on en serait encore à la calèche et à la navigation à vapeur. Mais dans ce Nouvel Ordre mondial, les choses s'étaient emballées quelque peu, et le temps était peut-être venu d'y réfléchir, estima Chavez, alors que leur appareil s'immobilisait sur la piste d'Andrews. Bientôt, un autre fourgon bleu anonyme de l'armée de l'air apparut au bas de la passerelle avant même son déploiement complet.

« Alors, on thésaurise les bons kilométriques, Domingo ? lança John, qui l'attendait sur la piste.

— Je suppose. Pourquoi, tu me vois déjà pousser des plumes ? lança Chavez, d'une voix lasse.

— Alors, plus qu'un saut de puce.

— Pour où ?

— Fort Bragg.

— Eh bien, allons-y. J'ai pas envie de m'habituer à rester sur place si ça ne doit être que temporaire. » Il avait besoin de se raser et de prendre une douche, mais ça aussi, ça devrait attendre. Bientôt, ils se retrouvèrent dans un cargo à court rayon d'action de l'Air Force, qui décolla et mit cap au sud-ouest. Par chance, le vol était bref et il s'acheva sur la base aérienne de Pope, qui jouxte la caserne abritant la 82e division d'infanterie aérienne de Fort Bragg, Caroline du Nord, ainsi que la Force Delta et quelques autres unités d'opérations spéciales.

Pour la première fois, Noonan constata qu'on avait enfin songé à s'occuper de Wil Gearing : trois MP le conduisirent à la prison de la base. Quant au reste des passagers, il se retrouva dans les quartiers réservés aux officiers célibataires.

Tout en se dévêtant, Chavez se demanda si les fringues qu'il portait seraient encore mettables, même une fois lavées. Et puis il prit une douche et trouva sur le lavabo un rasoir qui lui permit de rendre une allure décente à ses joues et à son menton qu'il estimait par ailleurs virils. Quand il ressortit, il découvrit sur le lit des vêtements propres.

« J'ai demandé aux gars de la base de te refiler ça.

— Merci, John. » Chavez enfila tant bien que mal maillot et caleçon blancs, puis endossa la tenue camouflage de jungle qui les accompagnait — y compris les chaussettes et les bottes.

« La journée a été longue ?

— Merde, John, une journée ? Tu veux dire un *mois*, oui ! » Il s'assit sur le pieu, puis, à la réflexion, s'étendit carrément sur le dessus-de-lit. « Et maintenant ?

— Le Brésil.

— Comment cela ?

— C'est là qu'ils ont tous filé. On les a pistés, et j'ai des vues satellitaires de l'endroit où ils ont installé leur camp.

— Donc, on va leur rendre visite ?

— Affirmatif.

— Pour quoi faire au juste, John ?

— Pour régler cette histoire une bonne fois pour toutes, Domingo.

— Pas de problème pour moi, mais est-ce bien légal ?

— Depuis combien de temps ce genre de question te préoccupe ?

— Je suis marié, John, et père de famille, au cas où t'aurais oublié. Désormais, je me sens des responsabilités.

— T'inquiète, c'est bien assez légal, fiston, répondit son beau-père.

— OK, si tu le dis. Quel est le programme ?

— D'abord, tu fais un petit roupillon. Le reste de l'équipe débarque d'ici une demi-heure.

— Le reste de quelle équipe ?

— Tous ceux qui sont en état de marcher et de tirer, fils.

— *Muy bien, jefe* », répondit Chavez en fermant les yeux.

Le 737-700 de British Airways resta au sol le moins longtemps possible ; il fut ravitaillé par un camion-citerne de l'Air Force avant de redécoller pour l'aéroport international de Washington Dulles, où sa présence ne risquait guère d'être remarquée. Les soldats de Rainbow furent transférés en car dans un lieu gardé où ils purent continuer de récupérer. Ce qui ne laissait pas de les préoccuper : si on vous laissait ainsi récupérer vos forces, c'est que vous n'alliez pas tarder à en avoir besoin.

Pendant ce temps, Clark et Alistair Stanley conféraient dans une salle du JSOC, le Joint Special Operations Command Headquarters, ou QG interarmes des opérations spéciales, une bâtisse insignifiante située devant un petit parking.

« Bien, qu'est-ce qui se passe au juste ? » demanda le colonel William Byron. Surnommé « Petit Willie » par ses collègues en uniforme, le colonel Byron portait le sobriquet le plus improbable de toute l'armée américaine. Avec son mètre quatre-vingt-quinze et ses cent trente kilos tout en muscles, Byron était le colosse du JSOC. Il avait hérité ce surnom de son séjour à l'académie militaire de West Point, où il avait pris quinze centimètres et autant de kilos en quatre années d'exercice intensif et de nourriture saine, pour finir arrière dans la fameuse équipe de foot de l'armée qui avait ratatiné la marine avec un score de 35-10, lors de la finale d'automne au stade des Vétérans de Philadelphie. Il avait gardé une pointe d'accent de Géorgie du Sud, malgré son passage à Harvard où il avait décroché une maîtrise de gestion ; Harvard qui devenait depuis peu l'université de prédilection des militaires américains.

« On va aller faire un tour dans ce secteur, lui annonça Clark en faisant passer les vues aériennes de l'autre côté de la table. On aura besoin d'un hélico et de pas grand-chose d'autre.

— Et où diable se trouve ce trou perdu ?

— Au Brésil, à l'ouest de Manaus, sur le Río Negro.

— Sacrée installation, observa Byron, en chaussant ses lunettes de presbyte qu'il détestait tant. Qui a bâti ça, et qui s'y trouve en ce moment ?

— Les types qui voulaient nettoyer toute cette putain de planète », répondit Clark en saisissant son téléphone mobile dès qu'il se mit à pépier. Une fois encore, il dut patienter le temps que le système de cryptage s'accorde avec son homologue à l'autre bout de la ligne. « Clark, dit-il enfin.

— Ed Foley à l'appareil, John. L'échantillon a été examiné par les spécialistes de Fort Dietrick.

— Et alors ?

— Eh bien, c'est une version du virus Ébola, selon eux modifié — altéré par génie génétique, c'est leur terme — par l'ajout de ce qui ressemble à des gènes de cancer. Ils disent que ça renforce la robustesse de cette saloperie. Qui plus est, les particules virales étaient encapsulées dans des espèces de mini-réceptacles leur permettant de survivre à l'air libre. En d'autres termes, John, tout ce que votre copain russe vous a dit semble confirmé à cent pour cent.

— Qu'avez-vous fait de Dimitri ?

— Il est à l'abri dans une planque, à Winchester », répondit le directeur. C'était l'endroit habituel où la CIA cantonnait les ressortissants étrangers qu'elle désirait protéger. « Oh, et le FBI m'informe que la police d'État du Kansas le recherche pour meurtre. Il aurait tué un certain Foster Hunnicutt, résident du Montana — du moins, c'est ce dont on l'accuse.

— Et si vous demandiez au Bureau de dire au Kansas qu'il n'a tué personne ? Qu'il est tout le temps resté avec moi », suggéra Clark. C'est qu'ils devaient assurer la protection de cet homme. John avait déjà effectué le saut conceptuel lui permettant d'oublier que Popov avait été l'instigateur de l'attentat visant son épouse et sa fille. En ce cas précis, le boulot primait avant tout, et ce ne serait pas la première fois qu'un ennemi appartenant au KGB se transformerait en ami estimable.

« D'accord, vu, je peux m'arranger. » C'était un petit mensonge bien anodin, reconnut Foley, comparé à une énorme et terrible vérité. Dans son bureau de Langley, Virginie, Foley se demanda soudain pourquoi il n'avait pas les mains qui tremblaient. Ces cinglés n'avaient pas seulement eu l'intention d'éliminer toute l'humanité, ils en avaient eu surtout les moyens. C'était un développement imprévu sur lequel la CIA allait devoir se pencher de près, une menace nouvelle, totalement inédite. Et l'enquête promettait de n'être ni une sinécure, ni une partie de plaisir.

« OK, merci, Ed. » Clark coupa la communication et regarda les autres dans la pièce. « On vient d'avoir la confirmation du contenu du bidon. Ils ont créé une forme modifiée du virus Ébola qu'ils comptaient disséminer.

— Quoi ? » s'exclama le colonel. Clark prit dix minutes pour lui exposer la situation, aux termes desquelles l'officier demanda : « Alors, vous êtes vraiment sérieux, hein ?

— Comme un pape. Ils ont engagé Dimitri Popov pour entrer en contact avec des groupes terroristes chargés de déclencher des attentats dans toute l'Europe. Le but était d'accroître le climat d'insécurité devant la menace du terrorisme pour offrir sur un plateau à Global Security le contrat de consultant pour les Australiens et...

— Bill Henriksen ? demanda le colonel Byron. Bon sang, mais je connais ce type !

— Ouais ? Eh bien, ses employés étaient censés répandre le virus par le truchement du système de clim par brumisation du stade olympique de Sydney, Willie. Chavez se trouvait dans la salle de contrôle au moment même où Wil Gearing s'est pointé avec le bidon, dont le contenu vient d'être analysé par les biochimistes du labo de Fort Dietrick. Vous savez, ça pourrait presque suffire au FBI pour instruire une enquête criminelle. Mais pas tout à fait..., ajouta Clark.

— Alors, c'est pour ça que vous descendez là-bas...

— Pour leur causer, Willie, termina Clark à sa place. Ils ont déjà maquillé notre zinc ? »

Byron consulta sa montre. « Ils devraient.

— Alors, il est temps qu'on se bouge le cul.

— D'accord, je vous ai également fait fournir des tenues camouflées, John. Vous êtes sûr que vous n'avez pas besoin d'un petit coup de main ?

— Non, Willie. J'apprécie l'offre, mais je préfère régler ça en petit comité, d'accord ?

— Je suppose, John. » Byron se leva. « Suivez-moi, les gars. Dites, les types que vous allez voir au Brésil... ?

— Eh bien ?

— Donnez-leur un bonjour appuyé de notre part, vu ?

— À vos ordres, colonel, promit John Clark. Ce sera fait. »

Le principal appareil garé sur la piste de la BA de Pope était un cargo Galaxy C-5B de l'Air

Force, sur lequel le personnel de maintenance au sol travaillait depuis déjà plusieurs heures. Tous les marquages officiels avaient été masqués à la peinture, et le logo d'Horizon Corporation avait remplacé les cocardes de l'US Air Force. Jusqu'au numéro d'immatriculation sur la dérive qu'on avait effacé. Les portes en demi-coquille de la soute arrière étaient déjà refermées. Clark et Stanley arrivèrent les premiers. Le reste des hommes arriva par cars, chacun muni de son barda, et ils embarquèrent dans le compartiment réservé aux passagers, par la porte située en arrière des ailes. On attendait que l'équipage — déguisé en civil — monte dans la cabine et entame la procédure de préparation au décollage, comme sur un banal vol commercial. Un rendez-vous était prévu avec un ravitailleur KC-10 au sud de la Jamaïque pour refaire le plein.

« Bien, apparemment, voilà ce qui s'est produit », expliqua John au personnel assemblé dans l'auditorium. Il vit la déception se peindre sur les traits des cinquante-trois participants, mais aussi, crut-il voir chez certains, comme un soupçon de soulagement. Eh bien, il fallait croire que même les Vrais Croyants avaient encore une conscience. Tant pis.

« Qu'est-ce qu'on est censés faire ici, John ? » demanda Steve Berg. Il était jusqu'ici l'un des principaux responsables scientifiques du Projet : il avait mis au point les vaccins A et B, et participé à la conception de Shiva. Berg était l'un des meilleurs éléments qu'eût engagé Horizon Corporation.

« Nous étudions la forêt équatoriale. Nous avons détruit tout ce qui pouvait servir de pièces à conviction. Le stock de Shiva a disparu. Idem pour les vaccins. Idem pour tous les fichiers informatiques contenant nos notes de laboratoire et ainsi de suite. Les seules archives qui subsistent du Projet, c'est ce qui vous en reste dans la tête. En d'autres termes, si quelqu'un s'avise d'ouvrir une instruction criminelle contre nous, vous n'avez qu'à ne pas piper mot et il n'y aura pas d'affaire, vu ? Bill ? » John Brightling fit signe à Henriksen de le remplacer à la tribune.

« Bien, vous savez que j'ai appartenu au FBI. Je connais leurs procédures en matière d'affaires criminelles. Trouver des charges à relever contre nous risque de s'avérer pour le moins délicat. Le FBI doit se conformer aux lois, et celles-ci sont strictes. Ils doivent obligatoirement vous signifier vos droits, en particulier celui d'avoir un avocat présent à vos côtés lors de tout interrogatoire. Tout ce que vous avez à dire, c'est : "Oui, je désire la présence de mon avocat." Si vous prononcez cette phrase, ils ne pourront même pas vous demander l'heure. Ensuite, vous n'avez qu'à nous appeler, et nous vous fournirons un avocat. Celui-ci vous expliquera, devant les inspecteurs chargés de l'enquête, que vous ne leur parlerez pas, avant de le leur confirmer de vive voix, en ajoutant que si jamais ils essaient de vous forcer à parler, ils seront en infraction avec une flopée de textes de loi et de décisions de la Cour suprême. En bref, ce sont eux qui risquent d'avoir des ennuis, et tout ce que vous pourriez dire dans ces conditions ne pourra être utilisé en aucune circonstance. Tels sont les droits civils qui vous protègent.

« Ensuite, poursuivit Bill Henriksen, nous consacrerons le temps que nous allons devoir passer ici à étudier le riche écosystème qui nous entoure et à concocter une couverture justifiant notre présence. Cela nous prendra un certain temps et...

— Attendez, si on peut éviter de répondre aux questions, alors...

— Pourquoi s'inventer une couverture ? Simple : nos avocats seront obligés de discuter avec des représentants du ministère public. Si nous élaborons une histoire plausible, on pourra se débarrasser d'eux. Si les flics savent qu'ils ne peuvent pas gagner, ils n'insisteront pas. Et une bonne couverture nous y aidera. Bref... on peut leur dire que oui, on effectuait des recherches sur le virus Ébola, parce que c'est une vraie saloperie, et que le monde attend un remède. Et ensuite que, peut-être, éventuellement, un employé isolé aurait pu décider, à l'insu de tous, de se livrer à un génocide... mais que pour notre part nous n'avons rien à voir avec ça. Quant à notre présence ici, elle se justifie très simplement par des recherches médicales visant à découvrir de nouveaux composés chimiques dans la flore et la faune de la forêt équatoriale. Ce qui est parfaitement légitime, n'est-ce pas ? » Plusieurs personnes dans l'assistance hochèrent la tête.

« Parfait. Donc, on prend tout notre temps pour élaborer une histoire en béton. Ensuite, on la mémorise tous. De la sorte, quand nos avocats nous autoriseront à parler au FBI pour montrer notre esprit coopératif, nous ne leur fournirons que des informations innocentes qui, en réalité, nous aideront à échapper aux chargés qu'ils auraient pu relever contre nous. Mes amis, si nous nous serrons les coudes, si nous nous en tenons à notre version des faits, on ne peut pas perdre. Vous pouvez m'en croire sur parole. Nous-ne-pou-vons-pas-perdre, martela-t-il, si nous nous servons de notre matière grise. OK ?

— Et nous pourrons continuer à travailler sur le Projet numéro deux, intervint Brightling en remontant sur l'estrade. Vous faites partie de l'élite intellectuelle de la planète, et notre foi dans notre objectif ultime n'a pas changé. Nous allons sans doute passer à peu près un an ici. C'est une occasion en or d'étudier la nature, et d'apprendre quantité de choses indispensables. Ce sera également une année de travail pour trouver un nouveau moyen de parvenir au but auquel nous avons tous consacré notre existence », poursuivit-il en notant des signes d'assentiment dans l'assistance. Il y avait déjà sans doute des pistes parallèles qu'ils pouvaient frayer. Et il restait le patron de l'une des plus grandes sociétés de biotechnologie au monde. Il était toujours entouré des meilleurs scientifiques qui soient. Et leur préoccupation commune restait de sauver la planète. Ils n'avaient qu'à trouver une autre solution ; or ils avaient les moyens et le temps d'y parvenir.

« Bien, leur dit Brightling avec un sourire radieux. La journée a été longue pour tout le monde. Allons tous nous coucher pour nous reposer un peu. Demain matin, je vais faire un tour dans la forêt, jeter un œil sur un écosystème qui a tant à nous apprendre. »

Les applaudissements l'émurent. Oui, tous ces gens étaient aussi motivés que lui, ils partageaient son attachement... et qui sait, peut-être trouveraient-ils un moyen de réaliser le Projet numéro deux.

Bill Henriksen aborda John et Carol alors qu'ils gagnaient leur chambre. « Il reste encore un problème potentiel.

— Lequel ?

— Et si jamais ils nous envoyaient un commando paramilitaire ?

— Autrement dit l'armée ? demanda Carol Brightling.

— Tout à fait.

— On se battrait, rétorqua John. On a des armes, ici, non ? »

Certes, ils en avaient. L'armurerie du complexe bis comprenait pas moins de cent fusils d'assaut militaires, des G3 de fabrication allemande, des armes sérieuses, aptes au tir automatique, et bon nombre de membres du Projet savaient s'en servir.

« Bon, très bien, le problème avec cette histoire, c'est qu'ils ne peuvent pas nous arrêter par les voies légales, mais qu'ils peuvent toujours s'arranger pour nous appréhender et nous ramener en Amérique, où les tribunaux fermeront les yeux sur les circonstances de notre interpellation. C'est le problème avec la législation américaine : quand vous vous retrouvez devant un juge, c'est la seule chose qui lui importe. Bref, si des types se radinent dans le coin, l'unique chose à faire, c'est de les décourager. Je pense que...

— Je pense que nos gens ne se le feront pas dire deux fois pour riposter après ce que ces salopards ont fait de notre Projet.

— Je suis bien d'accord, mais il faut quand même prendre nos précautions. Merde, je regrette qu'on n'ait pas fait installer de radar.

— Hein ? fit John.

— Ils vont venir, et s'ils viennent, ce sera par hélico. C'est trop loin pour traverser la jungle à pied, en bateau c'est trop lent, et nos commandos pensent en termes d'hélicoptère. C'est leur façon d'agir, point final.

— Enfin, Bill, comment peuvent-ils même savoir que nous sommes ici ? Merde, on a décampé vite fait et...

— Et ils peuvent demander aux équipages où ils nous ont débarqués. Ils ont dû déposer un plan de vol pour Manaus, ce qui restreint un tantinet le champ des recherches, non ?

— Ils ne parleront pas. Ils sont bien payés, objecta John. Combien de temps, à ton avis, avant que nos adversaires finissent par trouver ?

— Oh, au pire, quarante-huit heures. Quinze jours dans le meilleur des cas. Je pense qu'on devrait commencer à entraîner nos gens à se défendre. On peut débuter dès demain, proposa Henriksen.

— D'accord, tu t'en occupes, consentit John Brightling. Et laisse-moi passer un coup de fil chez nous, que je vérifie si quelqu'un a déjà parlé à nos pilotes. »

La suite principale avait sa propre salle de transmissions. Par bien des aspects, le Projet bis était à la pointe de la technologie, des labos médicaux à l'équipement de communications. Pour celles-ci, la batterie d'antennes paraboliques installées près des groupes électrogènes permettait des liaisons téléphoniques par satellite ainsi que l'envoi de courrier électronique et l'accès à distance au gigantesque réseau informatique interne d'Horizon Corporation. Sitôt arrivé dans ses appartements, Brightling mit en service le système téléphonique et appela le Kansas. Il laissa des ordres pour l'équipage des avions, qui devaient à présent avoir couvert une bonne partie du chemin du retour. Ils devaient informer aussitôt le Projet bis si quelqu'un tentait de les interroger sur leur récent voyage à l'étranger. Puis, après avoir raccroché et comme il n'y avait plus grand-chose à faire, Brightling alla prendre une douche avant de gagner sa chambre où l'attendait son épouse.

« C'est si triste, observa Carol, dans l'obscurité.

— Ça me met surtout dans une putain de colère noire, grommela John. Merde, échouer si près du but !

— Qu'est-ce qui a cloché ?

— Je ne suis pas sûr, mais j'ai comme l'impression que notre ami Popov a découvert ce qu'on faisait, qu'il a tué le gars qui le lui avait révélé et qu'il a pris la poudre d'escampette. D'une manière quelconque, il en a balancé suffisamment aux flics pour qu'ils viennent capturer Wil Gearing à Sydney. Bordel, dire qu'on était à quelques heures du lancement de la phase un !

— Eh bien, la prochaine fois, on tâchera de prendre davantage de précautions », essaya de l'apaiser Carol. Elle tendit la main pour lui caresser le bras. Échec ou pas, c'était si bon de se retrouver au lit avec lui. « Et Wil, que va-t-il devenir ?

— Il va devoir assumer ses responsabilités. Je lui procurerai les meilleurs avocats que je pourrai trouver, promit John. Et je le préviendrai surtout de rester muet comme une carpe. »

Gearing avait cessé de parler. Quelque part, le retour sur le territoire américain avait éveillé en lui des idées de droits civils et de procédure criminelle, et désormais, il refusait de dire quoi que ce soit à quiconque. Assis à contresens dans le Galaxy, il faisait face à l'écoutille circulaire qui donnait sur l'immense soute vide à l'arrière, tandis que la plupart des soldats autour de lui somnolaient. Deux d'entre eux toutefois étaient bien réveillés, et ils ne cessaient de le fixer tout en discutant de choses et d'autres. Ils avaient leur équipement d'intervention, nota Gearing, avec une flopée d'armes personnelles, sans compter toutes celles qui avaient été chargées dans la soute. Où se rendaient-ils ? Personne ne lui en avait rien dit.

Clark, Chavez et Stanley se trouvaient dans le compartiment arrière de la cabine de pilotage de l'avion-cargo géant. L'équipage était formé de militaires d'active — en fait, ce genre d'appareil était le plus souvent piloté par des réservistes, en général pilotes de ligne dans le civil — et ils gardaient leur quant-à-soi. Ils avaient reçu des mises en garde de leurs supérieurs, mises en garde renforcées par les altérations apportées à la décoration extérieure du zinc. Alors comme ça, ils jouaient maintenant les civils ? On les avait même habillés en pékins pour rendre la ruse un peu plus plausible. Mais qui irait croire qu'un Lockheed Galaxy appartenait à une compagnie privée ?

« Tout ça m'a l'air coulé dans le bronze », observa Chavez. Ça faisait du bien de se retrouver fantassin, de redevenir un Ninja, prêt à s'emparer de la nuit... sauf qu'il était prévu qu'ils interviennent en plein jour. « Une question, quand même : est-ce qu'ils vont résister ?

— Si on a de la chance, répondit Clark.

— Ils sont combien ?

— Ils sont descendus avec quatre Gulfstream, soit seize passagers maxi par zinc. Ils sont soixante-quatre, Domingo.

— Des armes ?

— Tu vivrais sans, en pleine jungle ? » Pour Clark, la réponse allait de soi.

« Mais est-ce qu'ils sont entraînés ? s'entêta le commandant du groupe Deux.

— Peu probable. Ces gens sont des scientifiques, mais certains doivent connaître la forêt, peut-être que parmi eux il y a des chasseurs. J'imagine que ça nous permettra de vérifier si les nouveaux joujoux de Noonan marchent aussi bien qu'il nous l'a promis.

— J'espère », convint Chavez. Le point positif était que ses gars étaient parfaitement entraînés et équipés. Qu'il fasse jour ou nuit, ce serait un boulot de Ninja. « Je parie que c'est toi qui prends le commandement général des opérations ?

— T'as tout bon, Domingo », répondit Rainbow Six. Ils se turent un instant, secoués par les turbulences au moment où leur appareil fut pris dans le sillage du KC-10 pour ravitailler en vol. Une procédure à laquelle Clark préférait ne pas assister. Il y avait quelque chose de contre nature dans cet accouplement de deux pachydermes aériens.

Assis quelques rangées en retrait, Malloy observait les images satellitaires en compagnie du lieutenant Harrison.

« Un jeu d'enfant, opina le jeune officier.

— Ouais, du nanan, sauf s'ils nous tirent dessus. Là, ça commencera à devenir un peu plus excitant, promit son copilote.

622

— On risque d'être en limite de surcharge, avertit Harrison.

— C'est bien pour ça que j'ai deux turbines, fiston », observa le Marine.

Après le ravitaillement, il faisait nuit noire. Les pilotes du C-5B remarquèrent bien à la surface quelques lumières çà et là, mais pour eux c'était un vol de ligne sans histoires. Le pilote automatique savait en permanence leur cap et leurs coordonnées, grâce aux points de cheminement programmés sur son itinéraire ; du reste, mille milles nautiques devant eux, l'aéroport de Manaus, Brésil, était au courant de leur arrivée : un vol cargo spécial en provenance des États-Unis qui aurait besoin d'un emplacement dans la zone de fret pendant un jour ou deux, ainsi que d'un ravitaillement. Toutes ces informations avaient été déjà faxées à l'avance.

L'aube n'était pas encore levée quand ils avisèrent les feux de piste. Le pilote, un jeune commandant, se redressa légèrement sur son siège et ralentit l'appareil, effectuant sans peine une approche visuelle tandis qu'à sa droite son copilote, un lieutenant, surveillait les instruments en énonçant à haute voix altitude et vitesse. En finale, il redressa le nez de l'appareil et vint poser en douceur le C-5B sur la piste, avec juste une imperceptible secousse comme pour annoncer aux passagers qu'ils avaient touché le sol. Il avait un schéma de la disposition des pistes et roula jusqu'à l'extrémité de l'aire de fret où il immobilisa l'appareil avant de prévenir le responsable de la cargaison qu'il lui passait la main.

Il fallut quelques minutes pour tout organiser et qu'enfin se déploient les imposantes portes de soute. Le MH-60K Night Hawk fut aussitôt descendu alors que l'aurore commençait à poindre. Le sergent Nance donnait des ordres à trois autres jeunes recrues du 160ᵉ régiment aérien d'opérations spéciales pour déployer les pales, puis il monta lui-même sur le fuselage s'assurer qu'elles étaient convenablement verrouillées. Le plein des réservoirs était déjà fait. Nance fixa la mitrailleuse M-60 sur son support du côté droit, puis il annonça au colonel Malloy que la machine était opérationnelle. Malloy et Harrison firent le contrôle pré-vol, décidèrent qu'elle était parée à décoller et répercutèrent l'information par radio à Clark.

Les derniers à descendre du C-5B étaient les hommes de troupe de Rainbow, qui avaient revêtu pour l'occasion leur tenue camouflée de jungle, et s'étaient maquillés et peint le visage en vert. Gearing débarqua le dernier, la tête recouverte d'un sac pour l'empêcher de voir.

Il s'avéra qu'ils ne pouvaient pas tous monter dans l'hélico. Vega et quatre autres restèrent donc au sol et regardèrent l'appareil décoller dans le petit jour. Les soldats virent ses feux à éclat s'élever et prendre la direction du nord-ouest, tout en pestant d'être obligés de rester à mariner dans l'air moite près de l'avion-cargo. Mais déjà une voiture de service s'était garée près de celui-ci. Des fonctionnaires de l'aéroport demandèrent à l'équipage de remplir des formulaires. À la surprise générale, personne ne parut relever le type de l'appareil. Sa décoration et ses marques indiquaient un gros-porteur d'une compagnie de fret privée, et le personnel de l'aéroport parut le prendre pour argent comptant, puisque tous les documents officiels semblaient remplis dans les règles, et que par conséquent ils devaient être exacts et authentiques.

Ça ressemblait beaucoup au Viêt-nam, songea Clark, ce survol en hélico d'une dense couche de verdure. Mais cette fois, il n'était plus à bord d'un Huey, et près de trente ans s'étaient écoulés depuis sa première expérience du combat. Il n'avait pas souvenir d'avoir eu vraiment peur... la tension, oui, mais pas de peur réelle... et rétrospectivement, cela lui parut remarquable. Il avait désormais entre les mains un MP-10 à silencieux et maintenant qu'il fonçait de nouveau vers le combat, c'était comme s'il avait retrouvé sa jeunesse... jusqu'à ce qu'il se retourne pour contempler ses camarades dans la carlingue et remarque à quel point ils avaient l'air de gamins. Puis il lui revint qu'ils avaient quand même tous, en moyenne, la trentaine passée, et que si eux se trouvaient encore jeunes, il devait dans ce cas leur faire l'effet d'un vieux croûton. Il écarta cette pensée désagréable pour reporter son attention vers l'extérieur, par la porte coulissante ouverte devant laquelle se tenait le sergent Nance avec sa mitrailleuse. Le ciel s'éclaircissait de plus en plus. Il y avait trop de lumière à présent pour utiliser les lunettes infrarouges, mais pas encore assez pour y voir bien. Il se demanda quelle météo les attendait. Ils étaient à cheval sur l'équateur, et avec cette épaisseur de jungle là-dessous, le temps allait être d'une moiteur torride, sans compter que sous les arbres ils auraient droit aux serpents, aux insectes et à toutes sortes de bestioles qui prospéraient dans les endroits les plus inhospitaliers... grand bien leur fasse, songea John en regardant par la portière ouverte du Night Hawk.

« Comment ça se présente, Malloy ? demanda-t-il par l'interphone.

— On devrait avoir la zone en visuel d'une seconde à l'autre... tenez, les lumières, droit devant !

— Vu ! » Clark fit signe aux hommes à l'arrière de se tenir prêts. « Procédez comme prévu, colonel Malloy !

— Bien compris, Six. » Il maintint le cap et la vitesse. Il volait au deux cent quatre-vingt-seize, à sept cents pieds du sol — deux cent dix mètres — et sa vitesse était de cent vingt nœuds. Les lumières dans le lointain semblaient parfaitement incongrues, mais c'étaient bien des lumières, pile à l'endroit indiqué par le système de navigation et les photos satellitaires. Bientôt, on put les distinguer séparément.

« OK, Gearing, annonça Clark, à l'arrière. On va te laisser descendre pour causer à ton patron.

— Oh ? demanda le prisonnier, la tête toujours cachée sous son sac de toile.

— Oui, confirma John. Tu vas transmettre un message. S'il se rend, personne n'aura de bobo. Sinon, il y aura du vilain. Son seul choix est de se rendre sans conditions. T'as compris ?

— Ouais. » La tête dodelina sous le sac noir.

Le nez du Night Hawk se redressa au moment où il approcha du bord ouest de la piste d'atterrissage ouverte dans la jungle. Malloy se posa rapidement, sans que les roues touchent le sol — la procédure habituelle, au cas où le terrain serait miné. On poussa Gearing dehors, et aussitôt l'hélicoptère reprit de l'altitude, pour filer vers la partie est de la piste.

Gearing ôta le sac de sur sa tête et s'orienta ; il avisa les lumières du Projet bis, une installation qu'il connaissait mais n'avait jamais visitée, et il s'y dirigea aussitôt sans un regard en arrière.

Parvenu à l'extrémité est de la piste, le Night Hawk redescendit en vol stationnaire à une trentaine de centimètres du sol. Les hommes de Rainbow sautèrent à terre et l'hélico remonta aussitôt pour regagner Manaus, face au soleil levant. Malloy et Harrison chaussèrent leurs lunettes noires et maintinrent le cap, l'œil rivé à la jauge. Le 160e régiment aérien d'opérations spéciales avait l'air de savoir entretenir ses machines, estima le Marine en fléchissant ses doigts gantés sur le manche. Au moins aussi bien que les zigues de la RAF.

Noonan fut le premier à être paré. Tous les hommes foncèrent aussitôt se dissimuler dans l'épaisse végétation, à cent mètres à peine du béton de la piste. Puis ils se dirigèrent vers l'ouest, en se demandant si Gearing avait remarqué leur débarquement séparé. Il leur fallut une bonne demi-heure pour couvrir une distance qu'au pas de course ils auraient franchie en dix petites minutes. Clark estima néanmoins que c'était un bon temps — il se remémorait à présent cette sensation menaçante qui émanait de la jungle, où l'air même semblait saturé de créatures prêtes à vous sucer le sang et à vous flanquer toutes ces maladies propres à vous faire mourir à petit feu dans d'atroces souffrances. Merde, comment avait-il pu tenir dix-neuf mois au Viêt-nam ? Dix minutes ici, et déjà, il était prêt à partir. Autour de lui, des arbres au tronc énorme s'élevaient jusqu'à cent mètres vers le ciel pour former la canopée supérieure de ce bourbier fétide, tandis que la végétation secondaire atteignait le tiers de cette hauteur et qu'un troisième étage s'arrêtait à une quinzaine de mètres seulement, avec enfin des buissons et le reste des plantes à leur pied. Il entendait des bruits de mouvements... ses hommes ? des animaux ? il n'aurait pu dire, même s'il savait que cet environnement abritait une vie grouillante, en majorité inamicale pour l'homme. Ses gars se déployaient vers le nord. Plusieurs arrachaient des branches pour les glisser sous le bandeau élastique de leur casque en Kevlar, afin de mieux dissimuler le contour peu naturel de leur silhouette et parachever ainsi leur camouflage.

La porte d'entrée n'était pas verrouillée, découvrit Gearing avec étonnement. Il pénétra dans ce qui semblait être un bâtiment résidentiel, se dirigea vers un ascenseur, pressa la touche du dernier étage et aboutit au troisième. Arrivé là, il lui suffit d'ouvrir une des doubles portes du corridor et d'actionner un interrupteur pour découvrir ce qui devait être la suite principale. Les portes de la chambre étaient ouvertes et il se dirigea dans cette direction.

Même les yeux fermés, John Brightling nota le brusque éclat de lumière venant du salon. Il ouvrit les paupières et vit...

« Bon Dieu, qu'est-ce que tu fous ici, Wil ?

— C'est eux qui m'ont largué, John.

« — Qui ça, eux ?

— Ceux qui m'ont capturé à Sydney, expliqua Gearing.

— Quoi ? » C'était un peu trop pour une heure aussi matinale. Brightling se leva et enfila la robe de chambre posée près du lit.

« John, qu'est-ce que c'est ? marmonna Carol, toujours couchée.

— Rien, chérie, t'inquiète pas. » John se rendit au salon, fermant les portes de la chambre derrière lui.

« Bordel, Wil, vas-tu t'expliquer ?

— Ils sont ici, John.

— Mais enfin, de qui parles-tu ?

— Les gars des commandos antiterroristes, ceux qui sont descendus en Australie, ceux qui m'ont arrêté. Merde, ils sont ici, John ! lui répéta Gearing, regardant autour de lui, éperdu, totalement désorienté après tous ces voyages et n'ayant pas encore tout à fait retrouvé ses repères.

— Ici ? Où ça ? Dans le bâtiment ?

— Non. Ils m'ont largué d'un hélicoptère. Leur chef est un dénommé Clark. Il m'a dit de te dire que vous deviez vous rendre... une reddition sans conditions, John.

— Sinon... quoi ?

— Sinon, ils viennent nous capturer !

— Vraiment ? » Ce n'étaient pas des façons de vous réveiller. Brightling avait dépensé deux millions de dollars pour construire ce complexe — au Brésil, la main-d'œuvre était bon marché — et il avait toujours considéré le Projet bis comme une forteresse, et plus encore, comme une forteresse qui exigerait des mois pour être localisée. Des hommes armés, ici, maintenant... exigeant sa reddition ? Qu'est-ce que c'était que ce binz ?

Bon, d'accord, réfléchit-il. D'abord, appeler Bill Henriksen et lui dire de monter ici. Ensuite, il alluma son ordinateur. Aucun e-mail ne lui annonçait qu'on serait venu interroger les équipages des avions. Donc, personne n'avait révélé où ils s'étaient réfugiés. Alors, comment diable l'avaient-ils découvert ? Et d'abord, qui était ici ? Et que voulaient-ils ? Lui envoyer comme porte-parole un de ses collaborateurs pour exiger sa reddition... on se serait cru dans un film policier !

« John, qu'est-ce qui se passe ? » demanda Henriksen en entrant dans la pièce. Puis il avisa l'autre personnage. « Bon sang, Wil, comment t'es arrivé ici ? »

Brightling leva la main pour leur intimer le silence, essayant de réfléchir pendant que les deux hommes échangeaient des informations à voix basse. Il éteignit les lumières, scruta par la fenêtre des signes d'activité à l'extérieur et ne remarqua rien d'anormal.

« Combien sont-ils ? demanda Bill.

— Dix ou quinze soldats, répondit Gearing. Est-ce que vous allez faire ce qu'ils... est-ce que vous allez vous rendre ? demanda l'ancien colonel.

— Non, bordel ! aboya John Brightling. Bill, ce qu'ils sont en train de faire, est-ce que c'est légal ?

— Non, pas vraiment. En tout cas, je ne pense pas.

— Bien. On réveille tout le monde et on prend les armes.

— D'accord. » Le chef de la sécurité restait toutefois dubitatif. Il quitta le salon pour descendre dans le hall d'accueil dont la console pilotait la sonorisation de l'ensemble du complexe.

« Oh, bébé, cause un peu », dit Noonan. La dernière version du DKL, le système de recherche de personnes, était désormais opérationnelle. Il avait déjà disposé deux capteurs à trois cents mètres d'écart. Chacun était doté d'un transmetteur relié à une unité réceptrice, cette dernière connectée à son tour à un ordinateur portable.

Le système DKL détectait le champ électromagnétique généré par les battements du cœur humain. On avait découvert que ce signal était unique. Les premiers modèles vendus se contentaient d'indiquer la direction du signal reçu, mais la toute dernière version avait été améliorée grâce à l'ajout d'une antenne parabolique qui augmentait la portée effective jusqu'à quinze cents mètres, ce qui, par triangulation, autorisait un repérage précis de la source, à deux ou trois mètres près. Clark observait l'écran de l'ordinateur. Les spots affichés indiquaient des individus régulièrement espacés, soit dans leurs chambres, soit dans les différentes pièces du bâtiment résidentiel principal.

« Bon Dieu, ça nous aurait bougrement servi dans ma jeunesse, quand j'étais au service d'observation », nota John dans sa barbe. Chaque soldat de Rainbow était équipé d'une balise GPS intégrée à son émetteur-récepteur radio personnel. Le signal de celle-ci était également transmis à l'ordinateur, donnant ainsi à Clark et Noonan la position exacte de leurs propres troupes, en même temps que celle des adversaires dans le bâtiment sur leur gauche.

« Ouais, c'est ce qui m'a paru formidable avec ce bidule, nota l'agent du FBI. D'accord, je ne peux pas te dire à quel étage ils sont, mais regarde... ils ont déjà commencé à se remuer. Je parie que quelqu'un aura sonné le branle-bas.

— PC pour Ours, s'était mis à crépiter la radio de Clark.

— Ours pour PC. Vous êtes où ?

— À cinq minutes de la cible. Où dois-je faire ma livraison ?

— Pareil que la fois précédente. Tâchez de rester hors de la ligne de mire. Dites à Vega et aux autres que nous sommes au nord de la piste. Mon PC est installé à cent mètres au nord du rideau d'arbres. C'est de là qu'on va leur causer.

— Bien compris, PC. Ours terminé.

— Ça, ce doit être un ascenseur », commenta Noonan en désignant l'écran. Six spots avaient convergé vers un point unique, pour rester réunis durant une trentaine de secondes avant de diverger. Un certain nombre de spots étaient en train de se rassembler, sans doute un hall ou une salle quelconque. Puis ils firent mouvement vers le nord avant de converger de nouveau.

« Mouais, il me plaît bien », dit Dave Dawson en soupesant son G3. Le fusil de guerre de fabrication allemande était bien équilibré et doté d'un viseur efficace. Dave avait été chef adjoint de la sécurité sur le site du Kansas. Lui aussi était un de ces Vrais Croyants qui goûtait fort peu la perspective d'être rapatrié aux États-Unis pour y finir ses jours derrière les murs du pénitencier fédéral de Leavenworth — un endroit du Kansas qu'il appréciait très modérément. « Qu'est-ce qu'on fait, à présent, Bill ?

— Bon, on va se séparer en deux groupes. Chacun se munit d'un de ces bidules. » Henriksen commença à distribuer des CB portatives. « Réfléchissez. Ne tirez pas avant qu'on vous en donne l'ordre. Servez-vous de votre cervelle.

— OK, Bill. J'm'en vais leur montrer, à ces salopards, ce dont un vrai chasseur est capable », observa Killgore. Lui aussi appréciait d'avoir une telle arme entre les mains. Tout comme il appréciait de faire équipe avec Kirk Maclean.

« Et mettez ça aussi, poursuivit Henriksen, ouvrant un second placard qui révéla des tenues camouflées, vareuse et pantalon.

— Qu'est-ce qu'on peut faire pour se protéger, Bill ? demanda Steve Berg.

— On peut tuer ces enculés ! répondit Killgore. Ce ne sont pas des flics, et ils ne sont pas venus pour nous arrêter, hein, Bill ?

— Ma foi, non, et ils ne se sont pas identifiés... donc la loi est... eh bien, la loi n'est pas claire en de telles circonstances, les gars.

— Et de toute façon, on est à l'étranger. Donc, ces mecs ont sans aucun doute enfreint leur putain de loi pour débarquer ici, et si des types veulent nous attaquer avec des armes à feu, alors, on a bien le droit de se défendre, pas vrai ? lança Ben Farmer.

— Eh, tu sais ce que tu fais, mec ? s'inquiéta Berg.

— Ex-Marine, mon pote. Des armes légères, un paquet de troufions, ouais, je crois deviner le topo. » Farmer paraissait confiant, et il était aussi furieux que les autres de voir capoter leurs plans.

« Bon, d'accord, les gars, c'est moi qui commande, OK ? » leur lança Henriksen. Il avait désormais trente hommes armés sous ses ordres. Ça devrait suffire. « On les laisse venir à nous. Si vous voyez qui que ce soit approcher de vous avec une arme, vous me descendez ce salopard. Mais soyez patients ! Attendez qu'ils soient tout près. Ne gâchez pas de munitions. On va voir si on peut les décourager. Ils ne peuvent pas rester ici éternellement sans être ravitaillés, or ils n'ont qu'un hélicoptère pour...

— Regardez ! » s'écria Maclean. À deux kilomètres de là, l'hélico noir se posait tout au bout de la piste. Quatre ou cinq silhouettes en descendirent et coururent dans les bois.

« OK, faites gaffe, les mecs, et encore une fois, réfléchissez avant d'agir !

— Allons-y ! » lança Killgore, d'un ton agressif, en faisant signe à Maclean de sortir derrière lui.

« Ils quittent le bâtiment, annonça Noonan. À vue de nez, ils sont une trentaine. » Il leva les yeux pour s'orienter sur le terrain. « Ils se dirigent vers les bois... ils s'imaginent peut-être nous prendre en embuscade ?

— C'est ce qu'on va voir. Groupe Deux, ici PC, dit Clark dans sa radio de campagne.

— PC pour Leader Deux, répondit Chavez. J'aperçois des gens qui sortent en courant du bâtiment. Visiblement armés de fusils.

— Bien compris. OK, Ding, on suit le plan prévu.

— Bien compris, PC. Le temps que je m'organise ici. » Le groupe Deux était au complet, à l'exception de Julio Vega, qui venait juste d'arriver par la seconde navette de l'hélicoptère. Chavez prit sa radio et recomposa les binômes habituels, déployant sa ligne vers le nord-ouest dans la forêt, en se maintenant pour sa part à l'extrême pointe sud du dispositif. Les hommes du groupe Un serviraient de réserve opérationnelle, sous les ordres directs de John Clark, depuis le PC.

Noonan observa la mise en place des tireurs du groupe Deux. Chaque spot amical était identifié par une lettre, de sorte qu'il les reconnaissait individuellement. « John, quand aurons-nous l'ordre de tirer ?

— Patience, Tim », répondit Rainbow Six.

Noonan était agenouillé sur le sol humide, face à son portable calé contre une souche. Les accus étaient censés tenir cinq bonnes heures, et il en avait deux de rechange dans son sac.

Pierce et Loiselle prirent la tête et le groupe s'enfonça de cinq cents mètres dans la jungle. Ce n'était une première ni pour l'un ni pour l'autre. Mike Pierce avait opéré à deux reprises au Pérou ; quant à Loiselle, il avait effectué trois séjours en Afrique. Mais être familiarisé avec les conditions extérieures ne les rendait pas pour autant plus confortables. Les deux redoutaient les serpents tout autant que les hommes armés qui se dirigeaient vers eux. Ils étaient certains que cette forêt regorgeait de reptiles, qu'ils soient venimeux ou prêts à les dévorer tout crus. La température montait et les deux soldats transpiraient sous leur peinture camouflage. Au bout de dix minutes, ils trouvèrent un coin sympa, avec un arbre isolé et un autre abattu, tout à côté, qui leur laissait un angle de vision suffisant.

« Ils ont des radios, leur signala Noonan. Vous

voulez que je les neutralise ? » Il avait déjà mis en batterie son brouilleur.

Clark fit non de la tête. « Pas tout de suite. On va commencer par écouter un peu ce qu'ils racontent.

— Pas bête. » L'agent du FBI bascula le son du scanner sur le haut-parleur.

« Quel endroit incroyable, dit une voix. Non mais, regarde-moi ces arbres !

— Ouais, de sacrés morceaux, pas vrai ?

— C'est quoi, comme essence ? demanda un troisième.

— Du genre à servir de planque pour qu'on le tire dans le cul, fit remarquer une voix plus sérieuse. Killgore et Maclean, continuez vers le nord pendant quatre cents mètres environ, trouvez-vous une planque et restez-y !

— Ouais, ouais, OK, Bill, confirma la troisième voix.

— Bon, tout le monde m'écoute, annonça le dénommé Bill. Encombrez pas la fréquence, d'accord ? Ne vous manifestez que si je vous appelle ou si vous avez à signaler quelque chose d'important. Sinon, silence radio, vu ?

— Ouais.

— D'accord.

— Entendu, Bill.

— Bien compris.

— Merde, j'y vois que dalle, répondit une cinquième voix.

— Alors, trouve-toi un coin où tu vois quelque chose ! suggéra une autre voix secourable.

— Ils avancent par paires, le plus souvent serrées, indiqua Noonan, les yeux rivés à son écran. « Celle-ci se dirige droit vers Mike et Louis. »

Clark regarda l'écran à son tour. « Pierce et Loiselle, ici le PC. Vous avez deux cibles en approche par le sud, distance vingt-cinq — deux, cinq — mètres.

— PC pour Pierce. Bien copié. »

Le sergent Pierce s'installa, bien calé face au sud, tandis que son regard balayait alternativement un arc de quatre-vingt-dix degrés. À deux mètres de lui, Loiselle faisait de même. S'il commençait à ne plus faire trop attention à l'environnement, sa tension montait à l'approche de l'ennemi.

Le Dr John Killgore connaissait les bois et il savait chasser. Il progressait maintenant avec lenteur et précaution, baissant les yeux à chaque pas pour être sûr de poser le pied sans bruit, puis relevant la tête pour scruter aux alentours l'apparition d'une forme humaine. Puisqu'ils étaient venus les capturer, estima-t-il, il allait leur falloir, Maclean et lui, se trouver un emplacement favorable pour les canarder ; comme à la chasse au chevreuil, choisir un coin dans l'ombre où se tapir pour attendre le gibier. Encore deux cents mètres, et ce serait bon.

Trois cents mètres plus loin, Clark disposait ses troupes en se servant de l'écran du portable et des transmissions radio. Cette capacité nouvelle était incroyable. Comme au radar, il était en mesure de repérer l'adversaire bien avant que lui ou quiconque ait pu le voir ou l'entendre. Ce nouveau jouet électronique allait se révéler une véritable aubaine pour tous les soldats appelés à en faire usage...

« Et c'est parti », murmura Noonan d'une voix tranquille, en tapotant l'écran ; on aurait dit un journaliste sportif commentant un tournoi de golf.

« Pierce et Loiselle, ici le PC, vous avez deux cibles en approche, au sud-sud-est, à deux cents mètres environ.

— Bien reçu, PC. A-t-on l'autorisation de les engager ? » demanda Pierce. Du haut de son perchoir, Loiselle s'était tourné pour fixer son compagnon.

« Affirmatif », répondit Clark. Puis : « Rainbow, Six en fréquence. Tir autorisé. Je répète : tir autorisé à partir de maintenant.

— Compris. Bien copié : tir autorisé », confirma Pierce.

« On va attendre de les choper tous les deux, Louis, chuchota Pierce.

— *D'accord* », répondit en français le sergent Loiselle. Les deux hommes reportèrent leur attention vers le sud, l'œil aux aguets, l'oreille à l'affût du moindre craquement de brindille.

Allons, ça ne se présentait pas si mal, estima Killgore. Il avait chassé dans des endroits pires, autrement plus bruyants. Ici, pas d'aiguilles de pin dont le crissement vous fait repérer à des kilomètres. Mais de l'ombre en abondance, quasiment pas de lumière directe. S'il n'y avait pas eu les insectes, on se serait presque senti à l'aise. Mais les insectes, c'était la plaie. À sa prochaine sortie, il faudrait qu'il songe à s'asperger de répulsif. Le médecin continuait de progresser lentement. Une branche basse lui barrait le passage. Il l'écarta de la main gauche pour éviter de faire du bruit en marchant dessus.

Là, nota Pierce. Une branche venait de bouger dans un fourré, or il n'y avait pas un poil de vent.
« Louis », souffla-t-il. Quand le Français se tourna, Pierce leva un doigt avant de le pointer devant lui. Loiselle acquiesça et reprit sa surveillance.
« J'ai une cible en visu, annonça Pierce par radio. Isolée, à cent cinquante mètres au sud. »

Maclean était moins à l'aise à pied qu'à cheval. Il faisait malgré tout de son mieux pour calquer ses mouvements sur ceux de John Killgore, même si progresser en silence et surveiller en même temps les alentours s'avérait être une gageure ; il trébucha sur une racine découverte et s'étala bruyamment, avant de pester dans sa barbe en se relevant.

« *Bonjour* », chuchota Loiselle. C'était comme si le bruit venait d'allumer un témoin lumineux. En tout cas, le sergent Loiselle voyait désormais parfaitement une silhouette humaine évoluer dans l'ombre, à une centaine de mètres. « Mike ? » murmura-t-il en désignant la position de la cible.
« Vu, Louis, répondit Pierce. On va encore les laisser approcher.

— D'ac. »

Les deux hommes épaulèrent leur arme, même si la distance excédait encore quelque peu la portée du MP-10.

S'il y avait une bestiole plus grosse qu'un insecte aux environs, jugea Killgore, il était incapable de l'entendre. Cette jungle était censée regorger de jaguars, des félins de la taille d'un léopard et dont la fourrure méritait de faire une très jolie descente de lit, et les balles de 7,62 mm de son flingue modèle OTAN auraient été plus qu'appropriées pour ce genre de chasse. Ce devait être des chasseurs nocturnes, difficiles à traquer. Mais les capybaras, en revanche ? Les plus gros rats du monde, qu'on disait comestibles, si l'on n'était pas dégoûté... eux, ils étaient censés chasser de jour, non ? Il y avait tant de choses à découvrir dans cette profusion visuelle qu'il n'était pas accoutumé à faire le tri. Bon, il allait se trouver un coin tranquille, s'asseoir et laisser ses yeux se faire aux jeux d'ombre et de lumière pour y relever les changements trahissant un élément incongru... Tiens, là, ce serait pas mal, songea-t-il en avisant un tronc abattu, près d'un arbre dressé...

« Approche, approche, ma choute », murmura Pierce. À cent mètres, ce serait bon. Il n'aurait qu'à viser un peu plus haut, disons à hauteur du menton de la cible, et la parabole naturelle décrite par la balle irait la loger dans le haut du torse. Un coup en pleine tête eût été mieux, mais c'était un peu loin, et il préférait rester prudent.

Killgore siffla et fit signe à Maclean, en indiquant l'emplacement droit dans l'axe. Kirk opina. Son enthousiasme initial se dissipait à vitesse grand V. La jungle ne ressemblait pas vraiment à ce qu'il avait imaginé, et se retrouver paumé là, au milieu d'adversaires décidés à lui faire la peau, ne contribuait pas à en renforcer l'attrait. Il se surprit, curieusement, à regretter les bars à drague de New York, la salle obscure et la musique de danse jouée trop fort, tout cet environnement bizarre... et les femmes qu'on y rencontrait. Franchement, elles n'avaient pas eu de pot. Elles étaient — avaient été — des êtres humains, après tout. Mais le pire, c'est que leur mort n'avait servi à rien. Au moins, si le Projet était allé de l'avant, leur sacrifice aurait été utile, mais là... là, ce n'était qu'un échec sordide, et lui, il se retrouvait paumé dans cette putain de saloperie de jungle, un fusil chargé entre les mains, à traquer des types prêts à lui rendre la monnaie de sa pièce...

« Louis, tu tiens ta cible ?

— Affirmat' !

— OK, allons-y », lança Pierce d'une voix rauque, et dans le même temps il empoigna plus fermement le MP-10, aligna la cible dans le réticule et pressa doucement la détente. Aussitôt se fit entendre le *pof-pof-pof* étouffé des trois coups, puis le cliquetis métallique à peine plus fort du mécanisme, et enfin l'impact des trois balles sur la cible. Il vit la bouche de l'homme s'ouvrir comme un ressort, puis la forme s'affaisser. Son oreille nota des bruits identiques sur sa gauche. Pierce quitta sa planque et fonça, l'arme relevée, Loiselle en soutien rapproché.

L'esprit de Killgore n'eut pas le temps d'analyser ce qui lui était arrivé, juste les impacts à la poitrine, et voilà qu'il se retrouvait à regarder vers les cimes des arbres, entre lesquelles filtraient des bouts de ciel blanc et bleu, loin, si loin... Il voulut dire quelque chose, mais il avait du mal à respirer et, quand il tourna la tête de quelques centimètres, il n'y avait rien à voir. Où était Kirk ? se demanda-t-il, mais il se retrouva incapable de bouger le corps... lui avait-on tiré dessus ? La douleur était réelle mais curieusement distante, et il baissa la tête pour voir du sang maculant sa tunique et...

... et qui était ce type en tenue camouflée, le visage barbouillé de vert et de brun ?

Et toi, qui es-tu ? se demandait en même temps le sergent Pierce. Ses trois balles avaient transpercé la poitrine, ratant le cœur mais déchiquetant le haut des poumons et plusieurs artères. Le regard restait encore fixé sur lui.

« Mauvais terrain de jeu, partenaire », murmura-t-il en voyant la vie quitter ces yeux. Alors, il se pencha pour récupérer l'arme. Une belle pièce, nota Pierce, en la passant derrière son dos. Puis il regarda Loiselle sur sa gauche, qui tenait d'une main un engin identique et, de l'autre, faisait un signe éloquent en travers de sa gorge. Sa cible aussi avait passé l'arme à gauche.

« Eh, on peut même savoir quand ils se font tuer », remarqua Noonan. Dès que le cœur s'arrêtait, le signal détecté par le DKL s'arrêtait aussi. Cool, songea Timothy.

« Pierce et Loiselle, ici le PC. Nous avons relevé que vous aviez abattu deux cibles.

— Affirmatif, répondit Pierce. Autre chose, à proximité ?

— Pierce, intervint Noonan. Deux autres, à environ deux cents mètres de votre position actuelle. Ils continuent de progresser lentement vers l'est, en direction de McTyler et Patterson.

— Six, pour Pierce. N'intervenez pas, ordonna Clark.

— À vos ordres, PC. » Pierce récupéra ensuite la radio de sa victime, en la laissant allumée. Puis, n'ayant rien de mieux à faire, il entreprit de lui fouiller les poches. C'est ainsi qu'une minute plus tard, il sut qu'il venait de tuer John Killgore, docteur en médecine, résidant à Binghamton, État de New York. *Qui étais-tu ?* avait-il envie de demander au cadavre, mais ce Killgore ne répondrait plus à aucune question, et du reste, ses réponses auraient-elles été sensées ?

« OK, les gars, tout le monde se signale », crachota la CB interceptée par le scanner de Noonan.

Henriksen était planqué juste derrière le rideau d'arbres. Il espérait que ses gars auraient l'idée de se tenir tranquilles, une fois qu'ils se seraient trouvé une bonne planque. L'irruption de ces hypothétiques soldats le tracassait. Les gens du Projet étaient un peu trop impulsifs et surtout un peu crétins... Dans sa CB crépita une litanie de voix accusant réception de son ordre. Sauf deux.

« Killgore et Maclean, répondez ! » Rien. « John, Kirk, bordel, où êtes-vous ? »

« Ça, c'est les deux qu'on a éliminés, indiqua Pierce au PC. Vous voulez que je le lui signale ?

— Négatif, Pierce, t'es quand même pas si con ! bougonna Clark.

— Aucun sens de l'humour, notre chef », observa Loiselle pour son partenaire, avec un haussement d'épaules bien français.

« Qui est le plus proche d'eux ? poursuivit la voix dans la CB.

— Dawson et moi, répondit une autre voix.

— OK, Berg et Dawson, vous obliquez vers le nord ; prenez votre temps, et tâchez de voir de quoi il retourne, vu ?

— D'accord, Bill, répondit une troisième voix.

— Encore du boulot en perspective, Louis, observa Pierce.

— *Oui* », approuva Loiselle. Il pointa le doigt. « Cet arbre, Mike ! » Pierce vit qu'il devait bien faire trois mètres de diamètre à la base. Rien qu'avec cette seule pièce il y aurait eu de quoi bâtir un chalet. Et de bonne taille, encore.

« PC pour Pierce et Loiselle, deux cibles viennent de s'ébranler dans votre direction, quasiment plein sud, très rapprochées. »

Dave Dawson avait servi dans l'armée américaine quinze ans plus tôt, et il était assez lucide pour se sentir inquiet. Il prévint Berg de rester à proximité derrière lui, et le scientifique obéit, laissant Dawson ouvrir la marche.

« PC pour Patterson. J'ai du mouvement droit devant, deux cents mètres environ.

— Ça colle, commenta Noonan. Ils foncent droit vers Mike et Louis.

— Patterson, ici PC. Laissez filer.

— Bien reçu, confirma Hank Patterson.

— C'est quand même pas très juste », observa Noonan en quittant des yeux l'écran de son portable.

« Timothy, "juste", ça veut dire que je ramène tous mes gars en vie à la maison. Rien à cirer des autres, répondit Clark.

— À vos ordres, chef », répondit l'agent du FBI. Ensemble, ils regardèrent les deux spots se diriger vers ceux étiquetés L et P. Cinq minutes plus tard, les deux spots non identifiés disparurent de l'écran et ne revinrent pas.

« Et deux de plus pour nos gars, John.

— Bon Dieu, ce truc est magique », dit Clark, après que Pierce et Loiselle eurent confirmé ce que leur avait déjà appris l'instrument.

« PC pour Chavez.

— OK, Ding, vas-y.

— Peut-on utiliser cet appareil pour converger sur eux ?

— Je pense que oui. Tim, est-ce qu'on peut guider nos gars pour qu'ils fassent office de rabatteurs, par exemple ?

— Bien sûr. Je peux localiser tout le monde, il s'agit simplement de ne pas s'emmêler les pinceaux jusqu'au moment où on les aura encerclés et ramenés.

— Domingo, Noonan dit que c'est jouable, mais ça va prendre un peu de temps à mettre au point, et il faudra faire travailler vos méninges.

— Je tâcherai de faire de mon mieux, *jefe* », répondit Chavez.

Cela faisait vingt minutes qu'Henriksen avait tenté de contacter Berg et Dawson, sans obtenir de réponse. Il se passait décidément quelque chose d'anormal, mais il n'aurait su dire quoi. Dawson était un ancien soldat, Killgore un chasseur habile et expérimenté... et malgré tout, ils s'étaient volatilisés sans laisser de trace ? Bon, d'accord, c'étaient des soldats qu'ils avaient en face d'eux, mais aucun ne pouvait être aussi bon. Il n'avait guère d'autre choix que d'abandonner ses troupes...

Patterson avança le premier, suivi de Scotty McTyler, se dirigeant vers l'ouest-nord-ouest sur trois cents mètres avant d'obliquer au sud ; ils progressaient avec lenteur et sans bruit, bénissant le sol étonnamment dénudé de la forêt équatoriale — il recevait trop peu de lumière solaire pour que l'herbe puisse y pousser. Steve Lincoln et George Tomlinson progressaient également en duo de leur côté, contournant deux spots adverses repérés au nord, et manœuvrant pour les prendre à revers.

« On tient nos cibles », annonça McTyler avec son accent écossais. Sur l'écran de Noonan, ils étaient à moins de cent mètres, juste derrière eux.

« Abattez-les », ordonna Clark.

Les deux hommes faisaient face à l'est, un peu à l'écart des soldats de Rainbow. Le premier abrité derrière un arbre, le second allongé par terre.

L'homme qui était debout était Mark Water-house. Patterson visa avec soin et tira une rafale de trois balles. Les impacts plaquèrent l'autre contre l'arbre et l'arme lui échappa des mains. Le bruit de sa chute fit se retourner son compagnon, en même temps qu'il serrait plus nerveusement son fusil alors même qu'il était touché à son tour. Par un acte réflexe, sa main pressa la détente, lâchant au jugé une rafale de dix projectiles en mode auto-matique.

« Et merde, fit Patterson dans la radio. C'était le mien. PC, il avait dû régler son flingue en mode rock and roll... »

« Qu'est-ce que c'était ? Qu'est-ce que c'était ?... Qui a tiré ? » glapit Henriksen dans la CB.

Cela ne fit que faciliter la tâche de Lincoln et Tomlinson. Leurs deux cibles sursautèrent et regardèrent sur leur gauche, se démasquant en même temps. Elles tombèrent un instant plus tard et quelques minutes après, quand la voix de leur chef demanda par radio un nouveau rapport de situation, huit noms manquaient à l'appel.

Dans l'intervalle, le groupe Rainbow se retrou-vait à présent plutôt derrière les hommes d'Hen-riksen, toujours guidé par la combinaison magique ordinateur-tricordeur de Noonan.

« Tu peux me basculer sur leur fréquence radio ? demanda Clark à l'agent du FBI.

— Fastoche, répondit Noonan, en appuyant sur un commutateur, avant de brancher un micro. Tiens, vas-y...

— Coucou, les mecs, lança Clark sur la fréquence de la CB. Ça fait huit de chute dans votre camp.

— Qui parle ?

— C'est toi, Henriksen ? enchaîna John.

— Merde, qui est en fréquence ? insista la voix.

— Le gars qui descend tes hommes. On en a déjà eu huit. Apparemment, il t'en reste encore dans les vingt-deux. Tu veux que je continue la séance de tir ?

— Merde, mais qui êtes-vous, bordel ?

— Mon nom est Clark, John Clark. Et toi ?

— William Henriksen !

— Oh, d'accord, t'es l'ancien du FBI. Je suppose que t'as dû voir Wil Gearing, ce matin. » Clark marqua un temps. « Quoi qu'il en soit, je m'en vais te dire une chose, et je ne le répéterai pas : vous déposez les armes, vous vous avancez à découvert pour vous rendre, et on ne descendra plus personne. Sinon, Bill, on continuera de vous éliminer jusqu'au dernier. »

Il y eut un long silence. Clark se demanda comment l'autre allait réagir, mais au bout d'une minute, il fit ce qu'il avait escompté.

« Écoutez-moi, tout le monde, écoutez-moi. Repliez-vous sur le bâtiment. Immédiatement ! Je répète : tout le monde se replie, tout de suite !

— Rainbow, pour Six, attendez-vous à un repli général immédiat vers le complexe. Autorisation de tirer », ajouta-t-il sur le circuit de radio crypté.

La panique déclenchée par l'appel radio d'Henriksen se révéla contagieuse. Aussitôt, ils entendirent une bruyante cavalcade dans les bois : c'était la débandade, chacun coupant tout droit à travers les fourrés, sans s'inquiéter du bruit, bon nombre ayant préféré, étourdiment, courir à découvert.

Ce qui facilita la tâche d'Homer Johnston. Un type vêtu de vert surgit des arbres pour s'engager sur la bande herbeuse jouxtant la piste. L'arme qu'il portait en faisait un ennemi et Johnston lui expédia une seule balle qui vint se loger entre les omoplates. L'homme fit encore un pas en titubant avant de s'effondrer. « Fusil Deux – Un, j'en ai eu un au nord de la piste ! » annonça le tireur d'élite.

Ce fut encore plus direct pour Chavez. Ding était planqué derrière un gros arbre quand il entendit s'agiter les deux types qu'il traquait. Quand il estima qu'ils n'étaient plus qu'à une cinquantaine de mètres, il s'écarta du tronc et constata qu'il allait bientôt les perdre de vue, il fit un pas sur la gauche, repéra le premier, épaula son MP-10. L'homme en fuite le vit et voulut lever son arme. Il réussit même à tirer, mais vers le sol, avant de prendre une décharge en pleine figure et de s'effondrer comme un sac de patates. Celui qui le suivait s'arrêta en trébuchant et regarda dans la direction de Chavez.

« Lâche ce putain de flingue ! » lui hurla Ding, mais soit l'autre ne l'entendit pas, soit il refusa d'écouter. Il fit mine lui aussi de lever son arme, mais sans plus de succès que son compagnon. « Chavez en fréquence. Je viens d'en descendre deux. » L'excitation du moment masquait la honte devant ce véritable tir au pigeon. C'était du meurtre pur et simple.

Clark avait l'impression de tenir la marque de quelque épouvantable jeu de gladiateurs. Les spots anonymes sur l'écran du portable de Noonan se mirent à disparaître en rafale, en même temps que les cœurs cessaient de battre, et avec eux les signaux électromagnétiques qu'ils généraient. Quelques minutes encore, et il ne relevait plus que quatre spots sur les trente repérés à l'origine ; et tous filaient se rabattre sur le bâtiment.

« Bon Dieu, Bill, mais qu'est-ce qui s'est passé ? demanda Brightling en les guettant à l'entrée.

— Merde, ces salauds nous ont tirés comme de vulgaires lapins... J'en sais rien, j'en sais rien.

— Ici John Clark, j'appelle William Henriksen, crépita la radio.

— Ouais ?

— OK, une dernière fois : rendez-vous maintenant, ou sinon, on vient vous chercher.

— C'est ça, viens donc, enculé ! » hurla Henriksen en guise de réponse.

« Vega, arrose-moi déjà quelques fenêtres, ordonna Clark d'une voix posée.

— À vos ordres, PC », répondit Oso. Il souleva la crosse de sa M-60 et commença par le premier étage, en balayant de droite à gauche, pulvérisant les vitres à mesure que la ligne de balles traçantes striait la distance le séparant du bâtiment.

« Pierce et Loiselle, prenez Connolly avec vous et filez vers le nord-ouest investir l'autre bâtiment. Commencez à tout me foutre en l'air.

— À vos ordres, PC », répondit Pierce.

Les survivants de la traque en forêt cherchaient à riposter, le plus souvent dans le vide, mais en faisant un foin de tous les diables dans le hall du bâtiment principal. Carol Brightling hurlait à présent sans interruption. Les éclats de verre des fenêtres du premier se mirent à leur dégringoler en pluie sur le visage.

« Faites-les arrêter ! piailla Carol.

— File-moi cette radio », s'écria Brightling. Henriksen la lui donna.

« Cessez le feu. Ici John Brightling, cessez le feu, tout le monde ! Je parle aussi pour vous, Clark, OK ? »

En quelques secondes, ce fut fait. Plus vite que pour les membres du Projet, puisque Rainbow n'avait qu'une seule arme en action, et qu'Oso cessa de tirer sitôt reçu l'ordre de le faire.

« Brightling pour Clark, est-ce que vous m'entendez ? crépita la radio dans la main de John.

— Oui, ici Clark, je vous entends. Faites sortir tous vos gens à découvert, immédiatement, et désarmés, ordonna la voix étrange. Et personne ne sera abattu. Faites-les sortir tout de suite ou sinon on passe vraiment aux choses sérieuses.

— Fais pas ça ! » pressa Bill Henriksen. Il pressentait la futilité de toute résistance, mais redoutait encore plus de se rendre et préférait mourir les armes à la main.

« Alors, ils peuvent tous nous tuer comme ça, sur place ? demanda Carol. Est-ce qu'on a le choix ?

— Pas vraiment », reconnut son époux. Il se dirigea vers la réception et passa un message sur l'interphone du bâtiment pour convoquer tout le monde dans le hall. Puis il prit la CB. « OK, OK, on va tous sortir dans une seconde. Laissez-nous le temps de nous retourner.

— D'accord, on va patienter un petit moment, répondit Clark.

— Tu fais une erreur, John, s'entêta Henriksen.

— C'est tout ce putain de truc qui a été une erreur, Bill », observa John Brightling, en se demandant à quel moment il s'était trompé. Il vit bientôt réapparaître l'hélicoptère noir qui vint se poser à mi-piste, le pilote préférant rester à bonne distance des armes adverses.

Paddy Connolly avait rejoint le poste de ravitaillement. Il avisa une énorme cuve cylindrique, portant la mention DIESEL N° 2 et sans doute destinée à alimenter le groupe électrogène. Rien n'était plus facile et plus rigolo que de faire sauter une citerne de carburant et, sous le regard de Pierce et Loiselle, l'expert en explosifs disposa cinq kilos de charges du côté opposé aux tuyaux d'alimentation. La cuve devait bien faire vingt mille litres, de quoi faire tourner les générateurs un bon bout de temps.

« Connolly pour PC.

— PC, j'écoute, répondit Clark.

— Il va me falloir du rab, j'ai utilisé tout ce que j'avais, annonça-t-il.

— Il y en a dans l'hélico, Paddy. Reste sur place.

— Bien copié. »

John s'était avancé jusqu'à la lisière des arbres, à trois cents mètres à peine du bâtiment. Un peu plus loin, Vega était toujours derrière sa mitrailleuse lourde, et le reste des hommes se tenait à proximité, excepté Connolly accompagné des deux tireurs. Le sentiment d'allégresse était déjà parti. Ne restait qu'une journée macabre. Succès ou pas, ôter la vie n'avait rien de réjouissant, et pour tous ces hommes, jamais une mission n'avait à ce point confiné au meurtre.

« Ils sortent », annonça Chavez, observant aux jumelles. Il fit un rapide décompte. « J'en vois vingt-six.

— Il y a à peu près le compte, dit Clark. Passe-les-moi », fit-il signe à Domingo. Pour voir s'il pouvait reconnaître des visages. Surprise, le premier sur lequel il put mettre un nom était celui de la seule femme visible : Carol Brightling, conseillère scientifique du président. L'homme à ses côtés devait être son ancien mari, John Brightling. Ils sortirent, s'éloignant du bâtiment pour gagner l'aire utilisée par les avions pour manœuvrer. « Continuez de vous éloigner du bâtiment en avançant droit devant vous », leur ordonna-t-il par radio. Et ils obéirent, nota John, relativement étonné.

« Bien. Ding, prends quelques hommes avec toi, et fouillez-moi cette baraque. Vas-y, mon gars, mais fais gaffe.

— Je veux, monsieur C. » Chavez fit signe à ses gars. Ils se dirigèrent au pas de course vers le bâtiment.

Reprenant les jumelles, Clark vérifia qu'aucun des prisonniers ne portait d'arme et décida qu'il pouvait sans risque se montrer à découvert, escorté par cinq hommes du groupe Un. Il leur fallut cinq minutes pour franchir la distance et rencontrer enfin John Brightling en face à face.

« J'imagine que c'est votre installation ?

— Jusqu'à ce que vous la détruisiez.

— Les gars de Fort Detrick ont analysé le bidon que votre ami Gearing avait essayé d'utiliser à Sydney, Dr Brightling. Si tu cherches à me faire pleurer sur ton sort, mec, t'as pas tiré le bon numéro.

— Bon, et qu'est-ce que vous comptez faire ? » À peine avait-il énoncé sa question que l'hélicoptère décollait et se dirigeait vers le bâtiment du groupe électrogène — pour livrer les explosifs, devina Clark.

« J'y ai réfléchi.

— Vous avez tué nos gens ! cracha Carol Brightling, comme si ça changeait quelque chose.

— Tous ceux qui portaient une arme dans une zone de combat, ouais, et j'imagine qu'ils auraient tiré sur mes gars s'ils avaient eu la moindre chance... mais on ne fait pas de cadeaux.

— Ces gens étaient de braves gens, des gens qui...

— Des gens qui étaient prêts à tuer leurs semblables... et pour quoi ? demanda John.

— Pour sauver le monde ! rétorqua hargneusement la jeune femme.

— C'est vous qui le dites, m'dame, mais avec un moyen assez épouvantable pour y parvenir, vous ne trouvez pas ? » demanda-t-il courtoisement. Ça ne mangeait pas de pain de rester poli. Peut-être qu'il réussirait à les faire parler, et peut-être ainsi à discerner leurs motivations.

« Je n'imaginais pas vous voir comprendre.

— Je ne suis sans doute pas assez malin pour piger, c'est ça ?

— Non, effectivement.

— OK, mais en gros, c'était du genre : vous étiez prêts à liquider pratiquement tout le monde sur terre en recourant à la guerre biologique, pour mieux pouvoir adorer en paix les arbres ?

— Pour réussir à sauver le monde ! répéta John Brightling au nom de tous.

— Bon, bon, d'accord. » Clark haussa les épaules. « Je suppose qu'Hitler aussi trouvait logique de tuer tous les juifs. Bien, alors, tout le monde assis, et plus un mot. » Il s'éloigna de quelques pas et prit sa radio. Comment vouliez-vous comprendre de pareils cinglés ?

Connolly était rapide, mais il ne pouvait pas faire de miracles. Il laissa de côté le groupe électrogène. Au bout du compte, le plus gros problème s'avéra être la chambre froide du bâtiment principal. Il fut obligé d'emprunter un des Hummer du complexe — ils devaient en avoir toute une tripotée — pour venir y déposer deux fûts d'essence. Comme on n'avait plus le temps de faire dans la dentelle, il y entra carrément en défonçant les baies vitrées. Pendant ce temps, Malloy rapatriait avec son hélico la moitié du commando à Manaus et en profitait pour faire le plein avant de revenir. L'un dans l'autre, cela prit pas loin de trois heures, durant lesquelles les prisonniers demeurèrent assis, quasiment sans ouvrir la bouche, même pas pour demander de l'eau, malgré l'inconfort de leur position sur le béton de la piste chauffée à blanc. Pour Clark, c'était le cadet de ses soucis — il préférait ne pas avoir à leur reconnaître un semblant d'humanité. Le plus bizarre malgré tout était qu'il s'agissait d'individus cultivés, des gens qu'il aurait pu sans peine respecter, à ce petit détail près. Finalement, Connolly ressortit du bâtiment et s'approcha de lui à grands pas ; il avait dans la main un boîtier de télécommande. Clark acquiesça et alluma sa radio de campagne.

« PC pour Ours.

— Ours copie.

— Allez, on remballe, colonel !

— Bien compris. Ours arrive. » Au loin, le rotor du Night Hawk se mit à tourner et Clark revint vers l'endroit où étaient assis les prisonniers.

« Nous n'allons pas vous tuer, et nous n'allons pas non plus vous ramener en Amérique », leur annonça-t-il. La surprise qu'il découvrit sur leurs traits était stupéfiante.

« Alors quoi ?

— Vous pensez qu'on devrait tous vivre en harmonie avec la nature, n'est-ce pas ?

— Si vous voulez que la planète survive, oui », dit John Brightling. Les yeux de son épouse étaient emplis de haine et de mépris, mais on y lisait aussi maintenant de la curiosité.

« Parfait. » Clark hocha la tête. « Levez-vous et déshabillez-vous. Tous. Posez vos habits en tas, ici. » Il indiqua un joint de dilatation sur le revêtement de la piste.

« Mais...

— Pas de mais ! leur cria Clark. Ou je vous fais abattre sur place ! »

Alors, avec lenteur, tous obéirent. Certains se dévêtirent prestement, d'autres avec plus de lenteur et de gêne, mais l'un après l'autre, ils vinrent empiler leurs vêtements au milieu de la piste. Carol Brightling, assez curieusement, ne manifesta pas la moindre pudeur.

« Et maintenant ? fit-elle, arrogante.

— Bien. Voilà le topo. Vous voulez vivre en harmonie avec la nature, eh bien, allez-y. Si vous n'y arrivez pas, la ville la plus proche est Manaus, à cent soixante bornes à peu près, dans cette direction... » Il pointa le doigt, puis se retourna. « Paddy, à toi de jouer ! »

Sans un mot, Connolly se mit à basculer des interrupteurs sur son boîtier. Le premier truc à sauter fut la cuve de mazout. Les deux charges firent deux trous dans la virole du réservoir, mettant le feu au carburant, qui jaillit des orifices comme par la tuyère d'une fusée, propulsant la cuve droit dans le bâtiment du groupe électrogène, à une cinquante de mètres de là. La cuve se rompit en touchant le mur, répandant son contenu en flammes.

Ils ne purent voir sauter la chambre froide et le bâtiment principal, mais là-bas aussi, le carburant des fûts explosa, déchiquetant les parois de la chambre froide, tandis qu'une partie du bâtiment s'effondrait sur les débris enflammés. Les autres constructions sautèrent à leur tour, suivies des antennes paraboliques. Le bâtiment servant de QG et de résidence fut le dernier à tenir, sa structure en béton armé résistant mieux au souffle des explosifs, mais après quelques secondes d'indécision, les piliers se rompirent au niveau du rez-de-chaussée, entraînant l'effondrement général du bâtiment. En moins d'une minute, tout ce qui pouvait être utilisable pour subsister avait été détruit.

« Vous nous lâchez en pleine jungle sans même un couteau ? lança Henriksen.

— Trouvez-vous des silex et fabriquez-en, suggéra Clark, alors que le Night Hawk se posait. Nous autres humains avons appris à le faire, il y a un demi-million d'années. Vous voulez être en harmonie avec la nature, eh bien, allez faire vos gammes... », leur lança-t-il avant de se retourner pour embarquer. Quelques secondes plus tard, il bouclait la ceinture du strapontin installé derrière les pilotes, et le colonel Malloy redécollait, plein cap vers Manaus.

On les reconnaissait toujours, se rappela Clark, du temps de son passage au 3e SOG. Il y avait ceux qui sautaient du Huey et fonçaient droit dans la jungle, et ceux qui s'attardaient pour voir redécoller l'hélico. Il avait toujours fait partie des premiers, parce qu'il savait où était sa place et ce qu'il avait à faire. Pour les autres, le seul souci était de savoir s'ils rentreraient, d'où cette inquiétude de voir l'hélico repartir sans eux. En jetant un dernier coup d'œil derrière lui, il vit que tous avaient les yeux rivés sur le Night Hawk filant vers l'est.

« On dira une semaine, monsieur C. ? » demanda Ding, en déchiffrant ses pensées. Lui qui avait été formé à l'école des Rangers de l'armée américaine, il ne pensait pas qu'il serait capable de survivre bien longtemps dans un endroit pareil.

« S'ils ont de la chance », répondit Rainbow Six.

ÉPILOGUE

Brèves

L'*International Tribune* atterrit sur le bureau de Chavez après la séance habituelle d'exercice matinal, et il s'installa confortablement pour le lire. La vie était devenue ennuyeuse à Hereford. Ils continuaient à s'entraîner et à se maintenir en condition, mais ils n'avaient plus eu d'appels pour partir en mission depuis leur retour d'Amérique du Sud, six mois auparavant.

Mine d'or dans les Rocheuses, annonçait la une. Un site du Montana, expliquait l'article, appartenant à un ressortissant russe, s'était révélé contenir un important gisement aurifère. Le terrain avait été acheté au titre de ranch par un certain Dimitri A. Popov, un entrepreneur russe désireux de faire un placement et d'y passer ses vacances, et l'heureux propriétaire avait fait cette découverte par hasard, poursuivait l'article. L'exploitation devait commencer d'ici quelques mois. Les écologistes de la région avaient protesté et tenté d'obtenir devant les tribunaux l'annulation de la concession, mais le juge de la cour fédérale avait décidé en référé que les textes des années 1800 gérant la prospection et l'exploitation minières avaient toujours force de loi, et il avait débouté les plaignants.

Ding se tourna vers Clark : « Dis donc, t'as vu ça ?

— Quel rapiat, ce salaud, répondit John qui contemplait les dernières photos de son petit-fils, posées sur le bureau de Chavez. Ouais, j'ai lu. Il a dépensé un demi-million pour racheter le terrain aux ayants droit de Foster Hunnicutt. J'imagine que l'autre crétin lui en avait dit un peu plus que les plans de Brightling...

— Je suppose, oui. » Chavez poursuivit sa lecture. Dans les pages affaires, il apprit que les actions d'Horizon Corporation remontaient après la mise sur le marché d'un nouveau médicament contre les troubles cardiaques, malgré la plongée résultant de la disparition de son P-DG, le Dr Brightling, quelques mois auparavant — un mystère toujours non élucidé, ajoutait le commentateur boursier. Le nouveau médicament, baptisé *Kardiklear*, s'était révélé réduire de cinquante-six pour cent les récidives d'infarctus, d'après les études de la FDA. L'article concluait en précisant qu'Horizon faisait également des recherches sur la longévité humaine et le traitement du cancer.

« John, est-ce que quelqu'un est retourné voir au Brésil si...

— Pas que je sache. Les vues satellitaires révèlent que personne ne tond le gazon autour de leur aéroport.

— Donc, tu penses que la jungle les aura tués ?

— La nature ne fait pas vraiment de sentiment, Domingo. Elle ne sait pas faire la différence entre amis et ennemis.

— J'imagine que non, monsieur C. » Même les

terroristes en étaient capables, songea Chavez. Mais pas la jungle. Alors, en définitive, qui était le véritable ennemi de l'espèce humaine ? Elle-même, le plus souvent, conclut Ding en reposant le journal pour contempler de nouveau la photo de John Conor Chavez, qui venait tout juste d'apprendre à se tenir assis et à sourire. Son fils grandirait dans ce Meilleur des Mondes, et son père continuerait d'être de ceux qui s'efforcent d'y rendre la vie plus sûre — pour lui et pour tous les autres gosses dont le souci principal est d'apprendre à marcher et parler.

REMERCIEMENTS

Qu'il soit permis ici au traducteur d'adresser ses remerciements à ceux et celles qui l'ont aidé : Bernard Blanc, éminent camarade traducteur, pour le vocabulaire militaire et géostratégique. Nicole Bonnefoy, pour tout ce qui a trait au domaine pharmaco-médical — mais aussi pour sa culture cinématographique ; tout comme du reste Gérard Briais, également pertinent sur les aspects historiques et juridiques ; Michelle Grégoire, pour la culture américaine ; Monique Lebailly, traductrice émérite, pour ses conseils comme pour ses encouragements avisés ; Xavier Marchand, pour les tuyaux et les coups de main en informatique ; Nicolas Pieraut, l'auteur du site Clancy français (http://clancy.home.ml.org/), jamais avare de renseignements sur tout ce qui touche au thriller technologique ; Christian Zuccarelli, pour tout ce qui a trait à l'écosystème et au milieu marin. Enfin, Éliane Rizo, correctrice patiente à l'œil de lynx, ainsi que Dominique Autrand et Françoise Chaffanel-Ferrand, chez Albin Michel, pour leur confiance sans faille.

Si vous avez apprécié ce livre, vous pouvez retrouver l'actualité de Tom Clancy sur le site :

http://www.redstorm.com/corporatehq/updates/ clancy.html avec des infos actualisées en permanence sur l'évolution de son travail ainsi que sur les adaptations en ligne et sur cédérom de ses romans.

Plus spécifiquement, tout ce qui a trait à la version électronique de *Rainbow Six* — présentation du jeu, scénarios, forums, plug-ins... — se trouve à l'adresse : http://www.redstorm.com/rainbow six.

Jean BONNEFOY

Du même auteur
aux Éditions Albin Michel :

Romans :

À LA POURSUITE D'OCTOBRE ROUGE
TEMPÊTE ROUGE
JEUX DE GUERRE
LE CARDINAL DU KREMLIN
DANGER IMMÉDIAT
LA SOMME DE TOUTES LES PEURS, tomes 1 et 2
SANS AUCUN REMORDS, tomes 1 et 2
DETTE D'HONNEUR, tomes 1 et 2
SUR ORDRE, tomes 1 et 2
RAINBOW SIX, tome 2

Séries de Tom Clancy et Steve Pieczenik :

OP'CENTER 1
OP'CENTER 2 : IMAGE VIRTUELLE
OP'CENTER 3 : JEUX DE POUVOIR
OP'CENTER 4 : ACTES DE GUERRE
OP'CENTER 5 : RAPPORT DE FORCE
NET FORCE 1
NET FORCE 2 : PROGRAMMES FANTÔMES

Série de Tom Clancy et Martin Greenberg :
POWER GAMES 1 : POLITIKA

Documents :

SOUS-MARIN. Visite d'un monde mystérieux
les sous-marins nucléaires
AVIONS DE COMBAT. Visite guidée au cœur de l'U.S. Air Force

Alors que le monde se prépare à suivre les jeux Olympiques, des attentats terroristes endeuillent l'Autriche, la Suisse, l'Espagne. À la tête de l'unité spéciale Rainbow Six, qui comprend des agents de divers pays, John Clark, le héros de *Danger immédiat* et de *La Somme de toutes les peurs*, a pour mission d'y mettre un terme.

Bien vite, il va trouver face à un foisonnement d'énigmes. Quelle relation y a-t-il entre ces attentats et les disparitions de jeunes femmes sur lesquelles enquête le FBI ? Quelles recherches mène donc le trust pharmaceutique du Dr Brightling, nécessitant l'installation d'un laboratoire au fin fond du Kansas ?

Le péril que Rainbow Six va devoir affronter dépasse l'imagination. L'enjeu n'est rien moins que l'anéantissement de l'espèce humaine.

Jamais l'auteur d'*Octobre rouge* n'était allé aussi loin. Et de façon plus terriblement vraisemblable...

Composition réalisée par NORD COMPO

Achevé d'imprimer en mai 2006 en France sur Presse Offset par

BRODARD & TAUPIN

GROUPE CPI

La Flèche (Sarthe).
N° d'imprimeur : 34717 - N° d'éditeur : 71484
Dépôt légal 1ère publication : mai 2001
Édition 06 - mai 2006
LIBRAIRIE GÉNÉRALE FRANÇAISE – 31, rue de Fleurus – 75278 Paris cedex 06.